乳がん
薬物療法
副作用
マネジメント

編集　増田 慎三（国立病院機構大阪医療センター 乳腺外科科長）

Professional
management
technique
for adverse events
of breast cancer
systemic therapy

MEDICAL VIEW

本書では，厳密な指示・副作用・投薬スケジュール等について記載されていますが，これらは変更される可能性があります。本書で言及されている薬品については，製品に添付されている製造者による情報を十分にご参照ください。

Professional management technique for adverse events of breast cancer systemic therapy, second edition
(ISBN978-4-7583-1814-3 C3047)

Editor : MASUDA Norikazu

2017.9.13 1st ed
2021.6.1 2nd ed

Medical View Co., Ltd.
2-30 Ichigayahonmuracho, Shinjyukuku, Tokyo, 162-0845, Japan
E-mail ed @ medicalview.co.jp

改訂第2版
序

第1版の上梓から3年が経過した。この3年間、乳がん診療はさらに個別化治療が進歩したように思える。原発性HER2陽性乳がんでは術前薬物療法が標準化され、その治療効果に応じて術後のアジュバント療法が決定される。CDK4/6阻害薬の適応は、よりホルモン感受性の高い進行再発乳がんにおいて生存期間改善の効果をもたらし、1次治療の標準治療として広く浸透してきた。抗PD-L1/PD-1抗体薬もトリプルネガティブ乳がんを中心に、乳がん領域でも保険適用となり、従来の内分泌療法・化学療法・抗HER2療法の3本柱に、新たな基軸が加わった。免疫療法では、治癒もしくはそれに近い有効性が期待できる一方、全身の免疫関連有害事象が起こりうるリスク管理も重要で、多職種のチーム医療から、他科専門医を含めたチーム体制の構築が必要となり、病院としての総合力が問われる時代になってきた感がある。

2020年春には、遺伝性乳がん卵巣がん症候群(HBOC)の診療が開始された。今の病気の治療に加え、将来起こりうるイベントに対する予防医療にも保険適用され、大きな変革期を迎えた。また、がん関連遺伝子パネル検査システムも整備され、actionableな遺伝子変異に対応する治療の探索が可能になり、新規開発中の薬剤への機会も高まることが期待される。遺伝カウンセリングの適応や新規薬剤・未承認薬へのアプローチ(治験)への理解も大切である。

改訂第2版では、上述の乳がん診療の進歩に合わせ、新しい項目を増設するだけではなく、全著者に各担当パートの情報更新をお願いした。総勢200名を超えるエキスパートの先生方の最新知見を改めて編纂できる機会をいただいたことを非常に光栄に思うとともに、協力いただいた関係の皆様に厚く御礼申し上げたい。

少しでも“乳がん死亡ゼロ”に近づくことができるように、若い先生には、白衣のポケットの中で常に診療の助けとなる参考書であってほしい、そして経験豊富な専門医の先生には、さらなる改善をめざす新規アイデア創出の素に役立てていただければ幸甚である。

2021年6月

国立病院機構大阪医療センター　乳腺外科科長
増田慎三

第1版
序

2015年のがん統計予測によると、わが国の乳がん罹患数は89,400人、その増加は顕著であり、乳がんは女性のかかるがんのトップである。一方、死亡数は13,800人であり、他がんに比べると予後は比較的良好ながん種である。乳房健康への啓発、検診の浸透による早期発見が増えたことと同時に、診断技術の向上、適切な集学的治療の適応がその背景にあると思われる。乳がん治療には、手術・放射線治療による局所療法と全身薬物療法が、個々のバイオロジーや進行度に応じてバランスよく推奨される。この20年、手術については、乳房温存療法や腋窩センチネルリンパ節生検の概念の進歩により、縮小化が成功している。つまり、近年の予後の改善は、化学療法や内分泌療法(ホルモン療法)、抗HER2療法を中心とした分子標的治療の3本柱から構成される薬物療法の進歩に因るところが大きい。

薬物療法の効果を最大限に引き出すには、適切な対象の選択、エビデンスに基づく用法用量の適応は勿論のこと、副作用を上手にコントロールし、一定の服薬率や相対用量強度を保つことが非常に重要である。副作用の出現を最小限に予防することは患者の治療意欲の維持向上にも役立ち、一方で、副作用発現時には適切なケアにより早期の回復と、その後の治療の工夫が治療継続につながる。乳がん治療においては、その多様性のみならず、女性ホルモン環境への影響に伴う心身の変化に対するケアにも配慮が必要であり、高い専門性が期待されている。

精度の良い診断から始まり、手術、周術期薬物療法による再発予防、万が一の再発時には、転移巣の状況や臨床経過などに応じて、幾種もある薬物療法の引き出しから適切な治療を順次提案し、緩和医療も並施しながら、患者との長期のパートナー関係を継続する幅広い対応が乳腺専門医には求められている。乳房を中心に、個々の患者のトータルケアを担い、その中心的役割を担うのが乳腺専門医と思う。となると、臨床の最前線で日々忙しく、そして真摯に患者さんに向き合う乳腺専門医にとって、なかなか膨大な情報のなかから、ゆっくりと妥当な情報かを吟味している余裕がないのが現状であろう。

本書では、乳腺診療の第一線で活躍する経験豊富な医師、看護師、薬剤師をはじめ、乳がんチーム医療を構成する多科のエキスパートの先生方にもご協力いただき、その英知を結集いただいた。副作用対策にはもちろん大規模な臨床試験を経て、エビデンスレベルの高いポイントもあるが、それらを理解したうえで、さらなる経験から得られるNarrativeなちょっとした"コツ"も有用なことが多い。そのようなコツが満載されているのも本書の特徴である。日々の診療において、さて、これからこの治療レジメンを組もうかと考えた際に、患者さんへの説明のコツ、前投薬の工夫、注意すべき副作用の出現時期など、要領よくかつわかりやすくポイントがまとめられており、すぐ実践に役立つものと期待する。

乳がん診療に携わる医師のみならず、地域連携医、薬剤師、看護師など患者さんを囲むすべてのメディカルスタッフの皆さんの必携の書となり、診療衣のポケットにそっと忍ばせていただき、時には患者さんと一緒にみながらでも、乳がんと戦う、一人でも多くの患者さんのお役にたてていただければと祈念しています。

2017年8月

国立病院機構大阪医療センター　乳腺外科
増田慎三

改訂第2版
乳がん薬物療法
副作用マネジメントプロのコツ

目次

第Ⅰ章　乳がん治療体系概説

第Ⅱ章　レジメン別プロのコツ

1 薬物療法

2 分子標的治療

第Ⅲ章　副作用症状別プロのコツ

1 全身

2 消化器

第Ⅳ章　がん関連症状や宿主状態別対応～プロのコツ

術前・術後薬物療法の概説、ならびに遺伝性乳がん卵巣がん症候群(HBOC)の予防医療について
ーサブタイプ分類に応じた治療戦略をー

A 術前・術後薬物療法の歴史

乳がんの術前・術後薬物療法の歴史は乳がんの進展、自然史に対する理解と密接に結びついている。

乳房内で発生したがんが局所で増大し、リンパ管を経てリンパ節に順次転移を起こし、最後に血流に乗って全身転移をきたすというハルステッド理論に基づく乳がんの進展モデルからは拡大手術、放射線治療が重視されることになり、薬物療法は進行がんに対する症状緩和、延命を目的とした役割に留まる。

一方で乳がんは初期の段階から全身に広がる性質をもち、転移が成立するかどうかは腫瘍と宿主とのさまざまな免疫も含めた複雑な力関係によって決まるという全身病的な進展モデルに従うなら、がんの初期段階から全身治療、すなわち薬物療法が重要ということになる[1)]。

乳がんの薬物療法は進行・再発乳がんに対する化学療法、ホルモン療法として1960年代に導入された。固形がんのなかでは比較的高い奏効率が得られ、さまざまな薬剤・投与方法の研究開発が進められ、症状緩和や一定の延命効果が得られるようになった。

1970年代に入ると再発予防、生存率の改善を目指して、術後補助療法の試験が行われるようになった。ランダム化臨床試験の結果、術後補助ホルモン療法ならびに補助化学療法は再発までの期間を遅らせるのみならず、再発抑制効果・生存率の改善効果を有することが明らかになった。

術前化学療法は当初、局所進行乳がんに対して手術を可能にする、いわゆる集学的治療の一環として行われたが、症例選択や薬剤レジメンの進歩により高い奏効率が得られるようになると、術前に投与することで術後療法より高い効果が現れるのではという期待がもたれた。しかしながら同一レジメンを術前後で比較したNSABP B-18試験の結果などから、術前・術後療法の生存率に与える効果は同等であることが示され、術前化学療法は乳房温存療法を目的とした場合、あるいは薬物療法の早期効果判定を目的に行われるようになった。

B 補助薬物療法の適応拡大

ホルモン療法の効果については、ホルモン受容体が陽性であることの重要性が明らかにされ、明確な効果予測因子が比較的早期に得られた。一方で化学療法に関しては明確な適応に関する効果予測因子が得られず、また薬剤やレジメンに対する効果予測因子も明らかにできなかった。このため補助化学療法の開発は再発リスクを重視した適応の拡大という経過をとった。

リンパ節陽性例を対象とした補助化学療法の臨床試験がまず実施され、その後リンパ節転移陰性のハイリスク例を対象とした臨床試験も実施され、これらの結果一定以上の再発のリスクを有する乳がんは化学療法の適応とされるようになった。

薬物療法の臨床試験と同時期に行われた乳がん手術のランダム化臨床試験によって、乳がんの縮小手術が従来の術式に比較して治療成績が劣らないことが証明され、乳がんの全身病説的な進展モデルが広く受け入れられるようになり、このことも後押しして術後化学療法が幅広く実施されるようになった。2000年ごろ、特に北米では閉経前で腫瘍径が1cm以上の乳がんは全例化学療法の適応とされるに至った[2)]。

C 分子標的薬の登場

1990年代末に臨床導入されたモノクローナル抗体であるトラスツズマブは、化学療法と併用することでHER2陽性乳がんに対して高い効果を示し、進行再発例に対し症状緩和効果・延命効果を有することが明らかになった。2005年には補助療法としての再発抑制効果が明確に示され、新たな時代に入った[3)]。

術前投与も積極的に行われ、化学療法との併用により特にHER2陽性・ホルモン受容体陰性例では50%以上の病理学的完全緩解(pCR)が得られることもわかった。HER2陽性乳がんに対する化学療法とトラスツズマブの併用療法は不可欠の治療法となり、乳がんは実臨床においてホルモン受容体、HER2という2つのバイオマーカーとそれぞれに対応した治療という明確な座標軸を得ることができた。

D サブタイプ分類の導入

実臨床にトラスツズマブが導入されていった同時期に、乳がんのサブタイプ分類の導入という大きな変化がみられた。その背景には、マイクロアレイによる網羅的遺伝子解析により乳がんが遺伝子レベルにおいて多様性に富んだ疾患群であることがわかってきたことがある。

Perouらによって2000年に発表された乳がんのサブタイプ分類は、当時のホルモン療法、化学療法、分子標的療法の進歩の方向性とも合致した。オリジナルの遺伝子解析を元にしたサブタイプ分類は、日常の臨床病理的因子を用いた臨床版サブタイプ分類にアレンジされたうえで急速に利用されるようになった[4]。2005年以降の乳がん治療はこのサブタイプ分類を基盤として、疾患に対する理解、薬物療法の適応に関して検討されるようになった[5]。

E ルミナルタイプ乳がん

乳がんの約70％を占めるホルモン受容体陽性・HER2陰性乳がんはルミナルタイプとよばれ、薬物療法はホルモン療法に化学療法を上乗せするかどうかが、実際の課題となっている。

ルミナルタイプ乳がんはよりがんの悪性度が高く、化学療法の効果が期待できるルミナルBタイプと、その対極にあって悪性度が低くホルモン療法の効果が高く化学療法の効果が低いルミナルAタイプに分類される。ただ、両者の区別は必ずしも明確ではなく、実際のルミナルタイプ乳がんはこの両極の間のどこかに連続的に位置すると理解されている。Ki67や腫瘍のグレードなどの臨床病理学的諸因子を用いてこの両者が区別され、多遺伝子アッセイを用いた両者の分類、化学療法の適応決定がより有用とされている。

ホルモン受容体、HER2についても陽性・陰性をめぐってそれぞれボーダーライン症例が存在し、この点での臨床的課題も決して少なくない。化学療法をすべきかどうか、あるいは化学療法の効果があるかどうかをこのルミナルA、Bの違いと定義した場合でも両者の違いはあいまいで、ルミナルタイプの約半数はグレーゾーンといっても過言ではない。

この問題はホルモン療法や抗HER2療法と違って化学療法に明確な治療ターゲットがないことも原因である。多遺伝子アッセイであるOncotype DXを用いたTAILOR-X試験の結果によりリンパ節転移陰性例については化学療法の必要ない群がより明らかにされたが[6]、わが国では未承認という問題が依然続いている。Oncotype DXによりリンパ節転移陽性例でも化学療法を不要とする群を同定できるかどうかについては、RxPONDER試験の結果が待たれている。

F HER2陽性乳がん

20年以上前にトラスツズマブが臨床導入されたことで、HER2陽性乳がん患者の予後は劇的に改善された。特に早期乳がんについては予後が大きく改善され、大部分の症例に対して化学療法と抗HER2療法の併用が実施されている[3)]。抗HER2薬を2剤用いる併用療法(dual-HER2 blockade)は、リンパ節転移陽性例の予後を改善することが示され、トラスツズマブとペルツズマブの併用療法が行われている。また、術前化学療法において浸潤がんが遺残した場合は、T-DM1を追加することの効果がKATHERINE試験で示された。わが国でも保険適用となった(2020年9月)。一方、治療のde-escalationも重要なテーマで、早期がんあるいは高齢者にはより副作用の少ないパクリタキセルとトラスツズマブの併用療法が用いられている。

G トリプルネガティブ乳がん(TNBC)

乳がんの約10～15%を占めるTNBCは、依然として最も悪性度の高いサブタイプであり、一部の患者の早期の再発を特徴としている。ホルモン受容体陽性乳がんやHER2陽性の乳がんと異なり、明らかな標的治療がないため、しばしば臨床的に治療が困難となる。細胞分裂が速く、ゲノムが不安定な高悪性度の腫瘍という特徴があり、化学療法のみの治療でpCR率が30～40%に達する。しかしながらpCR率が高いにもかかわらず、TNBC患者の再発リスクは全体ではかなり高いという特徴を認める。DNA修復メカニズム、PI3K/mTOR阻害、アンドロゲン枯渇など、多くの分子経路が創薬に応用される可能性があるとして探究されている。

最近、TNBCに2つの分子標的薬、すなわちPARP阻害薬(オラパリブ)と免疫チェックポイント阻害薬(アテゾリズマブ)が利用可能になった。ただ、現時点では進行再発例への適応にとどまる。

H 術前薬物療法

術前化学療法は元々切除不能の局所進行乳がんに対する治療として開発され、手術を可能にすることを目的に実施されてきた。その後、乳房温存療法を可能にするために実施されるようになり、ルミナルAタイプ、閉経後では術前ホルモン療法も実施されるようになった。

現在の術前薬物療法の目的は、

①局所進行乳がんで直ちに手術で切除することが困難と考えられるケースを手術可能にする目的、あるいは腫瘍が大きいために乳房温存が難しい症例を乳房温存可能にする目的

②薬物療法の効果判定や、患者予後に関する情報を得る目的

③臨床試験として、薬物の効果に関する情報を早期に評価し、薬物・レジメンの早期開発につなげる目的

の3点に集約されると思われる。Ⅲ期の局所進行乳がんに対しては、手術を容易にする目的から術前化学療法は標準的なアプローチ法と考えられている。Ⅱ期に関しても、乳房温存を可能にするという目的があるならば術前化学療法は、標準的なアプローチと位置付けられている。ルミナルAタイプの乳がんに乳房温存を目的に術前化学療法を用いることには疑問符が付けられており、一方で閉経後症例に対し乳房温存を目的に術前ホルモン療法を行うことは標準的なアプローチの一つと考えられている。

術前化学療法が特に重要視されているのは病理学的な治療効果判定が後の患者予後の代替エンドポイントになりうるかという点である。これまで行われた術前化学療法に関する臨床試験の結果、ホルモン受容体陰性乳がんに関してはpCRが長期予後の代替エンドポイントとなるという結論であった[7]。これを受けて、アメリカFDAは新薬に関連して術前化学療法におけるpCRを代替エンドポイントとして認めるとの発表を2013年行っている。しかしながら抗HER2療法に関連して実施された術前療法であるNeoALLTO試験の結果、新規治療は有望とされたが、引き続き行われた大規模なALLTO試験の結果有効性は示されず、HER2陽性乳がんにおいても術前療法におけるpCRは術後補助療法の長期成績の代替エンドポイントには必ずしもならないことが示された[8]。これに関しては術前療法と術後療法の対象症例、レジメンの違いなどが理由として指摘されている。長期かつ大規模な術後補助療法により効果を確認することが必須であることの認識を新たにさせた。

I　遺伝性乳がん卵巣がん症候群(HBOC)に対する予防医療について

2020年4月より、HBOCに対する予防医療(予防的切除手術)が保険適用になった。未発症部位の手術などの侵襲的な治療を保険で位置付けるのは、わが国の医療界において初めてである。対象は、

HBOCの症状である乳がんや卵巣・卵管がんを発症している患者で、対側乳房切除や卵巣・卵管切除を保険で認める。HBOCで多くみられる*BRCA1/2*遺伝子変異を検出するための遺伝子検査が保険適応とされたことと連動した動きである。

HBOCは、予防的切除により生存率が改善されることが示されており、診療ガイドラインでも推奨されている。遺伝子カウンセリングなどが整い、適切な遺伝診療ができることが実施条件であり、当初は、がんゲノム医療中核、拠点、連携病院での実施が想定されている。日本乳癌学会より「遺伝性乳がん卵巣がん症候群の保険診療に関する手引き」がホームページ上に公開されており、今後も順次更新されていく予定となっている[9]。現時点では乳がん、卵巣がんを発症した方の遺伝子検査、予防医療のみが対象であり、未発症の方への対応はすべて自費になるなど制度としては十分とは言えない状況である。また、*BRCA1/2*のみを対象としており、ほかの遺伝性腫瘍が予想される場合の多遺伝子パネル検査への対応は保険適応とはされていないなど、今後対応すべき課題はまだまだ残されている。

おわりに

ホルモン受容体とHER2は乳がん治療における2つの主な分子標的である。腫瘍のこれら分子マーカーの有無によって乳がんはサブタイプに分類され、薬物療法が行われる。TNBCに対する新規薬物療法の開発とその効果予測因子の確立が今後特に求められている。

（川端英孝）

文献

1）Fisher B, Cancer Res. 1992; 52: 2371-83. PMID: 1568206
2）NIH Consens Statement 2000; 17: 1-35. PMID: 11512506
3）Romond EH, et al. N Engl J Med 2005; 353: 1673-84. PMID: 16236738
4）Perou CM, et al. Nature 2000; 406: 747-52. PMID 10963602
5）Coates AS, et ai. Ann Oncol 2015; 26: 1533-46. PMID: 25939896
6）Sparano JA, et al. N Engl J Med 2018; 379: 111-21. PMID: 29860917
7）Cortazar P, et al. Lancet 2014; 384: 164-72. PMID: 24529560
8）Piccart-Gebhart M, et al. J Clin Oncol. 2016; 13: 1034-42. PMID: 26598744
9）日本乳癌学会．遺伝性乳がん卵巣がん症候群の保険診療に関する手引き．
http://jbcs.gr.jp/member/wp-content/uploads/2016/06/bcde8174b665e011063d9f97a22cd19c.pdf

進行再発乳がんに対する薬物療法
－QOLの低下を防ぎつつ，病勢コントロールを目指す－

診断時に遠隔転移を伴う原発乳がんや，手術の後に一定期間を経て遠隔再発をきたしたものを進行再発乳がんという。これらの状況の患者に対する治療方針として，根治を目指したインテンシブな治療を提示することは難しく，基本的にはQOLの低下を極力防ぎつつ，病勢のコントロールを目指す治療が中心となる[1)]。

一方，Ⅲc期など手術が不可能な局所進行乳がんや，局所再発のみでの再発，また遠隔転移があるもののいわゆるoligo転移の場合など，治癒を目指した治療に挑戦する場合もあり，その判断が難しいこともある。基本概念は理解しつつ，状況によっては専門家としての治療判断をしていくことが重要である。

A 基本の治療方針

診断時に遠隔転移を伴うⅣ期原発進行乳がんや，手術の後に一定期間を経て遠隔再発をきたした再発乳がん患者では，その腫瘍量を完全にゼロにすることは原則として困難であり，その患者の予後は乳がんの進行によって，もしくは元々患者がもっていた生命予後（寿命に相当）のどちらか短いほうで規定される。2～3％ほど例外的に治癒の得られる患者は存在するとされているが，どの患者がその状況になるかは治療開始前の時点ではわからない。

B 方針決定のために必要な要素

治療方針を決めるためには，腫瘍側要因と患者側要因のいくつかの情報を確認する必要がある。

1 腫瘍のバイオロジー： 原発組織もしくは転移組織でのER，PgR，HER2を評価し，治療薬剤の選択を行う（ホルモン陽性乳がんにおいて，Ki-67 indexや核異型度・組織異型度なども，その進展スピードの予測のために参考にすることがある）。

2 腫瘍量とその分布，症状の有無： 転移部位，単発か多発か，有症状となりうるか，局所治療の適応はあるかなどを評価。骨転移がある場合は骨吸収抑制薬（ビスホスホネート，デノスマブ）の併用を行う。

3 再発までの期間：腫瘍の進展スピードと関連する。

4 前治療薬の内容と治療期間など：治療薬の選択、治療抵抗性の予測に利用する。

5 performance status（PS）：薬物療法の適応の有無を決める最も重要な要素。

6 年齢：治療強度の決定と期待予後の予測に利用する。

7 合併症：薬物療法の適応とその治療薬選択に影響する。合併症治療の先行が必要な場合もある。

8 患者の生活状況や希望：治療方針決定の際にShared Decision Making （➡ P.26,447） を行うための重要な情報。

C 進行再発乳がんにおける薬物療法の基本原則

薬物療法の実施において、基本原則として理解されている考え方を下記に示す。これは1998年に提唱されたHortobagyiのアルゴリズム[2]をもとにした古典的な考え方であるが、現在でも知っておくべき内容といえる。現在の診療体系にあわせて構成しなおしたものを図1に示す。

1. ホルモン感受性の期待できる患者では、ホルモン療法から開始し、無効の場合には化学療法（細胞障害性抗がん剤）を使用する。
2. visceral crisis（分布や量の点で重篤な臓器転移、症状を有する臓器転移）の場合には化学療法を先に開始する。
3. HER2陽性であれば、できるだけ早い段階で抗HER2薬を併用する。
4. 効果がないと明確に判断できるまで、もしくは毒性による中止となるまでは1つの薬剤（レジメン）を継続する＊1。
5. 化学療法薬とホルモン療法薬は原則として併用しない＊2。
6. すでに使用した薬剤は、原則として再度使用しない＊3。
7. PSが保たれていれば、少なくとも3次治療までは選択肢を提示する。

＊1 規定サイクルの化学療法＋分子標的薬を実施後に、化学療法を中止して分子標的治療を継続する、または化学療法を6～8サイクル程度実施後にホルモン療法薬にスイッチして効果を維持するなど、維持療法の治療方針をとる場合もある。

＊2 ただし、併用による効果減弱が確認されているのは術後補助療法のCAF療法＋タモキシフェンのみであり、効果の期待としては併用療法を行っても問題はないと考えられる。本原則は薬剤を1つずつ使用していく逐次療法を基本とする考え方に伴う併用療法の注意といえる。

＊3 一般的には、使用終了後6カ月以上（ホルモン療法の場合は12カ月以上）経過した後に、同じ薬剤を再使用することはできるとされている。

D 基本原則を外れる状況の例

1 局所再発

原発乳がん術後の遠隔転移を伴わない局所再発例（温存乳房内、同側胸壁、所属リンパ節など）では、切除などの局所治療をまず優先する（図1）。その後に、ホルモン陽性乳がんではホルモン療法を行う。局所再発巣の切除後に行う化学療法の有用性に関するエビデンスは少ないが、CALOR試験では特にホルモン陰性乳がんで予後改善効果が明らかであった[3]。これはホルモン陽性乳がんでは、切除後に実施されるホルモン療法の効果により、化学療法の上乗せ効果が少なくなっているためと考えられる。

2 oligo遠隔転移

再発時の遠隔転移部位が頸部リンパ節転移1つや小さな肺転移1つなど、腫瘍量が少なく、かつ切除や放射線治療などの局所治療の適応がある場合は、臨床的完全奏効（cCR）を目指した薬物療法と局所治療を組み合わせ、腫瘍量を一時的にゼロにするための治療戦略をとることがある。結果的に治癒相当の利益を得られる患者群がどのようなグループかについての明確な判断基準はないが、重要な検討課題である。

3 ホルモン受容体（HR）陽性HER2陽性乳がんの初回治療

抗HER2薬の進歩により、抗HER2薬＋化学療法の1次治療によって約80％の奏効率と長期の無増悪期間を確保することが可能となり、その利益はHR発現にかかわらない。このため、HR陽性HER2

図1　進行再発乳がんにおける薬物療法の基本治療戦略

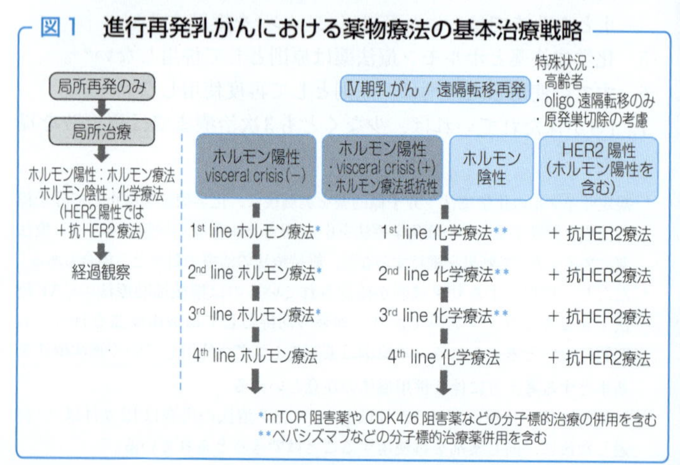

陽性乳がんでは、ホルモン療法を優先することよりも、抗HER2薬＋化学療法を1次治療として選択することが多い。

4 Ⅳ期乳がんの原発巣切除

原則として遠隔転移を伴うⅣ期乳がんで原発巣切除を行うことはない。しかし、出血や疼痛コントロールの点で切除が望ましいと考えられる患者においては実施することが可能とされている。また、1次治療が奏効した時点で原発巣切除を行うことが予後改善に結びつく可能性があるという考えから、現在ランダム化第Ⅲ相試験としてJCOG1017試験とECOG2018試験が実施されている。

5 高齢者

年齢で一律に分けることは難しいものの、75～80歳以上や、健康・精神状態に不安のある脆弱高齢者（フレイル）とよばれる患者に対しての治療選択は、強力な化学療法を避けたり、薬物療法の適応を慎重にするなど方針に影響を与える。

E がんゲノム医療の導入

がん細胞の遺伝子変異を網羅的に検索し、変異・増幅・融合など変化した遺伝子を標的とした薬剤を用いることにより、より効果の高い分子標的治療薬を選択することを目標とした、がんゲノム医療が臨床現場に導入されている。

2020年7月時点で、保険診療として実施可能な検査は、中外製薬株式会社のFoundationOne® CDxがんゲノムプロファイルと、シスメックス株式会社のOncoGuid™ NCCオンコパネルシステムである。前者は324遺伝子の遺伝子変異情報を解析し、後者は114遺伝子の変異と13融合遺伝子の検索を行う。これらの遺伝子パネル検査には、検査の提出時に8,000点、エキスパートパネルを開催した後の患者への結果説明時に48,000点という保険点数が与えられており、検査としては非常に高額なため、その実施条件には多くの制約がある（標準治療終了後、期待予後3～6カ月、採取後3年以内の組織検体など）。また、多数のがん遺伝子変異情報が得られるものの、実際に効果の期待できそうな分子標的薬にアクセスでき、その治療が行えるのは約10％程度の患者とされており、新薬・未承認薬・適用外薬へどのようにアクセスできるかが課題として残っている。患者血液から血中循環DNAを捕捉し、それを検体として遺伝子パネル検査を行うFoundationOne® Liquid CDxやGuardant360®のようなliquid biopsyが今後の中心になっていくかもしれない。

F Shared Decision Making(SDM)について

SDMは共同・協働・共有意思決定といわれる，治療方針を患者とともに決定していくための基本概念である（図2）[4]。臨床試験や臨床研究データをもとにしたエビデンスベースの方針決定も重要であるが，進行再発乳がん患者では，患者の個々の嗜好や生活の事情に合わせた形で，そのときベストと考えられる治療方法を医療者と患者がともに選択していく必要がある。このためには患者を中心とした患者と医療者間，また医療者間のコミュニケーションスキルが重要となる。また，病状悪化などにより厳しい状況におかれた患者とのコミュニケーションにおいては，災害時のリスクコミュニケーションの考え方も参考になる（表1）。（佐治重衡）

図2　Shared Decision Makingの基本的な考え

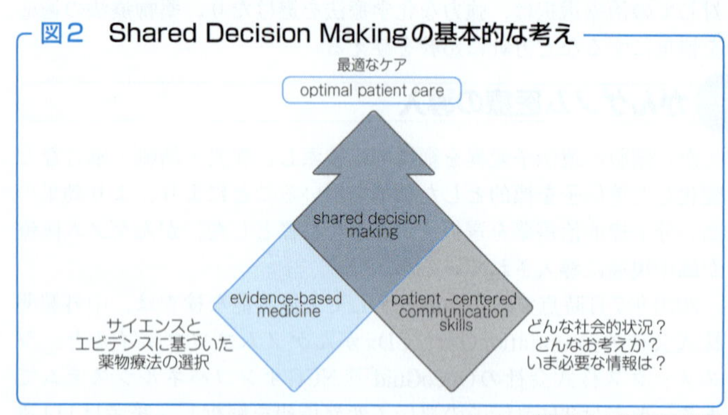

（文献4より改変引用）

表1　リスクコミュニケーションで必要なこと

- 傾聴し，共感の思いを示すこと
- 科学的，客観的データを示すこと（ただし専門的すぎないこと）
- ウソをつかないこと
- 相手の行動を変えようとしたり説得しようと思わないこと
- どのようにすればよいかを一緒に考えること
- 総合的なリスクを減らせるように努力すること

（協力：福島県立医科大学健康リスクコミュニケーション学講座　村上道夫[5]）

文献

1）Saji S, et al. Int J Clin Oncol 2015; 20: 268-72. PMID: 25708592
2）Hortobagyi GN. N Engl J Med 1998; 339: 974-84. PMID: 9753714
3）Paterson AH, et al. CALOR investigators. Lancet Oncol 2014; 15: 156-63. PMID: 24439313
4）Hoffmann TC, et al. JAMA 2014; 312: 1295-6. PMID: 25268434
5）村上道夫. リスクコミュニケーションにおいて専門家に求められる7のエッセンス. イルシー 2017; 130: 18-25.

放射線治療

①乳房温存療法における術後照射、②乳房切除術後の術後照射、③骨転移、脳転移に対する緩和照射が主な役割

A 乳房温存療法における術後照射

1 浸潤性乳がんに対する温存術後照射

1970、80年代に海外で行われた複数のランダム化比較試験の結果、主にⅠ、Ⅱ期の浸潤性乳がんに対する**温存手術後の放射線治療が、乳房内再発を約70%減少**させることがわかっている。

2011年に発表されたEBCTCGによる17の臨床試験のメタアナリシスによると、リンパ節転移陰性乳がんで遠隔転移も含めた10年再発率を術後照射により31.0%から15.6%、15年乳がん死亡率を20.5%から17.2%に減少させた。また、リンパ節転移陽性乳がんで10年再発率を63.7%から42.5%、15年乳がん死亡率を51.3%から42.8%に減少させた。

乳房温存療法における術後照射は乳房内再発を減らすのみならず、乳がん死亡率も減らすことがわかっており原則行うべきである。

術後照射を省略しうる群の同定に関する研究も行われている。腫瘍が小さい、病理学的切除マージンが十分である、広範な乳管内進展(EIC)やリンパ管侵襲を認めない、リンパ節転移を認めない、年齢が高い、ホルモン受容体が陽性、などの条件を満たす局所再発のリスクが低い患者が照射を省略できる可能性のある群であるが、現時点で明確に照射を省略できる群の同定はできていない。

妊娠中、患側乳腺や胸壁への放射線治療の既往のある患者は禁忌である。強皮症や全身性エリテマトーデス(SLE)などの活動性のある膠原病合併患者は有害事象の頻度が高く、相対的禁忌とされる。

線量分割は**50Gy/25回**で行われる。臨床標的体積(CTV)は患側残存乳房全体である。断端陽性例など腫瘍床へのboostを行う際には**10～16Gy/5～8回程度**の線量を追加する。

寡分割照射も通常分割照射と同等の治療として行われるようになってきた。治療期間が3週に短縮されるメリットがある。**42.56Gy/16回、40Gy/16回**などの線量分割が用いられる。腫瘍床へのboostが必要な症例については適宜行う。米国放射線腫瘍学会(ASTRO)のガイドライン(2018年版)によると、年齢、病期、化学療法の有無、線量分布の均一性などにかかわらず、全乳腺照射には適応可能とされている。

2 非浸潤性乳管がん（DCIS）に対する温存術後照射

DCISについても浸潤がんと同様に温存術後照射が必要である。EBCTCGのメタアナリシスによると，10年乳房内再発率は術後照射を行うことにより28.1％から12.9％に減少することが示された。一方、乳がん死亡、全死亡率には有意な差はなかった。

3 有害事象

乳がん術後放射線治療の**急性期障害として倦怠感や眠気、放射線皮膚炎、晩期障害として放射線肺臓炎、リンパ浮腫、腕神経叢障害、肋骨骨折、心臓障害、二次発がん**などが挙げられる。照射後1年以内に器質化肺炎を伴う閉塞性細気管支（BOOP）様肺炎がみられることがあり、わが国の全国調査では1.8％に発生している。

4 術後照射のタイミングと化学療法の併用

術後照射は、手術創が治癒したのち、速やかに行うことが望ましい。術後照射の遅れにより局所制御率や生存率が低下するという報告があり、乳癌診療ガイドラインでは**20週以内の開始を推奨**している。化学療法を行う場合は、遠隔転移の制御効果が期待できる化学療法を優先するのが一般的な考え方である。

術後照射と化学療法を同時併用することは、有効性の証明がなされておらず、皮膚炎や肺臓炎などの有害事象が増えることから行わない。ホルモン療法やトラスツズマブの併用は許容される。

B 乳房全切除術後放射線療法（PMRT）

1990年代後半に報告された複数のランダム化比較試験の結果、**高リスク乳がんに対するPMRTは、局所・領域リンパ節再発率を低下させるだけでなく、死亡率も低下させる**ことがわかっている。

2014年に発表されたEBCTCGによるメタアナリシスの結果によると、腋窩リンパ節転移陰性乳がんでは10年局所領域再発率、20年乳がん死亡率ともにPMRTの有無による有意差はなかったが、リンパ節転移が1～3個の群ではPMRTにより、局所領域再発率が20.3％から3.8％、乳がん死亡率が50.2％から42.3％に減少し、リンパ節転移が4個以上の群では、それぞれ32.1％から13.0％、80.0％から70.7％に減少したと報告されている。

2001年に米国臨床腫瘍学会（ASCO）などが発表したガイドラインによると、PMRTの適応は、①腋窩リンパ節転移が4個以上、②T3

以上の乳がんとされた。PMRTのCTVとしては、胸壁・鎖骨上リンパ節領域が挙げられていた。胸骨傍や腋窩リンパ節領域の照射については、有効性を示すエビデンスは十分でないとされ、また、最適な線量分割についての十分なエビデンスもないとされた。

2016年に改訂版ガイドラインが発表された。そこでは、①T1およびT2（腫瘍径が5cm未満）で腋窩転移陽性リンパ節が1〜3個、②術前化学療法を受けている、③T1-2でセンチネルリンパ節生検陽性で、腋窩郭清を省略した場合にもPMRTを実施するよう勧告した。ただし、これらのうち再発低リスクの一部患者では、PMRTによる合併症のリスクがベネフィットを上回る場合もあり、実施の判定には、患者の治療にかかわる全専門職がかかわるべきであるとの勧告も示された。PMRTを実施する際は、内胸リンパ節と鎖骨上、鎖骨下リンパ節に加え、胸壁または再建した乳房への照射を行うとしている。

乳癌診療ガイドライン2018年版では、リンパ節転移が4個以上（標準治療）、または1〜3個（強く〜弱く推奨）の症例に対してPMRTの適応があり、胸壁（標準治療）および鎖骨上リンパ節領域（標準治療）に対して**50Gy/25回**の照射を行う。内胸リンパ節領域を含めることについては「弱く推奨」とし、腋窩リンパ節転移の個数や原発巣の局在などを参考に考慮するべきとしている。

C 骨転移、脳転移に対する緩和照射

1 有痛性骨転移

放射線治療により約80%の症例で疼痛緩和が得られる。疼痛緩和を目的とする場合は、**30Gy/10回、20Gy/5回、8Gy/1回**などの線量分割が用いられる。いずれの線量分割も疼痛緩和が得られる割合は同等とされる。

2 脳転移

定位放射線照射と**全脳照射**がある。前者は主に転移個数が少ない場合に局所制御を目的に行う治療であり、後者は主に転移個数が多い場合に症状緩和を目的に行う治療である。定位放射線照射は、1回照射によるものを定位手術的照射（SRS）、複数回に分割して照射するものを定位放射線治療（SRT）とよぶ。

脳転移に対する治療方針は、予後予測指標である**乳癌特異的GPA（Graded Prognostic Assessment）**（表1）などを用いて予後予測をし、脳転移個数や大きさ、部位などから手術、定位放射

線照射、全脳照射の適応を判断する。

乳癌診療ガイドライン2018年版では、①予後良好な単発症例には手術または定位照射、②予後良好な2～4個の転移例(腫瘍径3cm未満)には定位照射、③5～10個の転移症例も条件をみたせば定位照射が可能で全脳照射を回避できる可能性があり、④予後不良と判断される症例や10個以上の脳転移例は全脳照射が標準治療とされる。全脳照射は**30Gy/10回、37.5Gy/15回、40Gy/20回、20Gy/5回**などの線量分割が用いられる。

(田中英一)

表1 転移性脳腫瘍の生存期間推定：乳がん特異的GPA

点数	0	0.5	1	1.5
KPS	≦60	70～80	90～100	
サブタイプ	Basal	LumA		HER2、LumB
年齢	≧60	＜60		
脳転移個数	＞1	1		
頭蓋外転移	あり	なし		

生存期間中央値(月) 合計点数：0～1.0＝6.0、1.5～2.0＝12.9、2.5～3.0＝23.5、3.5～4.0＝36.3

(文献9より引用)

文献

1) 日本乳癌学会，編．乳癌診療ガイドライン1 治療編 2018年版 第3版．東京：金原出版；2018.
2) Early Breast Cancer Trialists'Collaborative Group(EBCTCG), Darby S, et al. Lancet 2011; 378: 1707-16. PMID: 22019144
3) Smith BD, et al. Pract Radiat Oncol 2018; 8: 145-52. PMID: 29545124
4) Early Breast Cancer Trialists'Collaborative Group(EBCTCG), Correa C, et al. J Natl Cancer Inst Monogr 2010; 2010: 162-77. PMID: 20956824
5) Ogo E, et al. Int J Radiat Oncol Biol Phys 2008; 71: 123-31. PMID: 18060702
6) Recht A, et al. J Clin Oncol 2001; 19: 1539-69. PMID: 11230499
7) EBCTCG(Early Breast Cancer Trialists'Collaborative Group), McGale P, et al. Lancet 2014; 383: 2127-35. PMID: 24656685
8) Recht A, et al. J Clin Oncol 2016; 34: 4431-42. PMID: 27646947
9) Sperduto PW, et al. Int J Radiat Oncol Biol Phys 2020; 107: 334-43. PMID: 32084525

緩和医療
－早期からの緩和ケアとがん疼痛緩和－

A がんにおける緩和医療とは

緩和医療はがんの診断早期から終末期まで、いずれの時期でも実施するべき医療である。早期からの緩和ケアが患者の症状緩和やQOL向上だけでなく、予後も改善することが明らかになっており[1)]、2006年に制定、2016年12月に改正されたがん対策基本法には「緩和ケアが診断の時から適切に提供されるようにすること」が明記されている。

臨床においては適切な緩和医療が提供できるよう、身体的、精神的、社会的、スピリチュアルな苦痛について、多職種で丁寧にしっかりとアセスメントを行ったうえでマネジメントをすることが非常に重要である。詳細な病歴と身体診察、検査所見の確認、痛みの分類（表1）を含むアセスメントが、適切な治療選択（薬剤選択、放射線や外科手術など非薬物療法の適応の有無）につながり、速やかな鎮痛を可能にする。患者の状況に応じて、緩和ケアチームなどの専門家と連携することもポイントである。

B がん疼痛治療に使用する薬剤と処方の実際

WHO方式がん疼痛治療法、欧米およびわが国でガイドライン[2-4)]が整備され、オピオイドをkey drugとした薬物療法が実践されている。WHO三段階除痛ラダー（図1）では、軽度の痛みに対してNSAIDsやアセトアミノフェンを、軽度～中等度の痛みにはリン酸コデイン、トラマドールなど弱オピオイドを、中等度～高度の痛みにはモルヒネ、オキシコドンなど強オピオイド（表2）を使用する。

1 オピオイドの選択と経路

全身状態、臓器機能、治療経過に応じて選択し、原則、経口投与で始める。初回導入時にフェンタニル貼付薬は使用しない。一般的に、経口モルヒネでは20～30 mg/日、経口オキシコドンでは10～20 mg/日が投与開始量である。開始後は残存する疼痛に対して1日経口モルヒネ量の10～20％にあたる速放剤をレスキュー薬として追加しながら、鎮痛に至るまで定期オピオイドの増量と投与間隔の見直しを行う。この場合、定期オピオイドは徐放剤を使用する。腎機能障害

表1　痛みの分類

侵害受容性疼痛	内臓痛	局在が明確でない鈍痛。「締め付けるよう」、「重だるい」などと表現され、オピオイドが有効である。
	体性痛	骨転移など限局した持続的な痛み、または体動で増強する鋭い痛み。十分なオピオイド用量に加えて、突出痛へのレスキュー薬使用、NSAIDsやアセトアミノフェンの併用などが重要になる。
神経障害性疼痛		脊髄浸潤や神経叢浸潤などに関連。「灼熱感」、「じんじん」、「電撃様痛」、「しびれたような」などと表現される。神経支配領域に一致してしびれや異常感覚（アロデニア）とともに出現。プレガバリンなどの鎮痛補助薬が必要になることがある。

図1　WHO三段階除痛ラダー

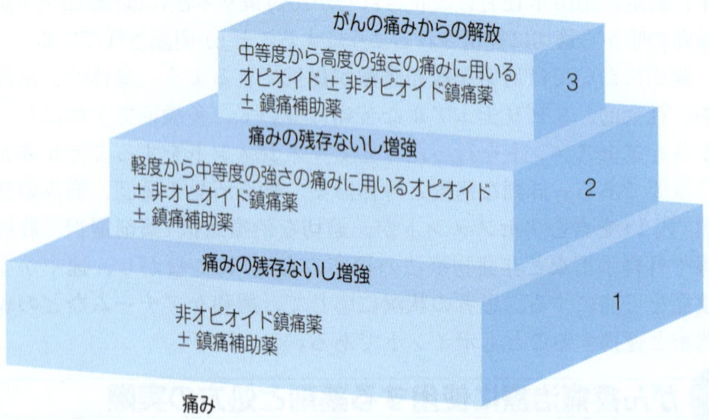

（世界保健機関，編，武田文和，訳．がんの痛みからの解放－WHO方式がん疼痛治療法（第2版）．東京：金原出版；1996．pP17 より改変引用）

を有する症例においては、軽症例では代謝産物活性が乏しいオキシコドン、重症例では代謝産物活性のないフェンタニルが選択される。

2 突出痛を含む残存痛のマネジメント

定期オピオイド使用下で持続する残存痛や定時薬の切れ目の痛みがある場合は、モルヒネやオキシコドンの速放製剤（SAO）（表3）をレスキュー薬として使用しながら、定期オピオイドの増量や投与間隔の見直しを行う。レスキュー薬の1回量は、経口投与では定期オピオイド1日量の10〜20％を、注射投与では1時間量を設定する。

安静時痛が制御されていても出現する痛みを突出痛という。先述のレスキュー薬で対応するが、それでも制御できない場面は以下のように対処する。

予測できる突出痛：体動など予測可能な場合はSAOを誘因の30

表2　強オピオイド一覧

	がん疼痛治療での位置づけ	投与経路	代謝	備考
モルヒネ	さまざまな剤型があり投与経路の選択が可能。換算比が確立。呼吸苦への有効性あり。	経口・経肛門・静注・皮下注・硬膜外・くも膜下	グルクロン酸抱合	腎機能低下時は代謝産物M3G、M6Gが蓄積
オキシコドン	鎮痛効果や有害事象はモルヒネと同等。	経口・静注・皮下注	CYP2D6 CYP3A4	
フェンタニル	鎮痛効果はモルヒネと同等だが便秘をきたしにくい。貼付薬は調節性に乏しく、疼痛治療開始時に使用するべきではない。	経皮・静注・皮下注・硬膜外・口腔粘膜* *突発痛に対するrapid onset opioidとして。	CYP3A4	腎障害時や透析の影響を受けにくい。
タペンタドール	オピオイド受容体作用とノルアドレナリン再取り込み阻害作用をもつ。他のオピオイドより消化器有害事象が少ない。がん疼痛領域での使用経験が浅く1日600 mg以上では他のオピオイドに変更する。	経口	グルクロン酸抱合	
メサドン	オピオイド受容体作用とNMDA受容体拮抗阻害作用をもつ。半減期に個人差あり（12～150時間）、遅発性呼吸抑制、QT延長、薬物相互作用に注意。ほかのオピオイドとの換算比は未確立。	経口	CYP3A4 CYP2D6 CYP2B6 CYP1A2	わが国では専門知識を有する登録医のみ処方可能。
ヒドロモルフォン	鎮痛効果や有害事象はモルヒネと同等。	経口、静注	グルクロン酸抱合	腎障害時に影響を受けにくい

分前に内服、または10～15分前に注射する。

予測できない突出痛、SAOでは対処できない突出痛：SAOでは鎮痛効果発現が遅いと感じる突出痛には効果発現が速いフェンタニル口腔粘膜吸収薬（ROO）（表3）が適応である。1回量は定期オピオイド量に関わらず、最低用量（イーフェン®バッカル 50～100 μg、アブストラル® 100 μg）で開始し、痛みが緩和する必要用量をタイトレーションして決定する。詳細は添付文書を参照されたい。ROOは剤形が使いやすいため頻用しがちであるが、適正使用が重要である。

3 オピオイドの代表的な副作用と対策

①悪心・嘔吐：オピオイド開始時や増量後に30％程度で出現する。

表3　レスキュー製剤一覧(経口・坐薬)

	SAO (short acting opioid)		坐剤	ROO (rapid onset opioid)	
	オプソ®モルヒネ	オキノーム®	アンペック®坐剤	イーフェン®(バッカル)	アブストラル®(舌下)
吸収開始	10分以内	10分以内	20分	1分～	1分～
効果発現	10～30分	10～30分	1～2時間	10分以内	10分以内
投与間隔	30分	1時間	2時間	4時間	2時間
1日回数上限				4回まで	4回まで
注意	①1日定期オピオイド量の10～20%を目安に1回量を設定。 ②レスキュー回数が多い場合は定時オピオイドの増量を検討			①投与量は定時オピオイド量にかかわらず50～100μgから用量設定(タイトレーション)が必要 ②最高用量は800μg/回	

通常1～2週間で耐性が形成されて症状が消失するため、漫然とプロクロルペラジンやメトクロプラミドなどの制吐薬を長期投与しない。ドパミン拮抗薬による錐体外路症状の出現に注意する。

②**便秘**：オピオイド量にかかわらず、開始時より高頻度に出現する。耐性形成されないため、酸化マグネシウム、ラクツロース、センノシドやピコスルファートなどが一般的に継続併用される。ケアとして、食物繊維の摂取や水分摂取、適度な運動を指導する。ルビプロストンや末梢性オピオイド拮抗薬ナルデメジンもオピオイド投与中の難治性便秘に効果が期待される。

③**眠気**：導入時や増量後に認めるが、数日以内に軽減することが多い。鎮痛に至っても眠気が持続する場合、減量を試みる。減量すると疼痛再燃が懸念される場合は、オピオイドスイッチを換算比(図2)に従って検討する。

4 疼痛治療の経過

がん疼痛患者の約半数は、オピオイド量不足、投与経路、病態変化、レスキュー薬未使用、患者の誤解(オピオイドへのバリア)、医療者の過小評価などにより過小治療されている。丁寧に患者の理解・不安を確認し、適切な使用に向けて指導する。また、新しいがん治療が次々と開発され、がん治療の長期化やサバイバーの増加と並行して、オピオイドの長期使用症例が増えている。抗がん治療が奏効し、疼痛原因である病変が縮小するに伴い、オピオイドが相対的に過量となり、ときに不要となることがあるため、長期例では常にオピオイドの要否、疼痛の有無を定期的に確認して、処方内容について考えなければならない。

図2　オピオイド等鎮痛力価換算比

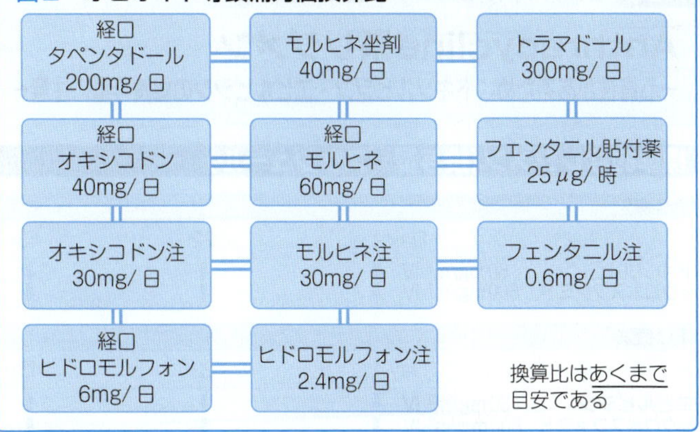

5 がん疼痛のコントロールにおける注意点

①**使用中のオピオイドについて**：使用状況を確認し、効果が十分発揮されているかを判断する。薬効の有無はもちろんだが、腸閉塞があるときの経口薬や、極度の乾燥や落屑があるときの貼付薬では吸収不良が生じやすい。その場合、オピオイドや投与経路を変更することによって、等換算比以下のオピオイド量で鎮痛に至ることもある。

②**オピオイド以外の薬物療法**：鎮痛補助薬の併用が有効な例も多い。炎症性疼痛や骨転移痛に対するNSAIDsや、神経障害性疼痛に対するプレガバリン、抗うつ薬、リドカイン、ケタミン、ステロイドなどである。また、骨転移の場合は、ゾレドロン酸などのビスホスホネート製剤やデノスマブなどの骨修飾薬も継続使用により有効である。

③**薬物療法以外の方法**：放射線治療、手術療法、神経ブロック、椎体形成術（骨セメント）などの適応について専門家へのコンサルテーションを行う。

④**多面的な評価の必要性**：身体的な痛みだけでなく心理社会的、スピリチュアルな痛みも評価し、患者のニーズに応じたチームアプローチが求められる。　（里見絵理子）

文献

1) Temel JS, et al. N Engl J Med 2010; 363: 733-42. PMID: 20818875
2) National comprehensive Cancer Network(Ver 1. 2020): NCCN clinical practice Guidelines in Oncology. Adult cancer pain.
http://www.nccn.org/professionals/physician_gls/pdf/pain.pdf
3) Caraceni A, et al. Lancet Oncol 2012; 13: e58-68. PMID: 22300860
4) 日本緩和医療学会，緩和医療ガイドライン委員会，編．がん疼痛の薬物療法に関するガイドライン 2020年版 第2版．東京：金原出版；2020.

Anthracycline系レジメン

－心毒性があるため、ドキソルビシン・エピルビシンの総投与量に注意－

標準的なレジメン（投与量／スケジュール）

AC療法

		Day 1	22	43…
ドキソルビシン	60 mg/m² IV	↓	↓	↓
シクロホスファミド	600 mg/m² IV	↓	↓	↓

EC療法

		Day 1	22	43…
エピルビシン	90 mg/m² IV	↓	↓	↓
シクロホスファミド	600 mg/m² IV	↓	↓	↓

FEC療法

		Day 1	22	43…
フルオロウラシル	500 mg/m² IV	↓	↓	↓
エピルビシン	100 mg/m² IV*	↓	↓	↓
シクロホスファミド	500 mg/m² IV	↓	↓	↓

＊CAF療法ではエピルビシン→ドキソルビシン50 mg

注）AC療法、EC療法、FEC療法、CAF療法ともに術前もしくは術後補助化学療法として21日ごと3～6サイクル

ddAC療法

		Day 1	15	29…
ドキソルビシン	60 mg/m² IV	↓	↓	↓
シクロホスファミド	600 mg/m² IV	↓	↓	↓
ペグフィルグラスチム	3.6 mg IV		↓	↓

術前もしくは術後補助化学療法として14日ごと3～6サイクル

A 治療開始前

前投与・前処方すべき支持療法薬	併用に注意すべき薬剤
制吐薬、G-CSF製剤（1次予防/2次予防）、緩下薬、止痢薬、飲水励行	シクロホスファミド：フェノバルビタール、ステロイド、クロラムフェニコール、スキサメトニウムなどの脱分極性筋弛緩薬

B 副作用発現時期

	Day																				
	1	2	3	4	5	6	7	8	9	10	11	12	13	14	15	16	17	18	19	20	21
悪心・嘔吐	→ **P.146,185**																				
口内炎										→ **P.182**											
脱毛														→ **P.290**							
発熱性好中球減少症																→ **P.156,319**					
出血性膀胱炎			→ **P.215**																		
骨痛(ペグフィルグラスチム)																					

C 減量・休薬・再開

	開始基準	再開基準	減量基準
ANC(/mm³)	≧1,500	≧1,500	G4の場合減量
WBC(/mm³)	≧4,000		
PLT(/mm³)	≧100,000	≧100,000	G4の場合25%減量
Hb(g/dL)	≧9		
T-Bil(mg/dL)、Cr(mg/dL)	≦ULN×1.5	≦ULN×1.5	
AST/ALT(U/L)	≦ULN×2.5	≦ULN×2.5	
そのほかの非血液毒性	<G2	<G2	
LVEF(%)	≧60	≧60	

減量方法 (mg/m²)

	初回基準値	1段階減量	2段階減量
AC療法			
ドキソルビシン	60	50	40
シクロホスファミド	600	500	400
EC療法			
エピルビシン	90	70	60
シクロホスファミド	600	500	400
FEC療法			
フルオロウラシル	500	400	300
エピルビシン	100	75	60
シクロホスファミド	500	400	300

A 治療開始前のコツ

1 ddAC療法の適応

- 周術期の補助化学療法対象例として再発リスクが高く、化学療法の感受性が高い症例であり、予後延長への上乗せ効果が期待される症例。
- 骨髄機能のみならず心機能も含めて臓器機能が十分に保たれてい

る症例。

- dose-dense化学療法を施行する際にはPEG G-CSFを強く推奨する。

2 アンスラサイクリン系薬剤の投与歴を確認

- ドキソルビシン、エピルビシン、イダルビシンなどの投与歴があれば、総投与量は**ドキソルビシン500 mg/m^{2}以下、エピルビシン950 mg/m^{2}以下**とする。

3 心機能障害の有無を確認

- アンスラサイクリン系薬剤には**心毒性**（➡P.222）があるため、心疾患の有無、心筋梗塞の既往や重篤な不整脈など心機能障害の評価、胸部放射線治療歴の有無を確認する。

4 デヒドロピリミジンデヒドロゲナーゼ(DPD)酵素の活性低下もしくは欠損症はないか

- 5-FUを代謝することができないため重篤な骨髄毒性、皮膚障害、粘膜障害、下痢などを生じる。頻度はDPD酵素活性低下5%程度、欠損症0.1%程度であり注意を要する。

5 肝炎ウイルスの有無を確認 （➡P.207）

- 必要に応じてエンテカビルの介入もしくはHBV DNAのモニタリング。

6 中心静脈カテーテルの設置を考慮

- アンスラサイクリン系薬剤は起壊死性であり、血管外漏出がなくても硬化性静脈炎を起こす可能性がある。

初回から減量を考慮するとき

1 肝機能障害 （➡P.202,405）

- **AST 2～4倍、Bil 1.2～3.0 mg/dL**：ドキソルビシン・エピルビシンを**50%減量**
- **AST 4倍以上、Bil 3.0～5.0 mg/dL**：ドキソルビシン・エピルビシンを**75%減量**

2 腎機能障害 （➡P.212,409）

- **血清Cr 5 mg/dL以上**：エピルビシンの減量を考慮
- 透析を行っている場合：シクロホスファミドを25%減量、ほかの薬剤は減量不要。透析後に投与を行うことが推奨されている。

前投与・前処方すべき支持療法薬

1 制吐薬 （➡P.146,185）

- 高度催吐性リスクに応じた制吐療法を行う。

2 ペグフィルグラスチム （➡P.156）

- 発熱性好中球減少症(FN)の発症率が20%以上のため、1次予防を推奨。

- 一過性の骨痛・背部痛には(症状の強さに応じて)NSAIDsやアセトアミノフェンにて対応する。

3 飲水

- シクロホスファミドによる出血性膀胱炎 (➡P.215) の予防。

4 緩下剤・止痢薬 (➡P.191)

5 FNに対する工夫 (➡P.319)

B 副作用をみつけるコツ

- Nadirがday10〜14なので、同時期の発熱に留意するよう指導する。
- B型肝炎キャリアに関しては1〜3カ月ごとにHBV DNAの定量を行う。
- 5-FUにより口内炎 (➡P.182)、手足症候群 (➡P.283) を生じる可能性がある。手足症候群の予防にはスキンケアも大切である。
- 放射線治療後の症例においては、ドキソルビシン・エピルビシンによりリコール現象が生じる。照射部位の炎症反応によって、心膜炎や胸水、発疹 (➡P.279) などが生じる。
- まれではあるが、シクロホスファミドによる出血性膀胱炎 (➡P.215) と間質性肺炎 (➡P.218) がある。間質性肺炎が認められた際には薬剤の中止を検討する。
- シクロホスファミドにより卵巣機能不全 (➡P.331,428,431) が起こる。

C 副作用による減量・休薬・再開のコツ

- 周術期化学療法の目標は完治であるため、安易な減量や休薬を行わず、支持療法にて有害事象のコントロールを行う。アンスラサイクリン系薬剤の遅延および減量は予後不良の因子である。　(荒木和浩)

参考文献

1) Early Breast Cancer Trialists' Collaborative Group (EBCTCG), Peto R, et al. Lancet 2012; 379: 432-44. PMID: 22152853
2) Chirivella I, et al. Breast Cancer Res Treat 2009; 114: 479-84. PMID: 18463977
3) Del Mastro L, et al; Gruppo Italiano Mammella (GIM) investigators. Lancet 2015; 385: 1863-72. PMID: 25740286
4) Toi M, et al; Japan Breast Cancer Research Group (JBCRG). Breast Cancer Res Treat 2008; 110: 531-9. PMID: 17879158
5) Superfin D, et al. Oncologist 2007; 12: 1070-83. PMID: 17914077
6) Budd GT, et al. J Clin Oncol 2015; 33: 58-64. PMID: 25422488
7) Janus N, et al. Ann Oncol 2010; 21: 1395-403. PMID: 20118214
8) Ide Y, et al. Breast Cancer 2013; 20: 367-70. PMID: 20658270
9) Wolff AC, et al. J Clin Oncol 2015; 33: 340-8. PMID: 25534386
10) Lambertini M, et al. Support Care Cancer 2016; 24: 1285-94. PMID: 26306520

DTX単剤・TC(DTX＋CPA)療法
－過敏症・浮腫に注意－

標準的なレジメン（投与量／スケジュール）

DTX単剤

		Day 1	22	43
ドセタキセル	75 mg/m²	↓	↓	↓

3週1サイクル、初期治療ではアンスラサイクリン系のレジメンに逐時併用する方法で4サイクル。

TC療法

		Day 1	22	43
ドセタキセル	75 mg/m²	↓	↓	↓
シクロホスファミド	600 mg/m²	↓	↓	↓

初期治療として術後に3週1サイクル、通常4サイクル。
G-CSF製剤の1次予防を考慮（day 2 or 3）。

A 治療開始前

前投与・前処方すべき支持療法薬	併用に注意すべき薬剤
ステロイド、制吐薬 （TC療法）G-CSF製剤	アゾール系抗真菌薬、エリスロマイシン クラリスロマイシン、シクロスポリン、ミタゾラム

B 副作用発現時期

	Week 1	2	3	4	5	6	7	8	9	10	11	12
過敏反応	直後	→ P.161										
骨髄抑制									→ P.156,319,413			
浮腫				→ P.301			3サイクルころから					
皮疹	3～4日後から									→ P.279		
関節痛・筋肉痛	3～4日後から										→ P.170	
脱毛			→ P.290									
末梢神経障害				→ P.253								
倦怠感			→ P.166									
出血性膀胱炎（CPA併用時）	→ P.215											

C 減量・休薬・再開

減量方法

	初回基準値	1段階減量	2段階減量
DTX	75	60	50
CPA	600	500	400

(mg/m^2)

A 治療開始前

1 発熱性好中球減少症 ➡P.319

- Nadirの時期であるday7前後は感染予防に気をつけるよう指導する。歯科受診を勧め、口腔内の清潔を保つ。
- (TC)日本人乳がん患者観察では、68.8%の高頻度と報告[1]されている。

2 アルコール過敏症はないか

- DTXの溶解剤にはエタノールが含まれるため、アルコール過敏症がある場合、アルコールを含有しない溶解液を使用する。

前投与・前処方すべき支持療法のコツ

- DTXは軽度催吐性リスクのため点滴前に**デキサメタゾン6.6(3.3)mg**点滴静注、TCは中等度催吐性リスクであるため、**デキサメタゾン9.9mg**、**5-HT$_3$受容体拮抗薬**を静注 ➡P.146,185。
- 浮腫や過敏症の予防として、点滴翌日から**2～3日間デキサメタゾン4mg/日**を内服。
- 発熱性好中球減少症の1次予防として、特に65歳以上の高齢者では**ペグフィルグラスチム3.6mg(点滴後24～48時間)投与**が望ましい ➡P.156。

B 副作用をみつけるコツ

- TCはDTX単剤とほぼ同様の副作用であるが、**すべての副作用において頻度、重症度とも高い**ので、十分な説明が必要である。

1 過敏症 ➡P.161

- DTXによる治療を行った1,598人中32人(2%)に生じ、70mg/m^{2}以上の量を使用した場合に有意に高頻度[2]。
- 点滴開始後1～35分(中央値5分)で発現したが、点滴を一時止めて状態を確認した後に、**速度を遅くして再開することでほとんど**

の症例で継続可能。また1、2サイクルで多いがその後は減少[2)]。

2 浮腫 (➡P.301)

- 総使用量が多くなるにつれて高頻度に発現する。利尿薬を適宜使用する。

3 骨髄抑制 (➡P.413)

- 高頻度でみられ、発現する時期は早く、1週間前後である。

4 皮疹 (➡P.279)

- TCのほうが頻度、重症度とも高く、1週間目ごろからみられ、3週間目の次のサイクルのころには消退することが多い。
- ヘパリン類似物質(ヒルドイド®)などで保湿を十分に行い、発症した場合は、手指には強力なステロイド軟膏、顔面には中等度のステロイド軟膏を用いる。

5 筋肉痛・関節痛 (➡P.170)

- 一過性であるが、対症療法としてNSAIDs内服薬を適宜使用する。

6 末梢神経障害(TC) (➡P.253)

- パクリタキセルよりは軽度であるが、容量依存的に出現する。

C 減量・休薬・再開のコツ

- 周術期治療では根治性を求めるため、減量・休薬を最小限に抑え、dose intensityを保つように工夫する。
- 転移・再発乳がんに対する治療では、効果と副作用を見て減量しながら継続する。

(石川　孝/三原由希子/和田伸子)

文献

1) Kosaka Y, et al. Support Care Cancer 2015; 23: 1137-43. PMID: 25576433
2) 和田伸子, ほか. 癌の臨床 2012; 58: 137-42.

TAC療法

－骨髄抑制は高頻度。関節痛・浮腫に注意－

標準的なレジメン（投与量／スケジュール）

		Day 1	22	43
ドセタキセル（DTX）	75 mg/m²	↓	↓	↓
ドキソルビシン（DXR）	50 mg/m²	↓	↓	↓
シクロホスファミド（CPA）	500 mg/m²	↓	↓	↓

周術期治療として3週1サイクル、通常6サイクル。
G-CSF製剤の1次予防を考慮（day 2 or 3）

A 治療開始前

前投与・前処方すべき支持療法薬	併用に注意すべき薬剤
ステロイド、制吐薬、G-CSF製剤、鎮痛薬	CYP3A4阻害薬

B 副作用発現時期

	Day																				
	1	2	3	4	5	6	7	8	9	10	11	12	13	14	15	16	17	18	19	20	21
好中球減少								➡ P.156, 319, 413													
悪心・嘔吐	➡ P.146, 185																				
出血性膀胱炎				➡ P.215																	
脱毛														➡ P.290							
皮疹			➡ P.279																		
浮腫	➡ P.301									3～4サイクル目以降											
関節痛・筋肉痛			➡ P.170																		

C 減量・休薬・再開

投与基準

ANC（/mm³）	≧1,500	AST、ALT	＜3×ULN
PLT（/mm³）	≧100,000	T-Bil	＜1.5×ULN
Hb（g/dL）	≧8	末梢神経障害や浮腫、便秘、体重減少	≦G2

・投与基準を満たすまでは、投与を延期

減量方法

・G3以上の発熱性好中球減少症や好中球減少の遷延、血小板減少、悪心・嘔吐など

(mg/m²)

	初回基準値	1段階減量	2段階減量
ドセタキセル	75	60	50
ドキソルビシン	50	40	30
シクロホスファミド	500	400	300

- TAC療法はフルオロウラシル＋ドキソルビシン＋シクロホスファミド併用（FAC）療法と比較し、無病生存期間および生存期間の向上を示し（BCIRG-001試験[1,2]）、アンスラサイクリン系薬剤を含むレジメンとタキサン系薬剤の順次投与との比較においても同等の治療成績である（BCIRG-005試験[3,4]）。しかし、発熱性好中球減少症や血小板減少をより高頻度に認めており、慎重な適応が望まれる。

A 治療開始前のコツ

1 アルコール過敏・アレルギーはないか

- ドセタキセルを使用するため、アルコール過敏やアレルギーの有無を確認する。
- アルコール過敏症の患者には添付の溶解液（エタノール含有）を使用せず、生理食塩水や5％ブドウ糖液で溶解することもある。

2 アンスラサイクリン系の投与歴はないか

- アンスラサイクリン系抗がん剤には蓄積性の心毒性があるため、投与歴や心疾患に関する既往歴を確認する。

前投与・前処方すべき支持療法薬

1 悪心・嘔吐の予防 ➡ P.146,185

- TAC療法は高度催吐性リスク対応の制吐療法を行う。

2 発熱性好中球減少症（FN）の予防 ➡ P.156,319

- TAC療法においてG-CSF製剤の1次予防的投与を行わなかった場合、FN発症率は24.7％と報告されており[1]、1次予防的投与の対象となる。
- 持続型G-CSF製剤のペグフィルグラスチム（ジーラスタ®）を各サイクルのday 2以降（化学療法終了から24時間以降72時間以内）

に3.6mgを皮下投与することで、発症率を10%程度まで抑えることができる[6)]。

B 治療開始時のコツ

- 各サイクルの化学療法投与前に、問診・身体所見で皮膚反応や消化器毒性、末梢神経障害、浮腫を評価する。
- 採血検査で、血算や電解質、腎・肝機能を確認する。

1 関節痛・筋肉痛 ➡P.170

- 投与2〜3日後に生じることがあるが、多くは一過性であり、NSAIDsやアセトアミノフェンなどにより対処可能である。

2 浮腫 ➡P.301

- ドセタキセルの総投与量が300〜400mg/m^{2}に達するころから、発現率が高くなる[7)]。ステロイドの前投与が浮腫・過敏症状の予防に有効であると報告されており[8)]、デキサメタゾン16mg/日を化学療法投与前日から開始し、計3日間投与することを検討する。
- ドセタキセルに伴う体液貯留とドキソルビシンによる心不全➡P.222を鑑別に、胸部X線検査や心エコーを行う。

C 減量・休薬・再開のコツ

- 周術期化学療法の治療目的は治癒であり、治癒を目指すために適切な支持療法を行い、治療強度を維持して標準治療を完遂することが重要である。

（川井沙織／高野利実）

文献

1）Martin M, et al. N Engl J Med 2005; 352: 2302-13. PMID: 15930421
2）Mackey JR, et al. Lancet Oncol 2012; 14: 72-80. PMID: 23246022
3）Eiermann W, et al. J Clin Oncol 2011; 29: 3877-84. PMID: 21911726
4）Mackey JR, et al. Ann Oncol 2016; 27: 1041-7. PMID: 26940688
5）日本癌治療学会, 編. 制吐薬適正使用ガイドライン2015年10月 第2版. 東京: 金原出版; 2015.
6）Masuda N, et al. Support Care Cancer 2015; 23: 2891-8. PMID: 25733000
7）サノフィ株式会社. タキソテール®医薬品インタビューフォーム 2018年3月 改訂第14版.
8）Piccart MJ, et al. J Clin Oncol 1997; 15: 3149-55. PMID: 9294478

参考文献

1）渡辺 亨, 編. Expert choice乳がんレジメン. 東京: 先端医学社; 2016.

Docetaxel＋Carboplatin＋Trastuzumab＋Pertuzumab（TCbHP）療法
－初回投与時のinfusion reactionに注意－

標準的なレジメン（投与量／スケジュール）

		Day 1	22	43
ドセタキセル	75 mg/m²	↓	↓	↓
カルボプラチン	AUC6 *1	↓	↓	↓
トラスツズマブ	初回8 mg/kg、2回目以降6 mg/kg	↓	↓	↓
ペルツズマブ	初回840 mg/kg、2回目以降420 mg/kg	↓	↓	↓

3週1サイクル、6サイクル施行（主に術前治療）
G-CSF製剤の1次予防を考慮（day 2 or 3）

A 治療開始前

前投薬・前処方すべき支持療法薬
ステロイド、制吐薬、抗ヒスタミン薬、G-CSF製剤（リスクに応じてday 2 or 3）

B 副作用発現時期

	Day 1	2	3	4	5	6	7	8	9	10	11	…
アナフィラキシー		→ P.161										
Infusion reaction		→ P.161										
悪心・嘔吐、筋肉痛	→ P.146,185				→ P.170							
全身倦怠感			→ P.166									
発熱性好中球減少症							→ P.319					
血小板減少							→ P.237					
皮疹			→ P.279									

＊4サイクル前後からHb低下

C 減量・休薬・再開

投与基準

ANC（/mm³）	≧1,500 *2	PLT（/mm³）	≧100,000 *2
Hb（g/dL）	≧8.0	AST、ALT	≦3.0×ULN

減量方法

	初回基準値	1段階減量	2段階減量
ドセタキセル（mg/m²）	75	60	50
カルボプラチン（AUC）	6	5	4

＊1：カルボプラチン投与量はCalvertの式にて計算。糸球体濾過量（GFR）は血清Cr値に0.2を加えた補正した値を用いて、Cockcroft-Gaultの計算式で代用する。投与量は最大900 mgを超えないこと。
Calvertの式：カルボプラチン投与量（mg）＝目標AUC×（GFR＋25）
Cockcroft-Gaultの式：GFR＝（140－年齢）×体重（kg）×0.85/72×（血清Cr（mg/dL）＋0.2）

＊2：全身状態が良好で投与可能と判断した場合はANC 1,000以上、PLT 75,000以上で継続

A 治療開始前のコツ

1 アンスラサイクリン系薬剤への変更がありうることを説明しておく

- TCbHP療法はアンスラサイクリン系レジメンを回避したde-escalationの意味合いをもちつつ、高いpCR率を目指しうるレジメンでもある。術前化学療法においてTCbHPを使用した試験でのpCR率は60～80％であった[1-4]。3～4サイクル実施後の治療効果によってpCRが期待できない場合はアンスラサイクリン系レジメンに移行しpCRを目指す。それでも術後non-pCRの場合はT-DM1の術後補助療法を行い予後の改善を図る。

2 治療前MRIやエコーで拡がりやサイズの把握

- **2サイクルごと**にエコーでサイズ変化を確認。
- **4サイクル終了時点**でMRIやエコーを実施し、6サイクルまで投与継続とするのか、アンスラサイクリン系薬剤へ移行するのかを検討。

3 B型肝炎ウイルス（HBs抗原・抗体、HBc抗体） ➡P.207

4 心機能評価 ➡P.222

- TRYPHAENA試験では心不全やLVEFが50％未満、かつベースラインから10％以上低下はTCbHP×6群では3.9％と低率で、ほかのFEC＋HER＋PER×3→HER＋PER＋DTX×3（5.6％）、FEC×3→HER＋PER＋DTX×3（5.3％）と比較しても忍容性に問題なかった[5,6]。

5 アルコール過敏はないか

- アルコール過敏もしくは不耐症の場合、ドセタキセルの溶解液を工夫する。

6 年齢 ➡P.401

- 副作用が強く出現する傾向にあるので、高齢者への適応は慎重に。

前投与・前処方すべき支持療法薬のコツ

1 浮腫予防

- デキサメタゾン（デカドロン）8mg（分1もしくは分2）を投与前日、当日、翌日まで内服。

2 制吐薬 ➡P.146,185・抗ヒスタミン薬 ➡P.161

- 中等度リスク対応の制吐療法を行う。
- 過敏症対策として、ジフェンヒドラミン（レスタミン®コーワ）錠10mg5錠内服の工夫もあり。

B 副作用をみつけるコツ

1 infusion reaction、アナフィラキシー ➡P.161

- トラスツズマブ＋ペルツズマブ初回投与時にinfusion reactionが発生することがあるが、ドセタキセルによる一過性の過敏症状の場合もある。特に初回投与時はよく観察し、恒久的中止を必要とするアナフィラキシーなのか、支持療法やドセタキセルをアルコールフリーで継続可能なのかを見極めることが重要。
- カルボプラチンでは投与を重ねるごとにショック・アナフィラキシーの発生頻度が高くなる傾向があり、7回以上になるとその傾向は顕著になるとの報告がある[7)]。

2 筋肉痛 ➡P.170

- 早ければ投与当日から症状出現する場合あり。鎮痛薬内服で対処。

3 悪心・嘔吐 ➡P.146,185

- 投与から数日持続することがあるので、追加の制吐薬で対処。

4 皮疹 ➡P.279

- 1週間前後で消失する場合が多いが、場合によっては抗ヒスタミン薬、ステロイド外用薬を処方。

5 下痢 ➡P.191

- ペルツズマブによる下痢は投与翌日から数日持続する場合がある。TCbHPではほかの抗がん剤でも下痢は起こりうるので、ペルツズマブによるものかそれ以外かを見極める必要がある。

6 骨髄抑制

- 骨髄抑制のnadirの時期が7～10日の期間であるので、その間に38度以上の熱発が認められた場合には、事前処方しておいた抗菌薬レボフロキサシンを3日間内服してもらい、それでも熱発持続の場合は受診するよう伝える。G-CSFの1次予防を考慮 ➡P.156,319。
- 血小板減少 ➡P.237：骨髄抑制が著明になる7日目以降に内出

血斑が出現していないか、患者自身に留意してもらう。

7 全身倦怠感 ➡P.166

- ステロイド内服が終了する3日あたりから出現する。

8 浮腫 ➡P.301

- 4サイクルあたりから出現してくることがあるので、その際には利尿薬処方で対処する。

9 貧血/Hb低下 ➡P.234

- 4サイクル前後からHb低下の傾向がある。

C 減量・休薬・再開のコツ

- サイクル中の減量は適切な副作用マネジメントを行ったうえで求められるべきで、**安易に減量を行うべきではない**。
- 発熱性好中球減少症を認めた場合は、次サイクルより予防的G-CSF投与を行う。この時点で積極的減量を行うべきではない。年齢や合併症などリスクを加味し、初回から予防的G-CSF投与を行う場合もある。
- 急激な血小板減少による内出血斑が認める場合や、遷延する血小板減少によって次サイクル延期が顕著な場合は、安全性や有効性の観点からしても**減量を検討**する。
- 著明な筋肉痛や遷延する嘔気に対しては支持療法（鎮痛薬・制吐薬・輸液など）をまず行い、それによっても副作用が著明な場合は、治療継続の観点から**減量を検討**する。

（八十島宏行）

文献

1）Gianni L, et al. Lancet Oncol 2012; 13: 25-32. PMID: 22153890
2）Gianni L, et al. Lancet Oncol 2016; 17: 791-800. PMID: 27179402
3）Hurvitz SA, et al. Lancet Oncol 2018; 19: 115-26. PMID: 29175149
4）Masuda N, et al. Breast Cancer Res Treat 2020; 180: 135-46. PMID: 31953696
5）Schneeweiss A, et al. Ann Oncol 2013; 24: 2278-84. PMID: 23704196
6）Schneeweiss A, et al. Eur J Cancer 2018; 89: 27-35. PMID: 29223479
7）Makrilia N, et al. Met Based Drugs 2010; 2010: 207084. PMID: 20886011

Paclitaxel単剤（毎週投与法）／Paclitaxel＋Carboplatin（PTX＋CBDCA）療法
－過敏性反応、末梢神経障害に注意－

標準的なレジメン（投与量／スケジュール）

パクリタキセル（PTX）単剤（毎週投与法）

●術前・術後

	Day 1	8	15	22	29	36	43	50	57	64	71	78
パクリタキセル　80 mg/m²	↓	↓	↓	↓	↓	↓	↓	↓	↓	↓	↓	↓

通常12回（4サイクル）にアンスラサイクリン系を逐時投与する。

●進行・再発

	Day 1	8	15	22	29	36	43	50	
パクリタキセル　80 mg/m²	↓	↓	↓		↓	↓	↓		・・・PDになるまで継続

休薬期間を設けず、PDとなるまで毎週投与する方法もあり。

PTX＋カルボプラチン療法（CBDCA）

●トリプルネガティブ乳がんの術前化学療法

	Day 1	8	15	22	29	36・・・	
パクリタキセル　80 mg/m²	↓	↓	↓	↓	↓	↓	
カルボプラチン　AUC5	↓			↓			・・・

3週1サイクル、通常4サイクル

A 治療開始前

前投与・前処方すべき支持療法薬	併用に注意すべき薬剤
抗ヒスタミン薬、ステロイド（CBDCA併用時）制吐薬	アゾール系抗真菌薬、マクロライド系抗菌薬、シクロスポリン、ベラパミルなど

B 副作用発現時期

●PTX単剤（毎週投与法）

	Week				Month		
	1	2	3	4	1	2	～
過敏性反応	投与当日	➡P.161					
筋肉痛・関節痛、倦怠感	投与2～3日後	➡P.170			➡P.166		
口内炎、下痢、味覚障害			➡P.182		➡P.191		➡P.247
脱毛、末梢神経障害（知覚・運動）、爪変化	➡P.290 ➡P.275	➡P.253					
好中球減少		➡P.319					

●PTX＋CBDCA療法

	Week				Month		
	1	2	3	4	1	2	～
過敏性反応	投与当日	→P.161					
筋肉痛・関節痛、倦怠感	投与2～3日後	→P.170,166					
悪心・嘔吐	→P.146,185						
口内炎		→P.182					
下痢		→P.191					
味覚障害、脱毛			→P.247		→P.290		
爪変化					→P.275		
白血球減少、血小板減少		→P.237					
末梢神経障害(知覚・運動)、貧血		→P.253				→P.234	

C 減量・休薬・再開

投与継続基準

[PTX単剤(毎週投与法)]

ANC(mm³)	≧1,000
PLT(mm³)	≧75,000
末梢神経障害(知覚・運動)	≦G2
非血液毒性(脱毛、末梢神経障害を除く)	≦G1

・投与継続基準を満たさなければ、1週間休薬

[PTX＋CBDCA療法]

Day1(投与開始日)	Day8,15(PTX投与日)
≧1,500	≧500
≧100,000	≧75,000
≦G2	≦G2
≦G1	−

・Day1,8,15に投与継続基準をそれぞれ満たさなければ、1週間休薬もしくはPTXをスキップ

減量方法

・末梢神経障害(知覚・運動)≧G2

	初回基準値	1段階減量	2段階減量
PTX(mg/m²)	80	70	60

・発熱性好中球減少症、血小板数≦25,000、非血液毒性≧G3のいずれかを認めた場合

	初回基準値	1段階減量
CBDCA(AUC)	5	4

- 乳がん術後療法において、アンスラサイクリン系に引き続くPTX毎週投与法の5年無再発率は81.5%であった(3週1回76.2%、$p = 0.006$)[1)]。進行・再発乳がんにおける毎週投与($80 mg/m^2$)と3週1回($175 mg/m^2$)の比較試験では、無憎悪生存期間(9カ月 vs 5カ月、$p < 0.0001$)が有意に優れていた[2)]。
- トリプルネガティブ乳がんは、プラチナ製剤の感受性が高いことが示唆されている[3)]。術前化学療法において、PTX単剤と比較して、CBDCA併用による病理学的完全寛解(pCR)率の有意な向上が認められた(54% vs 41%、$p = 0.029$)[4)]。国内の比較試験でも同様の結果であった[5)]。しかし、長期追跡結果では、無再発生存期間は有意に延長したが生存期間の延長は認められなかった[6)]。

A 治療開始前のコツ

1 アルコール過敏症の有無を確認

- PTXはアルコールを含有している。

2 併用薬の確認

- アゾール系抗菌薬(ミコナゾールなど)、マクロライド系抗菌薬(エリスロマイシンなど)、シクロスポリン、ベラパミルなど。PTX代謝酵素がCYP2C8、CYP3A4のため、これらの薬剤との併用でPTXの代謝が阻害され、PTXの血中濃度が上昇する可能性がある。

前投与・前処方すべき支持療法薬

1 ステロイド・抗ヒスタミン薬 ➡P.161

- PTXは溶媒にポリオキシエチレンヒマシ油を用いているため、過敏症の発現に注意する。前投薬として、
  投与30分前：ステロイド＋H_2受容体拮抗薬(ラニチジン)
  投与15分前：H_1受容体拮抗薬(フェニラミン)
  それぞれ、15分で点滴静注するshort premedicationが汎用されている。

2 制吐薬 ➡P.146,185

- CBDCA併用時は中等度催吐性リスクに応じた制吐療法を行う。

B 副作用をみつけるコツ

1 PTX単剤(毎週投与法)

- 投与時に末梢神経障害 ➡P.253 の有無、程度を観察・聴取する。末梢神経障害の発現時期は投与開始より1カ月以降である。投与中の末梢神経障害の推移、および日常生活制限の有無を観察し、

適時、休薬・減量を行う。

- 骨髄抑制 （➡P.413） や肝機能障害 （➡P.202,405） などのモニタリングのために、投与中は3～4週に1回を目処に採血を行う。
- 進行・再発乳がんにおけるG3以上の有害事象（脱毛以外）の頻度は、好中球減少8％、感覚性末梢神経障害24％、運動性末梢神経障害9％、下痢5％、倦怠感6％、感染6％、および高血糖5％[2)]。
- ステロイドを前投薬するので、**糖尿病合併例では血糖の推移にも注意を払う**。
- **爪変化** （➡P.275） や**味覚障害** （➡P.247） もみとめられる。

2 PTX＋CBDCA療法

- 各薬剤投与時（週1回）に採血を行う。骨髄抑制の発現時期は投与開始2週以降、貧血 （➡P.234） は投与開始2カ月以降に認められる。
- CBDCA併用により血液毒性増強が認められ、G3以上の血液毒性の頻度は発熱性好中球減少20.5％、貧血19.3％であった[5)]。国内試験においては、有害事象により33％が投与を中止した。

C 副作用による減量・休薬・再開のコツ

1 PTX単剤（毎週投与法）

- 上述の投与継続基準を満たさなければ、**1週間休薬**する。
- 末梢神経障害（知覚・運動）≧G2を認めた場合、**70mg/m²へ減量**、再度、末梢神経障害≧G2を認めた場合は、**60mg/m²へ減量**する[2)]。

2 PTX＋CBDCA療法

- Day1,8,15に上述の投与継続基準をそれぞれ満たさなければ、**1週間休薬延期、あるいは休薬スキップ**する。
- 前サイクルにて、発熱性好中球減少症、血小板数≦25,000/mm³、非血液毒性≧G3のいずれかを認めた場合は、**CBDCAをAUC4へ減量**する。
- 末梢神経障害（知覚・運動）≧G2発現時のPTX減量基準は、PTX毎週投与と同一である[5)]。

（安藤正志）

文献

1）Sparano JA, et al. N Engl J Med 2008; 358: 1663-71. PMID: 18420499
2）Seidman AD, et al. J Clin Oncol 2008; 26: 1642-9. PMID: 18375893
3）Lehmann BD, et al. J Clin Invest 2011; 121: 2750-67. PMID: 21633166
4）Sikov WM, et al. J Clin Oncol 2015; 33: 13-21. PMID: 25092775
5）Ando M, et al. Breast Cancer Res Treat 2014; 145: 401-9. PMID: 24728578
6）Loibl S, et al. Ann Oncol 2018; 29: 2341-7. PMID: 30335131

参考文献

1）Miller K, et al. N Engl J Med 2007; 357: 2666-76. PMID: 18160686

nab-Paclitaxel単剤
－末梢神経障害に対し速やかな減量・休薬－

標準的なレジメン（投与量／スケジュール）

	Day 1		22…
アブラキサン® 260 mg/m²	↓	休薬20日間	↓

30分かけて点滴。3週間1サイクルで繰り返す。

A 治療開始前

前投与・前処方すべき支持療法薬	併用に注意すべき薬剤
過敏症予防の前投薬は不要	CYP2C8阻害薬、CYP3A4阻害薬

B 副作用発現時期

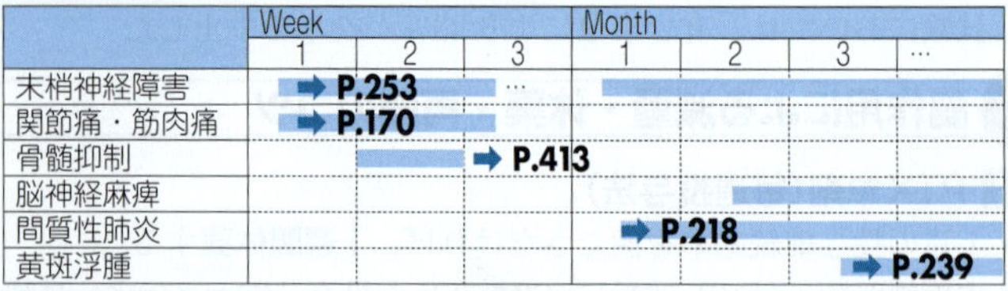

	Week 1	Week 2	Week 3	Month 1	Month 2	Month 3	…
末梢神経障害	➡P.253		…	━	━	━	━
関節痛・筋肉痛	➡P.170						
骨髄抑制		━	➡P.413				
脳神経麻痺					━	━	━
間質性肺炎				➡P.218	━	━	━
黄斑浮腫						➡P.239	

C 減量・休薬・再開

投与開始・減量基準

	開始基準	減量基準
ANC（/mm³）	1,500≦	＜500（7日間以上）
PLT（/mm³）	100,000≦	＜50,000
末梢神経障害	≦G2	G2≦

・発熱性好中球減少症：G-CSF製剤のサポートもしくは減量
・末梢神経障害≧G3：≦G1に回復すれば減量して再開

減量方法

初回基準値	1段階減量	2段階減量
260	220	180

（mg/m²）

A 治療開始前のコツ

1 骨髄機能が十分保持されているか

● 骨髄抑制は用量制限毒性（dose limiting toxicity）であり、重篤な骨髄抑制や感染症を合併している患者には投与禁忌である。

2 肝機能障害 (➡P.405)、腎機能障害 (➡P.409) はないか

- 有害事象が強く現れるおそれがある。

3 末梢神経障害について説明する (➡P.253)

- 投与中止になった理由として最も多い有害事象である。
- 有効な治療法や予防法はなく、筆者は、①投与日から出現するおそれがあること、②適切な減量・休薬により回復することを説明し、③プレガバリン(リリカ®)1回75mg 1日2回を予防的に処方し、症状発現時には眠前から内服を開始し、めまい、眠気、浮腫などの副作用がなければ内服の継続を指導している。

4 末梢性感覚神経障害の既往歴、合併症はないか

- 既往歴、合併症があると末梢神経障害の発現頻度が高い傾向がある[1)]。化学療法歴の長い患者ですでに神経障害を有している場合、最初から減量を考慮する。

5 同意書の作成

- 人血清アルブミンを添加物として使用しており、感染症のリスクは完全に排除できない。施設の基準に則り同意書の作成や投与の記録管理が必要である。

前投与・前処方すべき支持療法薬

- ポリオキシエチレンヒマシ油(商品名:クレモホール®EL)および無水エタノールを添加物として使用していないため、過敏症予防の前投薬は不要である。
- 軽度催吐性リスクのため、初回からの制吐薬投与は不要である。

B 副作用をみつけるコツ

1 末梢神経障害 (➡P.253)

- 従来のパクリタキセル製剤に比べて、神経障害が高頻度に出現する(全G 63.7%、G2以上42.5%、G3以上10.8%)[1)]。総投与量に比例して症状の程度および発現頻度が高くなる傾向がある。
- 四肢周囲のしびれ感、痛み、焼けるような異常感覚で始まることが多く、増悪すると、全感覚に及ぶ感覚障害、腱反射消失、感覚性運動失調(歩行障害)などを起こすこともある。

2 骨髄抑制 (➡P.413)

- サイクルが進むにつれて白血球減少、好中球減少の発現率は高くなる傾向がある[1,2)]。投与後7日目くらいが骨髄抑制のピークであるが、投与後2～3日でもピークを迎える症例があることも理解しておく[1)]。

- 2サイクル目以降を安全に投与するために、1サイクル目はday7,8に採血を行い、骨髄抑制の程度を把握しておく。2サイクル目以降は、1サイクル目の骨髄抑制の程度、患者のPS、全身状態、基礎疾患などを考慮し、採血を省略しても許容される。

3 脳神経麻痺（顔面神経麻痺、声帯麻痺）

- 長期使用後に現れる傾向がある。多くは顔面神経麻痺であるが、多発性脳神経麻痺も報告されている。閉眼不能、眼瞼下垂、口角下垂、流涙、よだれ、額のしわ寄せ不能などの症状が現れる。

4 間質性肺炎 ➡P.218

- 発熱、外装、息切れ、呼吸困難などが初発症状である。疑われる症状を認めた場合、投与中止し、胸部X線、CTなどの画像検査、KL-6、SPDなどの臨床検査を実施し、呼吸器専門医と連携する。

5 黄斑浮腫 ➡P.239

- 視力低下、霧視、物がゆがんで見えるなどの症状が現れる。処置が遅れると、視力障害が長期に持続する可能性がある。

C 減量・休薬・再開のコツ

- 周術期化学療法として治癒を目指す場合は、決められた用法・用量で投与することを原則とし、血液毒性に対してはG-CSF製剤を用いながらdose-intensityを保ち、より高い治療効果を目指したい。しかし、非血液毒性は予防薬・治療薬もなく、患者の治療意欲、日常生活に影響するので、状態を十分に観察、評価し、速やかに減量・休薬を行う。
- 転移性乳がんの場合は、有害事象と効果のバランスを保ちながら治療を行う。状況によりG-CSFを投与しながら2サイクル目の投与を行うが、治療効果の高い薬剤なので**休薬より減量を優先**する。2段階減量しても次サイクル開始時の骨髄機能の回復が不十分である場合は休薬する。3週まで待機しても回復しない場合は、別のレジメンを考慮する。
- **神経障害**は骨髄抑制に比べて患者のADL、QOLに影響するので、**速やかな休薬・減量**が必須である。休薬により回復することも明らかなので、**休薬**を優先する。

（鈴木育宏）

文献

1）アブラキサン®点滴静注用適正使用ガイド．大鵬薬品株式会社．
2）Gradishar W, et al. J Clin Oncol 2005; 23: 7794-803.

参考文献

1）Untch M, et al. Lancet Oncol 2016; 17: 345-56.
2）Rugo H, et al. J Clin Oncol 2015; 33: 2361-9.

Capecitabine(A法・B法)単剤／XC (Capecitabine＋Cyclophosphamide)療法
－手足症候群に注意－

標準的なレジメン(投与量／スケジュール)

カペシタビン単剤(A法)

Day 1　　21 22　　28 29

カペシタビン 1,650 mg/m²/日　3週間内服　1週間休薬

カペシタビン単剤(B法)

Day 1　　14 15　　21 22

カペシタビン 2,500 mg/m²/日　2週間内服　1週間休薬

XC(カペシタビン＋シクロホスファミド)療法

Day 1　　14 15　　21 22

カペシタビン 1,657 mg/m²/日　2週間内服　1週間休薬

シクロホスファミド 65 mg/m²/日　2週間内服　1週間休薬

A 治療開始前

前投与・前処方すべき支持療法薬	併用に注意すべき薬剤
保湿剤(ヘパリン類似物質など)	S-1、ワルファリン、フェニトイン、アロプリノール(XC療法)

B 副作用発現時期

Month	1				2				3	4	…
Day	1	8	5	22	1	8	15	22	1	1	

副作用	参照
手足症候群	P.283
AST、ALT	P.202,405
ビリルビン	P.202,405
悪心・嘔吐	P.146,185
口内炎	P.182
下痢	P.191

(XCの場合)

副作用	参照
骨髄抑制	P.413
出血性膀胱炎	P.215

(適正使用ガイドより作成)

C 減量・休薬・再開

投与開始・再開基準(適正使用ガイド)

	開始基準	再開基準(≦CTCAE G1)
WBC(/mm^3)	≧3,000	≧3,000
ANC(/mm^3)	≧1,500	≧1,500/
PLT(/mm^3)	≧100,000	≧75,000
Hb(g/dL)	≧9.0	≧10
AST、ALT	＜ULN×2.5	＜ULN×3
T-Bil	＜ULN×1.5	＜ULN×1.5
血清Cr	＜ULN×1.5	＜ULN×1.5
BUN(mg/dL)	≦25	

減量方法

・腎機能低下時(適正使用ガイド)

Ccr(mL/分)	投与開始量
51～80	減量不要
30～50	75%用量(1段階減量)
＜30	投与禁忌

・G3が2回以上出現したとき

A法 (mg/回)

体表面積(m^2)	初回基準値	1段階減量
＜1.31	900	600
1.31～＜1.64	1,200	900
1.64≦	1,500	1,200

B法 (mg/回)

体表面積(m^2)	初回基準値	1段階減量	2段階減量
1.13～＜1.33	1,500	1,200	(1.13～＜1.21)600 (1.21～＜1.33)900
1.33～＜1.57	1,800	(1.33～＜1.45)1,200 (1.45～＜1.57)1,500	900
1.57～1.81	2,100	(1.57～＜1.77)1,500 (1.77～＜1.81)1,800	(1.57～＜1.69)900 (1.69～＜1.81)1,200

A 治療開始前のコツ

1 患者の状態を確認する

- ①PS 0～2、②主要臓器機能が十分保持されている(血液一般検査、肝機能検査、腎機能検査)、③感染症またはその疑いがない、④カペシタビンは経口薬であり、剤形が大きく、服用錠数が多いので、内服可能かどうか確認する。また、服薬スケジュールや副作用時の対処について理解が得られること。

2 服薬スケジュールを説明する

- 飲み忘れがあった場合でも既定の**休薬期間は遵守する**よう指導を行う。
- 患者の理解力が低い場合には、家族の協力を得る。また、患者日誌を活用する。

3 手足症候群 ➡ P.283 の予防について、日常生活の注意点を説明する

- 過度の温度、圧力、摩擦を避ける。外出時は革靴やヒールの高い靴などを避け、柔らかく歩きやすいもの(スニーカーなど)を勧める。
- 症状悪化を防ぐために、出現時は早めの受診を促す。医師・薬剤師・看護師が各職種の専門性を活かしたチーム医療を実践し、必要に応じて皮膚科医と連携する。

4 口腔ケアを指導する

- 他の薬物療法と同様に治療前に歯科受診を推奨する。口腔内を清潔に保つため、含嗽やブラッシングを定期的に行い、食事は刺激物(高温、辛味、酸味)を避ける。

5 発熱性好中球減少症 ➡ P.319 について説明する

- 発熱時(腋窩37.5℃以上)は病院に連絡するよう指導する。**自己判断で感冒薬などを服用しない**よう注意する。ほかの支持療法で解熱鎮痛薬を処方する際は、発熱を見逃さないように**服用前に検温**する。

前投与・前処方すべき支持療法薬

1 下痢

- 初回より支持療法薬の処方は行わない。頻回の水様便の場合、また、症状出現により経口摂取困難となった際は速やかに受診。重度の下痢の場合、DPD酵素欠損の可能性があり、骨髄抑制にも留意する。

2 手足症候群 ➡ P.283

- 予防的な支持療法としての**ビタミンB_6**はカペシタビン投与時の手足症候群に無効との報告があり一般的には推奨しない。
- **保湿剤(ヘパリン類似物質など)**を処方し、十分量を塗布するように指導する。その際、角質が硬化している部分は念入りに塗り、さらに関節部分や爪の周囲にも塗り込むように指導する。保湿効果を高めるため、就寝時には綿の手袋や足袋の着用を勧める。

B 副作用をみつけるコツ

- 発現時期を念頭に置き症状の観察を行う(参考：ゼローダ®適正使用ガイド)[1]。

①血球減少(症)：14日前後。発熱、倦怠感、咳嗽、咽頭痛
②手足症候群：2サイクル目以降。手掌の弾力、知覚過敏、疼痛、紅斑、落屑、腫脹、痺れ、潰瘍、水疱、日常生活の可否
③悪心・嘔吐：数日後～。体重、水分・経口摂取状況、脱水、嘔

吐回数
④口内炎：2週間前後。疼痛、出血、腫れ、乾燥、経口摂取状況
⑤下痢：2週間前後。腹痛、便の性状、排便回数、潜血
⑥肝機能障害：サイクルごとに採血

C 減量・休薬・再開のコツ

1 手足症候群 ➡P.283

- G1であれば十分な保湿を行い、必要に応じてステロイド軟膏を使用しながら通常用量を投与。
- **G2以上**ではカペシタビンを**いったん休薬**。**休薬後、G0/1に改善していれば同量で再開**するが、**G3の症状出現時は1段階減量して再開**。

2 下痢 ➡P.191 口内炎 ➡P.182 骨髄抑制 ➡P.413 悪心・嘔吐 ➡P.146,185

- **G2（A法ではG3）以上で休薬し、次回から減量を考慮。**支持療法については各項を参照。

3 膀胱炎症状

- XC療法の場合、長期になるとシクロホスファミドにより頻尿などの膀胱炎様症状をきたす例がある。重篤な場合は出血性膀胱炎➡P.215に至ることがあり、症状出現時にはシクロホスファミドの中止が必要である。

術後薬物療法として（CREATE-X試験[7]）
HER2陰性乳がんに対する標準的術前化学療法後、病理学的完全奏効が得られなかった患者において、カペシタビンB法、6～8サイクルでの術後薬物療法は無病生存期間と全生存期間を有意に延長した。特にHR陰性のトリプルネガティブ乳がんで顕著であり、NCCNガイドラインで推奨されている。

（山口美樹／柿原圭佑）

参考文献

1）ゼローダ®錠 適正使用ガイド．中外製薬株式会社．
2）Talbot DC, et al. Br J Cancer 2002; 86: 1367-72. PMID: 11986765
3）Kaufman PA, et al. J Clin Oncol 2015; 33: 594-600. PMID: 25605862
4）Tanaka M, et al; Kyushu Breast Cancer Study Group. Anticancer Drugs 2010; 21: 453-8. PMID: 20075712
5）Ohno S, et al ; Kyushu Breast Cancer Study Group. Anticancer Res 2007; 27: 1009-13. PMID: 17465235
6）Kang YK, et al. J Clin Oncol 2010; 28: 3824-9. PMID: 20625131
7）Masuda N, et al. N Engl J Med 2017; 376: 2147-59.

S-1単剤・UFT単剤

－経口薬ではあるが、下痢・肝機能障害などの副作用には留意－

標準的なレジメン（投与量／スケジュール）

	Day1	
UFT 300 mg/m² 分2～3PO	連日投与	

	Day1～28	29～42
S-1 1日2回 PO	4週間投与	2週間休薬

6週1サイクル。

S-1の投与量

体表面積	
1.25 m²未満	1回40 mg/body
1.25～1.5 m²未満	1回50 mg/body
1.5 m²以上	1回60 mg/body

A 治療開始前

前投与・前処方すべき支持療法薬	併用に注意すべき薬剤
含嗽薬、人工涙液、日焼け止め	ワルファリン、フェニトイン

B 副作用発現時期

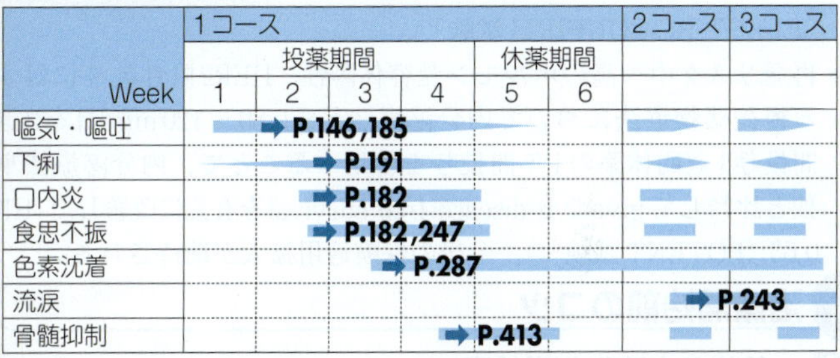

Week	1コース 投薬期間 1	2	3	4	休薬期間 5	6	2コース	3コース
嘔気・嘔吐		➡P.146,185						
下痢			➡P.191					
口内炎			➡P.182					
食思不振			➡P.182,247					
色素沈着				➡P.287				
流涙								➡P.243
骨髄抑制					➡P.413			

C 減量・休薬・再開

	休薬基準	再開基準	休薬後再開時1段階減量
ANC（/mm³）	<1,000	≧1,500	<500
Hb（g/dL）	<8.0	≧8.0	輸血を要する
PLT（/mm³）	≧25,000<50,000	≧75,000	<25,000
AST / ALT	≧×3.0<×5.0ULN	≦×3.0ULN	≧×5.0<×20ULN
T-Bil	≧×1.5<×3.0ULN	≦×1.5ULN	≧×3.0<×10ULN
下痢	ベースラインより4～6回増加	ベースラインより3回以下の増加	ベースラインより7回以上増加
その他の非血液毒性*	≧G2	≧G1	≧G3

*脱毛、色素沈着を除く。ULN：基準値上限。

減量方法

体表面積(m²)	初回基準量	1段階減量	2段階減量
＜1.25	80mg/日 分2	休薬	休薬
1.25～＜1.5未満	100mg/日 分2	80mg/日 分2	休薬
1.5≦	120mg/日 分2	100mg/日 分2	80mg/日 分2

腎機能低下時の投与量

Ccr(mL/分)	投与量
60≦	初回基準量
30～＜60	1段階減量
＜30	投与不可

- UFTはCMF療法と遜色のない効果が確認されている(NSAS BC-01試験[1]、CUBC試験[2])。閉経後のホルモン受容体陽性症例に対するホルモン療法との併用がよい適応であり(ACET-BC4次試験[3])、300mg/m²/日を2年間投与する。
- S-1は進行再発乳がんに用いられる。HER2陰性乳がんの初回化学療法として、全生存期間においてタキサン系およびアンスラサイクリン系薬剤に対する非劣性が証明された(SELECT BC試験[4] SELECT BC-CONFIRM試験[5])。
- 再発リスク中～高のホルモン受容体陽性、HER2陰性乳癌に対する術後薬物療法において内分泌療法とS-1 80～120mg/日を2週間投与1週間休薬の1年間投与を併用することで、内分泌療法単独と比較してinvasive disease free survivalを有意に改善した(HR 0.63)(POTENT試験[6])。今後の保険適用拡大が期待される。

A 治療開始前のコツ

1 一般的な血液生化学検査

- 比較的頻度の高い有害事象として肝機能障害 (➡P.202,405) があるため、投与前に肝機能をチェックする。
- 腎機能障害例では有害事象の発現頻度が高く減量が必要になるため、Ccrを確認しておく。Cockcroft-Gault式などの推定式を利用する。

2 併用薬の確認

- 併用禁忌は**ほかのFU系抗がん剤**のみであるが、他院で処方された残薬を所持している場合があるので丁寧な問診が重要である。**ワルファリン**や**フェニトイン**などの併用注意薬についても確認する。

3 経口薬とはいえそれなりの副作用が出現することを説明

- 両薬剤ともに骨髄抑制、肝機能障害、下痢、口内炎、味覚障害などの消化器症状、皮膚色素沈着などの有害事象がみられる。S-1はUFTをより強力にした製剤であるため、より一層の注意が必要である。
- UFTとアナストロゾールの併用で肝機能障害の報告があるので、投与開始後しばらくの期間、注意深い観察が必要である[6]。

4 休薬期間を遵守するよう指導する

- S-1は骨髄抑制も強いので、休薬期間を遵守するために内服忘れで薬剤が余った場合でも**予定された終了日で内服を終了**するように指導する。
- 治療日誌を用いることで、医療スタッフも患者も内服状況や休薬期間、有害事象の発現状況が把握しやすい。

前投与・前処方すべき支持療法薬

- 2サイクル以降は前コースで出現した有害事象に応じて支持療法や予防的投薬を行う。

1 含嗽薬・目薬 ➡P.239,243

- 初回投与時には口内炎予防のために水道水による含嗽を奨励する。含嗽薬を希望する場合には**アズレン含嗽**を処方する。
- S-1の場合は流涙の対策として**1日4～5回の洗眼**を行う。市販の**防腐剤無添加人工涙液**を購入して使用するように指導している。

2 止痢薬

- G2の下痢が起こった場合には受診するように指導する。早急な受診の困難が予想される場合には**ロペラミド1回2カプセル**をあらかじめ処方しておく。
- 特に脱水を起こしやすい夏場は注意が必要である。かかりつけ医との連携を図る。

3 日焼け止め ➡P.287

- 色素沈着は肉体的な障害は少ないものの、外観上の問題は大きい。直射日光を避けるようにして、露出部には日焼け止めを使用するように指導する。

B 副作用をみつけるコツ

- テガフール系経口抗がん剤に共通した有害事象として、肝機能障害 ➡P.202,405、倦怠感 ➡P.166、皮膚の色素沈着 ➡P.287、発疹 ➡P.279、下痢 ➡P.191、口内炎 ➡P.182、味覚障害 ➡P.247、嘔気 ➡P.146,185、食思不振などがよくみられる。
- 最近注目されているのが**S-1による流涙** ➡P.243 である。涙液中に分泌される抗がん剤による角膜や鼻涙管粘膜の障害で、表在性角膜炎や鼻涙管の閉塞が発生することが原因とされている。症状が強い場合には眼科受診が必要である。鼻涙管閉塞に対してはステント留置が必要となるため、涙道疾患専門の眼科医にコンサルトが必要である。

- 肝機能障害や骨髄抑制は投与初期に発現する頻度が高い。**初回投与時は2週間処方**とし、Day15の来院時に血液生化学検査を行う。この時点でG2以上の肝機能異常があればほかの薬剤を考慮する。
- 4週投与2週休薬の標準投与法の場合は、**投与開始6週後の2サイクル開始時に再度血液検査**を行い、血算と肝機能のチェックを行う。ここまでで異常値がなければ6週ごとの受診時に血液生化学検査とする。

C 減量・休薬・再開のコツ

- 倦怠感 (➡P.166)、消化器症状、骨髄抑制などの有害事象が強い場合には標準的な4週投与2週休薬のスケジュールを**2週投薬1週休薬に変更**することで有害事象が軽減されることがある。頭頸部がんの術後補助療法における検討では2投1休のスケジュールでdose intensityが向上し、治療成績の向上に繋がったとの報告がある[7]。
- 腎機能障害 (➡P.212,409) の場合にはS-1に配合されているギメラシルの排泄が遅延するため5-FUの代謝が阻害され、有害事象が増加する。**Ccr 60 mL/分未満では1段階減量**を行い、**30 mL/分未満では投与を行わない**ようにする。
- 肝機能異常 (➡P.202,405) に関しては、トランスアミナーゼ値が正常上限の3倍を超す場合、原因が薬物によるものか、転移巣の影響なのかを見極める必要がある。
- **G3以上の血液毒性とG2以上の非血液毒性**(脱毛、色素沈着を除く)が起こった場合は休薬する。すべての有害事象がG1以下(Hbは8.0 g/dL以上)に回復したことを確認して再開する。減量は行わないが、2週投与1週休薬スケジュールに変更するのも一法である。
- **G4の血液毒性またはG3以上の非血液毒性**が起こった場合は、**回復後、1段階減量して再開する。**

(高島　勉)

文献

1) Watanabe T, et al. J Clin Oncol 2009; 27: 1368-74. PMID: 19204202
2) Park Y, et al. Br J Cancer 2009; 101: 598-604. PMID: 19638976
3) Noguchi S, et al. J Clin Oncol 2005; 23: 2172-84. PMID: 15800310
4) Takashima T, et al. SELECT BC Study Group. Lancet Oncol 2016; 17: 90-8. PMID: 26617202
5) Park Y, et al. San Antonio Breast Cancer Symposium 2018; abstr#P1-14-07.
6) 中山貴寛, ほか. 第24回日本乳癌学会総会プログラム抄録集, 2016. p296.
7) Tsukuda M, et al. Br J Cancer 2005; 93: 884-9. PMID: 16189518
8) Toi M, et al. Lancet Oncol 2021; 22: 74-84. PMID: 33387497

Eribulin単剤・Eribulin+Capecitabine療法

－忍容性は高い。好中球減少に注意－

標準的なレジメン（投与量／スケジュール）

エリブリン単剤

	Day 1	8	15	22
エリブリン　1.4 mg/m²	↓	↓		↓

3週を1サイクル、PDになるまで継続

エリブリン＋カペシタビン療法

	Day 1	8	14 15	21 22
エリブリン　1.4 mg/m²	↓	↓		↓
カペシタビン 1,000 mg/m² 朝夕2回内服	2週間内服		1週間休薬	

3週を1サイクル、PDになるまで継続

A 治療開始前

前投与・前処方すべき支持療法薬	併用に注意すべき薬剤
ステロイド	特になし。放射線の同時併用には注意が必要

B 副作用発現時期（1サイクル）

	Day 1–21
悪心	Day 1〜3 → P.146, 185
倦怠感	Day 1〜3 → P.166
発熱、発熱性好中球減少症	Day 13〜17 → P.319

C 減量・休薬・再開

投与開始・減量基準

	投与開始基準	減量基準
ANC（/mm³）	≧1,000	＜500（7日間を超えて継続） ＜1,000（発熱または感染を伴う）
PLT（/mm³）	≧75,000	＜25,000 ＜50,000（輸血を要する）
非血液毒性	≦G2	≧G3

【各サイクル1週目】
・投与開始基準を満たさない場合：投与を延期。
・前サイクルにおいて減量基準の副作用などが発現した場合：減量して投与。
・副作用などにより、2週目に休薬した場合：減量。

【各サイクル2週目】
・投与開始基準を満たさない場合：投与を延期。
・投与延期後1週間以内に投与開始基準を満たした場合：減量して投与。
・投与延期後1週間以内に投与開始基準を満たさない場合：休薬。

減量方法

(mg/m²)

初回基準量	1段階減量	2段階減量
1.4	1.1	0.7
1.1	0.7	
0.7	投与中止を検討	

- エリブリンは単剤で唯一、全生存期間を延長させた日本初の薬剤である。再発転移治療中のどこかのラインで投与を考慮し、投与機会を逸しないことが大切である。アンスラサイクリン系、タキサン系薬剤に比べれば副作用も少なく、投与時間も2〜5分と短く、忍容性が高い。

A 治療開始前のコツ

- 一般的な血液検査＋B型肝炎検査 ➡P.207。QT間隔延長の報告があるため、投与前に心電図検査、電解質検査を行う。

1 前投与・前処置すべき支持療法のコツ

- 臨床試験では前投与は規定されていないが[1, 2]、実臨床としてはデキサメタゾン(6.6mg)の静注が一般的である。
- エリブリンは前処置・前投与が簡便であることも医療者にとっても患者にとっても利点である。

2 併用に注意すべき薬剤

- 特記すべき薬剤はないが、放射線治療を併用する場合は骨髄抑制が増強する場合があるので注意が必要である。

B 治療開始時のコツ

- エリブリンの特徴的な副作用としては好中球減少、白血球減少が最も多く、それ以外は特記すべき副作用は少ない。
- 好中球減少(98.8%)、白血球減少(98.8%)を認めた国内第Ⅱ相試験でも発熱性好中球減少症の頻度は14.8%と少ない[3]。
- 一般的には初回投与時に頻度が高いとされており、投与後1週間目の採血は必須と考える。特に初回投与の場合、投与開始1週間後、2週間後、3週間後の好中球モニタリングは必要。

- 好中球減少症の多くはday 8〜15にかけて出現するが、次サイクル開始時には投与可能なレベルまで回復することが多い[3)]。各患者の好中球減少のパターンを観察することも重要と考える。

C 減量・休薬・再開のコツ

- エリブリンの最も多い副作用は骨髄抑制であり、その結果としての感染症の発現に注意すること。
- 感染症が認められた場合は、減量、休薬などを行う。また発熱性好中球減少 ➡P.319 を認めた場合はG-CSFや抗菌薬の投与を行い次回投与時より減量投与とする。
- 好中球減少などで標準投与法ができない場合（例えばday 8,15の投与開始基準を満たさず休薬する場合など）、減量ではなく、隔週投与にしても効果も副作用発現も標準投与法に比べて遜色ない結果が大谷ら[4)]によって報告された。好中球減少などで標準投与できない場合は、隔週投与法も1つのオプションになると考える。
- エリブリンは抗腫瘍免疫を活性化させる働きをもつとされ、近年エリブリンと免疫の関連に注目が集まっている。複数の検討において、治療開始前の好中球・リンパ球化学（NLR）やリンパ球絶対数（ALC）が治療効果と関連していたと報告されている[5-7)]。NLR、ALCはエリブリンの治療効果予測因子となる可能性がある。

Eribulin＋Capecitabine療法

- 転移再発乳がんに対するエリブリンとカペシタビンの併用療法は、第Ⅰb相試験として服部らが結果を報告している[8)]。これによれば、エリブリン（1.4 mg/m^2）の標準投与にカペシタビン（1,000 mg/m^{2}の朝夕内服：2週間内服、1週間休薬）が推奨用量とされている。有効性については今後のエビデンス確立が期待される。
- エビデンスが十分ではなく、標準治療として確立されるまでにはまだ時期尚早と考える。

（上野彩子／大谷彰一郎）

文献

1）Cortes J, et al. Lancet 2011; 377: 914-23. PMID: 21376385
2）Kaufman PA, et al. J Clin Oncol 2015; 33: 594-601. PMID: 25605862
3）Aogi K, et al. Ann Oncol 2012; 23: 1441-8. PMID: 21989327
4）Ohtani S, et al. Breast Cancer 2018; 25: 438-46. PMID: 29435730
5）Miyagawa Y, et al. Clin Breast Cancer 2018; 18: 400-9. PMID: 29605174
6）Ueno A, et al. Chemotherapy 2020: 1-11. PMID: 32305977
7）Miyoshi Y, et al. Breast Cancer 2020; 27: 706-15. PMID: 32133606
8）Hattori M, et al. Breast Cancer 2018; 25: 108-17. PMID: 28861862

CMF療法
－骨髄抑制に注意－

標準的なレジメン（投与量／スケジュール）

Classical CMF（原法）

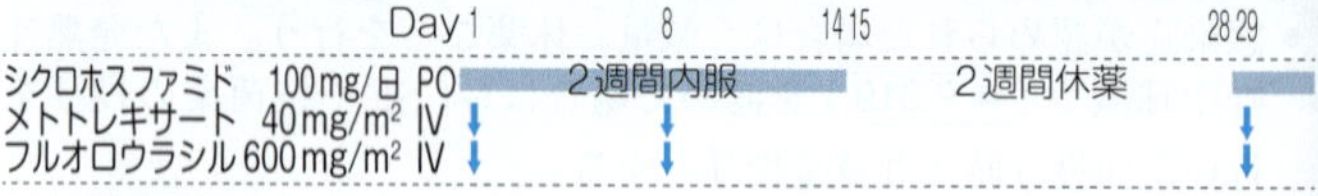

	Day 1	8	14 15	28 29
シクロホスファミド 100 mg/日 PO	2週間内服（Day 1〜14）			2週間休薬（Day 15〜28）、Day 29〜再開
メトトレキサート 40 mg/m² IV	↓	↓		↓（Day 29）
フルオロウラシル 600 mg/m² IV	↓	↓		↓（Day 29）

1サイクル28日

シクロホスファミド錠：体表面積1.5 m²未満は100 mg、1.5 m²以上は150 mg

静注CMF

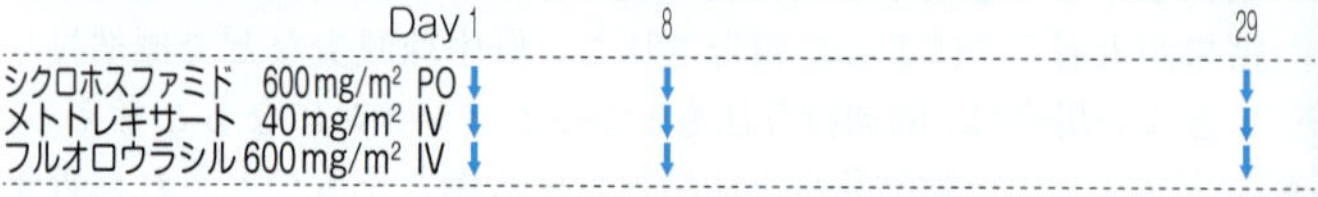

	Day 1	8	29
シクロホスファミド 600 mg/m² PO	↓	↓	↓
メトトレキサート 40 mg/m² IV	↓	↓	↓
フルオロウラシル 600 mg/m² IV	↓	↓	↓

1サイクル28日

A 治療開始前

前投与・前処方すべき支持療法薬
制吐薬、ステロイド

B 注意すべき副作用

・骨髄抑制、嘔気・嘔吐、脱毛ほか

C 減量・休薬・再開

投与開始基準

PS	≦2
WBC（/mm³） （ANC（/mm³））	≧3,000 （≧1,500）

PLT（/mm³）	≧100,000
血清Cr（mg/dL）	≦3.0
Ccr	≧60

・T-Bil ≦ 3 mg/dL かつ AST、ALT ≦ 3 × ULN
・感染を伴う38℃以上の発熱がないこと。

減量方法

・発熱性好中球減少症（FN）が出現した場合：
　次サイクルより持続型G-CSF製剤を予防的に用いる。
・それでもFNが出現する場合：初回投与量の75％に減量

- CMF療法は術後補助化学療法として最初に再発抑制効果が確認された治療法である。アンスラサイクリン系やタキサン系のレジメンが投与困難な高齢者、心筋障害のある患者、脱毛に抵抗のある患者に使用される。静注CMF療法は原法であるClassical CMFに比べてResponseとOSで劣ることを理解したうえで選択する。

A 治療投与前のコツ

- 一般的な血算、白血球分画、肝機能検査、腎機能検査、心電図、HBV関連検査(HBs抗原、HBc抗体、HBs抗体) ➡P.207 のみ。

前投与・前処方すべき支持療法薬のコツ

1 制吐薬 ➡P.146,185

- 中等度催吐性リスク対応の制吐療法を行う。

2 G-CSF製剤

- G3以上の好中球減少は20%以下であるため、持続型G-CSF製剤の1次予防投与は不要である。

B 副作用をみつけるコツ

1 骨髄抑制 ➡P.413

- 転移・再発乳がんに対するlate phaseでの投与は、高度な好中球減少、血小板減少を起こすことがあるので、定期的な骨髄機能のチェックが必要である。疲労感、口内炎、出血斑がその予兆となるため、丁寧な問診、診察が大切である。

2 嘔気・嘔吐 ➡P.146,185

- 制吐療法を行ってもコントロール不良な場合は、症状に応じて薬剤の追加投与を行う。

3 脱毛 ➡P.290

- 軽微で、全脱毛となることはない。

4 そのほか

- まれに膀胱粘膜障害による出血性膀胱炎 ➡P.215 を生じることがある。血尿、頻尿、残尿感は出血性膀胱炎を疑う。
- 投与後まもなくしてショック症状やアレルギー反応 ➡P.161 などがみられる場合もあるため、特に初回投与の際は慎重な経過観察が必要。
- シクロホスファミドの長期投与にて2次がん、特に白血病のリスクが上がる。そのため、周術期療法の場合、6サイクルを上限とする。

- 年齢によって確率は異なるが、化学療法による閉経 (➡P.331,428) を引き起こす。挙児希望がある場合は、閉経のリスクと妊孕性保持のためのカウンセリングが必要である (➡P.431)。
- 間質性肺炎 (➡P.218) も起こりうる。

C 減量・休薬・再開のコツ

- 周術期療法において発熱性好中球減少症（FN）が出現した場合、次サイクルより、持続型G-CSF製剤を予防的に用いる。
- 転移・再発乳がんに対する投与では、まず減量する。
- G-CSF製剤による2次予防でもFNが出現する場合は、通常投与量の75％に減量する。

（柳田康弘／新井隆広）

参考文献

1）Fisher B, et al. J Clin Oncol 2001; 19: 931-42. PMID: 11181655
2）Paik S, et al. J Clin Oncol 2006; 24: 3726-33, 2006. PMID: 16720680
3）Engelsman E, et al. Eur J Cancer 1991; 27: 966–70. PMID: 1832904
4）Azim HA Jr, et al. Ann Oncol 2011; 22: 1939-47. PMID: 21289366
5）Bonadonna G, et al. N Engl J Med 1995; 332: 901-6. PMID: 7877646
6）Kimura M, et al. Breast Cancer 2010; 17: 190-8, 2010. PMID: 19575284

Vinorelbine単剤・Vinorelbine＋Gemcitabine併用療法
－血管外漏出に注意。頻度は低いが、間質性肺炎も－

標準的なレジメン（投与量／スケジュール）

ビノレルビン（VNR）単剤療法

	Day 1	8	15	22
ビノレルビン　25 mg/m²	↓	↓		↓

3週ごと
21日を1サイクルとしてDay 1およびDay 8にVNRを静脈内に5～10分以内（全開）で投与。

ビノレルビン＋ゲムシタビン（GEM）併用療法

	Day 1	8	15	22	
ビノレルビン　25 mg/m²	↓	↓		↓	…PDになるまで続行
ゲムシタビン 1,200 mg/m²	↓	↓		↓	

3週ごと
21日を1サイクルとしてDay 1およびDay 8にVNRを静脈内に5～10分以内（全開）で投与。Day 1および8にGEMを静脈内に約30分かけて投与。

A 治療開始前

前投与・前処方すべき支持療法薬	併用に注意すべき薬剤
原則不要	なし

B 副作用発現時期

	Day 1	2	3	4	5	6	7	8	9	10
血管外漏出	■	→ P.294								
悪心・嘔吐		■	■	→ P.146, 185						
骨髄抑制*							■ → P.413	■	■	■
発熱								■	■	■
間質性肺炎	治療中時期に関係なく発現 → P.218									

*主に好中球減少、血小板減少

C 減量・休薬・再開

投与・再開基準

ANC（/mm³）	≧1,500	AST、ALT、T-Bil	≦G1（肝転移を有する場合はG2でも考慮可）
PLT（/mm³）	≧100,000		
Hb（g/dL）	≧9.0	血清Cr	≦G1

減量方法

	初回基準値	1段階減量	2段階減量
VNR	25	20	15
GEM	1,200	1,000	800

（mg/m²）

- アンスラサイクリン系・タキサン系薬剤既治療歴のある進行再発乳がんに対してVNR単剤で使用した場合、奏効率20%、PFS中央値115日である(本邦第Ⅱ相試験)。GEM併用療法をVNR単剤と比較した第Ⅲ相比較試験では、奏効率36% vs. 26%、PFS中央値6.0カ月 vs. 4.0カ月と良好であり、VNR単剤と比較して毒性の加傾向もなかった。病状や年齢、全身状態などを考慮して、単剤もしくは併用療法を選択する。

A 治療開始前のコツ

1 静脈ルート確保可能かどうかチェック

- VNRは起壊死性抗がん剤のため、**血管外漏出** (➡P.294) **には十分注意する**。CVポート留置も検討する。

2 骨髄機能のチェック

- VNRとGEMは比較的、骨髄抑制 (➡P.413) の頻度が高い薬剤である。化学療法や放射線治療の既往があり、治療前から骨髄機能が低下している場合、**減量を考慮する**。

3 間質性肺炎 (➡P.218)

- 発現頻度は低いが(1〜2%程度)、GEMの重篤な有害事象である。間質性肺炎または肺線維症の既往もしくは合併症のある患者は、GEM投与は推奨されない。
- 発症時期は予測できないが、乾性咳嗽、息切れ、呼吸困難、発熱などの呼吸器症状に十分留意する。

前投与・前処方すべき支持療法薬

- VNRとGEMいずれも低催吐性リスクのため、初回投与時から制吐薬を投与する必要はないが、**併用療法の場合は考慮する** (➡P.146,185)。
- 初回投与時に悪心・嘔吐をみとめたら、次回投与時よりステロイド(デキサメタゾン)の前投薬が推奨されるが、**糖尿病患者やB型肝炎ウイルス再活性化** (➡P.207) **のリスクがある患者の場合は注意**を要する。

B 副作用をみつけるコツ

1 血管外漏出 (➡P.294)

- VNRの投与時間は短いゆえ、投与中は医療スタッフにモニタリングしてもらい、ルート抜去時も逆血を確認する。
- 発症時は直ちに投与を中止し、マニュアルに準拠した処置を行うがVNRの場合、**潰瘍形成を促進するため漏出部位を冷却しない**。

皮膚科、形成外科専門医の助言を得る。

- 積極的に中心静脈ポート留置を検討する。

2 発熱性好中球減少症 ➡P.319

- 好中球減少時期には体温を自己チェックし、**37.5℃以上の発熱があれば速やかに抗菌薬の内服**を始めるよう指示。

3 間質性肺炎 ➡P.218

- 呼吸器症状が乏しくても、倦怠感の増強として発症する場合もあり、急な状態の変化時には考慮する。

C 減量・休薬・再開のコツ

1 G3以上の副作用

- 発熱性好中球減少やG4の好中球減少症が出現した場合、**次サイクル以降は１段階減量も考慮**するが、G-CSFの投与でG1まで血球回復していれば減量せずに投与継続することも可能である。ただし、年齢やPSに応じ、また再燃時は減量を考慮する。
- G4の血小板減少やG3の非血液毒性が出現した場合は、**次サイクル以降は１段階減量も考慮**する。

2 開始基準

- 2サイクル目以降、状況に応じてDay 8の血液検査は省略可能。毒性によりDay 8の投与が難しい場合、隔週もしくは3週に1回の投与になる場合もある。

3 間質性肺炎

- 発現が疑われたときは**すぐにGEMの投与を中止**し画像検査を行う。呼吸器専門医と連携を図り治療方針について検討する。間質性肺炎が改善しても**GEMの再投与は行わない**。

（山村　順）

参考文献

1）Toi M, et al. Jpn J Clin Oncol 2005; 35: 310-5. PMID: 15930037
2）Suzuki Y, et al. Jpn J Clin Oncol 2009; 39: 699-706. PMID: 19776022
3）Martín M, et al. Spanish Breast Cancer Research Group（GEICAM）trial. Lancet Oncol 2007; 8: 219-25. PMID: 17329192
4）Yamamura J, et al. Chemotherapy 2017; 62: 307-13. PMID: 28605730

Gemcitabine単剤・Gemcitabine＋Paclitaxel療法
－忍容性は良好であるが、間質性肺炎に注意－

標準的なレジメン（投与量／スケジュール）

ゲムシタビン単剤

	Day 1	8	15	22	
ゲムシタビン 1,250 mg/m²	↓	↓		↓	PDになるまで継続

3週ごと

ゲムシタビン＋パクリタキセル療法

	Day 1	8	15	22	
ゲムシタビン 1,250 mg/m²	↓	↓		↓	PDになるまで継続
パクリタキセル 175 mg/m²	↓			↓	

3週ごと

A 治療開始前

前投与・前処方すべき支持療法薬	併用に注意すべき薬剤
ステロイド、抗ヒスタミン薬	骨髄抑制、倦怠感などの有害事象を増強させる薬剤

B 副作用発現時期

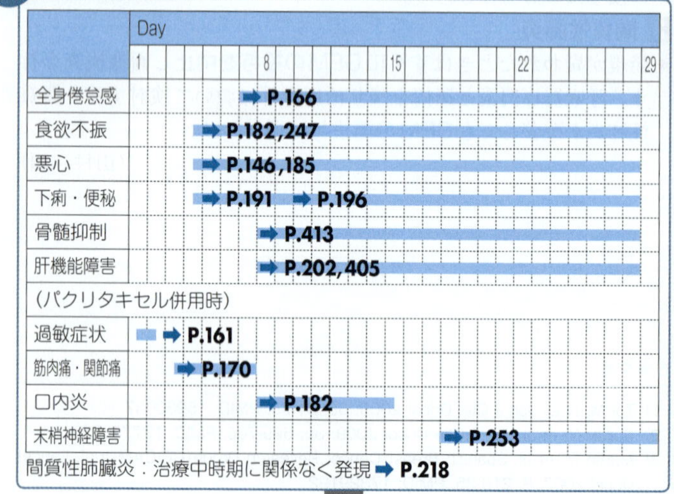

C 減量・休薬・再開

投与開始・休薬基準

投与基準	サイクル開始時	各サイクル8日目
ANC(/mm^3)	≧1,500	≧1,000
PLT(/mm^3)	≧100,000	≧70,000
AST/ALT	＜ULN×2.5	
T-Bil	＜ULN×1.5	
血清Cr	＜ULN×1.5	

減量方法

・38.0℃以上の発熱を伴うG3≦の好中球数減少
・＜25,000/mm^3の血小板減少、または血小板減少に伴う出血のため血小板輸血を実施した場合
・G3≦の非血液毒性(悪心・嘔吐、食欲不振を除く)

(mg/m^2)

	初回基準量	1段階減量
GEM	1,250	1,000
PTX	175	135

● ゲムシタビン単剤では奏効率(8～29%)は併用療法(41～45%)に比べ低いものの、他治療とは異なる作用機序をもち、副作用も比較的軽い治療法として提案できる。

A 治療開始前のコツ

● 末梢血検査、肝・腎機能検査。胸部単純X線写真で間質性肺炎などをチェックする。
● 骨髄抑制、倦怠感などの有害事象を増強させる薬剤の併用は避けるべきである。
● 胸部への放射線療法との同時併用は、重篤な食道炎、肺臓炎の報告があるため避ける。

前投与・前処方すべき支持療法薬

● ゲムシタビン＋パクリタキセル療法においては**パクリタキセルに対する前投与**が必要である。ステロイド(デキサメタゾン)6.6mg点滴、H_2受容体拮抗薬(ラニチジン)50mg点滴、H_1受容体拮抗薬(ジフェンヒドラミン)50mg投与30分前経口(infusion reaction ➡P.161)。

- ゲムシタビン、パクリタキセルいずれも低催吐性リスク[1]であるが、併用により催吐性が増加する可能性がある。

B 副作用をみつけるコツ

- ゲムシタビン単剤・ゲムシタビン＋パクリタキセル療法の有害事象は、骨髄抑制 (➡P.413)、食欲低下 (➡P.182,247)、倦怠感 (➡P.166)、悪心・嘔吐 (➡P.146,185) であるが、忍容性は良好とされている[2-5]。発現時期が違うため臨床症状を十分に観察し、血液学的検査・肝腎機能検査をできるだけ頻回に、また定期的に胸部X線写真などのチェックを行う。
- 間質性肺炎 (➡P.218) の早期発見のために、息切れ、呼吸困難などの症状に注意を払う。インタビューフォーム上に警告として「胸部単純X線写真で明らかで、かつ臨床症状のある間質性肺炎又は肺線維症のある患者には投与しないこと」と記載されている[6]。

C 減量・休薬・再開のコツ

- 再発乳がん治療であり、QOLを保つことを優先するので、**重篤な有害事象が発現した際には休薬**し、再開時には減量を優先すべきである。

（青儀健二郎）

文献

1）日本癌治療学会，編．制吐薬適正使用ガイドライン 2015年10月 第2版．東京：金原出版；2015.
2）Albain KS, et al. J Clin Oncol 2008; 26: 3950-57. PMID: 18711184
3）Aogi K, et al. Cancer Chemother Pharmacol 2011; 67: 1007–15. PMID: 20628744
4）Rha SY, et al. Breast Cancer Res Treat 2005; 90: 215-21. PMID: 15830134
5）Laufman LR, et al. Ann Oncol 2001; 12: 1259-64. PMID: 11697837
6）ジェムザール®医薬品インタビューフォーム．日本イーライリリー株式会社．

CPT-11単剤・併用療法
－下痢・発熱性好中球減少症に注意－

標準的なレジメン(投与量／スケジュール)

単剤

		Day 1	8	15	22	29	36
イリノテカン(CPT-11)	100 mg/m²	↓	↓	↓	↓		↓

1週間間隔で3～4回投与。少なくとも2週間休薬[1)]

併用

		Day 1	8	14 15	21 22	29	35
CPT-11	100 mg/m²	↓	↓		↓	↓	
S-1	80 mg/m²/日	2週間内服		1週間休薬	2週間内服		

1サイクル3週間[2)]

A 治療開始前

前投与・前処方すべき支持療法薬	併用に注意すべき薬剤[1)]
制吐薬、ステロイド	アタザナビル(併用禁忌)、CYP3A4阻害薬(アゾール系抗真菌薬、マクロライド系抗菌薬、ニフェジピンなど)、ソラフェニブ、ラパチニブ、レゴラフェニブ

B 副作用発現時期

	Day 1	2	3	4	5	6	7	8	9	10	11	12	13	14	15
骨髄抑制			➡	P.319			発熱・鼻炎・咽頭痛などの感染症状に注意								
急性下痢	■	➡	P.191					■							
遅発性下痢							➡	P.191							
悪心・嘔吐	■	■	➡	P.146,185				■	■	■					

C 減量・休薬・再開

主な投与開始基準(サイクル開始およびDay8)

WBC ANC(/mm³)	≧3,000 ≧1,500
PLT(/mm³)	≧100,000
血清Cr(mg/dL)	≦1.2

下痢	G0(水様便なし)
腸閉塞、間質性肺炎、臨床的に問題となる感染症	なし

CPT-11の減量方法＊3

初回基準量	1段階減量	2段階減量	3段階減量
100	80	60	40

(mg/m²)

＊2：CPT-11の代謝に関与している*UGT1A1*のうち、2つの遺伝子多型(*UGT1A1*＊28・*UGT1A1*＊6)のいずれかをホモ接合体(*UGT1A1*＊28/*UGT1A1*＊28、*UGT1A1*＊6/*UGT1A1*＊6)またはいずれもヘテロ接合体(*UGT1A1*＊6/＊28)としてもつ患者では、開始用量を少なくとも1段階以上下げる[1)]。

A 治療開始前のコツ

1 *UGT1A1*遺伝子多型はないか ➡P.191

- *UGT1A1*＊28と＊6は*UGT1A1*の多型であり、この多型をもつ患者においてSN-38のグルクロン酸抱合能が低下し[3)]、有害事象(特に好中球減少)が強く発現する。米国食品医薬品局では「*UGT1A1*＊28ホモ型の患者では、開始用量を少なくとも1レベル以上下げる」ことを推奨している[1)]。

2 有害事象発現の頻度が高い背景因子はないか

- PSの低下、体液腔の貯留、腸管麻痺、前治療歴など。

3 発熱性好中球減少症(FN)の予防 ➡P.156,319

- FNの発症頻度は約5%以下とされるが、ほかの抗がん剤の既治療例では予防が重要である。
- 化学療法開始に先立ち、感染源となりうる病変(智歯、歯肉炎、胆石、痔、ポート部など)の検索と治療、不活化ワクチン予防接種(肺炎球菌・インフルエンザ)を行う。

4 併用薬の確認[1)]

- ラパチニブトシル塩水和物の併用によりSN-38のAUCが約40%増加したとの報告がある。CPT-11は主にカルボキシエステラーゼによりSN-38に変換されるが、CYP3A4により一部が無毒化される。CYP3A4阻害薬との併用で骨髄抑制、下痢などの副作用が増強し、CYP3A4誘導薬との併用でCPT-11の作用が減弱する。

前投与・前処方すべき支持療法薬のコツ

1 制吐薬 ➡P.146,185

- 中等度催吐性リスクであるため、最新の海外主要ガイドラインでは急性の悪心・嘔吐対策として、デキサメタゾン(8mg)、パロノセトロン、オランザピンなどを用いた2～3剤併用療法、遅発性の悪心・嘔吐対策として症例に応じオランザピンなどの単剤療法(day 2,3)が推奨されている[4-6]。

B 副作用をみつけるコツ

1 下痢(早期・遅発性) ➡P.191

- 投与中～投与後に起こる早期のコリン作動性下痢と投与24時間以降に発現する遅発性の下痢(CPT-11の活性代謝産物SN-38による腸管粘膜障害による)がある。
- 投与後早期の下痢に対して、抗コリン薬アトロピンが有効。投与24時間以降の遅発性の下痢に対しての対処方法については明確になっていない。対症療法を基本として、水分と電解質バランスに注意する。重症度に合わせて抗がん剤の減量や中止を考慮する。

2 発熱性好中球減少 ➡P.156,319

- FN発症時にはMASCCスコアリングシステム[7] ➡P.321 を参考に、重症化リスクをスコアリングする。20点以下を高リスク群とし、発熱時の緊急来院がほぼ必須であり入院により抗菌薬点滴治療を行う。

C 減量・休薬・再開のコツ

- 上述の基準に従って減量・休薬する。
- 前サイクルまでの有害事象を総合的に評価し、治療計画を再評価する。

(石黒　洋)

文献

1) カンプト®添付文書 2020年4月改訂(第21版).
2) https://upload.umin.ac.jp/cgi-open-bin/ctr/ctr_view.cgi?recptno=R000000626
3) Innocenti F, et al. J Clin Oncol 2004; 22: 1382-8. PMID: 15007088
4) Hesketh PJ, et al. J Clin Oncol 2017; 35: 3240-61. PMID: 28759346
5) MASCC/ESMO ANTIEMETIC GUIDELINE 2016 With Updates in 2019. https://mascc.memberclicks.net/assets/Guidelines-Tools/mascc_antiemetic_guidelines_english_v.1.5SEPT29.2019.pdf
6) NCCN Clinical Practice Guidelines in Oncology(NCCN Guidelines®) Antiemesis Version 2.2020. https://www.nccn.org/professionals/physician_gls/pdf/antiemesis.pdf

Mitomycin C(MMC)＋Methotrexate(MTX)療法
－抗がん剤を使い切ってしまったときの次の一手－

標準的なレジメン（投与量／スケジュール）

マイトマイシンC（MMC）＋メトトレキサート（MTX）療法

		Day 1	15	29
マイトマイシンC	8 mg/m²	↓		↓
メトトレキサート	60 mg/m²	↓	↓	↓

4週1サイクル。2週ごとに繰り返す。MMCは50 mg/m²が上限量なので6回まで投与、その後はMTX単剤になる。

A 治療開始前

前投与・前処方すべき支持療法薬

・グラニセトロン注バック3 mg（50 mL）5分～
・ドンペリドン10 mg（嘔気時）、レボフロキサシン500 mg（発熱時）

B 副作用発現時期

3～4週後から血液毒性。脱毛は軽度。

C 減量・休薬・再開

減量方法

・G3/4の血液毒性

	初回基準値	1段階減量
MMC	8	6
MTX	60	45

(mg/m²)

・G2/3の血液毒性：1週間または回復まで延期
・MMC 6週ごとを考慮する。

● MMCはDNA鎖間に架橋を形成しDNA複製を阻害する薬剤である。MMC＋MTX＋VP-16併用療法はRR 31％、CBR 47％、PFS 4.2カ月であり[1)]、ミトキサントロン＋MMC＋MTX併用療法（MMM）はCMF療法との比較試験で同等の効果である[2)]。アンスラサイクリン系、タキサン系既治療例におけるMM療法の効果はRR 24％ TTP 4.8カ月[3)]、5次治療の使用でもRR 10％、CBR 20％、TTP 3.9ヵ月、このうちトリプルネガティブ乳がん（TNBC）10例のCBRは30％であり[4)]、TNBCにも効果がある可能性が示唆される。また、エリブリン既治療HER2陰性の18例を対象に中央値7次治療[6-9)]で行われ、RR 11.1％（PR2）、CBR 27.8％（PR2＋long SD3）、TTP、治療成功期間はともに2.8カ月であった[5]。既存の抗がん剤を使い果たした場合、PSが保たれている場合には考慮してよいレジメンである。マイトマイシンは現在供給停止中であり、供給再開が待たれる。

A 治療開始前のコツ

1 対象患者の見極め

- PS 0～1。抗がん剤を投与できる体力があるか(best supportive careのタイミングではないか)判断が必要。高齢者や腎機能障害がある場合は慎重投与。

2 血管外漏出 (➡P.294) に注意

- MMCは起壊死性抗がん薬である。

前投与・前投薬すべき支持療法薬

1 消化管運動改善薬

ドンペリドン 10mg(嘔気時)。MMC、MTXともに低催吐性リスクである。

2 抗菌薬

レボフロキサシン 500mg(発熱時)。

B 副作用をみつけるコツ

- MMCによる腎障害 (➡P.212,409)、**溶血性尿毒症症候群(HUS)**が報告されている。
- 骨髄抑制、G3～4の血小板減少 (➡P.237) は10～16%に起こり、血小板輸血になることもある。内出血をみとめたら電話連絡。

C 減量・休薬・再開のコツ

- G3/4の血液毒性が起こった場合は、**次回投与量を80%または75%に減量**。そのほかG2/3の毒性を認めた場合、**1週間または回復まで延期**。
- 血小板減少などの骨髄抑制が強い場合はMMC 6週ごとを考慮する。

(福田貴代/伊藤良則)

文献

1) Aldabbagh K, et al. Breast Cancer 2012; 19: 16-22. PMID: 21088942
2) Jodrell DI, et al. Br J Cancer 1991; 63: 794-98. PMID: 2039705
3) Tanabe M, et al. Breast Cancer 2009; 16: 301-6. PMID: 19205831
4) Fukuda ,et al. Springerplus 2015; 4: 376. PMID: 26217553
5) 福田貴代. エリブリン既治療HER2陰性転移乳癌に対するMM療法の有用性. 第25回日本乳癌学会学術総会 2017.

参考文献

1) Moiseyenko VM, et al. Med Oncol 2014; 31: 199. PMID: 25186150

Ifosfamide
−乳腺悪性葉状腫瘍や軟部肉腫の再発例に対して−

標準的なレジメン（投与量／スケジュール）

	1サイクル			2サイクル		
	Day 1	2	3	22	23	24
イホスファミド　3g/m^2/日	↓	↓	↓	↓	↓	↓

Day1～3連日投与、1サイクルを3週間。

A 治療開始前のコツ

前投与・前処方すべき支持療法薬
メスナ、補液、制吐薬・ステロイド

併用に注意すべき薬剤
肝代謝酵素CYP3A4で代謝される薬剤

B 頻度の高い副作用

骨髄抑制、出血性膀胱炎など。

C 減量・休薬・再開

・G3以上の有害事象：投与延期・中止、G1/2以下で再開

減量方法

●腎機能低下時

Ccr（mL/分）	
46～60	20％減量
30～45	25％減量
＜30	30％減量

●肝機能障害

T-Bil＞3mg/dL	25％減量

A 治療開始前

1 対象患者の確認

- 乳腺軟部肉腫（主に乳腺悪性葉状腫瘍など）の再発・転移症例が対象。
- 乳腺悪性葉状腫瘍の頻度は全乳腺腫瘍の0.3～1.0％以下で、上皮性悪性腫瘍である乳がんとは別に取り扱う[1,2)]。まれな疾患であり、大規模な前向き比較試験の結果はないことを患者および家族へ説明して理解を得ることが重要である。
- 標準的な薬物療法が確立されていないため、遠隔転移する前に原発巣切除など外科的切除が治療の基本であり、早期の診断・治療が重要[3)]。推奨レジメンは軟部肉腫の治療に準じており[4)]、主に、イホスファミド、ドキソルビシンの単独および併用療法などが1次治療として用いられることが多い[5)]。

前投与・前処方すべき支持療法薬のコツ

1 出血性膀胱炎予防：メスナおよび補液 ➡P.215

- 生食と利尿薬で150 mL/時間での尿量確保。塩化カリウムや重炭酸リンゲル液（ビカネイト®）を用いて尿のアルカリ化を図る。
- **メスナ（ウロミテキサン®）**は尿中でアクロレインと結合し，不活化する[6,7]。イホスファミドの20％相当量（イホスファミド2 g/m²であればメスナ400 mg/m²）を1日3回投与。

2 制吐薬 ➡P.146,185

- 高度催吐性リスク対応の制吐療法を行う[7]。

B 副作用をみつけるコツ

- 重大な副作用としては，骨髄抑制（5%以上），出血性膀胱炎（5%以上），排尿障害（5％以上），急性腎不全（0.1％未満），意識障害（0.1％未満），脳症（0.1％未満），間質性肺炎（0.1～5％未満），Fanconi症状群（近位尿細管障害による電解質異常や骨軟化症），肺水腫，心毒性（不整脈，ST-T変化，心不全などで可逆性），急性膵炎などがある[8]。
- 肝障害の関連は少なく，3％程度の報告である[9]。
- イホスファミド脳症は，代謝産物であるクロロエチラミンやクロロアセトアルデヒドが原因で起こる中枢神経毒性である。症状の治療には**メチルチオニニウム（メチレンブルー®）**の静脈内投与であるが，その機序は不明。また，発症時はイホスファミド中止の考慮が必要である[10]。

C 減量・休薬・再開基準のコツ

- **CTCAE G3以上で投与の延期・中止，G1/2以下で再開を基本**とする。無理な投与は全身状態を悪化させる可能性がある。

（平良眞一郎／伊藤良則）

文献

1）日本乳癌学会，編．科学根拠に基づく乳癌診療ガイドライン1 治療編 2018年度版，第2版．東京：金原出版；2018.
2）Suzanne G, et al. Systemic treatment of metastatic soft tissue sarcoma. UP to date 2016. www.uptodate.com.
3）Confavreux C, et al. Eur J Cancer 2006; 42: 2715-21. PMID: 17023158
4）NCCN Clinical Practice guidelines in Oncology. Soft tissue sarcoma. Version2.0. 2017 http://www.nccn.org
5）Lorigan P, et al. J Clin Oncol 2007; 25: 3144-50. PMID: 17634494
6）Andriole GL, et al. J Clin Oncol 1987; 5: 799-803. PMID: 3106585
7）NCCN Clinical Practice guidelines in Oncology. Antiemesis. Ver2.0. 2017 http://www.nccn.org
8）イフォマイド®インタビューフォーム 2012年5月改訂 改訂第3版．塩野義製薬株式会社．
9）石岡千加史，ほか．日本臨牀2015; 73（増刊号2）; 369-74.
10）田地野崇宏，ほか．臨整外 2007; 42: 107-14.

Trastuzumab単剤・Trastuzumab＋Pertuzumab療法、薬物療法との併用療法 －infusion reaction、心毒性に注意－

標準的なレジメン（投与量／スケジュール）

トラスツズマブ単剤

●A法（各週投与）

		Week 1	2	3	4……
初回	4mg/kg	↓	↓	↓	↓……
2回目以降	2mg/kg				

●B法（3週ごと投与）

		Week 1	2	3	4	5	6	7……
初回	8mg/kg	↓			↓			↓……
2回目以降	6mg/kg							

トラスツズマブ＋ペルツズマブ療法

		Week 1	2	3	4	5	6	7……
トラスツズマブ								
初回	8mg/kg	↓			↓			↓……
2回目以降	6mg/kg							
ペルツズマブ								
初回	840mg	↓			↓			↓……
2回目以降	420mg							

A 治療開始前

前投与・前処方すべき支持療法薬	併用に注意すべき薬剤
特になし（併用療法では併用する抗がん剤に対して必要な支持療法を行う）	アンスラサイクリン系薬剤

B 副作用発現時期

・infusion reaction：投与中または投与開始24時間以内に。
・心障害：投与初期にやや発現率が高いが、はっきりとした好発時期は不明。（ペルツズマブ併用時）
・下痢：初回発現までの中央値7.0日
・EGFR関連皮疹：初回発現までの中央値27.5日

C 減量・休薬・再開

・LVEFの著しい低下、NYHA分類Ⅲ/Ⅳ度に該当する心障害が発現した場合は中止。

A 治療開始前

1 トラスツズマブおよびペルツズマブと併用することの安全性が確認されているレジメンか

- トラスツズマブおよびペルツズマブともに重篤な副作用は比較的少ない薬剤であり、むしろ併用する抗がん剤の副作用に注意を払いたい。現在、トラスツズマブおよびペルツズマブと併用することの安全性が確認されているレジメンとしては以下のものがある。
- トラスツズマブ：(アジュバント) ホルモン剤 (アロマターゼ阻害薬、タモキシフェン)、ドセタキセル、パクリタキセル、カルボプラチン＋ドセタキセル、ドセタキセル＋シクロホスファミド、(再発・進行乳がんの治療) ホルモン剤 (アロマターゼ阻害薬、タモキシフェン、フルベストラント)、ドセタキセル、パクリタキセル、nab-PTX、カペシタビン、S-1、エリブリン、ビノレルビン、ゲムシタビン
- トラスツズマブ＋ペルツズマブ：ドセタキセル、パクリタキセル、カペシタビン、エリブリン、ビノレルビン、ゲムシタビン
- ペルツズマブ：トラスズマブエムタンシン
- 以下、トラスツズマブおよびペルツズマブの副作用についてのみ述べる (各抗がん剤の副作用については別項を参照)。

2 心機能評価

- 心疾患の既往の有無や心エコーによる左室収縮・拡張機能評価を行う。

3 間質性肺疾患の有無 ➡ P.218

- 併用する抗がん剤により間質性肺炎のリスクを伴うため、CT、X線での開始評価が大切。

前投与すべき支持療法薬

1 Infusion reactionの予防について

- **infusion reactionの予防に有効な支持療法は確立されていない。**
- 以下、報告レベルとして、トラスツズマブの国内製造販売後調査では、ステロイド投与例において発熱、悪寒、吐気などの副作用発現率が低いとされる。また、初回投与時に関しても、ステロイド、NSAIDs、制吐薬などの前投薬で、これらの副作用発現率が低い傾向があった。また、NSAIDsの坐剤をトラスツズマブ投与30分前に投与すると、ほとんどの症例でinfusion reactionの程度が軽度であったという報告もある[1]。

B 副作用をみつけるコツ

1 Infusion reaction ➡P.161

- **トラスツズマブ投与中または投与開始後24時間以内**に発生する。海外臨床試験の集積報告では、約40%の症例に認められ、そのほとんど初回投与時のみの発現であった。
- 発熱、悪寒が主症状であり、そのほかに吐気、頭痛、咳、めまい、発疹なども報告されている。重篤なものでは低血圧や気管支痙攣などのアナフィラキシー様症状の報告もある。投与回数の増加に伴い発現頻度は低下し、症状の程度も軽減されることからアナフィラキシーとは異なる病態である。

2 心障害 ➡P.222

- **投与初期にやや発現率が高い**が、はっきりとした好発時期は不明である。転移性乳がんで、海外の臨床試験におけるトラスツズマブ+パクリタキセル併用群で、中央値30週(13～72週)であった[2)]。また、国内製造販売後調査では投与初期にやや発現率が高いものの、投与期間1、2年以上においてもみられた。
- アンスラサイクリン系薬剤の累積投与量(ドキソルビシン換算)が約350mg/m²を超えると、発現頻度の上昇が認められている[3)]。
- 呼吸困難、起坐呼吸、咳嗽などは心不全を示唆する症状であり、これらの症状を見落とさない。

3 下痢(ペルツズマブ併用時) ➡P.191

- 文献では全G 66.8%、G3以上 7.9%であった。初回発現までの中央値は7.0日であった。

4 EGFR関連皮疹(ペルツズマブ併用時) ➡P.279

- CLEOPATRA試験[4)]において、発疹、紅斑、ざ瘡などの皮膚症状をEGFR関連皮疹として集計しており、発現頻度は全G 45.2%、G3以上2.7%であった。初回発現までの中央値は27.5日であった。

C 減量・休薬・再開

- トラスツズマブ投与中にNYHA分類Ⅲ/Ⅳ度に該当する心障害が発現した場合は、中止する。

  Ⅲ度:日常的な身体活動以下の労作で疲労、動機、呼吸困難あるいは狭心痛を生じる。

  Ⅳ度:心不全症状や狭心痛が安静時にも存在する。
- LVEFを定期的(無症候性心機能患者で6～8週ごと、通常は12

図1　HERA試験における心機能評価のアルゴリズム

LVEF<50
LVEF≧50
投与継続
LVEF<45
45≦LVEF<50
投与延期
3週間以内に
LVEF再評価
ベースラインから
10ポイント以上の低下
投与延期
3週間以内にLVEF再評価
ベースラインから
10ポイント未満
の低下
LVEF<45
または
45≦LVEF<50
および
ベースラインから
10ポイント以上の低下
45≦LVEF<50
および
ベースラインから
10ポイント未満
の低下
LVEF<45
または
45≦LVEF<50
および
ベースラインから
10ポイント以上の低下
45≦LVEF<50
および
ベースラインから
10ポイント未満
の低下
投与中止
投与再開
投与中止
投与再開
投与継続

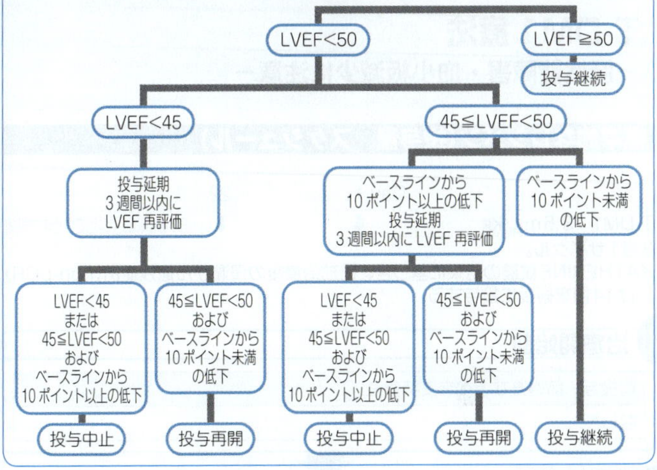

（文献5より引用）

週ごとが目安）に測定し、HERA試験における心機能評価のアルゴリズム（図1）[5]を参考に休薬・再開を検討する。

- ペルツズマブ併用による心機能障害の発現頻度増加はみとめていないため、トラスツズマブに準じて心機能モニタリング、投与中止（ペルツズマブは減量して投与したデータはないため中止が基本）を考慮する。

（大谷陽子）

文献

1）Tokuda Y, et al. Breast Cancer 8: 310-5, 2001. PMID: 11791123
2）Slamon DJ, et al. N Engl J Med 2001; 344: 783-92. PMID: 11248153
3）Von Hoff DD, et al. Ann Intern Med 1979; 91: 710-7. PMID: 496103
4）Swain SM, et al. Lancet Oncol 2013; 14: 461-71. PMID: 23602601
5）Suter TM, et al. J Clin Oncol 2007; 25: 3859-65. PMID: 17646669

T-DM1療法
－肝機能障害・血小板減少に注意－

標準的なレジメン（投与量／スケジュール）

	Day 1	22	
T-DM1 3.6 mg/kg	↓	↓	……PDあるいは副作用で中止まで継続

3週1サイクル。
KATHERINE試験の結果に基づき、術前治療後の浸潤がん遺残症例（non-pCR）には14回を術後に投与する。

A 治療開始前

前投与・前処方するべき支持療法
なし＊1

B 副作用発現時期

	Week			Month		
	1	2	3	2	3	4
Infusion reaction	→ P.161					
ALT、AST上昇＊2			→ P.202,405			
血小板減少＊2		→ P.237				
高ビリルビン血症			→ P.202,405			

C 減量・休薬・再開

投与継続・休薬・中止基準

左室駆出率（LVEF）低下	40%≦LVEF≦45%	ベースラインからの絶対値の変化	**継続**：3週間以内に再測定を行い、LVEFを確認
		<10%	
		≧10%	**休薬**：3週間以内に再測定を行い、LVEFのベースラインからの絶対値の変化<10%に回復しない場合は中止
	LVEF<40%		**休薬**：3週間以内に再測定を行い、再度LVEF<40%が認められた場合は中止
	症候性うっ血性心不全		**中止**

AST、ALT増加＊3	G2＊2	減量せず継続
	G3＊2	**休薬**：G2以下に回復後、1段階減量して再開可能
	G4	**中止**
高ビリルビン血症＊3	G2＊2	**休薬**：G1以下に回復後、減量せず再開可能
	G3＊2	**休薬**：G1以下に回復後、1段階減量して再開可能
	G4	**中止**
末梢神経障害	G3/4	**休薬**：G2以下に回復後、減量せず再開可能

減量方法

初回基準量	1段階減量	2段階減量
3.6mg/kg	3.0mg/kg	2.4mg/kg

＊1：嘔気は全Gで34.5%観察されており、初回は不要であるが、2サイクル以降は重症度に応じて対応。
＊2：サイクルが進むごとにピークは漸減する傾向。
＊3：AST、ALT＞3×ULNかつT-Bil＞2×ULNの場合は中止。

- T-DM1はantibody-drug conjugate（ADC）という新たな作用機序の抗HER2薬である。トラスツズマブにエムタンシンという抗チューブリン薬を結合させ、HER2陽性の腫瘍細胞内でリリースし作用させるため、抗がん剤特有の副作用発現は少なく、脱毛も5%未満である[1)]。

A 治療開始前

1 他の抗がん剤との併用は安全性が確立されていない

- 抗がん剤、ホルモン薬などとの併用療法は確立されていないため、単独での投与が必須である。
- トラスツズマブと併用すると、受容体への結合を拮抗し、T-DM1の効果を低下させる可能性がある。また、名称が類似しているため、とり違いにも注意が必要である。
- ペルツズマブとの併用については、Marianne試験でその上乗せ効果をみとめなかった[2)]。

2 肝機能障害、血小板数の確認

- 肝機能障害 （➡P.202,405） や血小板減少 （➡P.237） が多くみられるので、ベースライン値の把握は大切である。特に肝転移を有する場合、開始時のデータによっては初回投与量を工夫する[3)]。
- 肝機能や血小板数を低下させる併存症治療薬や前治療の影響には要注意である。

B 副作用をみつけるコツ

1 Infusion reaction ➡P.161

- トラスツズマブと同様に抗体製剤であるため1.2%報告されている。特に初回投与時には一定時間の観察と正しい対応が肝要である[3]。

2 肝機能障害 ➡P.202,405 ・血小板減少 ➡P.237

- 投与直後から継続的に生じうるため、各サイクル前に評価する。サイクル数の増加によって軽減する傾向があるが、慎重に対応するのであればday8の採血で血小板減少の程度を把握してもよい。
- 初期にグレードが高く、徐々に低下し安定する特徴を有するが、持続的な肝障害が背景にあることに鈍感になってはいけない。
- Super-responderのような症例では1年以上の長期投与が散見されるが、非常にまれに肝臓に**結節性再生性過形成（nodular regenerative hyperplasia；NRH）**が発症し、肝硬変様の症状が出る報告がある[4]。このような症例では門脈圧亢進に伴って脾腫と血小板減少が同時に生じうるので注意が必要である。トラスツズマブによる維持療法を検討する。
- 抗HER2療法を含む術前化学療法後に腫瘍の遺残があった再発ハイリスク症例へのT-DM1 14サイクルの追加による再発予防効果が報告され[5]、わが国でも2020年8月末から保険適用となった。再発の先行研究[6]の毒性プロファイルと比較しても懸念されるG3以上の血小板減少は5.7%、AST、ALTの上昇は0.5%、0.4%とまれであり、安全に投与可能であることが確認された。

C 減量・休薬・再開

- 肝代謝を受けるほかの抗がん剤と抗HER2薬の併用がT-DM1耐性以降も有用で、長期生存が期待できる場合も多い。肝庇護薬併用により見かけ上のデータを改善するよりは、治療効果と肝障害の程度のバランスを熟考し、より安全かつ有効にT-DM1を使用することが肝要であろう。

（柏葉匡寛）

文献

1）Junttila TT, et al. Breast Cancer Res Treat 2011; 128: 347-56. PMID: 20730488
2）Perez EA, et al. J Clin Oncol 2017; 35: 141-8. PMID: 28056202
3）Kashiwaba M, et al. Jpn J Clin Oncol 2016; 46: 407-14. PMID: 26917603
4）Force J, et al. J Clin Oncol 2016; 34: e9-12. PMID: 24778392
5）Verma S, et al. N Engl J Med 2012; 367: 1783-91. PMID: 23020162
6）von Minckwitz G, et al. N Engl J Med 2019; 380: 617-28. PMID: 30516102

Trastuzumab Deruxtecan(T-DXd)療法
－薬剤性間質性肺炎を考慮した治療管理を－

標準的なレジメン(投与量／スケジュール)

	Day 1	22	43
トラスツズマブ デルクステカン	5.4 mg/kg ⬇	⬇	⬇

A 治療開始前

前投薬・前処方すべき支持療法薬
制吐薬(中等度リスクに応じた投薬を検討)

B 副作用発現時期

	Day							
	1	2	3	…	22	…	42	…
Infusion reaction	投与後24時間以内						➡ P.161	
悪心・嘔吐	投与当日～遅発性						➡ P.146,185	
疲労							➡ P.166	
間質性肺炎							➡ P.218	

C 減量・休薬・再開(文献2より改変引用)

主な投与基準

ANC(/mm³)	≧1,000
Hb(g/dL)	≧8.0
PLT(/mm³)	≧50,000

T-Bil	≦G1
そのほかの有害事象	≦G2

G3以上の血小板減少の際は、G1に回復後に再開。

減量方法

	開始用量	1段階減量	2段階減量	中止
T-DXd (mg/kg)	5.4	4.4	3.2	3.2で忍容性がない場合は中止

休薬・中止・再開基準

<table>
<tr><td rowspan="4">間質性肺炎</td><td>G1(症状がない)</td><td colspan="2">投与中止、再開不可。ステロイド投与を考慮(PSL 0.5mg/kg/日以上)。</td></tr>
<tr><td>G2(症状がある)</td><td colspan="2">投与中止、再開不可。速やかにステロイド投与を開始(PSL 1.0mg/kg/日以上)。
5日以内に改善しない場合は、ステロイド増量。</td></tr>
<tr><td>G3(高度の症状)</td><td colspan="2" rowspan="2">投与中止、再開不可。
速やかにステロイドパルス療法を開始(mPSL 500～1,000mg/日 3日間)。
その後内服治療へ移行(PSL 1.0mg/kg/日以上)。</td></tr>
<tr><td>G4(生命を脅かす)</td></tr>
<tr><td rowspan="3">LVEF低下</td><td rowspan="2">40%≦LVEF≦45%</td><td>ベースラインから<10%の低下</td><td>休薬考慮。3週間以内に再測定。</td></tr>
<tr><td>ベースラインから10～20%の低下</td><td>休薬。3週間以内にベースラインから<10%までに回復しない場合は中止。</td></tr>
<tr><td colspan="2">LVEF<40%またはベースラインから>20%の低下</td><td>休薬。3週間以内に再検し、LVEF<40%またはベースラインからの絶対値の低下>20%が認められた場合は、投与を中止。</td></tr>
</table>

A 治療開始前のコツ

1 間質性肺疾患

- 治療開始前の胸部CT・X線検査が必須である。間質性肺疾患の既往はT-DXdの適用外である。
- 呼吸器専門医にすぐに相談できる診療体制が必要である。

2 心機能、心電図の評価

- ほかの抗HER2薬と同じく心毒性を考慮し、心エコー、心電図での事前評価が望ましい。
- DESTINY-Breast01試験では、心機能低下は1.6%(G3 0.5%)、QT延長が4.9%(G3 1.1%)と報告されている[1]。心臓に対する長期毒性は不明である。

B 副作用をみつけるコツ

1 間質性肺疾患 ➡ P.218

- 各サイクルの来院時に呼吸器症状(息切れ、咳嗽など)、SpO_2の確認を行う。
  胸部X線のみでは早期の診断は困難と考えられるため、**定期的なCT(6～12週ごと程度)**での肺の評価を原則とする。
- 開始後早期～長期にかけて持続的に発生するため、長期投与例でもCT間隔の延長は好ましくない。DAD（diffuse alveolar damage）パターンなどびまん性間質性陰影に先行して限局した陰影が出現することもあり，出現時は注意を要する。

2 発熱

- 発熱性好中球減少症は1.6％と多くない[1]。発熱時は呼吸器症状の有無を確認し，間質性肺疾患の除外を考慮する。疑いが残る場合は迷わずCTを施行する。

3 悪心・嘔吐 ➡P.146,185

- 中等度催吐性リスクに分類され，発生頻度が高い。患者ごとの症状の差が大きく，遅発性の場合もあり，ときに1週間を超えて遷延する。
- 初回導入時からステロイド，5-HT_3受容体拮抗薬の前投薬を行う。症状の強い場合はオランザピンやアプレピタントを検討する。
- 薬剤でコントロール不良な際はT-DXdの減量を考慮する。

4 疲労 ➡P.166

- 約50％での発生が報告されている[1]。

5 infusion reaction ➡P.161

- 臨床試験では2.2％発生した[1]。初回投与時には注意を要する。

6 骨髄抑制 ➡P.234,237

- 貧血と血小板減少で減量や休薬を要することがある。

C 減量・休薬・再開のコツ

- 原則として減量・休薬は添付文書の推奨に従うが，HER2陽性乳がんに対するT-DXdはlate lineでも治療効果が高いため，投与量やスケジュールの維持よりも，**減量・休薬してQOL維持を行う**ほうが患者さんのベネフィットが大きい可能性がある。
- 悪心・嘔吐，疲労などQOL低下に関わる副作用の頻度が高い。患者のQOLが損なわれる場合は適宜減量・休薬を考慮する。
- 間質性肺疾患は急速発症する症例もあるが，淡いすりガラス影や局所的所見が出現後，治療の継続に伴い拡大する症例もある。このため，**判断困難な陰影の出現時は休薬での観察が望ましい**。
- G2以上の間質性肺疾患と診断された場合は，呼吸器専門医の指示のもと速やかにステロイドを導入する（G1は症例ごとに検討）。発症時のGradeにかかわらず，**T-DXdの再投与はできない**。

（山中隆司／山下年成）

文献

1）Modi S, et al. N Engl J Med 2020; 382: 610-21. PMID: 31825192
2）第一三共株式会社．エンハーツ®適正使用ガイド．https://www.medicallibrary-dsc.info

Lapatinib＋Capecitabine/Lapatinib＋Aromatase inhibitor療法
－手足症候群・ざ瘡様皮疹に注意－

標準的なレジメン（投与量／スケジュール）

ラパチニブ（Lap）＋カペシタビン（Cape）療法

Day 1　14 15　21 22

カペシタビン 2,000 mg/m² 分2：2週間内服　1週間休薬

ラパチニブ 1,250 mg 分1（空腹時）：PDになるまで継続

3週1サイクル。
Lapatinib＋アロマターゼ阻害薬の場合は、ラパチニブ1,500 mg 分1連日投与。

A 治療開始前

前投与・前処方すべき支持療法薬
ピリドキサールリン酸エステル水和物、ヘパリン類似物質含有軟膏、ステロイド軟膏、ロペラミド塩酸塩

併用に注意すべき薬剤
イトラコナゾール・カルバマゼピン・リファンピシン・フェニトイン・ワルファリン・プロトンポンプ阻害薬・QT間隔延長を発現又は悪化させるおそれがある薬剤（イミプラミン・ピモジド・キニジン・プロカインアミド・ジソピラミドなど）

B 副作用発現時期

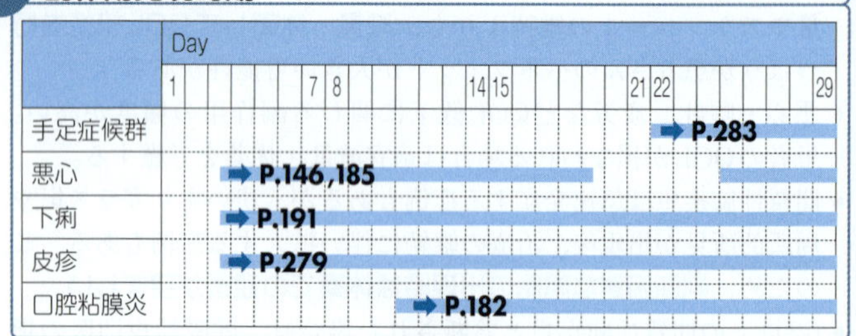

減量・休薬・再開

ラパチニブの減量・休薬・再開基準

有害事象		発現回数	処置		
LVEF低下	無症候性[*1]	1回目	投与継続（1～2週間後に再検）	回復：投与継続	
				持続：休薬し、3週間以内に再検	回復：1,000mgに減量し再開
					持続：中止
		2回目（減量前）	1回目に準じる		
		2回目（減量後）	中止		
	症候性（G3/4）	－	中止		
QT間隔延長	G2	1、2回目	減量せず継続		
		3回目	減量せず、または1,000mgに減量して継続		
		4回目	1,000mgに減量して継続		
	G3	－	休薬（G1になるまで最大14日間）し、減量せず、または1,000mgに減量して再開可能。		
	G4	－	休薬（G1になるまで最大14日間）し、減量・再開は事象ごとに判断。		
間質性肺炎	G3/4	－	中止		
T-Bil＞2.0×ULNかつ	ALT＞3.0×ULN	中止			
T-Bil≦2.0×ULNかつ	ALT＞8.0×ULN	休薬し、2週間後に再検 有効性が得られている場合、1,000mgに減量して再開可能			
	ALT＞5.0×ULN[*2]（無症候性にて2週間継続）				
	ALT＞3.0×ULN（症候性[*3]）				
	＞3.0×ULN（無症候性）	継続し、1週間ごとに再検。 ALT＞3.0×ULNが4週間継続した場合は中止			
臨床検査値（ANC・PLT・Hb・Cr）異常	G2/3	休薬（G1に回復するまで最大14日間） ・1回目：減量せず再開 ・2～3回目：減量せず再開もしくは1,000mgに減量して再開			
	G4	休薬（G1に回復するまで最大14日間）した後、事象ごとに判断			

*1：LVEFがベースラインから20％以上かつ施設基準値を下回った場合
*2：ALT＞5.0×ULN発現時点で3日以内に再検し、その後1週間ごとに検査
*3：肝炎または過敏症の兆候、症状（疲労・嘔気・嘔吐・右上腹部の痛みあるいは圧痛、発熱、発疹）のいずれかの発現もしくは増悪

カペシタビンの減量・休薬・再開基準

・有害事象

G2	休薬し、G0/1に軽快後、休薬前の用量もしくは減量を行い再開
G3	休薬し、G0/1に軽快後、減量を行い再開
G4	中止

・腎機能障害時

投与開始前のCcr（mL/分）	減量
30～50	75％用量（1段階減量）
＜30	投与禁忌

カペシタビン減量の目安

体表面積	1回用量(mg)		
	初回投与量	1段階減量	2段階減量
1.36 m^2 未満	1,200	900	600
1.36以上1.41 m^2 未満	1,500		
1.41以上1.51 m^2 未満		1,200	
1.51以上1.66 m^2 未満			900
1.66以上1.81 m^2 未満	1,800		
1.81以上1.96 m^2 未満		1,500	
1.96以上2.11 m^2 未満	2,100		
2.11 m^2 以上			1,200

A 治療開始前のコツ

1 診察・検査

- PSなど全身評価、一般検査(Ccrを含む)、腫瘍評価(CT/MRI/骨スキャン)。
- **肝機能検査**：重篤な肝機能障害(➡P.202,405)が出現することがあり、投与前および4～6週ごとに定期的に行う。
- **心エコー**：LVEFが開始基準(LVEF≧50%もしくは施設基準以上)を満たすことを確認する。3～6カ月ごとにフォローアップを行う。
- 慎重投与を要する状況：アンスラサイクリン系薬剤投与歴、胸部への放射線治療歴、うっ血性心不全・治療を要する不整脈・冠動脈疾患の合併、心室性期外収縮、QT間隔延長を起こすことが知られている薬剤の投与(心電図モニタリング)、放射線性肺臓炎を含む間質性肺疾患の既往。

2 服薬指導

- Lapは経口摂取直後の内服により血中濃度の上昇が報告されており[1)]、**食事前後1時間を避けて内服**、Capeは**食後30分以内に内服**、服用のタイミングについて患者の理解を得る。

3 有害事象について説明

- Capeによる手足症候群に加え、LapのEGFR阻害作用によるざ瘡様皮疹および爪の変形(➡P.275)があり、美容上・家事労働上のデメリットがあることを説明する。
- 心不全や間質性肺炎を示唆する咳嗽、呼吸困難感が出現した場合は、早めに申し出るよう指導する。

前投与・前処方すべき支持療法薬のコツ

1 手足症候群 （➡P.283）

- 予防的にピリドキサールリン酸エステル水和物（ピドキサール®）内服（エビデンスはない）および、ヘパリン類似物質含有軟膏（ヒルドイド®ソフト軟膏0.3%）を処方してセルフケアを促し、紫外線への曝露を避ける。
- 爪の変形（脆弱性の増加）に対しては、軟膏によるケアに加え、トップコートなどにより強度を補うことも考える。

2 皮疹・皮膚亀裂 （➡P.279）

- ざ瘡様皮疹の予防としてのセルフケア（洗顔、保湿など）を促す。

3 下痢 （➡P.191）

- G3以上の下痢を約15%みとめ、投与早期から出現する。止痢薬（ロペラミド（ロペミン®）1～2mg/回）をあらかじめ処方する。
- 脂質、食物繊維を多く含む食品を避けるよう指導し、飲水を促す。
- ロペラミド4mg/日によっても症状が改善せず、G2以上の症状である場合は受診するよう指示する。

B 副作用をみつけるコツ

1 間質性肺炎 （➡P.218）

- 投与中は呼吸困難、咳嗽、発熱などの初期症状を十分に観察し、必要に応じて胸部CTや酸素飽和度を確認する。

2 LVEF低下 （➡P.222）

- 呼吸困難・動悸・下肢のむくみ・心不全徴候などが出現する。

C 減量・休薬・再開のコツ

1 下痢

- ロペラミド4mg/日によっても症状が改善せず、G2以上の場合は、Lap/Cape両剤の休薬（G1に回復するまで）が必要である。
- 再開後も繰り返す場合、Lapを1,000mg、Capeを1段階減量する。アロマターゼ阻害薬との併用の場合はLap 1,500mgから1,250mgへと1錠ずつ減量する。

2 手足症候群

- G2が出現した場合はまずCapの休薬を行う。初回であれば休薬前の用量で再開とするが、繰り返す場合はCapを1段階減量、回復不十分な場合はLapを1,000mgに減量する。

- G3が出現した場合は**両剤を中止**し、皮膚科専門医に相談する。

3 ざ瘡様皮疹

- G3が出現した場合はまず**Lapの休薬**を行う。初回であれば休薬前の用量で再開とするが、繰り返す場合は**Lapを1,000 mgに減量**し、回復不十分な場合は**Capの1段階減量**を行う。
- **strongestのステロイド（デルモベート®など）を数日間**使用し、その後**very strongのステロイド（マイザー®など）へ変更**する。

4 肝機能障害、左室駆出率（LVEF）低下、QT間隔延長

- 前述の減量基準に従い、減量・中止を行う。

（白数洋充／渡邉純一郎）

文献

1） Koch KM, et al. J Clin Oncol 2009: 27: 1191-6. PMID: 19188677

参考文献

1） Geyer CE, et al. N Engl J Med 2006; 355: 2733-43. PMID: 17192538
2） Verma S, et al. N Engl J Med 2012; 367: 1783-91. PMID: 23020162
3） タイケルブ®錠適正使用ガイド. ノバルティスファーマ株式会社.
4） ゼローダ®錠適正使用ガイド. 中外製薬株式会社.

Bevacizumab＋wPaclitaxel併用療法

－高血圧・蛋白尿・出血に注意－

標準的なレジメン（投与量／スケジュール）

		Day 1	8	15	22	29
パクリタキセル	90 mg/m²	↓	↓	↓		↓
ベバシズマブ	10 mg/kg	↓		↓		↓

1サイクル28日
パクリタキセル中止後は、病勢の増悪または忍容できない毒性が発現するまで、ベバシズマブの単独継続投与が可能

A 治療開始前

併用に注意すべき薬剤
Ca拮抗薬（パクリタキセルの副作用を増強する）

B 副作用発現時期

	Day						Month		
	1	8	15	22	29	21	2	3	
骨髄抑制				→ P.413					day 14～21
脱毛				→ P.290					day 14～21
悪心・嘔吐		→ P.146,185							day 1～3
関節痛		→ P.170							day 1～3
末梢神経障害						→ P.253			2～3サイクル後
高血圧					→ P.226				投与2カ月以内
蛋白尿						→ P.209			
鼻出血									
創傷治癒遅延									
血栓塞栓症		→ P.230							
消化管穿孔		→ P.199							

C 減量・休薬・再開

ベバシズマブの休薬・中止基準[1]

高血圧	G1	症状はなく一過性の＞20mmHgの上昇、以前正常であった場合＞150/100への上昇	投与継続 モニタリングを継続	
	G2	再発性、または持続性、または症状を伴う＞20mmHgの上昇、以前正常であった場合＞150/100への上昇		降圧薬（単剤）による薬物療法が必要となる場合もある。
	G3	2種類以上の降圧薬、または以前より集中的な治療を必要とする	コントロール可能になるまで休薬	1カ月以上コントロール不能→投与中止
	G4	生命を脅かす（例：高血圧性クリーゼ）	投与中止 再投与不可	
蛋白尿	G1	1＋または0.15～1.0g/日	投与継続、モニタリング継続	
	G2	2＋～3＋または1.0～3.5g/日	≦G1に回復するまで休薬 G2で定量検査により2g/日以下であれば投与可能	
	G3	4＋または＞3.5g/日		
	G4	ネフローゼ症候群	投与中止	

・輸血、入院および介入を必要とする出血、治療を要する血栓症、動脈血栓塞栓症、消化管穿孔の場合は投与中止。
・基本、減量は行わない。

A 治療開始前のコツ

- ベバシズマブにはさまざまな特有の副作用があり、また、併用する化学療法に起因する副作用の頻度や程度を増加させる傾向がある。パクリタキセルの副作用は他項 ➡P.50 に譲り、本項ではベバシズマブの副作用について解説する。

1 高血圧はないか ➡P.226

- ベバシズマブ治療期間中は、**定期的に血圧のモニタリング**を行う。
- NCIの専門委員会は、VEGF阻害薬投与中の血圧管理について、目標値を140/90mmHg未満としており[1]、コントロール不良の高血圧症を合併している場合には、このレジメンの適用は勧められない。
- パクリタキセルとCa拮抗薬と併用することにより、骨髄抑制が増強するおそれがある。高血圧または降圧薬内服中の場合、循環器専門医との連携を図る。

2 出血の原因となるものはないか

- **抗凝固薬**を内服していないか確認する ➡P.417 。あらかじめ出血の原因となりそうな病変がないかスクリーニングを行う。
- 脳転移を有する患者に対しては、PMDAの調査で脳出血のリスクが上昇する可能性があるという報告[2]があるため、慎重に適用を吟味する必要がある。

3 手術や侵襲的治療のタイミング
- 術前は6週間以上、術後は4週間以上の間隔をあける。
- 無症候性胆石症など相対的な手術適応となりうる疾患を合併している場合には、その手術の適応やタイミングを一考する価値がある。
- 中心静脈カテーテル挿入や胸腔穿刺、歯科治療といった小手術の場合、明確な規定はないが、上記に準じた留意が必要である。
- ポート留置前後10日以内の投与は創部の治癒不良や哆開が増えるという報告もある[3]。

4 血栓塞栓症の既往はないか（慎重投与）
5 腹腔内の炎症や消化管の閉塞機転はないか（慎重投与）
- 活動性の消化管潰瘍を有する場合は、プロトンポンプ阻害薬やH_2受容体拮抗薬の併用を考慮する。

B 副作用をみつけるコツ

1 高血圧 ➡ P.226
- 治療開始後2カ月以内に発現することが多く、G3以上は16.7％[4]。

2 蛋白尿 ➡ P.209
- 発現時期に一定の傾向はない。G3以上はまれ。
- ネフローゼ症候群も報告されている。
- 多くは無症候性であるため、治療期間中は、定期的に尿検査を行う。

3 鼻出血、出血
- 鼻出血のほとんどは非重篤で、自然に止まる、あるいは鼻を指でつまむなどの圧迫で止血可能で、比較的コントロール良好である。
- ほかに腫瘍関連出血、消化管出血、肺出血、脳出血、歯肉出血や腟出血などがある。

4 嗄声
- 分子量の小さいVEGF阻害薬（アキシチニブ、アフリベルセプト、レゴラフェニブなど）で報告が多い。
- 国内臨床試験では発声障害として、11％の報告がある[4]。声帯の毛細血管に対する可逆的な影響によると考察されている。

5 重篤となりうる副作用

①創傷治癒遅延

- 創傷感染、創治癒不良、創哆(し)開などの合併症。

②血栓塞栓症 ➡ P.230

- 国内臨床試験において、G4の脳梗塞、肺動脈血栓症、G3の深部静脈血栓症を認めた[4)]。
- Dダイマーの定期的な測定の有用性については賛否あるが、基本的には、臨床症状に留意して問診、診察にあたることが重要である。

③消化管穿孔 ➡ P.199

- 国内臨床試験では発現がなかったが、観察研究(JBCRG C05試験)ではG3以上が0.6%、死亡例も報告されている。
- 慢性的にアスピリンやNSAIDsの服用が必要な患者には注意が必要である。腹水やNSAIDsは腹膜刺激症状をマスクすることもあるので、詳細な問診を心掛ける。

C 副作用による減量・休薬・再開のコツ

- 上述の休薬・中止基準に従う。基本的に減量は行わない。

(森井奈央／山城大泰)

文献

1) アバスチン®適正使用ガイド. 中外製薬株式会社.
2) Maitland ML, et al. J Natl Cancer Inst 2010; 102: 596-604. PMID: 20351338
3) ベバシズマブ(遺伝子組換え)の安全性に係る調査結果報告書. http://www.mhlw.go.jp/stf/shingi/2r9852000002gyjo-att/2r9852000002gyu8.pdf
4) Zawacki WJ, et al. J Vasc Interv Radiol 2009; 20: 624-7. PMID: 19328717

参考文献

1) Miller K, et al. N Engl J Med 2007; 357: 2666-76. PMID: 18160686
2) Miles DW, et al. J Clin Oncol 2010; 28: 3239-47. PMID: 20498403
3) Robert NJ, et al. J Clin Oncol 2011; 29: 1252-60. PMID: 21383283
4) Brufsky AM, et al. J Clin Oncol 2011; 29: 4286-93. PMID: 21990397
5) Delaloge S, et al. Ann Oncol 2016; 27: 1725-32. PMID: 27436849
6) Miles D, et al. Eur J Cancer 2015; 51(suppl S3): S287. abstr#1866.

mTOR阻害薬(Everolimus)
－間質性肺炎・口内炎に注意－

標準的なレジメン(投与量／スケジュール)

エベロリムス10mg　1日1回　食後　PO(毎日決まった時間帯に服用)

A 治療開始前

前投薬・前処方すべき支持療法薬
アズノールうがい液、口腔用ステロイド軟膏

併用に注意すべき薬剤[1]
併用禁忌：生ワクチン 併用注意：CYP3A4またはP糖蛋白阻害薬(アゾール系抗真菌薬、マクロライド系抗菌薬、Ca拮抗薬、グレープフルーツジュースなど)あるいはCYP3A4またはP糖蛋白誘導薬(リファンピシン、抗てんかん薬、ステロイド、セイヨウオトギリソウなど)

B 副作用発現頻度と時期[2]

①間質性肺疾患	発現頻度は約20%程度(日本人に多い傾向約40%)。投与期間を通じて発現する。
②感染症	投与開始2カ月目までが多いが、その後も投与期間を通じて発現する。B型肝炎ウイルスの再活性化に注意(B型肝炎治療ガイドライン 第3.1版[3]参照)。
③口内炎	約70%に発現。多くは投与1カ月以内。
④高血糖、糖尿病	約10%に発現。多くは投与1カ月以内。

C 減量・休薬・再開[1]

間質性肺疾患(肺臓炎、間質性肺炎、肺浸潤など)	G1	[症状がなく、画像所見のみ] ・治療不要 ・同一用量で投与継続
	G2	[症状あり、日常生活に支障なし] ・症状が改善するまで休薬 ・ステロイドによる治療を考慮 ・投与再開時は1日1回5mgに減量
	G3	[症状があり、日常生活に支障あり;酸素吸入を要する] ・投与中止 ・ステロイドによる治療を考慮。 ・治療継続が有益と判断される場合、1日1回5mgに減量して再開
	G4	[生命を脅かす；人工呼吸を要する] ・投与中止、再投与は行わない ・ステロイドによる治療を考慮(重症例ではパルス療法)。

口内炎	G1	投与継続
	G2	・G1以下に回復するまで休薬 ・投与再開の場合は、1日1回10mgで再開 ・2回目以降の場合、1日1回5mgに減量して投与再開
	G3	・G1以下に回復するまで休薬 ・投与再開の場合は、1日1回5mgで再開
	G4	投与中止
高血糖 糖尿病 脂質異常	G1/2	投与継続
	G3	・一時的に休薬 ・投与を再開する場合は、1日1回5mgで投与開始
	G4	投与中止

A 治療開始前のコツ

1 胸部CT検査を行い、間質性肺疾患の有無を確認

- 肺に間質性陰影を認める場合には、臨床症状の有無と併せて投与の可否について、慎重に検討する[1]。

2 感染症、特にB型肝炎ウイルスの感染歴の有無を確認 ➡ P.207

- 本剤は免疫抑制作用を有するため、基礎疾患としての感染症の有無の確認が必要である。特に、B型肝炎ウイルスキャリアおよび感染歴のある患者（HBs抗原陰性でHBc抗体陽性またはHBs抗体陽性の患者）では、B型肝炎の再活性化のリスクがある。B型肝炎治療ガイドライン[3]を参考に、肝臓専門医にコンサルトし、核酸アナログの投与を検討するなどの適切な対応が必要である。

3 うがいや口腔ケアを指導する

- 自己管理による副作用マネジメントが大切である。
  ①うがいの励行と口腔ケアによる口腔内の保清：保清により口内炎発症の予防はできないが、重症化は予防できる。
  ②ステロイド軟膏：使用により比較的容易に制御できる。
- 歯科による口腔ケアを受ける。

B 副作用をみつけるコツ

1 間質性肺疾患 ➡ P.218

- 発現頻度は全Gで18％[2]だが、適切な対処を怠ると重症化する可能性があり、死亡例も報告されている注意すべき副作用である。
- 早期に発見することは難しいが、投与中は注意深く患者の問診を行い、聴診による捻髪音の有無を確認する。また、定期的に胸部CT検査を行うことが推奨される。

- 患者教育も重要であり、疑わしい症状(乾性咳嗽、呼吸困難、発熱)を自覚した場合は、担当医に連絡するように指示しておく。

2 口内炎 ➡ P.182

- BOLERO-2試験[3]では全Gで64.5%に認められた。
- 適切な支持療法や休薬・減量を行うことで重症化は回避できる。上述のように、患者教育も重要である。
- 最近、エベロリムス投与中にデキサメタゾンのマウスウォッシュを使用することにより、口内炎の発症頻度が激減したとの報告がある[4](G2以上の口内炎 2% vs. BOLERO-2試験33%)。わが国ではステロイドのマウスウォッシュの使用が困難なため、早期にステロイド軟膏を使用することが推奨される。
- **歯科介入によって口内炎の発現頻度や重症度を低減することが可能**[5]。

3 糖代謝異常

- BOLERO-2試験[3]では全Gで約10%、かつ重症化することもまれではあるが、空腹時血糖の測定およびそれに応じた適切な血糖をコントロールや休薬・減量が必要である。

C 減量・休薬・再開のコツ

- 本剤は、経口剤でありながら、注射剤の抗がん剤に匹敵するような重篤な副作用を経験することがある。しかし、それらの副作用は早期に適切に対処することによって、比較的容易にコントロールできる。
- **mTOR阻害薬による間質性肺疾患の特徴であるが、G2であれば休薬と経口ステロイド投与により短期間で改善することが多い**。また、**口内炎もG1/2のうちにステロイド軟膏を塗布し、必要に応じた休薬で消退し、治療の継続が可能になる場合が多い。さらに、口内炎の発現頻度や重症度の低減に歯科介入が有用である**。
- 治療は奏効しているが、副作用マネジメントに難渋する場合も経験する。このような症例においては、**積極的な減量(10mg/日→5mg/日)も有効な手段の一つとなりうる**。減量によって副作用が軽減され、治療継続が可能となり、結果として長期の病勢コントロールが得られることがある。これは、病勢コントロールと適切な副作用マネジメントによって、高いQOLを維持しつつ長期にわたり治療継続が可能になるという、まさに、転移再発乳がん治療の目的が達成できているケースである。

(中山貴寛)

文献

1）アフィニトール®適正使用ガイド　根治切除不能又は転移性の腎細胞癌/神経内分泌腫瘍/手術不能又は再発乳癌（2019年9月改訂）．ノバルティスファーマ株式会社．
2）Baselga J, et al. N Engl J Med 2012; 9: 366: 520-9. PMID: 22149876
3）日本肝臓学会 肝炎診療ガイドライン作成委員会，編．B型肝炎治療ガイドライン 第3.1版（2019年3月）．https://www.jsh.or.jp/files/uploads/HBV_GL_ver3.1_v1.2-1__2.pdf
4）Rugo HS, et al. Lancet Oncol 2017; 18: 654-62. PMID: 28314691
5）Niikura N, et al. Oncologist 2020; 25: e223-30. PMID: 32043762

CDK4/6阻害薬(Palbociclib)＋ホルモン療法
－骨髄抑制に留意しながら、長期使用を目標に上手に減量を－

標準的なレジメン(投与量／スケジュール)

●ホルモン陽性(ER陽性)HER2陰性の手術不能または再発乳がん

	Day1	21 22	28 29
パルボシクリブ 125 mg/body/日　食後　PO	3週間内服		1週間休薬

1サイクルは、3週間投与1週間休薬の28日。内分泌療法と併用し、1日1回125 mgを内服。

A 治療開始前

前投与・前処方すべき支持療法薬
特記すべきものはない。

併用に注意すべき薬剤
・強力なCYP3A阻害薬またはCYP3A誘導薬：血中濃度に影響が懸念される。 ・グレープフルーツの同時摂取には留意。

B 注意すべき副作用

・好中球減少症(発熱性好中球減少症はまれ)
・G3/4の有害事象はまれ
・倦怠感(➡P.166)、嘔気(➡P.185)、脱毛(➡P.290)、下痢(➡P.191)、咳、貧血(➡P.234)、皮疹(➡P.279)、無力感、血小板減少(➡P.237)、口内炎(➡P.182)、食欲低下、皮膚乾燥など(おおむねG1/2)

C 減量・休薬・再開

次サイクル開始基準

ANC(/mm^3)	≧1,000、発熱なし
PLT(/mm^3)	≧50,000
非血液学的有害事象	G1もしくはベースラインまで回復

・有害事象内容により、安全性が担保される場合はG2でも差し支えない。
・投与開始基準を満たさない場合：規定の1週間の休薬に加えて、さらに1週間の休薬は許容。おおむねその1週間以内に回復し、再開基準を満たす。
・次サイクルを延期した場合：再開時点をDay 1として、3週内服1週休薬のスケジュールを推奨

減量方法

・G4の好中球減少症/G4の血小板減少
・発熱性好中球減少症
・コントロール困難なG3以上の非血液毒性

開始用量	1段階減量	2段階減量
125	100	75

(mg/body/日)

1 CDK4/6阻害薬

- 細胞増殖の主にG1期進行の制御に関わるサイクリン依存性キナーゼ4および6(CDK4/6)に対し、選択的阻害作用を有する。
- PD0332991(パルボシクリブ)、LY2835219(アベマシクリブ)、LEE011(ribociclib)の3剤のうち、パルボシクリブが2017年7月27日、アベマシクリブが2018年11月30日に厚生労働省の薬事・食品衛生審議会医薬品第二部会の承認を得た。
- ERシグナル阻害と併用により、相乗的に細胞増殖を抑制。

2 パルボシクリブ

- ホルモン陽性HER2陰性乳がんにおける内分泌療法の効果をより最大限に引き出せる新規の分子標的治療薬である。内分泌療法の早い治療ラインの使用を勧める。特に1次治療における無増悪生存期間(PFS)が中央値で2年を超えうる治療効果は魅力的である。
- 生存期間延長の効果は現時点では不明であるが、少なくとも化学療法開始までの期間を延長する効果は期待でき、患者のQOLに貢献できる。
- フルベストラントとの併用で統計学的有意ではないが、特にホルモン感受性を有する集団において、パルボシクリブ併用により生存改善の傾向が得られた。
- 好中球減少症に対する適切なマネジメントは必須であるが、自覚する有害事象は軽微であり、高いコンプライアンスが期待できる。有害事象が生じても増悪はまれであることを説明し、長期の継続を図ることが治療効果につながることをお互い理解しておくことが大切である。
- 周術期における再発予防効果の検証が大規模臨床試験が実施されたが、現時点で明確な有用性は示せていない(PALAS、PENELOP-B試験)。

3 レトロゾールおよびフルベストラントと併用

- レトロゾールは単剤使用時と同様、2.5mg/bodyを連日経口内服。同系統のアナストロゾール(1mg)もパルボシクリブ併用は可能。
- フルベストラントは単剤使用時と同様、500mgを最初の1カ月は2週ごと、その後4週ごとに筋肉注射。閉経前乳がんの場合、LH-RHアナログの併用下でフルベストラント+パルボシクリブを実施。
- 1次治療として、レトロゾール併用で、PFS 24.8カ月、奏効率42%、臨床的有用率84.9%(PALOMA2)。レトロゾール単独と比較しPFSを約2倍に延長。増悪リスクを42%改善(HR=0.58)。

- 2次治療以降として、フルベストラント併用で、PFS 9.5カ月、奏効率10.4％、臨床的有用率30.4％（PALOMA3）。フルベストラント単独と比較しPFSを約2倍に延長。増悪リスクを54％改善（HR＝0.46）。
- PALOMA2試験では年齢や人種、無病期間や周術期前治療歴（化学療法やホルモン療法の有無やその種類）、転移臓器（内臓転移有無や骨病変）によらず、PALOMA3試験では年齢や人種、前治療歴（化学療法やホルモン療法の有無やその種類、進行再発の治療ライン別）、転移臓器（内臓転移有無）、PgR発現状況によらず、パルボシクリブ併用は一貫性をもって有効である。

A 治療開始前のコツ

- ベースライン時の一般検血、生化学検査。
- 好中球減少に備え、う歯などの感染巣の除去、口内炎対策として口腔内ケアを勧める。
- 病巣確認に合わせて、肺野の間質性肺炎像の有無を確認。
- 高額な治療費が想定されるので、高額療養費制度の活用などを提案。
- 3週間投与1週間休薬とスケジュール管理が重要なので服薬日誌などのツールを活用。

B 副作用をみつけるコツ

1 好中球減少症

- 最頻度の有害事象。全GおよびG3/4の頻度は、レトロゾール併用で79.5％および56.1％/10.4％、フルベストラント併用で78.8％および53.3％/8.7％。約10％にG4をみとめたが、発熱性好中球減少症（FN）はまれ。
- **1サイクル2週目および2サイクル開始時（投与開始4週後）**には必ず診察のうえ採血検査。**好中球のモニタリングは必須**。
- 日本人は欧米人に比べ、好中球減少の頻度が高い。
- 休薬により速やかな回復が期待できる。

2 そのほかの有害事象

- G3/4の有害事象はまれ（貧血；約5％、血小板減少；約2％）。おおむねG1/2で、コンプライアンス良好。
- 15％以上およびレトロゾール単独と比べ5％以上多い事象：倦怠感（37％）、嘔気（35％）、関節痛（33％）*、脱毛（33％）、下痢（26％）、咳（25％）、貧血（24％）、背部痛（22％）*、頭痛（21％）*、ほてり（21％）*、便秘(19%)*、皮疹(18%)、無力感(17%)、血小板減少(16%)、嘔吐(15%)*、四肢の痛み(15%)*、口内炎(15%)、食欲低下(15%)、皮膚乾燥(12%)。(*はコントロール群と頻度同等)

- 15%以上およびフルベストラント単独と比べ5%以上多い事象:倦怠感(38%)、嘔気(29%)*、貧血(26%)、頭痛(21%)*、血小板減少(19%)、上気道炎(19%)*、下痢(19%)*、便秘(17%)*、脱毛(15%)、ほてり(15%)*、嘔吐(15%)*、食欲低下(13%)。(*はコントロール群と頻度同等)
- 倦怠感、口内炎、脱毛の増加は軽度だが比較的よくみられるため、あらかじめ説明しておくと患者さんも受け入れやすい。

C 減量・休薬・再開のコツ

- 併用するホルモン療法薬については、その単剤投与のマネジメントに従う。**基本、休薬はまれ**。
- 好中球減少によりパルボシクリブの休薬・減量が必要となることが多い。
- 好中球数1,000/mm^{3}前後を保つようにする。内服中のG4(500/mm^{3}未満)、まれではあるがFN出現時は**次サイクルから1段階減量**する。
- 次サイクル開始が延期された場合:**再開時点をDay1として、3週間内服1週間休薬**のスケジュールが勧められる。4週1サイクルと固定して内服継続期間を3週より短くする方法は、開発治験では採用されておらず、基本避けたい。
- 休薬期間中、レトロゾールは継続。フルベストラントは1週間の延期は許容されること、パルボシクリブの再開後は3週間内服1週間休薬のスケジュールが勧められるので、パルボシクリブの再開に合わせてフルベストラント注射を行うほうが、スケジュールの管理が容易。
- **75mg/日未満への減量**は有効性のデータもなく、勧められないため**中止**。病状が安定していれば、内分泌療法を継続。
- パルボシクリブの休薬・減量は、正しく行えばその効果に影響しないことが示されている。

(増田慎三)

文献

1) Finn RS, et al. Lancet Oncol 2015; 16: 25-35. PMID: 25524798
2) Finn RS, et al. N Engl J Med 2016; 375: 1925-36. PMID: 27959613
3) Turner NC, et al. N Engl J Med 2015; 373: 209-19. PMID: 26030518
4) Cristofanilli M, et al. Lancet Oncol 2016; 17: 425-39. PMID: 26947331.
5) Turner NC, et al. N Engl J Med 2018; 379: 1926-36. PMID: 30345905
6) Rugo HS, et al. Breast Cancer Res Treat 2019; 174: 719-29. PMID: 30632023
7) Masuda N, et al. Breast Cancer 2019; 26: 637-50. PMID: 31127500
8) Masuda N, et al. Breast Cancer 202; 28: 335-45. PMID: 33085032

CDK4/6阻害薬(Abemaciclib)＋ホルモン療法
−下痢マネジメントを中心に治療継続を図る−

標準的なレジメン(投与量／スケジュール)

	Day 1	28
アベマシクリブ150 mg/回 1日2回(朝夕食後)	連日経口投与	

4週1サイクル。内分泌療法と併用。
ホルモン受容体(HR)陽性HER2陰性の乳がん。
重度肝機能障害(Child-Pugh分類C)では150 mg/回 1日1回、慎重投与。

A 治療開始前

骨髄抑制発生の可能性があるので、ベースラインの検血検査は必須

前投与・前処方すべき支持療法薬	併用に注意すべき薬剤
特記すべきものはない。	・CYP3A阻害薬またはCYP3A誘導薬：血中濃度に影響が懸念される。 ・グレープフルーツの同時摂取には留意。

B 注意すべき副作用[1)]

・肝機能障害(➡P.202,405)：ALT増加(10.7%)、AST増加(10.4%)
・下痢(➡P.191)：重度の下痢9.7%(G3/4はまれ)
・骨髄抑制(➡P.413)：好中球減少(40.3%)、貧血(22.3%)、白血球減少(21.9%)、血小板減少(9.9%)、リンパ球減少(6.3%)
・間質性肺疾患(➡P.218)：2.0%

C 減量・休薬・再開[1)]

次サイクル開始(アベマシクリブ継続)基準

ANC(/mm³)	≧1,000、発熱なし
PLT(/mm³)	≧50,000
非血液毒性	G1もしくはベースラインまで回復

減量基準

下痢	・治療しても症状が継続する。 ・減量せずに再開後に再発したG2。 ・入院を要するまたはG3以上
血液毒性	・G3(初回発現)の場合、必要に応じて減量。 ・G-CSF製剤を要した場合 ・2回目以降のG3/4。
非血液毒性	・治療しても症状が継続する。 ・2回目以降のG2で7日以内に回復しない、またはG3以上。

減量方法

通常投与量	1段階減量	2段階減量
150mg/回 1日2回	100mg/回 1日2回	50 mg /回 1日2回

A 治療開始前のコツ

1 アベマシクリブについて知っておく

- 細胞増殖の主にG1期進行の制御に関わるサイクリン依存性キナーゼ4および6(CDK4/6)に対して阻害作用を有し、特にCDK4-サイクリンD1に強い阻害活性を示す[2)]。ERシグナル阻害との併用により、相乗的に細胞増殖を抑制する。
- 連日経口投与が可能であり、*in vitro*では、乳がん細胞への持続的な曝露により細胞老化および細胞死(アポトーシス)の誘導が確認されている[2)]。
- リンパ節転移4個以上などの再発高リスク患者を対象としたMONARCH-E試験では、周術期における再発予防効果が証明されている[3)](コラム参照)。
- 下痢の発現割合は8割を超えるが、止瀉薬や整腸剤などの支持療法によりマネジメント可能である。サイクルが進むごとに発現頻度も下がる[4)]。
- 好中球減少症の発現割合は4割程度であり、骨髄機能回復を目的とした休薬は少ない。

2 内分泌療法との併用について知っておく

- 再発乳がんに対する内分泌療法歴のない1次治療として、レトロゾール2.5mgまたはアナストロゾール1mg 1日1回経口投与と併用される。
- MONARCH 3試験最終解析では、レトロゾールとの併用でPFS中央値が28.2カ月であり、レトロゾール単剤の14.8カ月に比べて約2倍に延長した[5,6)]。
- 内分泌療法歴のある2次治療では、フルベストラント500mgを最初の1カ月2週ごと、その後4週ごとに筋肉内投与し、閉経前患者に対してはLH-RHアナログを併用する。
- MONARCH 2試験[7,8)]では、フルベストラントとの併用投与でPFS中央値が16.4カ月であり、フルベストラント単剤に比べて7.1カ月有意に延長した。またOS中央値は46.7カ月であり、フルベストラント単剤に比べて9.4カ月有意に延長した。併用群では奏効率48.1%(うち完全奏効3.5%)、臨床的有用率73.3%で、高い腫瘍縮小度を認めている。本試験では、術後内分泌療法中や終了後早期に再発した患者が約6割占めており、当該患者の生命予後にも十分寄与する可能性が示唆される。

- MONARCH 2試験のPFS/OSサブグループ解析では、転移部位別や内分泌療法に対する感受性別（一次抵抗性、二次抵抗性）のいずれにおいても、一貫した有効性が示されている。また、MONARCH 3試験においても、転移部位別、内分泌療法歴別のPFSについて同様である。

3 ベースラインの確認

- ベースライン時の一般検査、生化学検査を行う。
- 下痢が起こる可能性を伝え、普段の排便状況を確認するとともに止瀉薬の使い方や水分補給について事前に指導する。
- 間質性肺疾患 ➡P.218 の対策として、間質性肺炎などの合併や既往、薬剤性肺疾患の非特異的リスク因子の有無を確認する。ベースライン時の呼吸器症状の有無の確認や、SaO_2測定、胸部CT検査を行う。
- 治療費について、高額療養費制度の活用などを提案する。

B 副作用をみつけるコツ

1 下痢 ➡P.191

- MONARCH 3試験では下痢を理由とした用量調整は、休薬15.3%、減量12.8%、投与中止1.8%であった。
- 下痢がおおむね必発であることを事前に伝え、止瀉薬（ロペラミド1回1～2mg）を処方し、下痢の兆候が認められた場合に適宜内服するように指導する。酪酸菌製剤（ミヤBM®錠 1～2錠/回 1日3回）をベースに勧める意見もある。
- 服薬日誌に下痢の記録をつけることで、個々の下痢の発現パターンが見られることもある。そのタイミングに合わせたロペラミドの予防的な定時内服や、外出時や就業などのライフスタイルに合わせた頓服内服（外出前にロペラミド内服など）を一緒に検討する。

2 肝機能障害 ➡P.202,405・骨髄抑制 ➡P.413

- G3以上の肝機能障害は**投与開始から2カ月以内**に発現しやすいので、最初の2カ月間は**2週に1回、その後は月1回**の肝機能検査が推奨される。
- G3以上の好中球数減少は約20%である。最初の2カ月間は**2週に1回、その後の2カ月間は月1回**、さらにその後は必要に応じての血液検査が推奨される。

3 間質性肺疾患 (➡P.218)

- 発現割合は2.0%である。労作時呼吸困難感や息切れ、咳などの自覚症状を確認する。SpO_2測定や胸部聴診を行う。治療効果判定と合わせ、定期的な胸部CT撮影を行う。LDHの上昇にも留意する。
- 早期発見、早期治療介入を要するため、患者教育も重要である。

4 そのほか

- 軽度であるが、疲労(➡P.166)や悪心(➡P.185)を約40%に認める。あらかじめ情報提供することがコンプライアンス維持には有用である。

C 減量・休薬・再開のコツ

- アベマシクリブは休薬を要しても、内分泌療法薬（特にフルベストラント）の投与スケジュールに影響することなく、**副作用の回復に合わせて投与再開が容易**である。
- 下痢については、止瀉薬の支持療法を適正に行っても腹部症状を伴うなど、つらいと感じる場合には減量を考慮する。**G2が24時間以上持続**した場合や、**G3以上の場合には休薬**する。なお、MONARCH 3試験では、下痢を理由に初めて減量に至るまでの期間は中央値で**37.5日**であった。
- 好中球数は**1,000/mm³以下**を目安として休薬を考慮する。

（増田慎三）

ハイリスク［腋窩リンパ節陽性が4個以上、または1～3個で高リスクの特徴（腫瘍径5cm以上、組織学的グレード分類3、Ki-67値20%以上）を1つ以上有する］HR陽性HER2陰性乳がんの術後患者を対象に実施されたmonarchE試験では、アベマシクリブ1日2回150mg（2年）とホルモン療法（5～10年）を連日投与し、2年のIDFS（浸潤性疾患のない期間）はプラセボ群88.7%に対し、アベマシクリブ併用群で92.8%であり、イベントの有意な改善（HR=0.75）が報告された[3]。保険適用の拡大が見込まれている。

文献

1）ベージニオ®錠添付文書．https://www.lillymedical.jp
2）Torres-Guzmán R, et al: Oncotarget 2017; 8: 69493-507. PMID: 29050219
3）Johnston SRD, et al. J Clin Oncol 2020; 38: 3987-98. PMID: 32954927
4）日本イーライリリー株式会社．ベージニオ®適正使用ガイド.https://www.lillymedical.jp
5）Goetz MP, et al. J Clin Oncol 2017; 35: 3638-46. PMID: 28968163
6）Johnston S, et al. NPJ Breast Cancer 2019; 5: 5. PMID: 30675515
7）Sledge GW, et al. J Clin Oncol 2017; 35: 2875-84. PMID: 28580882
8）Sledge GW, et al. JAMA Oncol 2020; 6: 116-24. PMID: 31563959

PARP阻害薬(Olaparib)

−投与開始初期に悪心や好中球減少が多い。治療継続に従い、貧血に留意−

標準的なレジメン(投与量／スケジュール)

	Day1	28
オラパリブ300mg/回 1日2回(朝夕食後)	連日経口投与	

28日1サイクル。150mg錠2錠/回を12時間ごと。
アントラサイクリン系およびタキサン系抗がん剤治療歴を有するHER2陰性の手術不能または再発乳がん。
Myriadによる診断で*BRCA1/2*遺伝子に変異を有すること。
中等度腎機能障害(CCr 31〜50mL/分)では2段階減量からスタートを推奨。
骨髄抑制発生の可能性があるので、ベースラインの検血検査は必須。

A 治療開始前

前投与・前処方すべき支持療法薬	併用に注意すべき薬剤
G1/2の悪心を約6割に認めるので、適宜制吐薬の処方を検討	・CYP3A阻害薬またはCYP3A誘導薬：血中濃度に影響が懸念される。 ・グレープフルーツの同時摂取には留意。

B 注意すべき副作用[1)] [副作用発現率(G3以上の発現率)]

- 骨髄抑制(➡P.413)：貧血(40%；G3以上16%)、好中球減少(27%；G3以上9%)、血小板減少(11%；G3以上4%)
- 悪心(58%)、嘔吐(➡P.185)(30%)；G3以上なし
- 間質性肺炎(➡P.218)(0.7%)
- 疲労(➡P.166)(29%)、下痢(➡P.191)(20%)、頭痛(➡P.258)(20%)など

C 減量・休薬・再開[1)]

次サイクル開始(オラパリブ継続)基準

貧血	≧8.0g/dL, 輸血を必要としない
ANC(/mm^3)	≧1,000、発熱なし
PLT(/mm^3)	≧50,000
非血液毒性	G1もしくはベースラインまで回復

減量基準

G3/4の骨髄抑制(貧血、好中球減少、血小板減少)	1段階減量を考慮

減量方法

通常投与量	1段階減量	2段階減量
150mg 2錠/回 1日2回	150mg/回と100mg/回 1日2回	100mg 2錠/回 1日2回

100mg錠は減量の場合のみ使用可。

A 治療開始前のコツ

1 PARP阻害薬について知っておく

- 紫外線や化学物質などの外的要因、転写翻訳過程の自然発生エラー、細胞内代謝中の毒素などの内的要因により、DNA損傷は常に起きている。**PARP(poly ADP-ribose polymerase)**は、一本鎖切断の場合の塩基除去修復によるDNA修復や、細胞死および分化制御に機能する。二本鎖修復には、***BRCA* (*breast cancer susceptibility gene*) *1/2*遺伝子**による相同組み換え修復が機能する。
- **PARP阻害薬**は、*BRCA1/2*遺伝子変異により二本鎖修復機能不全となっているがん細胞に対し、PARPによる一本鎖修復を妨げてDNA修復を阻害し、細胞死(合成致死)を導いて作用を発揮する。
- *BRCA1/2*遺伝子変異は**遺伝性乳がん卵巣がん症候群(HBOC)**の原因遺伝子の一つである。乳がんの約5%で*BRCA1/2*遺伝子変異を有する。
- オラパリブは「がん化学療法歴のある*BRCA*遺伝子変異陽性かつHER2陰性の手術不能又は再発乳がん」に対する治療薬として2018年に承認された。*BRCA1/2*変異に関係する卵巣がん、膵がん、前立腺がんの治療にも有用とされる。
- *BRCA1/2*変異の確認には、**Myriad社のBRCAnalysisによるコンパニオン診断**が必須である。生殖細胞系遺伝子変異のため、**遺伝カウンセリング**などによる丁寧な体制が望ましい。

2 OlympiAD試験の結果について知っておく

- *BRCA1/2*変異陽性のHER2陰性進行再発乳がんにおいて、主治医選択の化学療法(カペシタビン、エリブリン、ビノレルビン)を対象に、オラパリブ600 mg/日投与を検証する国際ランダム化第Ⅲ相試験[1)]である。
- *BRCA1*変異は57%、*BRCA2*変異は44%に認めた。ER陽性：陰性はおおむね1：1なので、**ER陽性乳がん患者でも適応がありうる**ことを忘れてはいけない。
- オラパリブのPFSは中央値7.0カ月、奏効率は59.9%であり、CRも9%に認めた。全生存期間の中央値は19.3カ月で、化学療法群と比し、有意な延長は認めないが、進行再発乳がんに対する化学療法歴のない患者群のサブグループ解析では22.6カ月と延長する傾向がみられた。

- オラパリブの有効性は、*BRCA1/2*の状況、人種、ホルモン受容体発現、転移部位にかかわらず一貫した効果を認めた[2,3]。
- 主な有害事象の発現率は冒頭フローチャートに示した通りである。G3以上の有害事象は37%認めたが、その約半数は**貧血**(16%)であった。**投与中止に至る有害事象は5%と少ない**。
- QOL評価も化学療法群に比べ、全般的QOLの改善ポイント、疲労や痛みといった症状尺度の改善も良好である[4]。

3 OlympiA試験について知っておく

- *BRCA1/2*遺伝子変異を有し、周術期標準化学療法を受けたハイリスクHER2陰性乳がん患者を対象にオラパリブを1年間追加投与する、再発抑制効果を検証する国際ランダム化第Ⅲ相試験が進行中である(ClinicalTrials.gov Identifier: NCT02032823)。
- 2020年2月、中間解析の結果、浸潤性疾患のない生存期間(IDFS)について、有意に予後を改善したとのプレスリリースがなされ、今後の標準化が期待されている。

4 ベースラインの確認

- ベースライン時の一般検査、生化学検査を確認する。**特に貧血(Hb値)は要確認**である。
- 治療開始初期に、悪心や嘔吐、食欲減退が起こる可能性を伝える。過去の治療歴などで悪心が出やすい体質の場合は、あらかじめ制吐薬を処方し、症状に合わせ、頓服指導を行う。
- 医療費について、**高額療養費制度**の活用などを提案する。
- 中等度腎機能障害(**CCr 31〜50mL/分**)の場合は、**2段階減量**からのスタートが推奨される。

B 副作用をみつけるコツ

1 悪心・嘔吐 (➡ P.185)

- OlympiAD試験では、発現までの中央値は**悪心day 5、嘔吐day 19**であった。いずれもG1/2の軽度であり、制吐薬の頓服で対処可能である。多くは治療継続中に回復する。

2 好中球減少 (➡ P.413)

- **投与開始1カ月は2週間ごと、その後は1カ月ごと**に血液検査を行う。G4はまれである。

3 貧血 (➡ P.234)

- OlympiAD試験では貧血を生じた82例中56例が、開始後3カ月以内に発現している。発現リスクは投与期間を通してほぼ一定であり、累積効果のエビデンスは認めず。発現率は12カ月前後で頭打ちとなる[5)]。**投与開始1カ月は2週間ごと、その後は1カ月ごと**に血液検査を行う。

4 間質性肺疾患 (➡ P.218)

- OlympiAD試験では報告なし、他がん種のデータも統合すると0.7%の発生報告である。
- 労作時呼吸困難感や息切れ、咳などの自覚症状に留意するよう患者説明しておく。治療効果判定と合わせ、定期的な胸部CT撮影を行う。LDHの上昇にも留意する。

5 そのほか

- 軽度ではあるが**疲労** (➡ P.166)、**下痢** (➡ P.191)、**頭痛** (➡ P.258) も認めうることをあらかじめ情報提供することが、コンプライアンス維持には有用である。

C 減量・休薬・再開のコツ

- オラパリブのレスポンスまでの期間は比較的短い。エビデンスではなく経験からの記述であるが、治療開始初期での長期の休薬は再増悪の懸念があるので、**1～2週間前後の休薬**による毒性快復状況により、**同量もしくは1段階減量での再開**を目指したい。

1 悪心・嘔吐

- 制吐薬を用いても悪心が継続し、食欲減退·疲労感を伴う場合は、**1段階減量**でおおむね対処可能である。

2 好中球減少

- 好中球減少についてはG1/2では服薬継続、G3（1,000/mm³以下）では**1～2週間休薬**し、回復（1,500/mm³以上）すれば**同量で再開**する。G3を繰り返す場合には**1段階減量**する。

3 貧血

- 貧血についてはG3以上（**Hb＜8g/dL**）で休薬を検討し、回復状況に応じて**同量で再開、もしくは1段階減量**を検討する。
- OlympiAD試験では、82例中37例が1回以上の輸血を受けている。休薬が長くなると治療効果減弱が懸念されるので、治療効果への期待と副作用状況のバランスをみて**適宜輸血も考慮**する。（増田慎三）

文献

1）Robson M, et al. N Engl J Med 2017; 377: 523-33. PMID: 28578601
2）Robson M, et al. Ann Oncol 2019; 30: 558-66. PMID: 30689707
3）Im SA, et al. Scientific reports 2020; 10: 8753. PMID: 32472001
4）Robson M, et al. Eur J Cancer 2019; 120: 20-30. PMID: 31446213
5）アストラゼネカ株式会社，MSD株式会社．リムパーザ®錠適正使用のためのガイド．https://med2.astrazeneca.co.jp

Atezolizumab + nab-PTX
－不慣れな副作用にはチームで対応－

標準的なレジメン（投与量／スケジュール）

		Day 1	8	15	22
アテゾリズマブ	840 mg/m²	↓		↓	
nab-PTX	100 mg/m²	↓	↓	↓	

4週1サイクル、PDとなるまで継続

A 治療開始前

前投与・前処方すべき支持療法薬
ステロイド

B 副作用発現時期

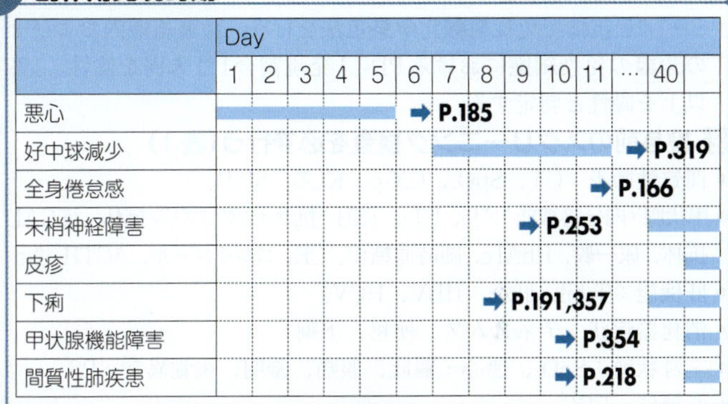

C 減量・休薬・再開

		day1	day8,15*	day8,15**	
好中球数減少／血小板数減少	ANC (/mm³)	<1,500	<500	<1,500	休薬、再開時減量
	PLT (/mm³)	<100,000	<50,000	<100,000	
肝毒性	AST値<10×ULN、および、ビリルビン値>1.5～≦5×ULN				休薬、再開時減量
	ASTまたはALT値>10×ULN、または、ビリルビン値>5×ULN				中止
間質性肺疾患	G2				休薬
	G3/4				中止

下痢／口腔粘膜炎／口内炎	G3	休薬、再開時減量
	G4	中止
悪心／嘔吐	G3/4	休薬、再開時減量

＊：day1にnab-PTXを投与、＊＊：day1にnab-PTX休薬。

nab-PTXの減量方法

開始用量	1段階減量	2段階減量
100	75	50

(mg/m^2)

・アテゾリズマブの減量は認められていない。

A 治療開始前のコツ

- PD-L1陽性、ホルモン受容体陰性、HER2陰性症例が対象である。再発症例では、転移巣でのPD-L1陽性が確認できることが望ましいが、転移巣での検査が難しい場合は原発巣でもよい。

1 PD-L1発現評価[1,2]

- SP142抗体で免疫組織化学染色法を行う。腫瘍組織内およびその辺縁の免疫細胞におけるPD-L1発現割合1%未満を陰性、1%以上を陽性と判定する。

2 投与前のスクリーニング検査を必ず行う（表1）

- 間質性肺炎：CT、SpO_2、CX-p、KL-6、SP-D。
- 甲状腺・内分泌機能：FT_3、FT_4、TSH、抗サイログロブリン抗体、抗GAD抗体、尿一般、HbA1c、随時血糖値、CK、コルチゾール、ACTH、Na。
- 肝機能：T-bil、肝炎：HBV、HCV。
- 消化器症状：テネスムス、便秘、下痢。
- 全身状態：SpO_2、悪心・嘔吐、腹痛、羞明、視覚異常、PS。
- 心機能：ECG。
- バイタルサイン、体重。

3 前投薬に関して

- アテゾリズマブについては、前投薬は不要。
- nab-PTXについては、Impassion130試験[3]では悪心・嘔吐、過敏症予防のため45.7%にステロイドが投与されていたが、必須ではない。免疫系への影響を考慮し、不要であれば、症状に応じて5-HT_3受容体拮抗薬の併用などを考慮する。

4 副作用マネジメントチーム結成、および毎回の問診／検査の徹底

- 当院の検査項目とそのタイミングを示す（表1）。医師、看護師、

表1 当院における検査項目

観察項目	検査項目	初回	毎月	毎回
肺障害	胸部X線	●	●	
	KL-6、SPD	●		
甲状腺機能障害	FT_3、FT_4、TSH、	●	●	
	抗サイログロブリン抗体	●		
下垂体・副腎機能障害	コルチゾール、ACTH	●	●	
糖尿病	血糖、尿一般(ケトン体)、HbA1c、インスリン、抗GAD抗体	●	●	●
神経障害・筋障害	CK	●	●	●
	抗アセチルコリン受容体抗体	●		
肝障害	AST、ALT、T-Bil、γ-GTP、ALP、LDH	●	●	●
腎障害	Cr、尿素窒素	●	●	●
心障害	ECG	●		
そのほか	抗核抗体、抗血小板抗体	●		
	CBC、TP、Alb、Cl, Na, K, Ca, P, CRP, 尿酸	●	●	●

薬剤師が共通の問診票を使用し、問診や検査の内容(採血データでの異常値の拾い上げ、X線やCT)を確認し合う、徹底したチームワークで対応している。

- 他科との連携の垣根を低くしておくことが望ましい。救急外来や予定外の受診でも、担当した医療者にアテゾリズマブを使用中であることがすぐわかるよう、カルテ上の情報共有を徹底する。
- わかりやすい資材を活用して患者教育を行っておく。

B 副作用をみつけるコツ

- わが国での使用例の副作用報告をみると、重篤な副作用として、**間質性肺炎、肝機能障害に注意**が必要である。このほか、**膵炎、腎機能障害、発熱、発疹、倦怠感**などの報告がある。
- 一方、非重篤なものとしては甲状腺機能異常が特徴であり、亢進/低下いずれも認められる。このほか、皮疹、発熱、注入に伴う反応など、一般的な症状が認められる。

1 甲状腺機能異常 ➡ P.354

- **nab-PTX/アテゾリズマブ併用投与による特徴的な副作用**と考えられ、定期的な甲状腺機能検査を行うことが勧められる。
- IMpassion試験の日本人集団で甲状腺機能亢進症は6%に、機能低下症は12%程度認められた。発現時期の中央値は投与開始後4カ月ごろであり、**治療が継続できている症例で注意**する。

2 好中球減少症 ➡ P.319

- nab-PTX単剤:約25%(G3以上約10%)、アテゾリズマブ併用:約

30％（G3以上約10％）。nab-PTXを減量して治療の継続を目指す。

3 悪心・嘔吐 ➡P.185

- nab-PTX単剤：約38％（G3以上約2％）、アテゾリズマブ併用：約46％（G3以上約1％）。G3以上は低率であった。

4 末梢神経障害 ➡P.253

- 約40％（G3以上約9％）。前治療から遷延していることもあり、nab-PTXを減量して治療の継続を目指す。

5 間質性肺炎 ➡P.218

- 3.1％（G3以上0.2％）。頻度は決して高くないが初期症状の拾い上げが大切。
- 胸部X線では所見がわかりづらいこともある。咳や呼吸苦などの症状から本症を疑った場合はCTでの評価を行う。
- 後治療の選択に影響しないように、発症した際はステロイド投与を含む適切な対処を迅速に行い、重症化させないことが肝要である。

C 減量・休薬・再開のコツ

- 好中球減少などでnab-PTXが投与できない場合、day1,15はアテゾリズマブのみ投与、day8はスキップする。day15でいずれかの薬剤をスキップをした場合でも翌週の休薬週は必ず休薬する。
- nab-PTXは予定通りの投与継続が困難と判断される場合、減量で対応する。アテゾリズマブは減量しない。
- irAEを疑ったら、重篤化する前に副作用マネジメントチームでの介入を積極的に行う。
- irAEに対しステロイド治療を行ったら、1カ月以上かけて経口プレドニゾロン10mg/日以下まで漸減する。アテゾリズマブの再開は慎重に行う。
- 肺障害が出現した場合は全Gで中止する。肺転移やがん性リンパ管症がある場合では特に鑑別が難しくなることがある。

（小島康幸／津川浩一郎）

文献

1）Emens LA, et al. JAMA Oncol 2019; 5: 74-82. PMID: 30242306
2）Schmid P, et al. N Engl J Med 2018; 379: 2108-21. PMID: 30345906
3）承認時評価資料：国際共同第Ⅲ相臨床試験（IMpassion130試験）副作用件数表 https://www.chugai-pharm.co.jp/

参考文献

1）Blank C, et al. Cancer Immunol Immunother 2007; 56: 739-45. PMID: 17195077
2）Chen DS, et al. Clin Cancer Res 2012; 18: 6580-7. PMID: 23087408
3）Cha E, et al. Semin Oncol 2015; 42: 484-7. PMID: 25965367

Pembrolizumab単剤、Pembrolizumab＋化学療法

－irAEに対するチーム医療体制の構築を。初期症状を見逃さない－

標準的なレジメン（投与量／スケジュール）

ペムブロリズマブ単剤（MSI-Highを有する進行再発乳癌）

	Day	1	22
ペムブロリズマブ	200 mg	↓	↓

・3週1サイクル。200 mg固定容量。
・化学療法併用：進行再発TNBC（2021年3月時点ではわが国では未承認）。併用化学療法（PTX、nab-PTX、GEM＋CBDCAなど）は各レジメンのスケジュールに準じる

A 治療開始前

前投与・前処方すべき支持療法薬
ペムブロリズマブ：必要としない。 併用化学療法：各併用レジメンに準じる。

B 副作用発現時期

・irAEは、皮膚・消化器・呼吸器・内分泌などさまざまな臓器に及び、症状も多岐にわたり発症時期もまちまちである。

C 減量・休薬・再開

ペムブロリズマブによる有害事象	G1以下に回復するまで、ペムブロリズマブの休薬もしくは中止が推奨される。減量は行わない。
併用化学療法による有害事象	各併用レジメンに準じる。

- ペムブロリズマブは、がん種横断的にがん化学療法後に増悪した進行・再発のMSI-Highを有する固形がんに対し承認されており、MSI-Highを有する進行再発乳がんも保険適応である。
- 乳がんにおけるMSI-highはまれだが一定の頻度で認められる。コンパニオン診断薬としてMSI検査キット（FALCO）が承認されている。FoundationOne®がんゲノム検査でも評価可能である。
- ペムブロリズマブと＋化学療法は2021年3月時点ではわが国では未承認である。KEYNOTE-355試験*で**PD-L1発現陽性（CPS 10以上）**の進行再発TNBCに対しその有効性が示されており、今後の臨床導入が期待される。

A 治療開始前のコツ

1 既往歴・ベースラインの確認

- 自己免疫疾患の既往はirAEの危険因子である
- ベースライン値（採血、採尿、胸部X線、心電図）の測定は、治療中のirAEを疑う際にも有用である。甲状腺機能（TSH、FT_3、FT_4）も含めた評価を行う。

2 コンサルテーション体制の確立

- 予想されるirAEごとに、それぞれの専門科へのコンサルテーション体制が整っていることが望ましい。

3 irAEについて知っておく ➡ P.343～

- KEYNOTE-355試験で認められたG3以上の有害事象はペムブロリズマブ＋化学療法群で68％、プラセボ＋化学療法群で67％であり、両群間で差は認められていない。一方、irAEはペムブロリズマブ群で25％、プラセボ群で6％であり、ペムブロリズマブの使用にあたってはirAEのマネジメントも重要となる[1)]。
- irAEの一部は不可逆的と思われる臓器機能低下や著しいQOL低下にも関連するため、早期発見・治療を行うことが重要である。
- ペムブロリズマブ＋化学療法で頻度が高いirAEとして、甲状腺機能低下症：10～15％（対照群0～3％）、甲状腺機能亢進症：5～6％（対照群0～1％）、副腎機能低下：2～9％（対照群0％）、重篤な皮膚症状：4％（対照群1％）、肺炎：2～4％（対照群0～1％）がある[2,3)]。
- 併用化学療法による有害事象は、各併用レジメンのマネジメントに準じる。

B 副作用をみつけるコツ

- irAEの症状は多岐にわたる（表1）。早期発見のためには「最近、自覚する体調の変化はありませんか？」のようなオープンクエスチョンで患者さんに質問することが望ましい。
- 甲状腺機能障害出現時には自覚・他覚的に甲状腺腫大を認めることがある。
- 副腎機能障害出現時の症状は倦怠感が主であり、ほかの化学療法による副作用、不定愁訴と合わせ発見が遅れることがある。検査値異常が参考となることもあるが、疑うことがまず重要であり、疑う場合はACTHや血中コルチゾールの測定（早朝安静時が望ましい）、内分泌内科医へのコンサルトが望ましい。

表1　主な自覚症状・臨床検査値の異常とirAE

主な自覚症状	発熱	Infusion reaction、(薬剤性)肺炎、腎障害
	呼吸苦・咳嗽	(薬剤性)肺炎
	倦怠感	甲状腺機能低下症、肝障害、1型糖尿病、副腎機能障害、下垂体炎
	下痢	大腸炎、甲状腺機能亢進症
	皮疹	皮膚障害
	浮腫	甲状腺機能低下症、腎障害
	動悸・頻脈	甲状腺機能亢進症、心筋炎
	口渇・多飲	1型糖尿病
	意識障害	脳炎、副腎機能障害、下垂体炎
臨床検査値の異常	AST、ALT、T-Bil、ALP	肝機能障害
	SCr、尿検査	腎機能障害
	TSH、FT_3、FT_4、総コレステロール、CK	甲状腺機能障害
	低血糖、低Na、高K、好酸球増加	副腎機能障害
	血糖値、尿糖	糖尿病

色文字のirAEは乳がんを対象に行われたペムブロリズマブの臨床試験で比較的多く報告されているものである。関連する自覚症状、検査値異常を認めた際にはirAEを疑い、必要あれば専門科へのコンサルテーションを行う。

C 副作用による減量・休薬・再開のコツ

- ペムブロリズマブ＋化学療法のKEYNOTE-355試験[1]では、どちらかが有害事象で休薬となった場合でも、休薬が必要ない薬剤はスケジュール通りに継続された。

（服部正也）

文献

1）Cortes J, et al. J Clin Oncol 2020; 38(15suppl): ASCO 2020 abstr#1000.
2）Nanda R, et al. JAMA Oncol 2020; 6: 676-84. PMID: 32053137
3）Schmid P, et al. N Engl J Med 2020; 382: 810-21. PMID: 32101663

TAM、TAM＋LH-RH agonist

－更年期症状のサポートをしっかり行い、治療中断を減らす－

標準的な投与量／スケジュール（術後補助療法）

【閉経前】

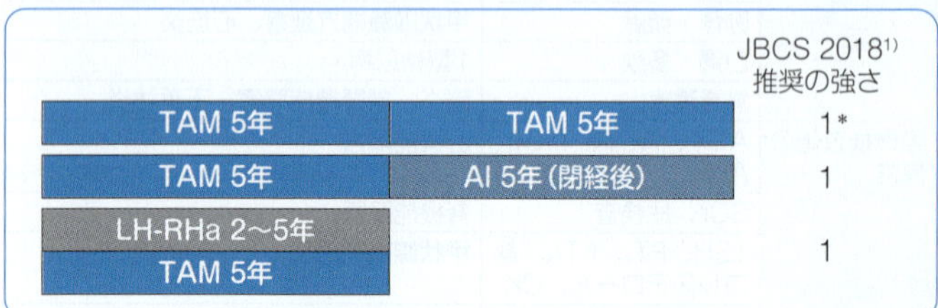

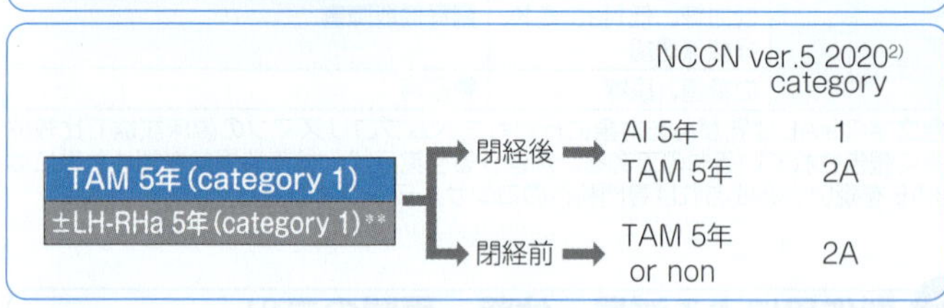

【閉経後】

AI剤の有害事象が懸念される場合

	JBCS 2018 推奨の強さ	NCCN ver.5 2020 category
TAM 5年	記載なし*	1
TAM 5年 → TAM 5年	1	2A

TAM：タモキシフェン、LH-RHa：LH-RHアゴニスト、
AI：アロマターゼ阻害薬、JBCS：日本乳癌学会、
NCCN：National Comprehensive Cancer Network

*：リンパ節転移陰性など再発リスクの低い早期がんでは、タモキシフェン5年追加による再発・死亡リスクの絶対的リスク減少効果が大きくはないため、害とのバランスを十分に考慮して適応を判断すべきである。再発リスクが高いと考えられる場合は、益が害を上回ると考える[1)]。

**：卵巣抑制療法に関連するリスクとベネフィットについてバランスのとれた考察が不可欠である。再発リスクが高い（すなわち、若年、high-gradeの腫瘍、リンパ節への進展、に該当する）閉経前女性では臨床試験SOFTおよびTEXTの結果に基づいてアロマターゼ阻害薬またはタモキシフェン5年間と卵巣抑制療法を考慮すべきである[2)]。

A 治療開始前

併用に注意すべき薬剤[3]
TAM：ワルファリン、リトナビル、リファンピシン、パロキセチンなどの選択的セロトニン再取込み阻害薬（SSRI）

B 注意すべき副作用

TAM（使用成績調査症　3,762人[1]）		LH-RHa（承認時調査および使用成績調査症　2,574人[4]）	
・女子生殖器系（無月経・月経異常など）	3.18%	・ほてり	13.6%
・胃腸系障害（悪心・嘔吐など）	1.51%	・肝臓胆管系障害［ALT（GPT）・AST（GOT）上昇など］	5.2%
・肝臓胆管系障害［ALT（GPT）・AST（GOT）上昇など］	1.11%	・TC上昇・TG上昇を含む代謝・栄養障害	5.4%
		・頭重感	2.6%

TC：総コレステロール、TG：トリグリセリド

C 休薬・再開

・ホットフラッシュ対策としてホルモン補充療法は行うべきではない。
・重大な副作用（血栓塞栓症、子宮内膜がん、間質性肺炎ほか）の出現時は投与を中止。

A 治療開始前のコツ

● ホルモン受容性陽性乳がん（ERもしくはPgRのどちらかが陽性）が適応。

1 閉経の定義（NCCNガイドライン[2]）を確認する

● ①両側卵巣摘出術後、②60歳以上、③60歳未満で化学療法、TAM、トレミフェン、卵巣抑制がないにもかかわらず12カ月以上にわたって無月経であり、卵胞刺激ホルモン（FSH）とエストラジオール（E_2）が閉経後の範囲である、④60歳未満でTAMまたはトレミフェンを使用している場合は、FSHとE_2濃度が閉経後の範囲である、⑤治療誘発性無月経（LH-RHaや化学療法などによる）の女性で内分泌療法の一部としてアロマターゼ阻害薬の使用を考慮する場合は、閉経後状態を確保するために卵巣切除やFSHおよび/またはE_2の連続的な測定が必要である。

2 妊娠中あるいは授乳中でないか

● 妊娠あるいは妊娠している可能性がある患者、授乳中の患者には

投与禁忌。

- TAMでは流産、先天性欠損、胎児死亡が報告されており、LH-RHaでも流産の報告がある。
- TAMでは授乳中の安全性が確立されておらず、LH-RHaでは動物実験で乳汁移行が報告されている。

3 挙児希望ではないか ➡P.431

- 閉経前の女性に対するホルモン療法では治療終了中に閉経となり、終了後も月経が回復しない場合があることや治療終了時の年齢によっては月経が回復しても妊娠・出産が困難な場合がある。
- TAMまたはLH-RHaを投与中の場合は、ホルモン薬以外での避妊法を用いる。また、TAMの代謝産物が体内から検出されなくなるまでには、内服終了後約2カ月かかるといわれている。このため、TAM終了後、2カ月は妊娠を避けるほうがよい[5)]。

B 副作用をみつけるコツ

1 ホットフラッシュ ➡P.173

- ホルモン療法を受ける乳がん患者の半数以上が経験するといわれている[1)]。
- 投与初期に症状が出現するが、治療開始後数カ月を過ぎると次第に軽減する場合が多く軽微な症状であれば経過観察でよい。

2 脂質異常症 ➡P.312 ・肝機能障害 ➡P.202,405

- 両薬剤ともにコレステロールやトリグリセリドの上昇、肝機能障害や脂肪肝などがみられることがあるため、3～6カ月に1回程度の血液検査を施行する。

3 血栓塞栓症 ➡P.230

- 下肢の腫脹や疼痛、呼吸困難感、胸部痛、脳神経症状などがみられる場合には、下肢静脈エコーやCT検査などを施行し、必要であれば専門科にコンサルトする。

4 子宮内膜がん

- まれではあるがTAMにおける発生があるため、不正性器出血が出現した場合はすぐに連絡するように説明しておき、婦人科受診を指示する。定期的な子宮体がん検診は推奨されていない[1)]。

5 下垂体卒中

- LH-RHaの初回投与直後に突然の激しい頭痛、視力・視野障害などの症状が出現した場合は下垂体卒中[6)]の可能性を念頭に置き、CT・MRI検査や専門科へのコンサルトをする。

C 休薬・再開のコツ

- ホルモン療法の副作用は化学療法に比較しておおむね穏やかであり、**休薬が必要な場合はごくまれ**である。
- 重大な副作用の出現の際には、投与を中止して検査・当該科コンサルトなどの適切な処置をとる。当該薬の再開は困難であり、他剤への変更やホルモン療法中止を検討する。

1 抑うつ状態 （➡ P.262）

- 精神科疾患の鑑別も必要なため精神科にコンサルトする。
- ホルモン療法が原因の場合は症状に応じて精神科治療を併用しホルモン療法継続、あるいは休薬・中止を検討する。

2 ホットフラッシュ

- 乳がん術後の患者を対象としたランダム化比較試験の結果から、ホルモン補充療法を行うことにより乳がん再発が増加することが報告されたため行うべきではない[1)]。
- 中等度、重度の場合、休薬や間歇投与も考慮される。

3 肝機能障害

- 化学療法と異なり明確な規定はないが、G3のAST(GOT)、ALT(GPT)、T-Bil上昇などの肝機能障害がみられる場合は**G1以下になるまで休薬、G4の場合は投与中止**。
- 必要に応じてグリチルリチン(強力ネオミノファーゲンシー®注)やウルソデオキシコール酸(ウルソ®錠)を使用する。

(神林智寿子)

文献

1) 日本乳癌学会, 編. 乳癌診療ガイドライン1 治療編 2018年版. 東京: 金原出版; 2018.
2) NCCN guidelines version 5.2020, Invasive Breast Cancer.
3) ノルバデックス®錠 医薬品インタビューフォーム(2020年7月改訂版). アストラゼネカ株式会社.
4) ゾラデックス®3.6mgデポ 医薬品インタビューフォーム(2017年1月改訂第16版). アストラゼネカ株式会社.
5) 日本乳癌学会, 編. 患者さんのための乳がん診療ガイドライン2019年版(第6版). 東京: 金原出版; 2019.
6) リュープリン®SR注射用キット11.25mg 医薬品インタビューフォーム(2020年7月改訂 第15版). 武田薬品工業株式会社.

Aromatase inhibitors(ANA、LET、EXE)
－骨粗鬆症に注意－

標準的な投与量／スケジュール

アナストロゾール(ANA)	1mg/日	5年間
レトロゾール(LET)	2.5mg/日	5年間
エキセメスタン(EXE)	25mg/日	5年間

A 治療開始前

前投与・前処方すべき支持療法薬
(骨密度低下・骨粗鬆症の場合)ビスホスホネート製剤、Ca製剤、ビタミンD製剤

併用に注意すべき薬剤
LET：CYP2A6・CYP3A4阻害薬（メトキサレン、アゾール系抗真菌薬など)や、CYP3A4誘導薬(タモキシフェン、リファンピシンなど)
EXE：エストロゲン含有製剤

B 注意すべき副作用

関節痛(手指関節・手首・膝)、骨密度低下、ほてり、脂質異常症など

C 休薬・再開

関節痛などの自覚症状が辛い場合は2～8週休薬後、別のアロマターゼ阻害薬(AIs)かタモキシフェンへの変更を考慮する。

A 治療開始前のコツ

1 閉経状況の確認

- 12カ月以上の無月経か、E_2やFSHを測定して判断する。

2 骨密度の確認

- DEXA法を用いて腰椎（L1～L4またはL2～L4の平均値）と大腿骨近位部の両者を測定することが望ましい[1]。

3 骨密度低下・骨粗鬆症に前処方すべき支持療法薬

- YAM（骨密度若年成人平均値）の70%以下、またはYAMの70～80%で骨折の既往などがある場合は、経口ビスホスホネート、静注のゾレドロン酸（リクラスト®）、デノスマブ（プラリア®）にCa製剤、ビタミンD製剤を併用[1,2] ➡ P.150,310。
- AIsによる骨代謝障害は早めのビスホスホネートが推奨される[1]。

B 副作用をみつけるコツ

- ホルモン治療の有効性は確立しており、副作用は可能なかぎりコ

ントロールして内服を継続できるようにする。

1 関節痛 ➡P.170

- AIs内服患者の約1/3に認められ、内服開始から3カ月前後で出現してくる。**治療前から関節症状が認められると起こりやすい**。
- 手指関節・手首・膝関節に高頻度に認められ、起床時にこわばりが強く、関節を動かしていくと症状は緩和していく。
- 症状が強い場合は行動に制限がかかり日常生活に支障をきたすため、AIsの内服を中止する理由として最も多い副作用である[3)]。
- 症状緩和には**運動療法が有効**といわれている。薬物療法としてNSAIDsやビタミンEが用いられるが[3,4)]、高い有効性を示した薬物の報告はない。
- **関節痛が出現したほうが予後改善につながる**というデータがあり[5)]、患者には内服継続の励みになる可能性がある。

2 骨密度低下・骨折 ➡P.310

- 骨密度に関しては**1～2年ごとのモニタリング**を行う[1,2)]。
- 骨密度が開始時正常範囲内であれば骨粗鬆症のレベルまで下がることはまれであるが、**骨密度が低めで開始された場合はAIs内服継続により骨密度が低下する可能性がある**[2)]。
- AIs内服中は骨折の頻度は上昇するが、内服終了後は減少する[2)]。

3 そのほか

- ほてり・多汗(4～16%) ➡P.173、脂質異常症(0.2～9%) ➡P.312
- 定期的にコレステロール、トリグリセリドを確認。

C 休薬・再開のコツ

- 関節痛などの自覚症状が強い場合は**2～8週間ほど休薬**し、**別のAIsかタモキシフェンに変更**してみる[6)]。別のAIsに変更することで**40%が内服継続可能**になったと報告されている。

（荻谷朗子）

文献

1）骨粗鬆症の予防と治療ガイドライン作成委員会，編．骨粗鬆症の予防と治療ガイドライン 2015年版．東京：ライフサイエンス出版；2015.
2）Janni W, et al. Cancer Treat Rev 2010; 36: 249-61. PMID: 20133065
3）Presant CA, et al. Clin Breast Cancer 2007; 7: 775-8. PMID: 18021478
4）蒔田益次郎，ほか．乳癌の臨床 2008; 23: 413-16.
5）Cuzick J; ATAC Trialists' Group. Lancet Oncol 2008; 9: 1143-8. PMID: 18976959
6）Henry NL, et al. J Clin Oncol 2012; 30: 936-42. PMID: 22331951

参考文献

1）Early Breast Cancer Trialists' Collaborative Group（EBCTCG）, Dowsett M, et al. Lancet 2015; 386: 1341-52. PMID: 26211827
2）Goss PE, et al. J Clin Oncol 2013; 31: 1398-404. PMID: 23358971

Fulvestrant
－安全に注射するための体位と注射部位に留意－

標準的な投与量／スケジュール

	Week 1	3	5	9	13…
フルベストラント 500 mg/body/日	↓	↓	↓	↓	↓

左右の臀部に1筒ずつ

A 治療開始前

併用に注意すべき薬剤
本剤は肝代謝であるが、相互作用を示す薬剤は報告されていない。

B 注意すべき副作用

・日常生活に影響を与える副作用は少ない。
・長期投与による副作用の発現頻度の上昇は認められていない。

C 休薬・再開

・副作用による中止の可能性は少ない[1)]。
・投与間隔は4週ごとが原則であるが1週間以内の延期は可能[2)]。

A 治療開始前のコツ

- SERDs（selective estrogen receptor downregulators）に分類される抗エストロゲン薬で、AI剤やSERMと比較して日常生活に影響を与える副作用が少ない。

1 閉経状態であることの確認

- 更年期女性で12カ月以上にわたって月経がみられないこと［ただし前治療により閉経が誘発されたときは卵胞刺激ホルモン（FSH）とエストラジオール（E_2）が閉経後を示す範囲にあることを確認するべきである］。
- 更年期以前で月経が12カ月以上にわたってみられないときや子宮摘出術後であるときはFSHとE_2が閉経後を示す範囲にあること。
- 両側卵巣摘出術後であること。
- 単剤投与は閉経後状態に限られる。

- CDK4/6阻害薬の併用時、閉経前患者にはLH-RHアナログとの併用で使用できる(PALOMA-3、MONARCH-2)。

2 安全な臀部筋肉内注射を行うために、体位と注射部位の同定と皮下組織厚を考慮する

- 体位：腹臥位もしくは側臥位で行う。腹臥位のときはつま先を内側に向けると中臀筋が弛緩して注入が容易になる。
- 注射部位：最も推奨されるのはクラーク点(上前腸骨棘と上後腸骨棘を結ぶ線上の外前1/3の部位)。臀部の皮下組織厚は約1.0～3.5cmであり、年齢・体格を考慮して視触診を行っておおよその皮下組織厚を把握する(図1)[3)]。
- 注入時疼痛を軽減するために、シリンジを両手で挟むなどして薬液を室温程度まで温め、1～2分/筒かけて緩徐に注入する。薬液が皮下組織に入り皮下組織損傷を起こす危険性があるために投与後は注射部位を揉まない。
- 注射部位の硬結や腫脹を避けるために毎回注射部位を変更する。
- 頻度が高い副作用としては注射部位疼痛(5.1%)・硬結(4.1%)・紅斑(1.1%)、肝機能異常(1.4%)が報告されているが、いずれもG2以下。

B 副作用をみつけるコツ

- 投与時、投与終了時：注射部位の出血・発赤・腫脹・硬結がないか、電撃痛の有無。

図1 注射部位

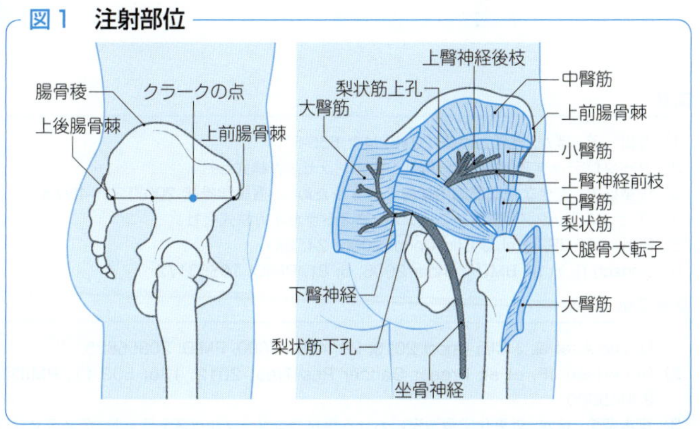

(文献3より改変引用)

- 帰宅後：患者自身で発赤・腫脹・疼痛、股関節や下肢に知覚麻痺や運動麻痺の有無。

C 休薬・再開のコツ

- 単回投与時や反復内投与時の薬物動態パラメータからフルベストラント250 mgの半減期（t1/2）は35〜38日で、投与開始1カ月で血漿中フルベストラント濃度は定常状態に達していると考えられる[4)]。これより**約1週間の投与延期は投与開始後1カ月以降の時期であれば許容される**と考えられる。CDK4/6阻害薬との併用時に参考にされたい。
- フレア現象をみとめることがあるので、画像診断で確認できない限り、初めの3カ月間は腫瘍マーカーの上昇のみで病状進行と判断してはならない[5,6)]。
- 効果発現まで比較的緩やかなので、投与開始直後は明らかな増悪や臨床症状の悪化がなければ、粘る姿勢も大切である。
- フルベストラントは化学構造式がE_2と非常に似ているために免疫測定法では血清E_2の測定結果が本来の数値より高く算出される可能性があるので注意は必要である。フルベストラントの影響を受けない測定方法（液体クロマトグラフィーや質量分析）を行っている検査機関は現在のところない。

（水谷麻紀子）

文献

1）吉田　茂，ほか．薬理と治療 2016; I44: 555-67.
2）フェソロデックス®製品情報概要．アストラゼネカ株式会社．
3）佐藤好恵．安全な殿部筋肉内注射を行なうために．看護学雑誌 2007; 71: 450-4.
4）フェソロデックス®投与マニュアル．アストラゼネカ株式会社．
5）Robertson JF, et al. J Clin Oncol 2006; 24: 641.
6）Bartsch R, et al. BMC Cancer 2006; 6: 81. PMID: 16563172

参考文献

1）Di Leo A, et al. J Clin Oncol 2010; 28: 4594-4600. PMID: 20855825
2）Robertson JF, et al. Breast Cancer Res Treat 2012; 136: 503-11. PMID: 23065000
3）笹本奈美，ほか．外来化学療法室における手技とコツ－フルベストラント，デノスマブ．園尾博司，監．これからの乳癌診療2013-2014．東京：金原出版；2013.

Toremifene(TOR)／high dose TOR

－脂質代謝異常・更年期症状に注意－

標準的な投与量／スケジュール

術前・術後補助療法
　トレミフェン　40 mg/body/日　5年間
進行再発乳がん既治療例
　トレミフェン　120 mg/body/日　PDになるまで継続

A 治療開始前

併用に注意すべき薬剤
併用禁忌：クラスⅠA抗不整脈薬、クラスⅢ抗不整脈薬
併用注意：サイアザイド系利尿薬、ワルファリン、抗痙攣薬、リファンピシン、リトナビル

B 副作用発現時期

	Month			Year
	～2	2～6	6～12	1～
発疹	■			
悪心・嘔吐、肝機能障害	■	■ ➡P.202,405	■	
食欲不振	■	■	■	
顔面紅潮、ほてり	■ ➡P.173	■	■	■
性器出血、膣分泌物		■ ➡P.331,335	■	
血栓症、静脈炎			■ ➡P.230	■
TC、TG上昇			■ ➡P.312	■
うつ症状、子宮筋腫				■ ➡P.262

C 休薬・再開

副作用が出現すれば休薬。
副作用症状がなくなれば再開可能であるが、血栓症、静脈炎、肝機能障害、黄疸、子宮筋腫などの重篤な副作用が発現すれば中止。

A 治療開始前のコツ

- トレミフェンはSERMs（selective estrogen receptor modulators）の1つで、タモキシフェン（TAM）とほぼ同様の治療効果を示しており、化学療法に比べて副作用は軽度である。特に合併症を有しない症例では、**薬剤の前投与は不要**である。

1 施行すべき検査

- 一般血液、生化学検査、脂質検査、腫瘍マーカー
- 心電図

- バイオマーカー：エストロゲン受容体、プロゲステロン受容体、HER2、Ki-67
- 骨塩量

B 副作用をみつけるコツ

- 4,382人の検討で17.4%、日本人126人の検討では31.7%と報告されているが[1,2]、G3/4の重篤な副作用はわずかである。特徴的な副作用は**脂質代謝異常** ➡P.312、**更年期症状** ➡P.173、**女性生殖器障害** ➡P.331,335 である。
- 重大な副作用は血栓塞栓症、肝機能障害、子宮筋腫であるが、いずれも発生頻度はきわめて低く、0.2%未満である。
- 投与後早期（2カ月以内）にみられるものは、発疹、悪心・嘔吐、食欲不振、肝機能障害、顔面紅潮、ほてりなどで、2～6カ月でも悪心・嘔吐、食欲不振、肝機能障害、顔面紅潮、ほてりが継続することがある。なお性器出血、腟分泌物もこの時期に多くみられる。
- 6～12カ月で新たにみられる副作用は、血栓症、静脈炎、トリグリセリド上昇、コレステロール上昇などで、12カ月以上の長期投与によってうつ症状や子宮筋腫がみられることがある。
- 脂質の異常に関して血中トリグリセリド、コレステロールを低下させ、HDL-コレステロールを上昇させるという報告もある[3,4]。
- 頻度は0.5%以下であるが、SERMsにみられる重篤な副作用である子宮内膜がん、肺塞栓、深部静脈血栓症などはTORのほうがTAMに比較して頻度は低いと報告されている[5]。

C 休薬・再開のコツ

- 副作用が出現すれば**休薬**する。
- 副作用が軽快すれば再開可能であるが、**血栓塞栓症**、**重篤な肝機能障害**が出現すれば**投与中止**とする。この場合は**アロマターゼ阻害薬への変更**が勧められる。

（土井原博義）

文献

1）フェアストン錠®40・60医薬品インタビューフォーム 2015年7月 改訂第8版．日本化薬株式会社．
2）Kimura M, et al. Breast Cancer 2014; 21: 275-83. PMID: 22968626
3）Kusama M, et al. Breast Cancer Res Treat 2004; 88: 1-8. PMID: 15538040
4）Anan K, et al. Breast Cancer Res Treat 2011; 128: 775-781. PMID: 21638048
5）Harvey HA, et al. Breast 2006; 15: 142-157. PMID: 16289904

Medroxyprogesterone acetate(MPA)

－血栓症、肥満に注意－

標準的な投与量／スケジュール

MPAとして通常、閉経前・後の進行再発患者に1日600～1,200mg 分3 PO

A 治療開始前

併用に注意すべき薬剤
ホルモン薬(黄体ホルモン、卵胞ホルモン、ステロイドなど)

B 注意すべき副作用

・各々の副作用の発現時期に特徴はない。
・投与期間が長くなると体重増加、満月様顔貌、浮腫は増悪傾向にある。

C 減量・休薬・再開

減量の目安

初回基準量	減量
(600～)1,200mg/日	600～800mg/日→休薬

A 治療開始前のコツ

- MPAには骨髄保護作用があり、化学療法(ドキシフルリジン、シクロホスファミドなど)との併用時における副作用の軽減や、がん悪液質症候群に対する食欲不振や体重減少に対しても有効とされ、ユニークな使い方のできる薬剤である。

1 投与禁忌・慎重投与の確認

- **血栓症を起こすリスクの高い患者は投与禁忌**。
- 投与禁忌：①手術後1週間以内、②脳梗塞、心筋梗塞、血栓性静脈炎などの血栓症疾患またはその既往、③動脈硬化症、④心臓弁膜症、心房細動、心内膜炎、重篤な心不全などの心疾患、⑤ホルモン薬(黄体ホルモン、卵胞ホルモン、ステロイドなど)を投与されている患者
- 慎重投与：①手術後1カ月以内、②高血圧症(悪化することもある)、③糖尿病(悪化することもある)、④脂質異常症、⑤肥満症

2 食生活の指導

- ステロイド作用をもっているため、利点として食欲増進や倦怠感軽減作用を期待できる反面、肥満や満月様顔貌、浮腫という有害事象を起こす。肥満のために投与継続困難となることもあるため、**食べ過ぎないように指導**する。

3 フィブリン分解産物(FDP)の検査は済んでいるか

- 脳梗塞、心筋梗塞、肺塞栓などの重篤な血栓症が現れることがあるため、FDPの検査は**少なくとも投与開始前に実施**する。
- 検査値が正常であっても、**血栓症の既往**や**生活習慣病(動脈硬化、高血圧症、脂質異常症、肥満など)**を有する患者では投与を避ける。
- 低用量アスピリン錠(81～100mg/日)の併用で重篤な血栓症の多くが予防可能であったとの報告はあるが、通例行われていない。

B 副作用をみつけるコツ

1 血栓症 (➡ P.230)

- 投与中は定期的に**Dダイマー、FDP、α_2プラスミンインヒビター・プラスミン複合体(PIC)**などの検査を実施する。
- 前駆症状として頭痛、めまい、腹痛、下肢腫脹、下肢疼痛などが報告されており、症状の観察を十分に行うことが重要である。
- MPAは血液凝固と線溶系に影響は及ぼすが、過凝固状態の直接の原因ではないとの報告もある。

2 性器出血 (➡ P.331)

- 点状出血といわれる軽度のものから重度の持続性のものまで、患者個人によって異なる。血中にプロゲステロンの過剰状態が長期間続くことで子宮内膜の増殖が続き、栄養血管の増生がこれに伴わず内膜表層の壊死、また血管の破綻で起こる。

C 減量・休薬・再開のコツ

1 血栓症

- **血液凝固系検査に異常値**があれば**投与中止**が望ましい。
- **前駆症状が認められた場合**には**投与中止**し、適切な処置を行う。

2 性器出血

- 出血が弱い場合には**減量**し、経過観察を行う。**持続性の性器出血**の場合は**休薬**する。

3 そのほか

- 体重増加、満月様顔貌、浮腫などに関しては、症状に応じて減量、休薬、投与中止など対応が必要である。

(前田基一)

参考文献

1) 厚生省薬務局安全課, 編. 医薬品研究 1992; 23: 664-71.
2) 門田佳子. 緩和ケア 2006; 16: 275-77.
3) 藤原聡子, ほか. 薬局 2006; 57: 413-21.
4) Ushijima K, et al. J Clin Oncol 2007; 25: 2798-2803. PMID: 17602085
5) 富永　健. 医薬ジャーナル 1998; 34: 117-22.
6) 光山昌珠, ほか. 日本臨牀 2000; 58: 317-21.
7) 木原　実, ほか. 癌と化学療法 1998; 25: 2123-6.
8) 清野徳彦, ほか. 癌と化学療法 1999; 26: 2087-90.

Prosexol®（エストロゲン療法）
－内分泌関連症状に注意－

標準的な投与量／スケジュール

	Day 1 2 3 4 5…
エチニルエストラジオール（プロセキソール®錠0.5mg）	PDになるまであるいは耐えられない副作用が出現するまで

1回2錠または4錠　1日3回　PO（3～6mg/日）

A 治療開始前

前投与・前処方すべき支持療法薬

前投薬は不要。
併用薬：エドキサバン（リクシアナ®）などの抗凝固薬

併用に注意すべき薬剤[1)]

併用禁忌：オムビタスビル水和物・パリタプレビル水和物・リトナビル配合剤（ヴィキラックス®）
併用注意：ステロイド、三環系抗うつ薬、シクロスポリン、テオフィリン、オメプラゾール、リファンピシン、バルビツール酸系製剤、ヒダントイン系製剤、カルバマゼピン、ボセンタン、モダフィニル、トピラマート、テトラサイクリン系抗菌薬、ペニシリン系抗菌薬、テルビナフィン塩酸塩、Gn-RH誘導体、血糖降下薬、ラモトリギン、モルヒネ、サリチル酸、テラピレビル、1年以上の卵胞ホルモン薬

B 副作用発現時期

	Week				Month	
	1	2	3	4	2	3
悪心・嘔吐、倦怠感					➡ P.166	
筋肉痛、頭痛			➡ P.170		➡ P.258	
乳房痛・乳房緊満感						
乳頭・乳輪色素沈着			➡ P.331,335			
子宮内膜肥厚、帯下の増加						
性器不正出血、下腹部痛						
肝機能障害				➡ P.202,405		
血栓塞栓症						➡ P.230

C 休薬・再開

- 特に規定された休薬・再開基準はない。
- 一般には、G3以上の有害事象が発症した場合は基本的には休薬。G1まで回復後再開。
- 重篤な副作用である血栓・塞栓症や狭心症が発症した場合は投与中止。

A 治療開始前のコツ

- ホルモン受容体陽性の確認、内分泌療法治療歴とその効果と治療期間。病勢の診断（CT、骨シンチなど）。子宮筋腫、子宮内膜症、卵巣嚢腫など婦人科系疾患の有無。血液生化学検査（肝機能、腎機能、耐糖能のチェック）。心電図（必要に応じて心エコー）。てんかんの有無。血栓塞栓症の既往の有無。

前投与・前処方すべき支持療法のコツ

- 前投与すべき支持療法薬はないが、血栓塞栓症予防では、動脈血栓症予防の場合は低用量アスピリン（バイアスピリン®）などの抗血小板薬を、静脈血栓症予防の場合はワルファリンなどの抗凝固薬を併用する。

B 副作用をみつけるコツ[2,3]

- 副作用の多くは内分泌関連症状であり、自覚的な副作用が多く、患者自身で発見可能である。
- 投与早期に起きる内分泌関連症状であるフレア症状として、頭痛 ➡P.258、ホットフラッシュ ➡P.173、悪心・嘔吐、倦怠感 ➡P.166、筋肉痛 ➡P.170、乳房痛・乳房緊満感などがある。
- フレア症状以降の副作用には乳頭・乳輪の色素沈着、子宮内膜の肥厚、帯下の増加 ➡P.335、不正性器出血 ➡P.331、下腹部痛などの内分泌関連症状がある。
- 長期投与により重大な副作用である血栓塞栓症や狭心症のリスクが上昇する。
- そのほかの副作用として肝機能障害、血圧上昇などがある。大量継続投与により高Ca血症、Naや体液の貯留がある。
- 血液生化学検査を定期的（月に1回程度）に行い肝機能障害をチェックする。

- 子宮内膜の肥厚はCTあるいはエコーで検討する。CTは腫瘍評価と同時に行うのが現実的であるが、性器不正出血などがある場合は婦人科コンサルトが必要である。

減量・休薬・再開のコツ

- 投与早期に起きるフレア症状により早期に投与中止となるケースが少なからずある。フレア症状のうち悪心・嘔吐、頭痛、筋肉痛などは2週間ほどで治まることが多い。フレア症状に対する対症療法が治療を継続できるかどうかの鍵となる。
- 特に規定された減量・休薬・再開基準はないが、一般には、G3以上の有害事象が発症した場合は基本的には休薬し、G1まで回復後再開する。重篤な副作用である血栓・塞栓症や狭心症が発症した場合は投与中止する。
- エチニールエストラジオール3mg/日未満のエビデンスがないが、副作用の程度や患者の状態により減量は許容されると考えられる。

（山本　豊）

文献

1）プロセキソール®錠0.5mg 添付文書．あすか製薬株式会社．
2）Iwase H, et al. Br J Cancer 2013; 109: 1537-42. PMID: 24002591
3）Ellis MJ, et al. JAMA 2009; 302: 774-80. PMID: 19690310

参考文献

1）Mahtani RL, et al. Clin Ther 2009; 31 Pt 2: 2371-8. PMID: 20110046

Raloxifene（化学予防）

－血栓症、肝機能障害に注意－

標準的な投与量／スケジュール

	Day 1 2 3 4 5 ・・・・・
ラロキシフェン 1錠 60 mg/body/日	連日投与（3～5年投与）

A 治療開始前

併用に注意すべき薬剤
クマリン系抗凝血薬（ワルファリン）、コレスチラミン、アロマターゼ阻害薬

B 副作用発現時期

	Week			Month					
	1	2	3	1	2	3	4	5	6
更年期症状（ホットフラッシュなど）	➡P.173								
静脈血栓症				➡P.230					
肝機能障害		➡P.202,405							

C 減量・休薬・再開

休薬：重篤な有害事象を疑った場合
再開：非重篤な有害事象で休薬した場合は、症状の改善に合わせて再開

A 治療開始前のコツ

1 ラロキシフェンはわが国では閉経後の骨粗鬆症の治療薬としてのみ承認されており、乳がんの化学療法のために使用することはできない

- ラロキシフェンは、プラセボを対象とした乳がん予防の3つのランダム化比較試験（MORE、CORE、RUTH）と、タモキシフェンを対象とした1つのランダム化比較試験（STAR）において、乳がんの発症リスクの高い女性に対する乳がん発症予防効果が示されている。

- メタアナリシスの結果、本薬剤はホルモン受容体陽性乳がんの発症を67％抑制することと、副次的な効果として脊椎の圧迫骨折を39％減じることが示されている。FDAからは乳がん予防薬として認可されているが、わが国においては骨粗鬆症薬としてのみ認可されている。
- 乳癌診療ガイドラインでは、「日本人女性の乳癌発症リスクモデルが確立していない現状では、乳癌の発症を予防するための薬剤投与は基本的に勧められない。」と記述されている。

2 ラロキシフェン投与の対象となる患者は？

- 今後5年間の**乳がん発症の絶対リスクが1.66以上の35歳以上の閉経後の女性**が、乳がん予防薬としてのラロキシフェンの対象（ASCOガイドライン）である。
- 日本人に適用できる乳がん発症のリスク計算ツールはないが、具体的には**65歳以上の女性で第一度近親者の乳がん患者がいる、乳房生検にて異型乳管過形成、小葉過形成、非浸潤性小葉癌と診断されたことがある**、などが対象である。
- **5～10年のアロマターゼ阻害薬による治療を受けた乳がんサバイバーで、骨量減少または骨粗鬆症の患者**に対する骨粗鬆症治療薬として、ラロキシフェンの治療は検討の価値がある（ただし、乳がん既往のある患者に対する新規乳がん予防薬としてのラロキシフェンの効果はエビデンスがなく、USPSTF（アメリカ合衆国予防医学専門委員会）では推奨されていない）。

3 投与が勧められない患者は？

- 深部静脈血栓症や肺梗塞、脳卒中、一過性脳虚血性発作の既往を有する患者や、長期間動きが制限される期間中の投与は避けるべきとしている
- *BRCA1/2*遺伝子に病的バリアントをもつ女性に対するエビデンスはない。
- 乳がん患者に対して新たな発症予防のエビデンスはなく、乳がん予防薬として推奨はされないが、**アロマターゼ阻害薬服用中の患者に対する骨粗鬆症治療薬としての使用も注意***。

  *：アロマターゼ阻害薬との併用のデータはないが、アナストロゾールとタモキシフェンの補助療法の大規模試験（ATAC）において、アナストロゾールとタモキシフェンの併用群が中間解析時に有意に治療成績が悪く、同アームがなくなった経緯

がある。タモキシフェンと類似構造をもつラロキシフェンにおいて、アロマターゼ阻害薬との併用は乳がん治療に悪影響を及ぼす可能性があり、このような場合の骨粗鬆症治療薬にはビスホスホネートかデノスマブが選択されている。

4 既往歴や生活習慣や家族歴について十分聴取する

- 既往歴：糖尿病や脂質異常症、骨盤内臓器や下肢の手術歴
- 生活習慣や家族歴：喫煙・肥満の有無、静脈血栓症や脳血管障害の家族歴

5 患者への説明

- 上述したように、**服薬の意義は骨粗鬆症治療が中心**であり、**副次的に乳がん発症予防効果**があるということを説明する。

6 前投与すべき支持療法のコツ

- 本剤投与前に特別な前投薬はない。
- すでに更年期症状が強い患者の場合は、対症療法として**加味逍遥散**、**当帰芍薬散**などがよく使用される。

B 副作用をみつけるコツ

1 静脈血栓塞栓症（深部静脈血栓症、肺塞栓症、網膜静脈血栓症）➡P.230

- 下肢の疼痛・浮腫（特に片側性）、突然の呼吸困難、息切れ、胸痛、急性視力障害などの症状が認められた場合は、服薬の中止とTAT、Dダイマーなどの血清学的検査や、下肢静脈エコー、造影CTなどの適切な画像検査を行う。
- MORE試験における深部静脈血栓症の発現頻度は1%でプラセボの2倍であった。発現時期は**投与開始4カ月後まで**に相対リスクのピークがあり、以後は漸減していく。
- 日本人女性の市販後調査では0.16%と、MORE試験よりもかなり低率であった。

2 肝機能障害 ➡P.202,405

- 全身倦怠感、食欲不振、吐き気などが同時期に出現したときは、血清学的検査（AST、ALT、γ-GTP）を行う。

3 そのほかの有害事象

- ほてり ➡P.173、下肢痙攣、末梢性浮腫（発現率0.65%）➡P.301、関節痛 ➡P.170、インフルエンザ症候群などがある。これらの有害事象は投与開始後比較的早期（数日から2～

3カ月)に出現しうる。

C 減量・休薬・再開のポイント

- 本剤は60mg製剤のみであり、骨粗鬆症の治療としては特に減量を必要としていない。
- 重篤な有害事象(静脈血栓症・脳血管障害・肝機能障害など)が疑われた場合は**減量でなく休薬**し、**原則的には再開はしない**。ほかの骨粗鬆症治療薬への変更を考慮すべきである。
- 血栓症については、血栓が消失しており、臨床症状がなく、適切な抗凝固療法にてよくコントロールされていれば再開は可能と思われるが、特別な理由がなければ、やはりほかの治療薬への変更を考慮する。

(菰池佳史)

文献

1) Cauley JA, et al. Breast Cancer Res Treat 2001; 65: 125-34. PMID: 11261828
2) Vogel VG, et al. JAMA 2006; 295: 2727-41. PMID: 16754727
3) US Preventive Services Task Force. JAMA 2019; 322: 857-67. PMID: 31479144
4) 骨粗鬆症の予防と治療ガイドライン作成委員会(委員長 折茂 肇), 編. 骨粗鬆症の予防と治療ガイドライン2015年版. 東京: ライフサイエンス出版; 2015. p108-9.
5) 菰池佳史. 骨とホルモン補充療法. 佐伯俊昭, 本庄英雄, 編. 乳癌リスクからみたホルモン補充療法の治療指針. 東京: 金原出版; 2007. p29-40.
6) 日本乳癌学会, 編. 乳がん診療ガイドライン2018年版2 疫学・診断編. 東京: 金原出版; 2018. p89-92.

制吐療法
－催吐リスクに応じた予防投与を－

A 標準的な投与量・スケジュール

催吐リスクに応じて制吐薬を選択し予防投与する。

①**高度催吐性リスク**（アントラサイクリン系レジメン）：3剤併用療法

薬剤	用量	経路
[5-HT3受容体拮抗薬]		
パロノセトロン（アロキシ®）*1	0.75mg（Day1）	IV
[NK1受容体拮抗薬]		
アプレピタント（イメンド®）*2	125mg（Day1） 80mg（Day2～3）	PO
[ステロイド]		
デキサメタゾン（デカドロン®）	9.9mg（Day1） 8mg（Day2～4）	IV PO*4

●オプション：オランザピンの併用（悪心・嘔吐のリスクが高いと判断される場合）

薬剤	用量	経路
オランザピン（ジプレキサ®）	5mg（Day1～4）	PO

②**中等度催吐性リスク**：2剤併用療法

薬剤	用量	経路
[5-HT3受容体拮抗薬]		
パロノセトロン（アロキシ®）	0.75mg（Day1）	IV
[ステロイド]		
デキサメタゾン（デカドロン®）	6.6mg（Day1） 8mg（Day2～3）	IV PO*4

●オプション：NK1受容体拮抗薬の併用
（悪心・嘔吐のリスクが高いと判断される場合、前サイクルで悪心・嘔吐が残存した場合）

薬剤	用量	経路
[5-HT3受容体拮抗薬]		
パロノセトロン（アロキシ®）	0.75mg（Day1）	IV
[NK1受容体拮抗薬]		
アプレピタント（イメンド®）*2	125mg（Day1） 80mg（Day2～3）	PO
[ステロイド]		
デキサメタゾン（デカドロン®）	3.3mg（Day1）*3 4mg（Day2～3）	IV PO*4

③**軽度催吐性リスク**

薬剤	用量	経路
[ステロイド]		
デキサメタゾン（デカドロン®）	6.6mg（Day1）	IV

④**最小度催吐性リスク**：予防的な制吐薬の投与は不要

B 突出性悪心・嘔吐対策：制吐薬の追加

①ドパミン受容体拮抗薬（メトクロプラミド、プロクロルペラジン）
②非定型抗精神病薬（オランザピン）
③抗不安薬（ロラゼパム、アルプラゾラム）

C 前サイクルで悪心・嘔吐が残存した場合 予防制吐療法の強化

①第2世代の5-HT3受容体拮抗薬へ変更
②NK1受容体拮抗薬の追加
③オランザピンの追加
④抗不安薬の追加
⑤デキサメタゾン、NK1受容体拮抗薬の日数延長

D 上記制吐療法で効果がない場合

①胸やけ、消化不良を合併する場合 ➡ プロトンポンプ阻害薬または H_2 受容体拮抗薬
②がん薬物療法以外の原因をチェック

＊1：第2世代 5-HT_3 受容体拮抗薬のパロノセトロンは遅発性悪心への有効性が報告されている[1]。
＊2：NK_1 受容体拮抗薬の注射剤であるホスアプレピタント（プロイメンド®）はアンスラサイクリン系抗がん剤に使用すると注射部位反応（血管痛、静脈炎）が増加するとの報告があるため推奨しない[2]。
＊3：NK_1 受容体拮抗薬は CYP3A4 の阻害作用を有するため、デキサメタゾンの代謝が阻害されることを考慮して、デキサメタゾンの投与量を半減する。
＊4：パロノセトロンを使用することで、day2 以降のデキサメタゾンを省略することが可能 (steroid sparing)[4-7]。

A 予防対策のコツ

1 抗がん剤による悪心・嘔吐のメカニズムを知っておく

- 上部消化管に優位に存在する5-HT_3受容体と第4脳室の chemoreceptor trigger zone（CTZ）に存在するNK_1受容体が複合的に刺激され、延髄の嘔吐中枢が興奮することで悪心を感じ、さらに遠心性に臓器の反応が起こることで嘔吐すると考えられている。化学受容体で作用する神経伝達物質としては、セロトニン、サブスタンスP、ドパミンなどが知られており、これらと拮抗する薬剤が制吐薬として用いられる。
- 症状の発現時期により、以下に分類される
  ①急性（投与後24時間以内に発現）
  ②遅発性（24時間後から数日間持続）
  ③予期性（抗がん剤のことを考えただけで誘発される）
  ④突出性（制吐薬の予防投与にもかかわらず発現）

2 催吐リスクに応じて制吐薬を選択し予防投与する

- 制吐薬の予防的投与なしで各種抗がん剤投与後24時間以内に発現する急性の悪心・嘔吐の割合（%）に従って、以下の4つに分類され、各々のリスクに応じた制吐療法がガイドラインで規定されている（表1）。

3 患者関連因子も考慮する

- 性別（女性）、年齢（若年）、飲酒習慣（なし）がリスク因子であり、当てはまる個数が多い患者ほど悪心・嘔吐のリスクが高いことが報告されている[3]。乳がん患者はこれに当てはまることが多く、他のがん種よりも悪心・嘔吐が強いことが予想されるため、制吐療法をより強化する必要がある。

表1　乳がん化学療法レジメンの催吐リスク分類

分類	薬剤、レジメン
高度催吐性リスク（催吐頻度＞90%）	AC、EC、FEC、TAC
中等度催吐性リスク（催吐頻度30〜90%）	TC、CMF、CPT-11 TCbH（DTX＋CBDCA＋トラスツズマブ） アテゾリズマブ＋nab-PTX※ トラスツズマブ デルクステカン※
軽度催吐性リスク（催吐頻度10〜30%）	DTX、PTX、GEM、エリブリン、nab-PTX、経口フッ化ピリミジン（S-1、カペシタビン、UFT）、エベロリムス、TDM-1
最小度催吐性リスク（催吐頻度＜10%）	VNR、トラスツズマブ、ベバシズマブ、ペルツズマブ、ラパチニブ

※適正使用ガイド参照

（日本癌治療学会，編．制吐薬適正使用ガイドライン2015年10月（第2版）一部改訂版（ver.2.2）．東京：金原出版；2015．より許可を得て引用）

B　突出性悪心・嘔吐対策のコツ

- 予防投与にもかかわらず治療後に症状が発現した場合は、作用機序の異なる制吐薬を追加投与する。

1　ドパミン受容体拮抗薬

メトクロプラミド（プリンペラン®）　5mg/回　1日3回　PO

プロクロルペラジン（ノバミン®）　5mg/回　1日3回　PO

2　非定型抗精神病薬（多受容体作用抗精神病薬：MARTA）

オランザピン（ジプレキサ®）　5mg/回　1日1回眠前　PO

- 突出性悪心・嘔吐に対するメトクロプラミドとの二重盲検ランダム化試験で、72時間の観察期間中にオランザピン群が有意に悪心・嘔吐を抑制した[8)]。また、システマティックレビューで有効性が示されている[9)]。

3　ベンゾジアゼピン系抗不安薬

ロラゼパム（ワイパックス®）　0.5mg/回　1日3回　PO

- 予期性悪心・嘔吐に有効であるが、保険適用外。

C　前サイクルで悪心・嘔吐が残存した場合の対処のコツ

- 予防的対策の制吐療法を強化する。

1　5-HT_3受容体拮抗薬を第1世代から第2世代に変更する。

グラニセトロン1mg静注

↓

パロノセトロン（アロキシ®）　0.75mg　IV

2 中等度催吐性リスクの場合、NK_1受容体拮抗薬を追加する（オプション参照）

アプレピタント（イメンド®）*2	125 mg（Day1） 80 mg（Day2～3）	PO

3 オランザピンの定期使用を追加する。

- 3剤併用療法で悪心・嘔吐が残存する場合に、オランザピン（ジプレキサ®）の上乗せ効果が報告されている[10]。
- オランザピンはほかの制吐薬（5-HT_3受容体拮抗薬、NK_1受容体拮抗薬、ステロイド）との併用において使用する。通常、成人には5 mgを1日1回経口投与する。適宜増量可能であるが、1日量は10 mgを超えない。使用は最大6日間を目安とする。
- 血糖上昇の副作用があるため、糖尿病患者には禁忌である。

オランザピン（ジプレキサ®）	5 mg	分1	眠前4日間	PO

4 予期性の悪心・嘔吐が考えられる場合

ロラゼパム（ワイパックス®）	1.5 mg	分3	毎食後3日間	PO

5 遅発性の症状が遷延する場合

- デキサメタゾン、アプレピタントの投与を延長する（5日間まで）。

D 上記制吐療法で効果がない場合

- 胸やけ、消化不良を合併する場合はプロトンポンプ阻害薬またはH_2受容体拮抗薬の投与を検討する。
- がん薬物療法以外の原因をチェックする。
  - ・器質的病変：腸管運動麻痺、消化管閉塞、脳転移、前庭機能異常、尿毒症
  - ・電解質異常：高Ca血症、低Na血症、高血糖
  - ・そのほか：薬剤（オピオイドなど）、便秘、放射線治療

特に難治性の悪心・嘔吐が続く場合には上記の病態を考え、詳細な問診と診察を行ったうえで採血や画像検査を施行し鑑別することが必要である。

（村上通康／川口俊英）

文献

1）Saito M, et al. Lancet Oncol 2009; 10: 115-24. PMID: 19135415
2）今津邦智，ほか. 日本病院薬剤師会雑誌 2013; 49: 1187-1191.
3）Sekine I, et al. Cancer Sci 2013; 104: 711-7. PMID: 23480814
4）Aapro M, et al. Ann Oncol 2010; 21: 1083-8. PMID: 20080830
5）Ito Y, et al. J Clin Oncol 2018; 36: 1000-6. PMID: 29443652
6）Komatsu Y, et al. Cancer Sci 2015; 106: 891-5. PMID: 25872578
7）Celio L, et al. Support Care Cancer 2011; 19: 1217-25. PMID: 20574663
8）Navari RM, et al. Support Care Cancer 2013; 21: 1655-63. PMID: 23314603
9）Chiu L, et al. Support Care Cancer 2016; 24: 2381-92. PMID: 26768437
10）Navari RM, et al. N Engl J Med 2016; 375: 134-42. PMID: 27410922

骨粗鬆症に対するBisphosphonateとDenosumab
－顎骨壊死の発症に注意して口腔内衛生に留意－

A 標準的な投与量・スケジュール

［ビスホスホネート］

経口

アレンドロン酸（フォサマック®、ボナロン®）	35mg	週1回
リセドロン酸（アクトネル®、ベネット®）	17.5mg	週1回 または月1回
ミノドロン酸（リカルボン®、ボノテオ®）	50mg	（4週）1回

※内服は用量によっても投与スケジュールが異なるため各薬剤の用量・用法をチェックすること。

静注

アレンドロン酸（ボナロン®）	900μg	4週1回
イバンドロン酸（ボンビバ®）	1mg	月1回
ゾレドロン酸水和物（リクラスト®）	5mg	年1回

［RANKL阻害薬］

デノスマブ（プラリア®）	60mg	6カ月に1回 皮下注

［ヒト化抗スクレロスチンモノクローナル抗体］

ロモソズマブ（イベニティ®）	210mg	月1回 皮下注

※ただし、ロモソズマブは骨折の危険性の高い骨粗鬆症のみ適応で12カ月間までの使用が推奨されており、12カ月を超えた投与期間の安全性・有効性は検討されておらず、12カ月後は他剤へ変更することが推奨されている。

B 注意すべき副作用

初回投与時	急性期反応（発疹、皮膚炎などの過敏症、悪寒、関節痛など）
投与後～長期間治療中	胃腸障害、低Ca血症、腎機能障害、顎骨壊死、大腿骨の非定型骨折など

C 減量・休薬を考慮するとき

- 骨形成マーカー（BAP、P1NP）
  - ➡ 基準値に達しない ➡ 薬物の再検討
  - ➡ 長期間、基準値の下限値以下 ➡ 休薬・中止を考慮
- 侵襲的な歯科治療を要する ➡ 休薬を考慮
- 骨折リスク
  - ➡ 高リスク ➡ 継続を考慮
  - ➡ 低リスク ➡ 中止を考慮

A 治療開始前のコツ

- アロマターゼ阻害薬使用は骨粗鬆症のリスクである。
- 骨粗鬆症のリスクの高い患者にはDEXA（dual-energy X-ray absorptiometry）による骨密度測定による評価が推奨される[1]。
- **骨粗鬆症の診断基準**（原発性骨粗鬆症の診断基準）[2]

①脆弱性骨折（椎体骨または大腿骨近位部）あり
②脆弱性骨折（椎体骨または大腿骨近位部以外）ありで骨密度がYAM（骨密度若年成人平均値）の80％以下
③脆弱性骨折はないが、骨密度（腰椎L1〜L4または大腿骨近位部）がYAMの70％以下または－2.5SD以下

- **骨粗鬆症に対する薬物療法の開始の目安**[2, 3]

①脆弱性骨折（大腿骨近位部または椎体骨折）がある
②脆弱性骨折（大腿骨近位部または椎体骨折以外）がありYAM80％未満
③骨密度YAM70％未満
④YAM70〜80％では、FRAX（WHO骨折リスク評価ツール）の骨折確率15％以上

- 骨代謝マーカーはビスホスホネートやデノスマブの効果や非椎体骨折予防効果との関連が明らかにされているが[4]、Caやビタミン Dなどの骨代謝に及ぼす影響が少ない治療薬では評価できない。
- 服薬順守のためには、パンフレットによる説明に加え、医師・看護師・薬剤師によるチームでのモニタリングが有用である[5]。
- 顎骨壊死の副作用を防止するため、治療開始前に口腔内衛生状態が良好に保たれていることが重要であることを患者に指導する。
- 抜歯などの外科的処置が必要な場合は、処置後の創傷治癒が完全に確認されてから投与開始することが望ましい。
- デノスマブ、ゾレドロン酸水和物、ロモソズマブ開始前には血清Ca値と腎機能を確認する。

B 注意すべき副作用

1 腎機能障害

- ゾレドロン酸水和物の投与により急性腎障害を起こすことがあり、その多くは投与開始1カ月以内に発現している。投与前に、腎機能（Ccrなど）や脱水状態（高熱、高度な下痢や嘔吐など）を確認し、投与の適否を判断する。
- 投与後1〜2週に腎機能検査を行うことが必要であり、重度腎機能障害（Ccr＜35mL/分）のある患者には投与しない。

2 骨吸収抑制薬関連顎骨壊死（antiresorptive agent-induced osteonecrosis of the jaw；ARONJ） ➡P.327

- 危険因子として飲酒・喫煙・糖尿病・ステロイド使用・肥満・抗がん剤使用・口腔内衛生不良があげられる。3年以上の長期間使用によってもリスクが上がるとされている。投与中も口腔内衛生を良好に保つ必要がある。歯科専門医との連携が大切である。

3 低Ca血症

- デノスマブによる低Ca血症は腎機能障害をもつ患者に生じやすい。予防には、CaおよびビタミンDを経口補充し、血性補正Ca値を定期的にモニタリングする。

4 急性期反応

- 投与開始後に筋・関節痛、発熱を生じる。初回投与時に生じやすく、症状は短期間に改善し、その後の再発な少ないとされている。

5 非定型大腿骨骨折

- 長期間にわたる投与により大腿骨転子下および骨幹部骨折の発生が報告され、非定型大腿骨骨折(atypical femoral fracture；AFF)とよばれる。発生率は低いが、長期間使用時、鼠蹊部または大腿骨部の鈍痛といった症状が出た場合、本骨折を念頭において精査が必要である。

C 減量・休薬を考慮するとき

- 治療中に骨形成マーカー(BAP、P1NP)が基準値に達しない場合は薬物の再検討を、逆に長期間にわたって基準値の下限値以下に抑制された場合は休薬や中止を考慮する。
- 治療中に侵襲的な歯科治療が必要となった際には、服薬期間と顎骨壊死の危険因子さらに骨折リスクを考慮して休薬の要否を決定する。休薬の期間は定まっていないが3カ月程度が推奨される[6)]。
- 長期間にわたる投与の場合、顎骨壊死の発生を考慮して3～5年継続時に骨折リスク(表1)を評価する、高リスクでは継続、逆に低リスクでは中止することも考慮する[7)]。

表1　骨折リスクの評価

高リスク：	大腿骨近位部Tスコア≦－2.5で椎体や大腿骨近位部の骨折あり
中等度リスク：	大腿骨近位部Tスコア＞－2.5で椎体・大腿骨近位部骨折なし
低リスク：	高リスク・中等度リスク以外

(枝園忠彦／突沖貴宏)

文献

1) Hillner BE, et al. J Clin Oncol 2003; 21: 4042-57. PMID: 12963702
2) 骨粗鬆症の予防と治療ガイドライン作成委員会(日本骨粗鬆症学会, 日本骨代謝学会, 骨粗鬆症財団：委員長 折茂 肇), 編. 骨粗鬆症の予防と治療ガイドライン2015年版. 東京：ライフサイエンス出版; 2015.
3) FRAX® WHO Fracture Risk Assessment Tool. http://www.shef.ac.uk/FRAX/
4) Bauer DC, et al.; Fracture Intervention Research Group. J Bone Miner Res 2006; 21: 292-9. PMID: 16418785
5) Papaioannou A, et al. Drugs Aging 2007; 24: 37-55. PMID: 17233546
6) 米田俊之, ほか. ビスフォスフォネート関連顎骨壊死に対するポジションペーパー(改訂追補2012年版). ビスフォスフォネート関連顎骨壊死検討委員会; 2012.
7) McClung M, et al. Am J Med 2013; 126: 13-20. PMID: 23177553

骨転移に対する骨修飾薬（BMA）
－歯科医との連携が肝要－

A 標準的な投与量・スケジュール

ゾレドロン酸（ゾメタ®） 4mg/body/日 IV 3～4週ごと
1ボトル100mLを15分以上かけて点滴静注。全身状態が明らかに低下するまで継続

デノスマブ（ランマーク®） 120mg/body/日 SC 4週ごと
全身状態が明らかに低下するまで継続（デノタス®チュアブル併用）

B 注意すべき副作用

当日～数日	発熱、骨痛（急性期反応）：初回投与時に多い
数日～数カ月	腎毒性：発現率も重症度も低い 低Ca血症：Ca剤の予防投与が望ましい
数カ月～数年	顎骨壊死、非定型骨折：頻度は低いが重篤

C 減量・休薬を考慮するとき

ゾレドロン酸：腎機能に応じて

Ccr (mL/mol)	推奨用量 (mg)
>60	4.0
50～60	3.5
40～49	3.3
30～39	3.0

	Cr (mg/dL)	
投与前に腎機能障害がある	1.0以上上昇	中止
正常腎機能	0.5以上上昇	

A 治療開始前のコツ

- 骨は乳がんの遠隔転移で最も頻度の高い臓器である。乳がんの骨転移は、疼痛、病的骨折、脊髄圧迫症状、高Ca血症などの骨関連事象（SRE）の原因となり、患者のQOLを著しく損なう場合がある。無症状であっても、**画像による骨破壊を確認できた時点でゾレドロン酸やデノスマブなどの骨修飾薬（BMA）を開始**することが推奨されている。
- BMAは破骨細胞の機能を抑えて骨吸収を抑制することで、SREの発生頻度を抑え、発生時期を遅らせる。SREが発生しても、第2、第3のSREを抑制する効果もあるため、**患者の全身状態が明らかに低下するまでは使用**することが推奨されている。

- 骨転移による疼痛がある場合は、標準的な疼痛緩和治療を行うとともにBMAを開始する。BMAには骨転移による疼痛を緩和する作用があるため、**鎮痛薬を減量できる場合も多い**。BMAのがんに対する単独の有効性は示されていないため、**化学療法またはホルモン療法と併用**することが推奨される。
- ゾレドロン酸とデノスマブの使い分けは、コスト、投与形式(静注あるいは皮下注)、副作用プロファイルにより選択する。急性期反応と腎機能障害はゾレドロン酸で多く、歯痛や低Ca血症はデノスマブで多い。顎骨壊死の発生頻度は両群で差はない(ゾレドロン酸1.4%、デノスマブ2.0%)。
- 顎骨壊死(osteonecrosis of the jaw;ONJ)は、頻度は少ないが重篤な有害事象である。骨吸収抑制薬関連顎骨壊死(anti-resorptive agent-related osteonecrosis of the jaw;ARONJ)の名称も使われている。BMA使用前に**可能な限り歯科医師によるう歯や歯周病のチェックおよび予防**を行う。
- ゾレドロン酸、デノスマブともに投与前の腎機能確認が必要である。デノスマブでは投与前の血清Ca値が高値でない限り、**デノタス®(カルシウム、ビタミンD配合薬)を1日2錠併用**する。

B 注意すべき副作用

1 急性期反応

- 投与3日以内に起こるインフルエンザ様症状、発熱、骨痛、関節痛などであり、ゾレドロン酸17.7〜22.0%、デノスマブ8.4〜10.4%に起こる。症状は一過性であり、NSAIDで対処可能であるが、投与早期に発現するため前もって患者に説明しておくことが肝要である。投与初回のみに起こることが多い。

2 低Ca血症

- デノスマブでは上述のようにデノタス®を併用する。腎機能障害を有する場合は天然型でなく**活性型ビタミンD製剤(アルファロール®など)の使用が望ましい**。
- ゾレドロン酸の場合もCa値をモニターし、必要に応じてビタミンDやCaの補充を行う。

3 腎機能障害

- 多くは軽症で、G3以上はゾレドロン酸0.4〜6.1%、デノスマブ0.4%と少なく、可逆的かつ一過性であると考えられている。

4 顎骨壊死（ONJ） ➡P.327

- ARONJに関して、関連学会で組織された顎骨壊死検討委員会によるポジションペーパーが発表されており、2016年に一部改定された。

5 非定型骨折

- BMAを長期使用している患者において、非外傷性の大腿骨転子下および近位大腿骨骨幹部の非定型骨折の報告がある。完全骨折が起こる数週～数カ月前に大腿部や鼠蹊部に前駆痛がみとめられており、このような症状がみとめられた場合には、X線検査などを行い、適切な処置を行う。

C 減量・休薬を考慮するとき

- ゾレドロン酸は**Ccr 60 mL/分未満、30 mL/分以上の場合は減量**して用いる。投与中は血清Crを測定し、**投与前に腎機能障害のある患者では1.0 mg/dL、正常腎機能の患者では0.5 mg/dL以上上昇した場合は投与を中止**する。
- ONJを防ぐため、侵襲的歯科治療は可及的に避けるべきだが、どうしても必要な場合は、**原則BMAの休薬はせずに継続する**。骨転移の病状が落ち着いている場合は休薬も考慮してよい。投与前、投与中ともに歯科との連携が肝要である。
- 休薬した場合の再開は**侵襲的歯科治療後2カ月前後**が望ましく、再開が急がれる場合には術創部の上皮化が見られる**2週間前後**に感染がないことを確認して再開する。
- ゾレドロン酸は通常3～4週間隔の投与だが、**12週間隔投与**の非劣勢を示したランダム化比較試験が報告されている。全身状態が良く骨転移の進行が長期間落ち着いている場合は検討に値する。

（脇田和幸）

参考文献

1）日本乳癌学会，編．乳癌診療ガイドライン1 治療編 2018年版 第4版．東京：金原出版；2018, p87-90.
2）日本臨床腫瘍学会，編．骨転移診療ガイドライン．東京：南江堂；2015, p41-2.
3）Kohno N, et al. J Clin Oncol 2005; 23: 3314-21. PMID: 15738536
4）Stopek AT, et al. J Clin Oncol 2010; 28: 5132-9. PMID: 21060033
5）Marx RE. J Oral Maxillofac Surg 2003; 61: 1115-7. PMID: 12966493
6）日本口腔外科学会．顎骨壊死に関するポジションペーパー．https://www.jsoms.or.jp/medical/work/guideline/bisphos01/

G-CSF

－化学療法のFNリスクに応じ、予防投与を考慮。骨痛に注意－

A 標準的な投与量・スケジュール

［発熱性好中球減少症（FN）の1次予防・2次予防］

ペグフィルグラスチム（ジーラスタ®） 3.6mg/body/日
抗がん剤投与後24～72時間に単回SC

［G3以上のFN発症時、好中球減少症］

レノグラスチム（ノイトロジン®）	5μg/kg/日	SC
ナルトグラスチム（ノイアップ®）	1μg/kg/日	SC
フィルグラスチム（グラン®）	50μg/m²/日	SC

好中球5,000/mm²の回復を目処とする。

B 注意すべき副作用

投与から8日間　骨痛（背部痛、腰痛、頭痛）、倦怠感や発熱

C 減量・休薬を考慮するとき

特になし

A 治療開始前のコツ

- 実施予定の化学療法レジメンのFNのリスクを確認しておく。
- FNリスクが20％以上の化学療法（dose-dense AC ➡P.36、TAC ➡P.43、TC ➡P.40 など）ではG-CSFの1次予防投与が必要である。10～20％の化学療法（AC ➡P.36、EC ➡P.36、FEC ➡P.36、HPD ➡P.84 など）では、患者サイドの発症リスクが存在しないか確認する。後者のレジメンでは前サイクルにFNやG4の好中球減少をみとめた場合、次サイクルより予防投与（2次予防）を考慮してもよい。
- 患者サイドの発症リスクは、65歳以上、病期が進行期、PSが悪い、FNの既往がある、好中球減少症、感染症や開放創がある、などである[1)]。血算、生化学検査、胸部X線検査などを行い、事前にFNのリスクが存在しないかスクリーニングを行う。
- 上記リスクを有する患者にはFNの発症が予想されることを説明し、1次予防が推奨されていることを説明する。

- 朝、夕体温測定を行うなど励行する。腋窩体温で37.5℃以上を認めた場合には受診をするように説明する。また、白血球減少の起こりやすい時期や期間をあらかじめ知らせておく。
- ペグフィルグラスチム注射後、あるいはフィルグラスチム注射開始後2～3日後より、1～2日続く背部痛や腰痛が出現することがあるので、鎮痛薬(例：ロキソプロフェン(ロキソニン®)3錠分3)をあらかじめ処方し、なるべく早めに内服するように説明する。疼痛が治まるまで数日間内服を継続する。
- 併用に注意すべき薬剤は特にない。

B 注意すべき副作用

- 背部痛、腰痛、頭痛など。倦怠感や発熱を伴う場合もある。通常投与後8日までにみられる。
- 発現時期を見つけるポイントとして、初回治療時より症状日誌を付けるように患者に事前に説明しておくことである。症状の程度、出現、消失の時期などを記載する。2サイクル目以降の対処方法を検討する。

(鶴谷純司)

文献

1) 日本癌治療学会，編．G-CSF適正使用ガイドライン 2013年版 Ver.2．東京：金原出版；2015.

エクオール
－乳がん治療に伴う不快な更年期症状を忘れよう－

標準的なレジメン（投与量／スケジュール）

エクオール（エクエル®）10mg/日、経口摂取
大豆胚芽乳酸菌発酵物加工食品（サプリメント）として4錠

A 乳がんと更年期症状

1 乳がんは更年期に発症しやすい

- 乳がんの好発年齢は40～50歳代であり、更年期症状で苦しんでいる人が多い世代である。乳がん治療（手術・化学療法・分子標的薬の複合療法）によっても、更年期症状が誘発されることが多い。

2 化学療法、ホルモン療法は更年期症状を起こしやすい

- 化学療法：卵巣機能低下を起こし、若い人でも更年期症状が出現しやすい。治療薬剤の種類と量、治療開始の年齢により頻度の差があるが早期閉経を招き、長期間悩まされる場合もある（表1）。
- ホルモン療法：女性ホルモンに変調を起こし、更年期症状が頻発するが、薬剤の種類により症状に特徴がある。
- LH-RHアゴニスト：急激にエストロゲンが低下し、ホットフラッシュ、めまい、動機感、いらいら、うつなど多彩な症状が頻発。

表1　乳がんに対する治療による性腺毒性のリスク分類（ASCO2013）

リスク	治療プロトコール	治療および投与量などの因子
高リスク（>70%）	CPA総量	5g/m²（>40歳）、7.5g/m²（<20歳）
中間リスク（30～70%）	CPA総量 乳がんに対するAC療法 ベバシズマブ	5g/m²（30～40歳）×4サイクル＋PTX/DTX（<40歳）
低リスク（<30%）	CPAを含む乳がんに対するレジメン	CMF、CEF、CAF（<30歳）
超低リスクまたはリスクなし	VCRを用いた多剤療法	
不明	モノクローナル抗体（トラスツズマブ）	

（日本癌治療学会，編．小児、思春期・若年がん患者の妊孕性温存に関する診療ガイドライン 2017年版．東京：金原出版；2017．より作成）

- SERM：ホットフラッシュが頻発。
- AI：関節痛、こわばりが頻発。

B 更年期症状がつらくて治療をやめてしまうより、エクオールで楽に治療を完遂しよう

- 更年期症状のために薬物療法を中断・中止すると治療効果が得られないため、再発のリスクとなる。上手に対応することが治療遂行・予後改善のために重要である。
- 乳がん治療中やサバイバーの更年期症状緩和にはHRTより漢方薬、サプリメントなどが推奨される[1,2)]。
- サプリメントでは大豆イソフラボン代謝物・エクオールが有効で、乳がんの再発を増加させず、QOL向上が期待できると記載されている[1,2)]。治療中でもホットフラッシュや動悸感、いらいら、関節痛などがつらいときは、我慢せず試してみることをお勧めする。摂取開始はいつでも構わない。
- ヘバーデン結節、変形性手関節症にも有効との報告があり[3)]、AI剤による関節の苦痛軽減にも効果が期待される。

C エクオールの症状緩和の理由

1 エクオールはエストロゲンに似ているので症状緩和に有効

- 大豆は経口摂取後イソフラボンに分解され、さらに腸内細菌（日本女性の約50%がもつ[4,5)]）による分解を受けエクオールになる。
- エクオールはエストロゲンと構造式が似ており（図1）、エストロゲン枯渇状態ではエストロゲン様作用を発揮し、更年期症状の改善に役立つと考えられる。
- 大豆胚芽をラクトコッカス属乳酸菌で発酵させることでエクオールまで分解したものが、サプリメントとして販売されている。腸内細菌をもたない女性でも摂取可能である。
- エクオール10 mgは納豆1パック、豆腐半丁、豆乳1杯程度に相当する。食事で毎日一定量の摂取を続けるよりも、サプリメントは簡便で確実である。また、食事で大豆を

図1　エクオールとエストロゲン

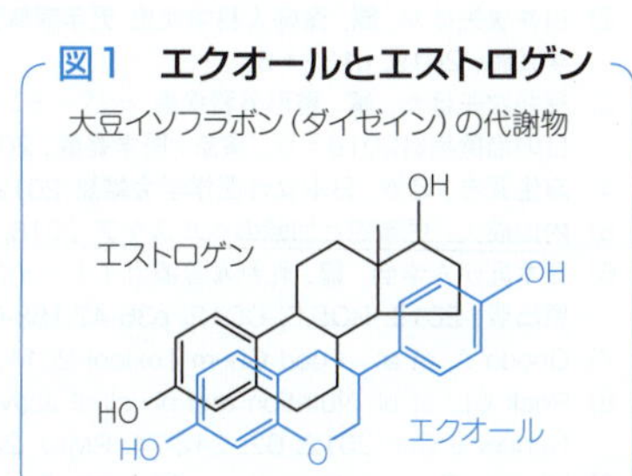

5 支持療法⑤

多く食べたかどうかなどで服用を変更する必要はない。

D 副作用への懸念

1 乳がんに悪影響を及ぼす可能性や副作用の不安なく摂取できる

- エストロゲン様作用が乳がんを悪化させるのではないかとの懸念があるが、大豆食品、イソフラボンの摂取は乳がん発症リスクを減少させ予後を改善する可能性がいわれている[6]。乳がん培養細胞にエクオールを加えた実験でも増殖はなく[7]、適量摂取では悪影響はないと思われる。

2 乳がん治療薬に影響しない

- 乳がん治療薬タモキシフェンに拮抗するかとの懸念がある。アメリカの臨床研究では拮抗する影響はなく、逆に効果を増強したとの報告がある[8]。
- 子宮内膜が肥厚するかとの懸念がある。動物実験では摂取による増殖はみられず[9]、海外で15倍以上の多量を長期間摂取した場合に肥厚の報告があるものの、適量摂取では大豆製品を食べることを含めても問題ない。

E 服用の注意点、中止、中断の判断

- 長期摂取でも副作用の報告はなく、中止・中断の必要性はないと思われる。
- サプリメントが乳がん発生や再発を抑制するという根拠もない[6]。

（土井卓子）

参考文献

1) 日本女性医学会，編．女性医学ガイドブック 更年期医療編 2019年版．東京：金原出版；2019. CQ53,70.
2) 福井次矢ほか，編．産婦人科学疾患 更年期障害．今日の治療指針2019年版．東京：医学書院；2019. p1324-5.
3) 福井次矢ほか，編．整形外科疾患 ヘバーデン結節（指曲がり症），変形性手関節症．今日の治療指針2019年版．東京：医学書院；2019. p1324-5.
4) 麻生武志，ほか．日本女性医学学会雑誌 2012; 20(2): 313-32.
5) 内山成人．更年期と加齢のヘルスケア 2018; 7(1): 26-31.
6) 日本乳がん学会，編．乳がん診療ガイドライン② 疫学・診断編 2018年版．東京：金原出版；2018. BQ5,6, CQ12. p36-42,158-60.
7) Onoda A, et al. Food Chem Toxicol 2011; 49: 2279-84. PMID: 21703324
8) Rock CL, et al. Nutrition and physical activity guidelines for cancer survivors. CA Cancer J Clin 2012; 62: 242-74. PMID: 22539238
9) Yoneda T, et al. Menopause 201; 18: 814-20. PMID: 21451423

Infusion reaction・アナフィラキシーショック

－アナフィラキシーショックに早期対応できるように症状の理解と準備を。infusion reaction予防は投与速度を工夫する－

A infusion reaction・アナフィラキシーの症状を理解する
- アナフィラキシー：蕁麻疹・繰り返す咳・喉頭浮腫
- infusion reaction：発熱・筋肉痛

↓

B infusion reactionを起こしやすい薬剤を把握する
- モノクローナル抗体薬（トラスツズマブなど）
- タキサン系抗がん剤（パクリタキセル・ドセタキセル）
  初回投与時は緩除に投与
  パクリタキセル投与時には前投薬

↓

C 化学療法室の整備をし、infusion reaction・アナフィラキシーショックに備える
- スタッフ間での知識の共有
- 救急カートなどの配置

↓

D infusion reaction・アナフィラキシーショックが発生した際の対応
- バイタルサイン・重症度の評価
- 軽症であれば投与速度を遅くすることで改善
- 重症の場合はアナフィラキシーに準じて対応

A infusion reaction・アナフィラキシーの症状を理解する

1 アナフィラキシー

- アレルゲンなどの侵入により複数臓器に全身性にアレルギー症状が惹起され、生命に危機を与えうる**過敏反応**とされており、以下のいずれかに該当するものをいい、血圧低下や意識障害を伴うものを**アナフィラキシーショック**という。
  - 急激に発症する**「皮膚症状 or 粘膜症状」＋「呼吸器症状 or 循環器症状」**
  - 一般的にアレルゲンとなりうるものへの曝露の後、急に発現する以下の症状のうち、2つ以上を伴う。

①皮膚･粘膜症状（全身の発疹、瘙痒または紅潮、口唇･舌･口蓋垂の腫脹）
②呼吸器症状（呼吸困難・気道狭窄・喘鳴・低酸素血症）
③循環器症状（血圧低下、意識障害）
④持続する消化器症状（腹痛、嘔気・嘔吐、下痢）

・当該患者におけるアレルゲンへの曝露後の急速な血圧低下

- アナフィラキシーの多くは**IgEが関与する免疫学的機序**で起こるが、IgEが関与しない免疫学的機序や、マスト細胞を直接活性化することも誘因となりうる。

2 infusion reaction（infusion related reaction）

- 薬剤投与によって生じる反応のうち、**薬剤の毒性プロファイルのみで説明できない反応の総称**であり、モノクローナル抗体薬で起きるほか、タキサン系などの抗がん剤によっても生じる。抗がん剤で起きる反応はhypersensitivity reactions（過敏反応）であるが、多くがアレルギー機序ではないため、infusion reactionとよばれている。
- infusion reactionの原因については明らかでない。サイトカイン放出による反応ともいわれている。

3 症状と発生時期

- CTCAE v4.0では、過敏症は注入に伴う反応（infusion related reaction）とアナフィラキシー（allergic reaction/anaphylaxis）とに分類されている。
- infusion reactionとアナフィラキシーショックの症状は重複する部分が多く、区別が難しい。しかし、infusion reactionは投与回数を重ねるごとに症状の発現頻度は下がり、再投与可能であるため臨床上理解を深めることは重要である。
- アナフィラキシーは上記の症状のうち、**蕁麻疹･繰り返す咳･喘鳴･喉頭浮腫**が、infusion reactionは**発熱・悪寒戦慄や筋肉痛**が特徴的であるとされているが、そのほか顔面紅潮、皮疹、嘔気･嘔吐、めまいのほか、呼吸困難、痙攣、ショックを呈することもある。
- infusion reactionは**初回投与時に発生**することが多く、薬剤によって多少異なるが、投与開始後30分～2時間以内に発生し、24時間症状が続くこともある。

B infusion reactionを起こしやすい薬剤を把握する

1 起こしやすい薬剤

- 乳がん治療の分野では、モノクローナル抗体薬、タキサン系抗がん剤、プラチナ系抗がん剤が挙げられる。

①モノクローナル抗体薬

- トラスツズマブ：20〜40%の頻度で起こり、特に抗がん剤との併用で上昇する。重症例は0.3%程度と頻度は高くない。
- ペルツズマブ：ドセタキセル・トラスツズマブの併用で13%にinfusion reactionが確認されているが、重症例は1%以下である。
- T-DM1：1.2%と頻度は低く、ほとんどが軽症である。
- トラスツズマブ デルクステカン：頻度は3.3%と報告されているが、重症例(G3以上)の報告はない。
- sacituzumab govitecan(日本未承認：Trop-2を標的とする抗体薬物複合体)：37%で発症し、1%にG3以上となることが知られている。

②タキサン系抗がん剤

- パクリタキセル：前投薬なしでは20〜60%、前投薬ありで2〜4%程度の頻度で起こり、1%程度が重症化する。溶解剤としてポリオキシエチレンヒマシ油を含み、アナフィラキシーの報告が多い。
- ドセタキセル：前投薬なしで20%、前投薬ありで2%程度起きる。

③プラチナ系抗がん剤

- カルボプラチン：12%程度に起こるとされ、6サイクル以降と回数増加に伴い頻度が上昇するため留意。

2 前投薬・投与方法の工夫

①前投薬

- モノクローナル抗体薬のうちリツキシマブやセツキシマブでは前投薬が推奨されているが、乳がん領域で使われる**トラスツズマブなどに関しては、前投薬の有用性は示されていない。**
- hypersensitivity reactionがでやすいパクリタキセルの投与時には、**H_1受容体拮抗薬とステロイドの前投薬**を行う。

ファモチジン(ファモチジン注)	20mg	
デキサメタゾン(デカドロン®)	6.6mg	
ジフェンヒドラミン(レスタミン錠)	50mg	同時内服

- ドセタキセル投与時は基本的には前投薬は不要だが、必要時ステロイド内服投与を行う。

②投与方法の工夫

- **ゆっくり投与する**ことで発生を抑えることが知られており、モノクローナル抗体薬を初回投与の際は、1時間30分程度かけて緩除に投与し、問題なければ**2回目以降は30分程度**で投与を行う。

C 化学療法室の整備をし、infusion reaction・アナフィラキシーショックに備える

1 化学療法室スタッフ間での知識の共有

- リスクの高い薬剤・初回投与患者の把握
- 緊急時対応をシミュレーション・対応のマニュアル化

2 救急カート（ボスミン®やH_1受容体拮抗薬、ステロイドなどを含む薬品類、酸素投与・挿管セット、ルートセット）、モニターの常備。

D infusion reaction・アナフィラキシーショックが発生した際の対応

- バイタルサインの確認と重症度の評価を行う。重症度によって以下のような対処をとる。

1 アナフィラキシーショック

①初期対応の手順

- バイタルサインの確認、患者を仰臥位にする。
- 人手の確保。必要に応じて救急コールを行う。
- **ショックや喘鳴**がある場合は、**アドレナリンの筋肉注射**（ボスミン® 0.3mL = 0.3mgを大腿四頭筋に注射）。
- 酸素投与、静脈ルートの確保。必要に応じて心肺蘇生。
- アドレナリン以外の選択薬として、**H_1・H_2受容体拮抗薬（ポララミン®・ファモチジン）静注・内服**や**β_2アドレナリン受容体刺激（ベネトリン®吸入液）吸入**や**ステロイド（サクシゾン®）**の投与を考慮する。

d-クロルフェニラマレイン酸（ポララミン®注）	5mg
ファモチジン	20mg
サクシゾン	250～500mg

- 初期対応後：12～24時間後に二相性の症状を呈する場合があるので、入院による経過観察が勧められる。
- 再投与：**基本的には勧められない。**治療上の理由などで再投与が

必要な場合にはアレルギーの専門家との連携が必要であり、前投薬・投与速度や経路の変更を十分に検討する。

2 infusion reaction

- 軽症（CTCAE G1相当：微熱、一過性の紅潮・皮疹）：投与速度を遅くすることでほとんどが改善し、投与継続が可能である。改善しない場合には中等症に準じて対処する。
- 中等症（CTCAE G2相当：38℃以上の発熱、蕁麻疹、呼吸困難）：いったん投与を中止し、発熱に対しては**アセトアミノフェン**（カロナール®）や**NSAIDs**（ロキソプロフェン）などの解熱薬を用い、H_1受容体拮抗薬（ポララミン）やステロイド（サクシゾン）投与を行う。
- トラスツズマブ デルクステカンに関してはG1、2の発症であっても、投与再開時は50％に減速して再開すること、G2の場合は次回投与以降も減速することが推奨される。
- **再投与はほとんどの場合可能**である。有用性については明らかでないが、投与速度を遅くするほかに、解熱薬（カロナール®）やH_1受容体拮抗薬（ポララミン）を使うことがある。
- 重症（CTCAE G3以上：喘鳴、アナフィラキシー、血圧低下）：速やかに**投与の中止を行い可及的にルート内の薬剤を吸引し、アナフィラキシーショックに準じて対応をする。**

（大西　舞／山下年成）

文献

1） 日本アレルギー学会，監．Anphylaxis対策特別委員会，編．アナフィラキシーガイドライン．東京：日本アレルギー学会；2014.
2） 有害事象共通用語規準 v5.0 日本語訳 JCOG 版（略称：CTCAE v5.0-JCOG）［CTCAE v5.0/MedDRA v20.1（日本語表記：MedDRA/J v24.0）対応-2021年3月5日］. http://www.jcog.jp
3） LaCasces AS, et al. Infusion reactions to therapeutic monoclonal antibodies used for cancer therapy. Up To Date 2020.
4） カドサイラ®点滴静注用 添付文書．中外製薬株式会社
5） Baselga J, et al. N Engl J Med 2012; 366: 109. PMID: 22149875
6） Shepherd GM. Clin Rev Allergy Immunol 2003; 24: 253-62. PMID: 12721396
7） 下井辰徳，ほか．過敏症．佐々木常雄，岡元るみ子，編．新がん化学療法ベストプラクティス．東京：照林社；2012. p227-36.
8） Modi S, et al. N Engl J Med 2020; 382: 610-21. PMID: 31825192
9） エンハーツ®点滴静注用 添付文書．第一三共株式会社

倦怠感

－頻度が高く、初診時より定期的なスクリーニングが推奨される－

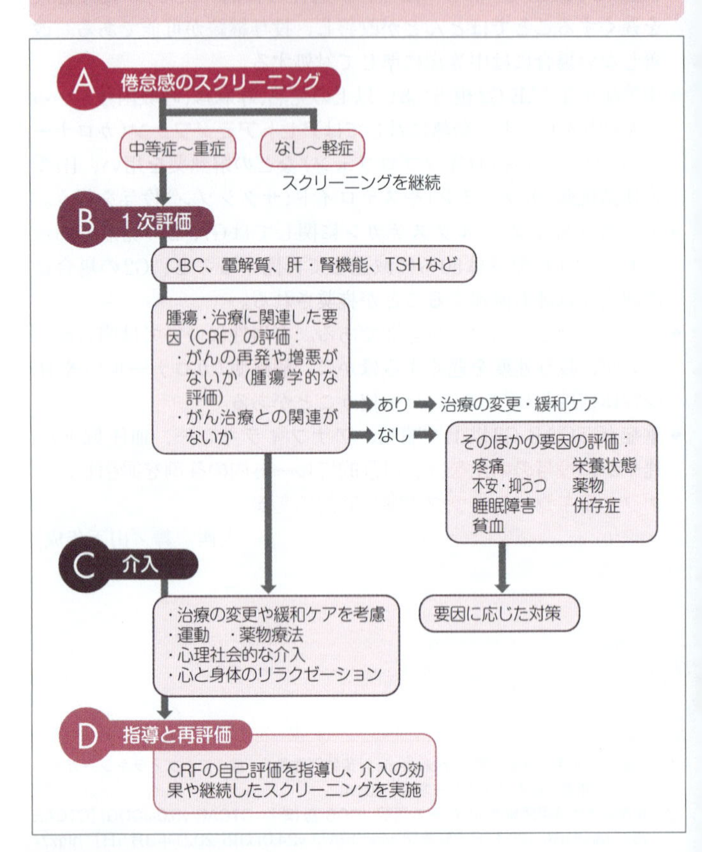

A 倦怠感のスクリーニング

1 定義と頻度

- がんに伴う倦怠感（cancer-related fatigue；CRF）とは、がん、またはがん治療に関連して生じる、つらく、持続する主観的な感覚であり、身体的、情緒的、または認知的な倦怠感、あるいは消耗感である[1)]。一般にいう倦怠感とは異なり、より重篤で、休息により軽快しにくく、日常生活やQOLに影響する。

- 乳がんの術後化学療法期間中に約80%の患者が倦怠感を自覚し、化学療法から1年経過してもその頻度は一般人に比べ有意に高い[2)]。

2 評価の原則とスクリーニングツール

- CRFは医療者には捉えにくい症状であるため、初診時よりpatient self-reportsによる定期的なスクリーニングが推奨されている。自記式調査法として、以下のようなツールが使用可能。
  ①**Numeric Rating Scale**（NRS）：0～10までの11段階の数字を用いて、患者自身にレベルを数字で示してもらう方法。1～3を軽度、4～6を中等症、7～10を重症の倦怠感とし、中等症以上の患者に対しては、倦怠感の1次評価の実施する[3)]。軽症の患者に対してもスクリーニングを継続する。
  ②**Cancer Fatigue Scale**[4)]：日本人のがん患者の倦怠感を評価するため開発された自記式調査票。身体的倦怠感・精神的倦怠感・認知的倦怠感の3つのドメイン、15項目で構成されている。（http://www.ncc.go.jp/jp/epoc/division/psycho-oncology/kashiwa/020/CFS-Manual.pdf）
  ③**Brief Fatigue Inventory**[5)]：倦怠感の有無（1項目）、強さ（3項目）、生活への支障（6項目）の合計10項目から構成。倦怠感の有無を除く9項目は0～10の11段階NRSを採用しており、これらの平均値により総合的倦怠感スコアを算出。1～3を軽症、4～6を中等症、7～10を重症と定義。（http://www.ncc.go.jp/jp/epoc/division/psycho-oncology/kashiwa/020/030/BFI.pdf）

B 1次評価

1 倦怠感の詳細な評価

- 倦怠感の誘因、パターン、期間、経時的な変化、軽減要因、機能面への影響を評価する。これらにフォーカスした評価は、その後の検査・診断の方向性を決めるのに有益な場合がある。

2 腫瘍学的・治療関連要因の評価

- がんの再発や増悪などの、がんの進行に伴う倦怠感の可能性を検討する。仮にがんの進行がなかった場合でも、そのことを患者に情報提供することにより、患者の不安を軽減することができる。がんの進行が認められた場合、治療の変更や緩和ケアを考慮する。
- 治療関連要因の評価では、現在実施中の治療のみならず、過去に実施した治療、支持療法薬の影響も考慮する。

3 そのほかの要因の評価

- **倦怠感以外の症状にも着目する。**倦怠感は単独症状として生じることはまれであり、しばしば**睡眠障害**(➡P.266)、情緒的な問題(**不安や抑うつ**)(➡P.262)、**疼痛**などの症状に随伴して認められることが一般的であり、これらがCRFに影響している可能性もある。

①**栄養状態**

体重変化や摂取カロリー、電解質不均衡(Na、K、Ca、Mg)。

②**睡眠障害**

化学療法期間中における頻度は高く、睡眠の質はQOL、倦怠感、抑うつ、更年期症状と有意に関連することが報告されている[6]。

③**薬物**

- 服用している薬剤、あるいは最近の薬剤の変更に留意。
- **β遮断薬**は徐脈から倦怠感を生じる場合がある。**オピオイド**、**抗うつ薬**、**制吐薬**、**抗ヒスタミン薬**は眠気を誘発し、倦怠感を生じる場合がある。
- 高齢がん患者は服用薬数が多いので、相互作用や用量に留意。

④**併存症**

- がんに関連しない併存症が倦怠感の要因となる場合がある。
- 併存するアルコール摂取、心・肺・腎・消化管・肝・神経・内分泌機能障害(更年期症状、甲状腺機能低下、性腺機能不全、副腎機能不全)、感染症の有無にも留意。
- **潜在的な甲状腺機能低下症**の頻度は意外に高く、注意が必要。

⑤**貧血** (➡P.234)

- がん患者における貧血の頻度は30～90%と報告されている。Hb 11g/dL以下、もしくは基礎値より2g/dL以上の低下を認めた場合は、原因の精査を開始[7]。

C 介入

1 運動

- メタアナリシスにより運動介入によるCRFの軽減が示されていることから、運動プログラムの実施が多くのガイドラインで推奨されている[1, 3, 8]。ただ、がん患者の身体活動は一般に低下しているため、患者の年齢や体力に応じて、無理のない運動を心がける。
- がん患者の運動の阻害要因は、身体的な要因、疾病に関連した要因(疼痛、倦怠感、脆弱性)のみならず、時間的な制約、意欲の低下、設備の不足、近親者の支援不足などがある[1]。これらを克服するため、ウォーキングやエアロバイクなどの簡易な運動プログラムから開始し、徐々に運動強度を増加するのが望ましい。
- 初期の運動プログラムとして、ウォーキングは最も安全であり、化学療法中のCRFの軽減には、週あたり3時間程度の中等度の運動(早足でのウォーキング、サイクリング、水泳)とストレッチの有効性が示されている。
- 以下を有する患者への運動指導は注意:骨転移、血小板減少、貧血、発熱や感染症、運動制限を要する併存症、骨折や転倒のリスク

2 薬物療法

- CRFに対するメチルフェニデート(リタリン®、コンサータ®)やモダフィニルが有効である可能性が以前より示唆されてきた。近年のメタアナリシスでは、モダフィニルの有効性は否定され、**メチルフェニデートが第一選択薬**となっている[9]。両剤ともに、わが国ではCRFへの適応はない。そのほか、朝鮮人参やビタミンDの有効性が示されているが、エビデンスは乏しい。

3 心理社会的な介入

- 認知行動療法や心理教育的介入など
- 精神腫瘍科などの専門家へのコンサルテーションを考慮

4 心と身体のリラクゼーション

- ヨガ、マインドフルネス、針治療をはじめ、マッサージ、音楽療法などの補完代替療法。
- 患者の経済的・身体的な負担を考慮して助言する。

D 指導と再評価

- 症状日記などを用いたCRFの自己評価を指導し、介入の効果や長期的なスクリーニングに使用する。CRFはactiveな治療が終了した後も、長期にわたり症状が継続する場合があることを患者に知らせる必要がある。

(平　成人)

文献

1) Bower JE, et al. J Clin Oncol 2014; 32: 1840-50. PMID: 24733803
2) de Jong N, et al. Ann Oncol 2004; 15: 896-905. PMID: 15151946
3) National Comprehensive cancer Network. NCCN Clinical Practice Guideline in Oncology: Cancer-Related Fatigue (version 1.2016). http://www.nccn.org
4) Okuyama T, et al. J Pain Symptom Manage 2000; 19: 5-14. PMID: 10687321
5) Okuyama T, et al. J Pain Symptom Manage 2003; 25: 106-17. PMID: 12590026
6) Sanford SD, et al. Support Cancer 2013; 21: 959-67. PMID: 23052918
7) National Comprehensive Cancer Network. NCCN Guideline Version 2. 2017 Cancer-and Chemotherapy-Induced Anemia.
8) Mishra SI, et al. Cochrane Database Syst Rev 2012; 15: CD007566. PMID: 22895961
9) Qu D, et al. Eur J Cancer Care 2016; 25: 970-9. PMID: 26490083

筋肉痛・関節痛

－タキサン系・アロマターゼ阻害薬で高頻度に出現。NSAIDsなどでコントロールを－

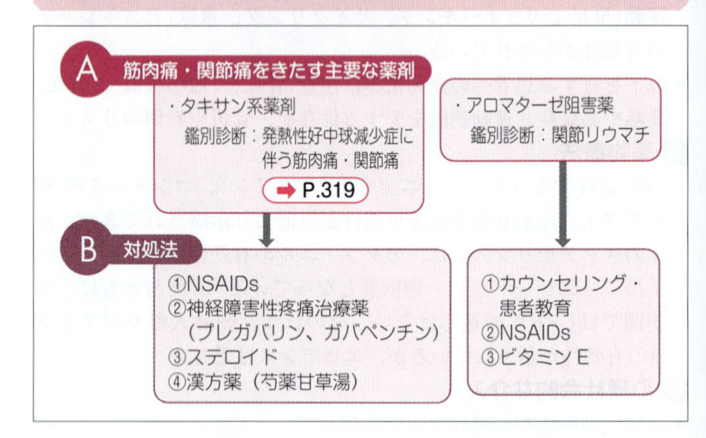

A どのような症状か？

1 出現しやすい薬剤

- 乳がん治療で頻用されるタキサン系薬剤（ドセタキセル・パクリタキセル）、特にドセタキセルで高頻度（約30～60％）であることが報告されている[1)]。典型的にはタキサン投与後24～48時間に出現し、3～5日で快復することが多い[2)]。下半身（足、腰、膝関節、殿部）を中心に全身に出現する。風邪をひいたときの節々が痛むような症状から、局所的なずきずきする痛み、こわばりなど多彩な症状として表現される。
- アロマターゼ阻害薬では、その半数に関節痛が生じる。内服後2年以内に出やすく、肩や膝など大関節に出現することが多い。

2 鑑別診断

- タキサン系薬剤でみられる急性期の筋肉痛、関節痛は、発熱性好中球減少症 ➡ P.319 に伴い出現するものがある。

B 対処法

1 タキサン系薬剤

- 発症機序は不明であり、発症を予防する十分な根拠のある薬剤は存在しない。投与前に、症状出現の可能性について十分に説明する。

①**NSAIDs**：急性期の疼痛コントロールとして最初に用いられる薬剤である。前もって数回分の処方をしておき、高熱がないことを確認のうえ速やかな内服を指示しておく。

②**神経障害性疼痛治療薬［プレガバリン（リリカ®）、ガバペンチン（ガバペンチン®）］**：神経障害性疼痛で用いられる薬剤であり、化学療法に伴う神経障害が原因の場合には著効することがある。NSAIDsでコントロールが難しい場合は、使用を検討する。

プレガバリン（リリカ®） 75mg/回 1日2回（朝・眠前）

めまい、傾眠、意識消失が副作用としてあるため、痛みが軽度である場合や高齢者では**25～50mg（眠前）**で開始して、効果をみながら適宜増量を検討する。

③**ステロイド（プレドニン®）**：NSAIDs無効で高度の疼痛が出現した患者を対象として、症状を緩和したとの報告がある[3)]。低用量で5日の投与であれば有害事象はほとんどみられない。

プレドニゾロン（プレドニン®） 20mg/回 1日2回（5日間）

④**漢方薬［芍薬甘草湯（シャクヤクカンゾウトウ）］**：生理痛や筋肉のけいれん、筋痛に対して用いられる。カルボプラチン＋パクリタキセル投与中に関節痛と筋痛をみとめた患者に、**75mgを8日間投与**したところ、43％（9/21人）に痛みの減少効果がみられた[4)]。

2 アロマターゼ阻害薬（AI）

- AIによるエストロゲン濃度の低下が、関節痛の原因とされるが正確なメカニズムは不明である。内服の初期に出現することが多い。投薬後1～2カ月で患者の副作用出現状況を聴取する。

①**カウンセリング・患者教育**：定期的な内服が再発抑制に重要なことを説き、AI継続を推奨する。体重減や定期的な運動といった生活スタイルの改善が関節痛軽減に有用なこともあり、乳がん再発抑制につながるこれらの啓発（教育）を合わせて行うことが重要である。

②**NSAIDs**：重度の関節痛にはNSAIDsの頓服もしくはAIの休止

期間をもって経過観察を行い、再開のタイミングを相談する。

③ビタミンE（ユベラ®）：G2以上の関節痛を訴えた患者への投与（150 mg/日）で、その症状が改善したとの報告がある[4]。即効性はないが、内服継続を励ましながら効果をみて使用することがある。

（坂井威彦）

文献

1）Saibil S, et al. Curr Oncol 2010; 17: 42-7. PMID: 20697513
2）Markman M. Support Care Cancer 2003; 11: 144-7. PMID: 12618923
3）Markman M. J Support Oncol 2003; 1: 233-4. PMID: 15334864
4）蒔田益次郎，ほか．乳癌の臨床 2008; 23: 413-6.

ほてり・ホットフラッシュ

－ホルモン治療の服薬アドヒアランス維持のために、適切に対処する－

A ほてり・ホットフラッシュをみつけるコツ

あらかじめ乳がん薬物療法の有害事象として
ホットフラッシュがあることを伝える

問診が重要
・ほてりがあるのか？いつからか？
・頻度や症状の強さは？不随症状は？生活への影響は？

B ほてり・ホットフラッシュの原因を明らかにする

・もともと閉経前／周閉経期だったのか？
・化学療法によるホルモンバランスの変化なのか。
・乳がんホルモン治療の副作用の場合は開始後２～３カ月で出現することが多い。

C ほてり・ホットフラッシュの対処、薬剤選択のコツ

・自然軽快する可能性を伝える
・生活指導
・非薬物療法：エクササイズ、リラクゼーションなど
・薬物療法：SSRI、SNRIなど、漢方薬

A ほてり・ホットフラッシュをみつけるコツ

1 臨床症状

- 強い体熱感やほてりといった一過性の不快な感覚。涼しくても発汗を伴うことがある。
- ほてり以外の症状として、のぼせ、多汗、寝汗、動悸、めまい、嘔気、悪寒、疲労、不眠、不安、気分変動などを認める場合も多い。更年期症状でみられるホットフラッシュと同じような症状となる。
- 通常数分で症状は改善するが、数10分持続する場合もある。日に何回か繰り返すが、頻度や程度は個人差が大きい。

B ほてり・ホットフラッシュの原因を明らかにする

1 ホットフラッシュのメカニズム

- 血中のエストロゲン減少が、視床下部の体温調節中枢に影響し、

発汗や血管拡張による体温制御機構のバランスを乱すため起きる。セロトニンやノルエピネフリンなどの神経伝達物質がこの調節機構のメディエーターとして考えられている[1]。

2 乳がん治療開始前のホルモン状態を確認しておく

- 年齢、乳がん治療開始前の月経の有無、月経周期の規則性、最終月経時期、子宮および卵巣疾患の治療歴を確認しておく。
- 子宮切除後の女性では月経の有無を確認できないため、閉経前の可能性がある女性に対しては、ホルモン治療開始前に採血検査でエストラジオール（E_2）やFSHを測定し、閉経かどうかを確認する。

3 乳がん治療の有害事象としてのほてり・ホットフラッシュ

- 乳がんのホルモン治療を行う女性の50％以上はホットフラッシュを経験し、30％程度は生活に強い影響を及ぼす[1]。閉経前女性、タモキシフェン治療、LH-RHアゴニスト治療を使用する場合に、より頻度は高い。閉経後女性に対するアロマターゼ阻害薬においても、ホットフラッシュは20～40％の症例に発現する。
- ホルモン治療開始後、2～3カ月で現れはじめ、徐々に改善するが、数年にわたり継続することもある。付随する症状により就労や社会生活への影響、集中力や気力の低下、QOLの低下をもたらす。症状が強く、適切に対処されない場合には、ホルモン治療の服薬アドヒアランス低下のリスクとなる。
- 閉経前女性に対する抗がん剤治療は卵巣機能低下によりホルモンレベルの低下、早発閉経をきたす場合がある。ホルモン治療を行わなくてもホットフラッシュが生じる可能性がある。

C ほてり・ホットフラッシュの対処、薬剤選択のコツ

- 問診で症状の程度、付随症状、生活への影響を評価する（**表1**）。ホルモン治療開始後2～3カ月で出現し、はじめの1～2年程度が最も強く、その後**自然に症状が軽快する場合が多い**。G2の希望者、もしくは**G3は医学的介入を考慮する**。
- まずは温度調節のしやすい服装や環境調整を心がける。ストレスや緊張、飲酒、カフェイン摂取、喫煙、高温環境などトリガーとなるものが存在する場合には避けるよう、**生活指導**を行う。
- 女性ホルモン補充療法は、通常の更年期症状におけるホットフラッシュに対し、最も有効な治療法であるが、エストロゲン受容体陽性乳がん症例には禁忌である。
- 薬物療法として、SSRI、SNRI（**ベンラファキシン**：イフェクサー®

表1　ほてり・ホットフラッシュの評価

G1	G2	G3	G4/5
軽度の症状がある。治療を要さない	中等度の症状がある。身の回り以外の日常生活動作の制限	高度の症状がある。身の回りの日常生活動作の制限	該当せず

（文献2より引用）

など）、**ガバペンチン**、**クロニジン**（カタプレス®、α_2アドレナリン作動薬）などの有効性が報告されているが、いずれもわが国においてはホットフラッシュの治療薬としては保険適用外である。

- SSRIである**パロキセチン**（パキシル®）はホットフラッシュに対して有効性を認めるが、CYP2D6の阻害作用を有するためタモキシフェンとの併用は推奨されない。化学療法誘発閉経、LH-RHアゴニスト、アロマターゼ阻害薬、自然閉経などによるホットフラッシュの場合には使用が可能である。タモキシフェンとSSRIもしくはSNRIを併用する場合にはCYP2D6阻害作用が少ない薬剤を選択し、有害事象や離脱症状にも注意を要する。
- エビデンスが十分とはいえないが、漢方薬が有用とする報告がある。エストロゲン作用がないとされる漢方薬として**当帰芍薬散**、**桂枝茯苓丸**、**加味逍遙散**などがある。
- サプリメントの使用はエビデンスが不十分である。ホルモン受容体陽性乳がん症例のホットフラッシュの対処として、エストロゲン作用のあるもの（大豆イソフラボン、ザクロ、ブラックコホシュなど）は推奨されない。
- **薬物治療以外のアプローチ**としてエクササイズ、認知行動療法、鍼治療、リラクゼーション、ホメオパチー、催眠療法、ヨガなどの有用性が報告されている。
- 生活の工夫、非薬物療法、薬物療法などさまざまな対応が可能であるため、原因、頻度、症状の強さ、生活への影響度、治療の効果やデメリットの可能性にもとづき、医療者と患者とで十分な相談のうえ選択し、**QOLの向上**、**ホルモン治療のアドヒアランス**維持に努める。

（坂東裕子）

文献

1）Kligman L, et al: Curr Oncol 2010; 17: 81-6. PMID: 20179808
2）有害事象共通用語規準 v5.0 日本語訳 JCOG 版（略称：CTCAE v5.0-JCOG）[CTCAE v5.0/MedDRA v20.1（日本語表記:MedDRA/J v24.0）対応-2021年3月5日]. http://www.jcog.jp

体重増加
－浮腫が原因でなければ、肥満が原因。生活習慣を見直す－

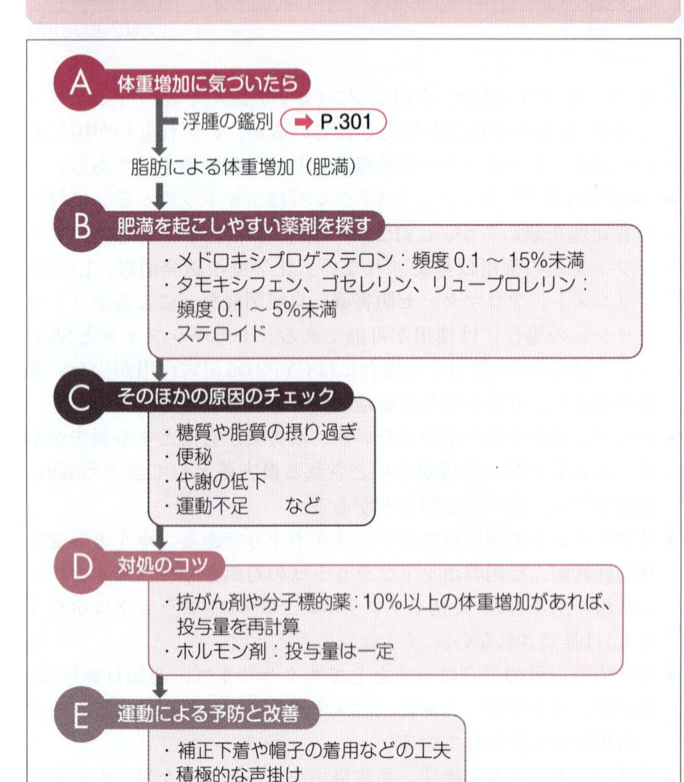

A 体重増加に気づいたら

- 1日で2～3kgの急激な増加は浮腫のことが多い ➡P.301。前額や手背・前脛部など皮下に骨がある部位を指で強く押し、指を離したときにへこみが残れば浮腫、指を離したらすぐに元に戻るのが肥満である。
- 徐々に増加するときは脂肪の増加（肥満）である。肥満は乳がんだけでなく子宮体がん・大腸がんの危険因子であり、高血圧・心疾患・脳血管障害の危険因子でもある。肥満のある乳がん患者は術前薬物療法の奏効率が低く、術後再発や乳がん死、全死亡に関しても予後不良である[1)]。

- 日本人を対象としたNCDデータベースを用いた研究では、肥満だけでなく痩せすぎ（BMI＜18.5）も乳がん死亡の危険因子とされており、適切な体重を維持することが重要である[2)]。

B 肥満を起こしやすい薬剤を探す

- **メドロキシプロゲステロン**、**タモキシフェン**、**ゴセレリン**、**リュープロレリン**などのホルモン剤のほか、抗がん剤と併用されるステロイドも肥満の原因となる。

C そのほかの原因のチェック

- 乳がん治療中は食事の嗜好や生活習慣が変わり、満足に運動できないことも太りやすさにつながっていると考えられる[3)]。
- 化学療法中は便秘にもなりやすいので適切な支持療法が必要である。

D 対処

- 抗がん剤では10％以上の体重増加があれば投与量を再計算する必要がある。ホルモン剤は体重にかかわらず投与量が一定である。
- がん研究会有明病院乳腺センターでのER陽性乳がんに対する術前化学療法（CEF ± タキサン）を施行した105人の治療前のBMIと治療前後の体重変化の実際を図1に示す。全体で平均して0.8kgの体重増加を認め、10％以上の増加は4人（3.8％）、減少は4人（3.8％）に認められた。身長160cmで10％の体重変化は体表面積では約4％の差にしかならないため、投与量の再計算による煩雑な作業がミスを引き起こす危険性を考えると、この程度の投与量の追及は臨床的な意義は少ないと思われ、実際には薬物量は変更しなかった[4)]。
- わが国では、もともと肥満の割合は高くなく、抗がん剤投与期間という短期間での体重変化はあまり現実的な問題にはならないことが多い。

図1　ER＋乳がん術前化学療法（CEF±タキサン）施行105人の治療前のBMIと治療前後の体重変化

（2010〜2012年 がん研有明病院乳腺センター）

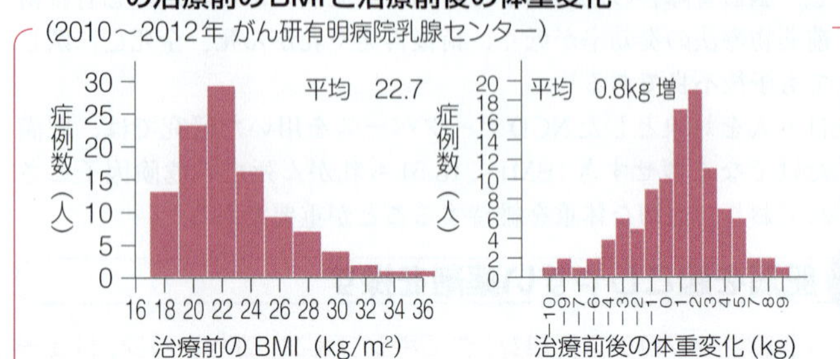

E　運動による予防と改善

- 手術によるボディイメージの変化や化学療法による脱毛、ホルモン環境の変化のためにスポーツを控えてしまう患者もいる。
- 補正下着や帽子の着用などの工夫を促し、治療中は表1に示すような点に注意して積極的に運動を勧めている。
- 米国では肥満のある乳がん患者を対象に運動と食事療法を行う前向きランダム化比較試験が行われており、術後の減量が乳がんの予後とQOLに及ぼす影響について研究中である[5]。

（片岡明美／小林　心／深田一平）

表1　化学療法中の運動に関する注意点

・貧血のあるときにはめまいや転倒を起こしやすいので、検査値が回復するまでは運動を控える。 ・白血球低下のため易感染性の時期は共用ジムや公共プールの利用は控える。 ・治療による疲労を感じているときには軽めの運動を1日10分程度にしておく。 ・放射線治療中は塩素が皮膚への刺激になるためプールでの運動は避ける。 ・留置カテーテル（ポート）のあるときは、感染リスクがあるため水中運動を避ける。またカテーテルが抜去・移動しないように激しい筋肉トレーニングは控える。 ・他の合併症のある患者ではその疾患の主治医に相談する。 ・末梢神経障害のあるときは下肢のバランスを崩し転倒のリスクがあるので室内のフィットネスバイクやトレッドミルをすすめる。

（文献3より引用）

文献

1）Karatas F, et al. Breast 2017; 32: 237-44. PMID: 27318645
2）Kawai M, et al. Cancer Med 2016; 5: 1328-40. PMID: 26923549
3）Rock CL, et al. CA Cancer J Clin 2012; 62: 242-74. PMID: 22539238
4）中根　実，監修．Q＆Aでわかるがん化学療法 薬の投与指示患者説明の根拠．東京：学研メディカル秀潤社；2015.
5）Rock CL, et al. J Clin Oncol 2015; 33: 3169-76. PMID: 26282657

腫瘍崩壊症候群

－抗腫瘍効果の高い治療を開始するときは、治療前後で尿酸値やLDHの確認を行う－

A 腫瘍崩壊症候群をみつけるコツ

危険因子
- 腫瘍量が多い状況での治療
- 治療への高い感受性、脱水・感染の併存など

臨床症状
- 悪心
- 倦怠感や不整脈などの電解質異常に伴う症状

臨床検査
- 高尿酸血症
- 電解質異常（高K、高P、低Ca）、腎機能異常など

診断基準（TLS パネルコンセンサスの診断基準）

臨床検査値に基づく腫瘍崩壊症候群(laboratory TLS)	治療開始前3日以内から7日後までに、高尿酸血症、高K血症、高P血症のうちいずれか2つ以上の代謝異常が起こった場合
臨床学的腫瘍崩壊症候群(clinical TLS)	laboratory TLS に加え、腎機能低下（血清Cr値上昇）、不整脈または突然死、痙攣のうちいずれかの臨床症状を伴った場合

B 腫瘍崩壊症候群の対処のコツ

腫瘍崩壊症候群と診断される、もしくは強く疑う場合は、早期に治療を開始する。

- 水分負荷と利尿
- 高尿酸血症の治療
- 電解質異常の補正
- 腎機能や電解質異常などの改善が認められない場合は透析治療を考慮

- 乳がんにおいて、腫瘍崩壊症候群（tumor lysis syndrome；TLS）の頻度は低いものの起こりうることを認識しておくことが重要である。特に腫瘍量の多い状況で治療を開始する場合には尿酸値やLDHなどの確認を行い、必要があればリスクに応じた予防処置を考慮する。
- 現在日本臨床腫瘍学会から「TLS診療ガイダンス」が公開されている[1]。

A 腫瘍崩壊症候群をみつけるコツ

1 腫瘍崩壊症候群(TLS)とは

- 薬物療法の導入により腫瘍細胞が急激かつ大量に崩壊することで生じる合併症である[2)]。重篤な場合は致死的であるため"oncologic emergency"の1つとされ、発症時には早急な治療介入が必要である[1)]。
- 固形腫瘍ではまれであったが、近年の分子標的薬の登場や抗腫瘍効果の高い治療などにより、乳がんにおいても経験することがある[3-5)]。

2 危険因子(表1)

- 乳がんのみのリスク因子として明確なものはない。固形腫瘍全体でのリスク因子として、**腫瘍量が多い状況**、**治療へ高い感受性が期待される場合**、**脱水や感染などの併存がある場合**などが挙げられる[6)]。

3 臨床症状

- 早期の自覚症状は悪心・嘔吐、倦怠感、脱力感、食欲不振といったような非特異的なものが多いが、電解質異常や腎機能異常の程度によって不整脈やテタニー、心不全なども認められる。
- 造血器腫瘍と異なり、固形腫瘍における発症時期は、**治療開始後24時間以内から数日後**である。また10日以上経過後に発症する症例も報告される[7)]。

4 臨床検査

- 腫瘍細胞の急速な崩壊により、細胞内の大量の核酸、K、Pなどの電解質、サイトカインが大量に血中に放出されることにより**高尿酸血症**、**電解質異常(高K、高P、低Ca)**、**乳酸アシドーシス**などの血液検査異常が認められる。
- 急性腎不全をきたした場合は**Cr値上昇**などの腎機能異常が認められる。

表1　固形腫瘍における腫瘍崩壊症候群のリスク因子

・転移巣を伴うような腫瘍量の多い状況	・腎機能異常
・肝転移	・腎毒性のある薬剤による治療
・LDH値と尿酸値の上昇	・感染や脱水などの併存
・治療への高い感受性	

(文献2より引用)

5 診断基準

- TLSは2004年に報告されたCairo-Bishop分類[8]に基づきlaboratory TLSとclinical TLSに分類され定義されることが多い。
- 現在、わが国では2010年にTLSパネルコンセンサス[6]で改訂された診断基準の使用が推奨されている（推奨グレードB）[2]。

B 腫瘍崩壊症候群の対処のコツ

- 大量に発生した尿酸、P、Kなどを速やかに体外排泄し、腎機能悪化を防ぐため、KおよびP酸を含まない生理食塩水などにより大量補液を行う。
- TLSに伴う高尿酸血症に対しては、尿酸分解酵素製剤の投与が有効である。

ラスブリカーゼ（ラスリテック®） 0.1～0.2mg/kg/回 1日1回

投与期間に関し明確なエビデンスはないが、検査結果に基づき臨床的に必要であれば**最大7日間**までの継続投与が可能である。平均的な投与期間は**3日間程度**とされる。

- 電解質異常（高K血症、高P血症、低Ca血症）に対しては程度や症状の有無に応じて補正を行う。高K血症が持続する場合や、腎機能の改善が乏しい場合は透析治療を考慮する。
- TLSは抗腫瘍効果が認められるがゆえに生じる副作用であり、病態改善後治療を継続するかどうかが悩ましい。腫瘍縮小によりTLS発症のリスクは下がると考えられるが、腎機能異常が残る場合などは依然としてリスクは高いと考え、その後の治療を考慮すべきである。

（服部正也）

文献

1）日本臨床腫瘍学会，編．腫瘍崩壊症候群（TLS）診療ガイダンス．東京：金原出版；2013.
2）Cohen LF, et al. Am J Med 1980; 68: 486-91. PMID: 7369230
3）Taira F, et al. Breast Cancer 2015; 22: 664-8. PMID: 23420376
4）川口（牛尾）文，ほか．癌と化学療法 2013; 40: 1529-32. PMID: 24231708
5）Gemici C. Clin Oncol（R Coll Radiol）2006; 18: 773-80. PMID: 17168213
6）Cairo MS, et al. Br J Haematol 2010; 149: 578-86. PMID: 20331465
7）Mirrakhimov AE, et al. Rare Tumors 2014; 6: 5389. PMID: 25002953
8）Cairo MS, et al. Br J Haematol 2004; 127: 3-11. PMID: 15384972

口腔粘膜炎

－5-FU、アンスラサイクリン系、タキサン系抗がん剤、チロシンキナーゼ阻害薬、mTOR阻害薬（エベロリムス）で発生頻度が高い－

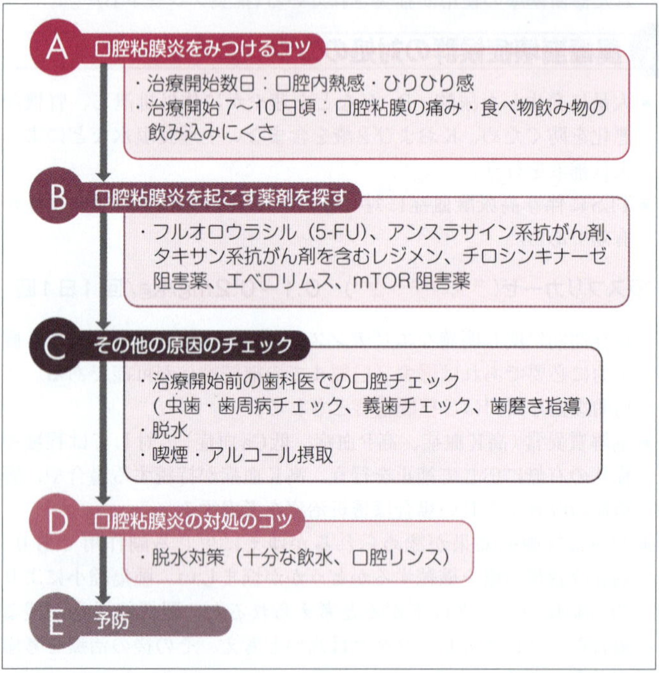

A 口腔粘膜炎をみつけるコツ

・治療開始数日：口腔内熱感・ひりひり感
・治療開始7〜10日頃：口腔粘膜の痛み・食べ物飲み物の飲み込みにくさ

B 口腔粘膜炎を起こす薬剤を探す

・フルオロウラシル（5-FU）、アンスラサイン系抗がん剤、タキサン系抗がん剤を含むレジメン、チロシンキナーゼ阻害薬、エベロリムス、mTOR阻害薬

C その他の原因のチェック

・治療開始前の歯科医での口腔チェック（虫歯・歯周病チェック、義歯チェック、歯磨き指導）
・脱水
・喫煙・アルコール摂取

D 口腔粘膜炎の対処のコツ

・脱水対策（十分な飲水、口腔リンス）

E 予防

A 口腔粘膜炎をみつけるコツ

- 口腔粘膜炎は消化管粘膜に炎症が起きている状態である。発生にはスーパーオキサイドやサイトカインが関係すると考えられるが、近年、さらに複雑であることが判明している。
- 口腔粘膜炎発生の経過（図1）は、治療開始直後は口腔粘膜の腫れぼったい感じ、表面がつるつる光る感じがみられる（このとき痛みはない）。治療開始1週間頃は粘膜表面が赤くなり、潰瘍ができる。
- 常に口腔ケアに注意し、早期に兆候に気づくことが重要。
- マネジメントで最も重要なことは適切な評価と対応である。
- 評価には一般的にCTCAEが用いられるが、最新版のv5.0では、

図1　口腔粘膜炎の経過

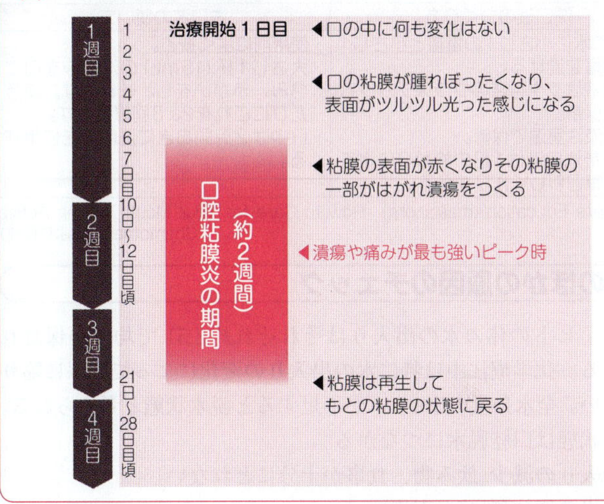

疼痛と経口摂取のみで評価するため、臨床情報が不十分と考えられている。WHOグレードでは患者の自覚症状を反映しており、CTCAEとの併用でより具体的な評価が可能と考えられている（表1）。

B 口腔粘膜炎を起こす薬剤を探す

- フルオロウラシル（5-FU）、アンスラサイン系抗がん薬、タキサン系抗がん薬を含むレジメン、チロシンキナーゼ阻害薬などで発生頻度が高い。
- 特にmTOR阻害薬（エベロリムス）は、第Ⅲ相BOLERO-2試験で患者の56％が任意の等級の口腔粘膜炎を発症し、そのうち48％はG1/2、8％はG3/4であった。

表1　評価（WHO、CTCAE）

grade	WHO	CTCAE
1	ひりひりする、紅斑	症状がない，または軽度の症状；治療を要さない
2	紅斑、潰瘍：嚥下痛	経口摂取に支障がない中等度の疼痛または潰瘍；食事の変更を要する
3	広範囲のびらん、潰瘍：嚥下困難	高度の疼痛；経口摂取に支障がある
4	経口摂取不可	生命を脅かす；緊急処置を要する

（WHO：Sonis ST, et al. Cancer 2004; 100(9 Suppl): 1995-2025. PMID: 15108222、CTCAE：有害事象共通用語規準 v5.0日本語訳JCOG版より作成）

表2　口腔リンス(洗口液)の作り方・使い方

洗口液のつくり方	洗口液の使い方
①1Lの水に小さじ1の重曹と小さじ1の食塩を混ぜる。 ②洗口液はフタ付きのプラスチック容器に保管。 ③洗口液は室温で保管。 ④作った洗口液は1日の終わりに捨てる。毎日新しく作りかえる。	・使用前によく振る。 ・大さじ1杯(15mL)の洗口液を口に含み、うがいをし、吐きだす。使うたびにこれを2、3回繰り返す。 ・日中は2時間おきに洗口液を使用する。

(Oral Care Education (mascc.org)：How to Care for Your Mouth During Active Chemotherapy.より作成)

C そのほかの原因のチェック

- 脱水：ヒトの体の水の出入りはそれぞれ約2.5Lで均衡が保たれている。化学療法中は特に水の出入りの変化によって脱水に陥りやすい。全水分量の5%の水が不足すると脱水状態と考えられる。脱水状態は口腔脱水につながる。
- 水の入りの減少(飲み物、食事が十分にとれない)
- 水の出の増加(嘔吐、下痢)

D 口腔粘膜炎対処のコツ

口腔粘膜炎対策としては口腔ケアや食事の工夫が効果的と考えられている。

口腔ケア

- ブラシ：柔らかいブラシを用いる。
- 歯磨き：ホワイトニング成分含有は避ける。
- 口腔洗浄剤：クロルヘキシジンやポピドンヨードなどの消毒薬、アルコールを含有する含嗽薬はそれ自体が口腔粘膜を損傷する可能性があるため避ける。
- 十分な水分摂取を心がける。緑茶、紅茶、アルコール類での水分摂取は望ましくない。
- 口腔リンス(表2)：水1Lに食塩小さじ1杯を添加し口腔リンス剤を調製。大さじ1杯程度口に含んだ後、吐き出す。1日数回繰り返す。粘性唾液がある場合は、水1Lに食塩小さじ1/2と重曹小さじ1/2とする。

(阿南節子)

文献

1) Lalla RV, et al. Cancer 2014; 120: 1453-61. PMID: 24615748
2) Sabine S, et al. Breast Care(Basel) 2014; 9: 232-7. PMID: 25404881

食欲不振、悪心・嘔吐
－使用する抗がん剤のリスクに応じた制吐薬の予防投与－

化学療法開始前

A 予防対策（リスクに応じた制吐薬の投与）

高度リスク ➡ 5-HT3 受容体拮抗薬＋NK1 受容体拮抗薬＋デキサメタゾン
中等度リスク ➡ 5-HT3 受容体拮抗薬＋デキサメタゾン
低度リスク ➡ デキサメタゾン

化学療法開始後

B 予防投与にかかわらず症状がある場合の対処

①全身状態のチェック／経口摂取不良であれば補液
②症状の程度や発現時期をチェック、制吐薬の追加を検討
・ドパミン受容体拮抗薬：メトクロピラミド、プロクロルペラジン、ハロペリドール
・オランザピン
・予期性悪心・嘔吐に対して：ロラゼパム、アルプラゾラム、心理学的アプローチ
③食事の工夫

C そのほかの原因のチェック

A 予防対策のコツ

1 抗がん剤による悪心・嘔吐のメカニズムを理解する

● 主に次の3つの経路によって、延髄の嘔吐中枢（vomiting center；VC）が刺激されることにより起こると考えられている。

①**消化管（腹部求心性迷走神経）を介する経路**：消化管の腸クロム親和性細胞（EC細胞）からセロトニン5-HT3が放出され、迷走神経末端のセロトニン5-HT3受容体に結合し、化学受容器引金帯（chemoreceptor trigger zone；CTZ）やVCを刺激する。

②**CTZを介する経路**：CTZは血液脳関門が発達していないため、血液および脳脊髄液中の化学的毒素（抗がん剤など）を感知しVCを刺激する。

③大脳皮質などの上位中枢を介する経路：心理的要因（記憶、恐怖、不安）や感覚（痛み、臭い、視覚）の刺激がVCに伝わると考えられている。

2 症状発現リスクによる分類

①急性：**抗がん剤投与後、数分～数時間以内に発現**し、通常24時間以内に消失。最も頻度が高く程度も強い。

- 消化管のEC細胞からセロトニンが放出され、腹部求心性迷走神経を介する経路が深く関与する。
- 発現パターン（発現時期、持続時間）や程度は抗がん剤の種類によって異なる。
- 適切な制吐薬を使用することによりかなり予防できる。

②遅発性：**抗がん剤投与後24～48時間に発現。**

- 発現機序は十分に解明されていないが、腹部求心性迷走神経を介する経路（セロトニン、サブスタンスP）や大脳皮質を介する経路（感覚・情動）、血液からCTZを介する経路（抗がん剤代謝物など）などが考えられている。
- 急性嘔吐を経験した患者は遅発性嘔吐を発現しやすい。
- 急性嘔吐より程度は弱いが、**制吐療法による予防効果は必ずしも十分でない。**

③予期性：化学療法を開始する前（前日や当日の朝など）から発現。

- 主に大脳皮質を介した経路（恐怖・不安などの心理的要因や視覚・臭い・味・痛みなどの感覚刺激）が関与し、以前の化学療法で急性嘔吐や遅発性嘔吐を経験した患者ほど発現しやすい。

3 抗がん剤の悪心・嘔吐リスクを理解する

- 抗がん剤は、制吐薬未使用時の嘔吐発現率に応じた嘔吐リスクから高度（90％以上）、中等度（30～90％）、軽度（10～30％）、最小度（10％未満）の4つに分類され（表1）、リスクに応じた予防投与が必要となる。
- 最小度リスクへの予防的な制吐薬の投与は必要ではない。

表1　抗がん剤の悪心・嘔吐リスク分類

高度（>90％）	中等度（30～90％）	軽度（10～30％）	最小度（<10％）
AC EC FAC FEC TAC	TC CMF イリノテカン トラスツズマブ デルクステカン	ドセタキセル パクリタキセル UFT、S-1 カペシタビン ゲムシタビン nab-PTX エリブリン エベロリムス	ビノレルビン トラスツズマブ ラパチニブ ベバシズマブ ペルツズマブ

4 高度リスクへの予防投与

- **5-HT_3受容体拮抗薬＋NK_1受容体拮抗薬＋デキサメタゾンの3剤併用**が推奨される。

【NK1受容体拮抗薬】	
アプレピタント(イメンド®)	125m(Day 1)IV、80mg(Day 2、3)PO
もしくはホスアプレピタント(プロイメンド®)	150mg(Day 1) IV
【5-HT_3受容体拮抗薬】	
パロノセトロン(アロキシ®)	0.75mg(Day 1)IV(海外では0.25mg)
【ステロイド】	
デキサメタゾン(デカドロン®)	9.9mg(Day 1) IV、8mg(Day 2～4)PO

- NK_1受容体拮抗薬はその血中濃度を十分に高めて抗がん剤を投与するため、**抗がん剤投与の1～1.5時間前に投与**する。アプレピタントの投与期間は通常3日間であるが、**効果不十分の場合には5日までの投与追加が可能**。
- デキサメタゾンの用量については従来の5-HT_3受容体拮抗薬との2剤併用では16～20mg(注射薬:13.2～16.5mg)とされてきたが、アプレピタントとの併用下ではアプレピタントがCYP3A4を阻害することによりデキサメタゾンのAUC(濃度時間曲線下面積)が増加するため、**3剤併用では12mg(注射薬9.9mg)に減量**。
- 高度リスクの抗がん剤投与に対するパロノセトロン、デキサメタゾン、アプレピタント併用群と、グラニセトロン、デキサメタゾン、アプレピタント併用群の制吐効果の比較を行った第Ⅲ相ランダム化比較試験(**TRIPLE試験**)がわが国のエビデンスとして報告され、主要評価項目ではないもののパロノセトロン群が**遅発期において有意に悪心・嘔吐を抑制**したことが示された[1)]。
- そのほかの補助薬：状況に応じて**ロラゼパム**や**H_2受容体拮抗薬**または**プロトンポンプ阻害薬**を追加併用してもよい。
- シスプラチンとAC療法を含む高度リスク抗がん剤投与において、多受容体作用精神病薬である**オランザピン**がパロノセトロンとデキサメタゾン併用下において、アプレピタントと同様の効果が得られることが明らかになった[2)]。
- 2018年4月、オランザピンに「抗悪性腫瘍剤(シスプラチン等)投与に伴う消化器症状(悪心、嘔吐)」の効能が追加された。

5 中等度リスクへの予防投与

- 5-HT_3受容体拮抗薬＋デキサメタゾンの2剤併用。

【5-HT3受容体拮抗薬】
パロノセトロン（アロキシ®） 0.75mg（Day 1）IV
【ステロイド】
デキサメタゾン（デカドロン®） 6.6～9.9mg（Day 1）IV、8～12mg（Day 2～3/4）PO

- カルボプラチン、イホスファミド、イリノテカン、メトトレキサートを投与する場合には**アプレピタント125mgPO**もしくは**ホスアプレピタント150mgIVの併用が推奨**され、その際にはデキサメタゾンを50%に減量する。

6 低度リスクへの予防投与

- デキサメタゾンを単剤投与。

デキサメタゾン（デカドロン®） 3.3～6.6mg IV（4～8mgPO）

B 対処のコツ

1 予防投与にかかわらず症状がある場合

- 制吐薬を追加投与。CTZに存在するドパミン受容体を遮断するドパミン受容体拮抗薬やベンゾジアゼピン系抗不安薬が汎用される。

【ドパミン受容体拮抗薬】
メトクロピラミド（ノバミン®） 5mg（1錠）/回
プロクロルペラジン（プリンペラン®） 5mg（1錠）/回
【ベンゾジアゼピン系抗不安薬】
ロラゼパム（ワイパックス®） 0.5mg（1錠）/回
アルプラゾラム（コンスタン®、ソラナックス®） 0.4mg（1錠）/回

- **上記薬剤で効果が得られない場合にはオランザピン内服を考慮**する。糖尿病では投与禁忌であり注意が必要である。

オランザピン（ジプレキサ®） 2.5～5mg/回 眠前

2 予期性悪心・嘔吐への対処

- がん薬物療法により悪心・嘔吐を経験した患者において条件づけの機序が作用して発生する現象であり、その対策は化学療法の各サイクルでしっかりと急性嘔吐と遅発性嘔吐を予防することである。
- ベンゾジアゼピン系抗不安薬や、系統的脱感作、リラクセーション、催眠やイメージ導入法などの心理学的方法が有効。

- ロラゼパム[4]、アルプラゾラム[5]の有効性が確認されている。

ロラゼパム(ワイパックス®) 0.5～1.5mg(0.5mg錠1～3錠)/回
がん薬物療法投与前夜および当日治療の1～2時間前に投与する。必要に応じて3mg/日まで増量可であるが高齢者では低用量（1回0.5mg）から開始する。

アルプラゾラム(コンスタン®、ソラナックス®) 0.4～0.8mg(1錠)/回
がん薬物療法投与前夜から投与、通常0.2～0.4mg/回を1日3回から開始し、必要に応じて徐々に増量するが、高齢者や重症肝障害患者では減量が必要である。

3 食事の工夫

- 抗がん剤投与前に、早めに制吐薬を適切に使用すること、また嘔気症状は必ず軽快することを患者に十分に説明する。
- 嘔気や嘔吐症状がある場合には無理には食べない。
- 食べられそうなときに、食べられそうな物を少量ずつ食べる。
  - 喉ごしのよい冷たい物…そうめん、豆腐など
  - 消化のよい物…粥、雑炊、スープ、煮込みうどんなど
  - 水分の多い物…果物（みかん、りんご、ぶどう、メロン、スイカなど）、ゼリー、プリン、アイスクリームなど
- においの強いものを避ける（温かいものは冷やす）。
- 栄養補助食品などでカロリーや栄養素を補う。
- スポーツドリンクなどで水分をとる。

C そのほかの原因のチェック

- がん薬物療法以外にもがん患者においては種々の原因にて悪心・嘔吐が出現する可能性があり、その鑑別診断ならびに原因検索が重要となる：脳転移などの頭蓋内器質病変、電解質異常（高Ca血症 ➡ P.391、低Na血症、高血糖）、尿毒症、オピオイドを含む併用薬、サブイレウスあるいはイレウス、腸管運動麻痺（現病腫瘍、糖尿病性自立神経障害など）、消化管に照射野を含む放射線治療。

（深田一平）

参考資料

日本癌治療学会，編．制吐薬適正使用ガイドライン 第2版．東京：金原出版；2015.

文献

1）Hashimoto H, et al. J Clin Oncol 2013; 31:(suppl; abstr 9621).
2）Navari RM, et al. J Support Oncol 2011; 9: 188-95. PMID: 22024310
4）Malik IA, et al. Am J Clin Oncol 1995; 18: 170-5. PMID: 7900711
5）Razavi D, et al. J Clin Oncol 1993; 11: 1384-90. PMID: 8315437

Memo

下痢・脱水（腸炎を含む）

－下痢を起こしやすい抗悪性腫瘍剤への対処が重要。白血球・好中球減少時の感染性腸炎にも注意－

A 下痢の予防対策

①下痢を起こしやすい抗がん剤・分子標的治療薬のチェック
②ロペラミドの事前処方

B 抗がん剤・分子標的治療薬による下痢

ASCOガイドライン（2004）[1]に準拠

【評価】
- 下痢の発現期、持続期間
- 排便の回数、便の性状（水様、血便など）
- 発熱・めまい・腹痛・虚弱の有無（敗血症・腸閉塞・脱水の危険性除外）
- 治療薬の確認
- 食事内容の確認

→ <軽度>
G1～2
合併症状なし

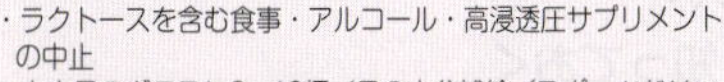

- ラクトースを含む食事・アルコール・高浸透圧サプリメントの中止
- 大き目のグラスに8～10杯／日の水分補給（スポーツドリンク・スープなど）
- 少量の食事を頻繁に摂取
- 排便回数の記録および生命を脅かす徴候（発熱・起立性のめまいなど）の報告に関する患者指導
- G2に対しては、症状が回復するまでの休薬と減量を考慮
- ロペラミドの投与：初回4mg、その後4時間ごとまたは軟便が出るたびに2mg投与

→ 12～24時間後に再評価

→ 下痢消失せず → <G3～4>（→ 中等度～重度の対応へ）

→ <G1～2>
- ロペラミド2mgを2時間ごとに投与
- 経口抗菌薬の開始

<ロペラミド開始24時間以降もG1～2が持続>
- 便の精密検査
- 全血球計算および電解質の測定
- 腹部の精密検査
- 適切に水分や電解質の補正
- ロペラミド中止し、2次薬物治療開始（オクトレオチド・アヘンチンキなど）

（→ 12～24時間後に再評価へ戻る）

→ <下痢消失>
- 食事指導の継続
- 徐々に固形食の増量
- 12時間、下痢が認められなければ、ロペラミド中止

→ <中等度～重度>
- G3～4
- G1～2で以下の合併症状あり
  腹痛・悪心／嘔吐（≧G2）・PS低下・発熱・敗血症・好中球減少・明らかな出血・脱水

- 入院
- オクトレオチドの投与
- 補液の静脈内投与と必要に応じて抗菌薬（フルオロキノロンなど）投与
- 便の精密検査・全血球計算および電解質の測定
- すべての症状が消失するまで、抗悪性腫瘍薬の中止
- 抗悪性腫瘍薬再開時は減量

C イリノテカン（IRI）による下痢

早発性下痢：抗コリン薬投与
遅発性下痢：半夏瀉心湯、酸化マグネシウム投与

D そのほかの原因による下痢

- 感染性腸炎
- NSAIDs腸炎
- 抗菌薬起因性腸炎（偽膜性腸炎、急性出血性腸炎）
- 免疫チェックポイント阻害薬　など

A 抗悪性腫瘍剤に伴う下痢(主にchemotherapy induced diarrhea；CID)に対する予防対策のコツ

1 下痢の定義

- 下痢とは、排便回数の増加と糞便中の水分含有量の増加である。
- 腸管内の水分のほとんどは小腸で吸収され、正常な有形便の水分は60～80%、泥状便は80～90%、水様便は90%以上である。

2 発生機序を知っておく

- ①コリン作動性下痢：消化管の副交感神経刺激によるもので、投与当日、特に投与後30分程度で発症(早発性下痢)。
- ②腸管粘膜障害：水分の吸収能が低下し、投与後24時間以降～2週間程度で発症(遅発性下痢)。粘膜障害に加え、炎症を伴うと大量の分泌が起こり、大量の水分が排泄され重症化することがある。
- 分子標的薬による下痢の発生機序は、はっきりと解明されていないが、腸管上皮局所での薬物動態の関連が示唆され、投与後4～9日に発症することが多い。

3 発症しやすい薬剤を知っておく

- すべての細胞障害性抗がん剤により発症する可能性があるが、なかでも**イリノテカン(IRI)**と**フッ化ピリミジン系抗がん剤(5-FUとその誘導体)**は、下痢をきたしやすい代表的な薬剤である。
- 分子標的薬のなかでは**ラパチニブ**や**アベマシクリブ**が下痢を発症しやすいが、止瀉薬の内服でコントロール可能である。
- 免疫チェックポイント阻害薬も重度の下痢が発症することがある。

4 ロペラミドの事前処方

- 対応が遅れると重症化する可能性があるため、下痢を起こしやすい抗がん剤・分子標的薬を投与する場合には、あらかじめ**ロペラミド(ロペミン®)**を処方しておく。

B 抗悪性腫瘍薬に伴う下痢への対処のコツ

- CIDの合併症として、脱水・腎不全・電解質異常・循環不全および重症感染症があり、致命的となることもあるので十分な管理が必要である。
- 治療開始前に患者教育を十分に行い、発症時には詳細な問診と正確な全身状態の把握に努め、CTCAE v5.0に則ったGradingを行い、程度に応じた管理を行う(表1)。

表1　CTCAE v5.0(日本語訳 JCOG版)によるGrading

Grade	1	2	3	4
下痢：Diarrhea	ベースラインと比べて<4回/日の排便回数増加；ベースラインと比べて人工肛門からの排泄量が軽度に増加	ベースラインと比べて4〜6回/日の排便回数増加；ベースラインと比べて人工肛門からの排泄量の中等度増加；身の回り以外の日常生活動作の制限	ベースラインと比べて7回/日以上の排便回数増加；入院を要する；ベースラインと比べて人工肛門からの排泄量の高度増加；身の回りの日常生活動作の制限	生命を脅かす；緊急処置を要する
脱水：Dehydration	経口水分補給の増加を要する；粘膜の乾燥；皮膚ツルゴールの低下	静脈内輸液を要する	入院を要する	生命を脅かす；緊急処置を要する
腸炎：Enterocolitis	症状がない；臨床所見または検査所見のみ；治療を要さない	腹痛；粘液または血液が便に混じる	高度で持続的な腹痛；発熱；腸閉塞；腹膜刺激症状	生命を脅かす；緊急処置を要する

(文献4より引用)

1 G1/2の場合

- ロペラミドの内服を開始し、下痢が12時間以上消失するまで継続。
- 欧米のガイドラインでは、「ロペラミドの投与は初回4mg内服、その後4時間ごとまたは軟便が出るたびに2mg追加投与し、12時間以上下痢が消失するまで継続」とされているが、わが国では4mgが保険適用外(海外では1日量4〜8mg、最大16mg)であることや欧米人との体格差もあることより、**初回2mg**で開始することが多い。または、**下痢をするたびに内服する**方法もある。
- 脱水対策として、経口補水液を服用してもらう場合がある。

【外来処方】

ロペラミド内服(ロペミン®)　2mg(1mg 2カプセル)/日　分2または分1
　下痢が止まらない場合は、12mg/日まで増量可
オーエスワン®　適宜

2 48時間以上下痢が続くとき、G3以上の下痢のとき、随伴症状があるとき

- **入院のうえ補液開始する**。等張性および低張性脱水の可能性が高いため生理食塩液やラクテック®注で開始し、輸液速度は血圧・脈拍を参考にしながら、時間尿量が1mL/kgとなるように行う。
- ソマトスタチンアナログである**オクトレオチド(サンドスタチン®)の皮下注射**(わが国では保険適用外)、および抗菌薬のニューキノロン系またはホスホマイシンの投与を開始し、下痢が止まっても

24時間は治療を継続する。

- 便培養を提出し、*Clostridium difficile*・*Salmonela*・*Escherichia coli*・*Campylobacter*などの評価を行う。

【入院処方】

オクトレオチド(サンドスタチン®)　100～150μg/回　SC
1日3回(500μg/回まで増量可)、24時間以上下痢が止まるまで継続

【抗菌薬】便培養で起因菌が判明した場合は、この限りではない。

レボフロキサシン内服錠(クラビット®)	500mg/回	1日1回
シプロフロキサシン内服錠(シプロキサン®)	600mg/日	分2
ホスホマイシン内服錠(ホスミシン®)	2～3g/日	分4または分3

C イリノテカン(IRI)による下痢

1 早発性下痢：コリン作動性による腸管運動の亢進や水分吸収阻害であり、抗コリン薬で対応可能である。

アトロピン硫酸塩　0.3mg/回　5分で静脈注射

初回のIRI投与時に発症した場合には、次回IRI投与直前に予防的投与。予防投与にもかかわらず発症した場合には、同様に追加投与可能。

2 遅発性下痢：IRIの活性代謝物であるSN-38のグルクロン酸抱合体が脱抱合することによる腸管粘膜障害が原因。

- IRI投与後の数日間は、活性代謝物を腸管内に停滞させないよう排便コントロールをつけ、腸管粘膜への障害を少しでも軽減させることが大切である。
- 半夏瀉心湯により腸内細菌の*β*-グルクロニダーゼを阻害し、腸管内でSN-38グルクロン酸抱合体の脱抱合を阻害することにより下痢症状を緩和する。酸化マグネシウムは、腸管をアルカリ化するため下痢症状の緩和に有効といわれている。

半夏瀉心湯	7.5g/日	毎食前	IRI投与3日前より3日間
酸化マグネシウム	2g/日	分3	4日間

3 *UGT1A1*遺伝子多型

- 活性代謝物(SN-38)の主代謝酵素UDP-グルクロン酸転移酵素(UDP-glucuronosyl transferase；UGT)の2つの遺伝子多型

(*UGT1A1*6*、*UGT1A1*28*)について、いずれかをホモ接合体またはヘテロ接合体としてもつ患者では、*UGT1A1*のグルクロン酸抱合能が低下し、SN-38の代謝が遅延することにより、重篤な副作用発現の可能性が高くなるという報告があり、**イリノテカン投与の際は初回より1段階の減量を考慮**する。

D そのほかの原因による下痢

- **感染性腸炎**と診断された場合は、下痢を止めることで逆に治癒を遷延させるため、**ロペラミドを中止し、補液と抗菌薬で治療**する。好中球減少(nadir)の時期と重なると重症化しやすく、注意が必要。
- 抗菌薬による急性出血性大腸炎やNSAIDs腸炎は、原因薬剤の中止と対症療法のみで改善する。
- 偽膜性腸炎の場合は、以下の処方を行う。

【軽度〜中等症】

メトロニダゾール内服錠(**フラジール®**) 1,000〜1,500mg/日
分4または分3 10〜14日

【重症】

塩酸バンコマイシン散 500〜2,000mg/日 分4 7〜10日
メトロニダゾール注(**アネメトロ®**) 500mg/回 1日3回 10〜14日

- **免疫チェックポイント阻害薬**が原因の場合は、ロペラミドの投与により適切な治療開始が遅れ、重症化することがあるので注意が必要である➡ P.357。

(松並展輝)

文献

1) Benson AB 3rd, et al. J Clin Oncol 2004; 22: 2918-26. PMID: 15254061
2) Bossi P, et al. Ann Oncol 2018; 29(Suppl 4): iv126-42.
3) Maroun JA, et al. Curr Oncol 2007; 14: 13-20. PMID: 17576459
4) 有害事象共通用語規準 v5.0 日本語訳 JCOG 版(略称:CTCAE v5.0-JCOG)[CTCAE v5.0/MedDRA v20.1(日本語表記:MedDRA/J v24.0)対応-2021年3月5日]. http://www.jcog.jp
5) Kobayashi K, et al. Jpn J Breast Cancer 2012; 27: 423-6.

便秘
－腸閉塞をまず除外。下剤で対処－

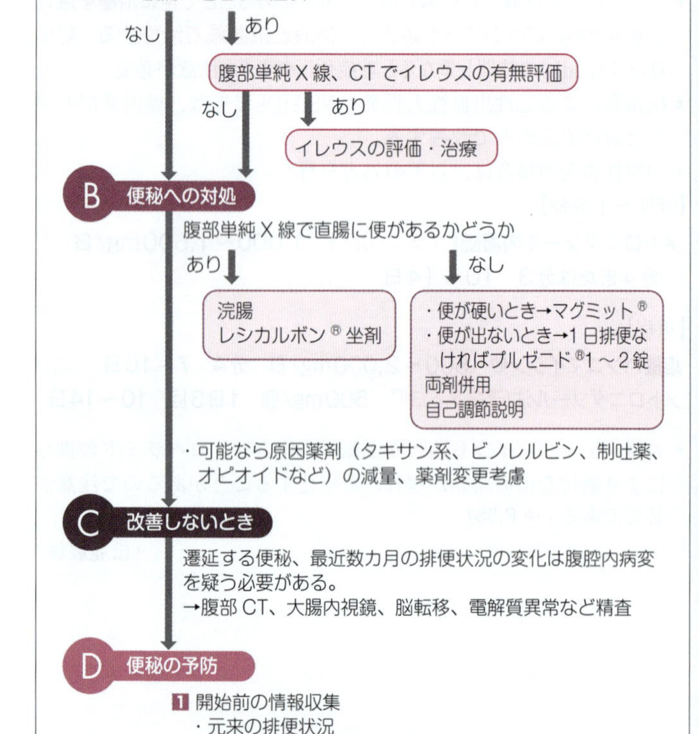

1 開始前の情報収集
- 元来の排便状況
- いつも以上に便秘に気をつけるように指導

2 生活、服薬指導
- 下剤などで自己調節するよう指導

A 便秘の評価のコツ

1 腸閉塞を除外する

- 腹痛
- 嘔吐(特に便臭のする嘔吐は腸閉塞の可能性大きい)
- 排ガス停止があれば、腸閉塞診断のため腹部立位単純X線検査
- 強い腹痛やニボーがあれば腹部CT

2 原因薬剤をみつける

- 抗がん剤：タキサン系、ビノレルビン
- 制吐薬：アプレピタント、5-HT_3系
- オピオイド
- ただし上記は治療上必要な薬剤であり、原因薬剤の減量・中止は実際上困難。

3 便秘の状態把握

- 腹部単純X線検査で、直腸まで便があるのかどうか
- 症状が強いときは採血などで、電解質異常を評価

B 便秘への対処のコツ

1 腸閉塞への対処

- 腹痛、嘔吐など症状強ければ、CTで評価
- 絞扼性イレウスなら緊急手術
- 麻痺性・単純閉塞性イレウスなら、入院、絶食、補液、胃管またはイレウスチューブ

2 生活指導

- 食生活：水分をしっかり摂取するように。
- 適宜な運動・活動を勧める：自宅に閉じこもり動かないのは良くない。

3 薬剤

- 肛門近くまで便があるとき：**浣腸、レシカルボン®坐剤**
- 便が硬いとき：**マグミット®**
- 便が出ないとき：1日排便がなければ**センノシド(プルゼニド®)1～2錠**。基本は2錠服用だが、体格が小さい、日頃下剤を飲んだことがない場合は1錠から開始が無難。効果不十分なら2錠、さらに増量も考慮。
- 1錠、2錠で調整しにくいとき：**ピコスルファート(ラキソベロン®)1錠10滴換算**で自己調節。

- 薬剤は当日の排便状況、便の状態で自己調節してもらう。

C 改善しない、増悪する場合

- 遷延する便秘：最近数カ月の排便状況の変化は腹腔内病変を疑う必要がある。
- 腹部CT、大腸内視鏡、脳転移、電解質異常などを精査。

D 予防のコツ

1 開始前の情報収集

- 元来の排便状況：もともとの排便状況を聴取する。
- 便秘を起こしやすい薬剤（制吐薬、抗がん剤、オピオイド）の評価。
- 副作用に便秘があることを説明し、いつも以上に便秘に気をつけるように指導。

2 生活、服薬指導

- 1日排便がなければ、寝る前に下剤（**プルゼニドなど基本は2錠**）服用。
- いつも便秘気味で便硬いなら、**マグミット3錠/日**で処方。
- 服用量・回数はその日の状況で自己調節するよう指導。

（森本　卓）

消化管潰瘍・出血・穿孔
－ベバシズマブ治療中に気をつけたい副作用－

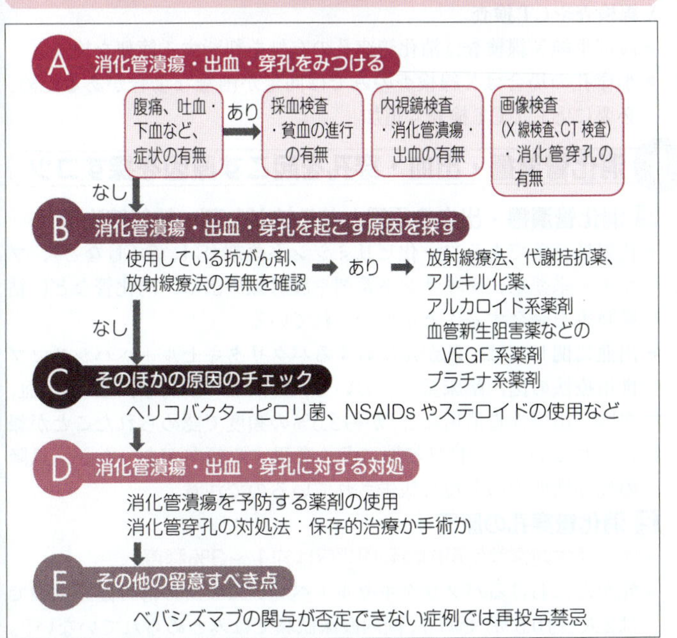

A 消化管潰瘍・出血・穿孔をみつけるコツ

1 身体所見のコツ

- **NSAIDsやオピオイドを内服していると、腹部症状が出にくい。**
- 消化管出血を合併する場合には、吐下血や黒色便、貧血症状が出現することがある。消化管出血を疑う場合にはバイタルサインにも注意。必要に応じて輸液療法や輸血を行う。
- 消化管穿孔の際には腹部全体に強い持続的な腹痛や反跳痛などの腹膜刺激症状を呈することが多い。**ベバシズマブ投与中の患者に強い腹痛が出現した場合は、第一に穿孔を疑って**検査を進める。

2 検査のコツ

内視鏡検査

- 高い診断能および有効な治療手段を有し、第1選択。

- 出血量が多い場合は、内視鏡的治療が困難なことがあり、その場合は、血管塞栓術や外科的手術、緩和的放射線照射などによる止血法も検討。
- 上下部内視鏡で出血源が不明な場合は、カプセル内視鏡検査やダブルバルーン内視鏡などによる小腸の検索も考慮。

X線検査やCT検査

- 腹部単純X線検査は消化管穿孔の有無を判断する簡便な検査。
- 小穿孔の場合はX線検査のみでは同定が困難な場合があるため、必要に応じてCT検査も追加。

B 消化管潰瘍・出血・穿孔を起こす原因を探すコツ

1 消化管潰瘍・出血の原因となる抗がん剤・放射線治療

- 代謝拮抗薬であるフッ化ピリミジン系薬剤(S-1、5-FUなど)、プラチナ系薬剤、タキサン系薬剤や放射線療法は、消化管などに粘膜障害を誘発することが報告されている。
- 出血に関しては、乳がんに対するパクリタキセル+ベバシズマブ併用療法の国内臨床試験において、G3以上の重篤な出血(鼻出血、血胸、出血性胃潰瘍など)が約2.5%の頻度で認められたことが報告されている[1)]。投与初期に多く発現する傾向があったが、以降の投与期間中の発現も報告されているので注意。

2 消化管穿孔の原因

- 血管新生阻害薬使用中の発現頻度は約1～3%程度。
- 乳がんにおけるパクリタキセル+ベバシズマブの海外臨床試験では2人(約0.5%)であり、国内臨床試験ではみとめられていない[2)]。
- 危険因子としては、憩室炎などの腹腔内の炎症や、腸閉塞、腹膜播種などの腹腔内腫瘍、活動性の消化性潰瘍、骨盤・腹腔への放射線照射の既往などである。

C そのほかの原因のチェック

- 消化性潰瘍や出血を起こす原因として、化学療法以外のさまざまな原因(表1)についても検討し、必要に応じて原因に対する対処を行う。

D 消化管潰瘍・出血、穿孔に対する対処のコツ

1 消化管潰瘍を予防する薬剤

- 抗がん剤によって引き起こされる胃・十二指腸粘膜障害の予防には、プロトンポンプ阻害薬(PPI)が有用であるという報告がある[3)]。
- 放射線性食道炎に対しては、粘膜保護薬であるアルギン酸ナトリ

ウム（アルロイドG）やスクラルファートの効果が報告されている[4,5]。消化管潰瘍が活動性である場合に血管新生阻害薬を使用する際は、PPIなどの制酸薬を併用することが推奨されている。

2 消化管穿孔に対する対処法

- 全身状態、画像所見などから、緊急手術か保存的加療かを判断する。
- 固形がんに対するベバシズマブに関するランダム化比較試験のメタ解析では、ベバシズマブ関連の消化管穿孔の発症率は0.9％で、穿孔がみられた場合の死亡率は21.7％と報告されている[6]。
- ベバシズマブを使用して消化管穿孔を起こした症例報告によると、必ずしも全例に手術は必須ではなく、保存的加療でもマネージメントできる症例があることから、外科医と慎重に検討する。

E そのほかの留意すべき点

- 消化管穿孔の原因としてBmabの関与が否定できない症例に対しては、Bmabの再投与は禁忌。またそのような症例においては、すべての血管新生阻害薬の投与に関して慎重な検討が必要。
- **制酸薬のなかでもPPIについては、ラパチニブや、カペシタビンとの薬物相互作用が報告されており、それにより、化学療法の治療効果に影響を与えることを示唆するような報告があるため、PPIの投与に際しては、注意が必要**[7,8]。

（長谷川裕子）

表1　潰瘍・出血をきたすそのほかの原因

原　因	対処法
ヘリコバクターピロリ菌感染	除菌治療
NSAIDsやステロイド、低用量アスピリンなどの使用	使用薬の中止 制酸薬、粘膜保護薬との併用
重度の便秘による直腸潰瘍	便秘の改善
感染性腸炎や虚血性腸炎	腸管安静、抗菌薬投与

文献

1）Aogi K, et al. Breast Cancer Res Treat 2011; 130: 855-61. PMID: 21805309
2）Miller K, et al. N Engl J Med 2007; 357: 2666-76. PMID: 18160686
3）Sartori S, et al. J Clin Oncol 2000; 18: 463-7. PMID: 10653861
4）Sur RK, et al. Acta Oncol 1994; 33: 61-3. PMID: 8142127
5）安達秀樹，ほか. 日本癌治療学会誌 1985; 20: 618-24.
6）Hapani S, et al. Lancet Oncol 2009; 10: 559-68. PMID: 19482548
7）Chu MP, et al. JAMA Oncol 2017; 3: 767-73. PMID: 27737436
8）Yu G, et al. Lancet Oncol 2014; 15: e469-70. PMID: 25281461

肝機能障害・高ビリルビン血症
－起因薬物の早期中止を－

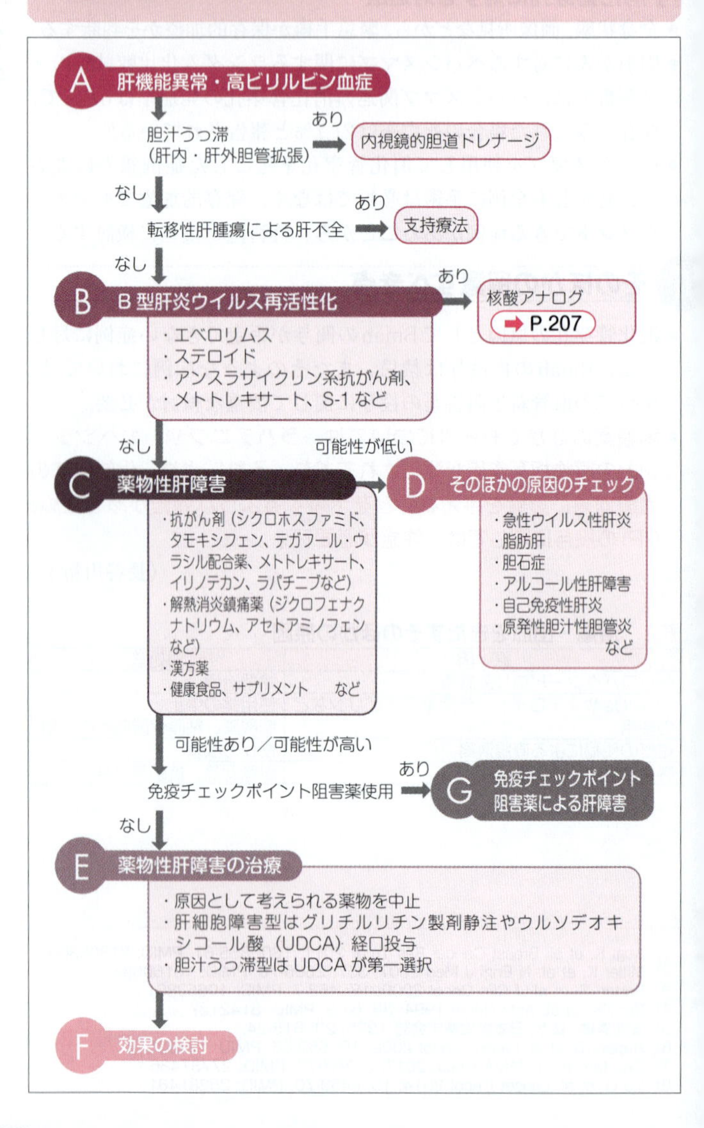

A 肝機能異常、高ビリルビン血症をみつけるコツ

- 化学療法前に慢性肝疾患や胆石症などの既往歴、輸血歴について聴取。B型肝炎ウイルス(HBV)キャリアおよび既往感染者のスクリーニング、必要があればモニタリング[1] (➡P.207)。必要に応じて腹部超音波検査やCTなどの画像検査を実施。
- 患者教育：眼球や皮膚の黄染、皮膚瘙痒感、倦怠感、発熱などの症状が出現したらすぐに受診すること、健康食品、サプリメント、漢方薬などで肝障害が起こる場合があることを説明しておく。
- **化学療法施行中は定期的に肝機能検査を施行**し、肝機能異常や高ビリルビン血症を認めたら、海外渡航歴、生もの摂取、性交渉(急性ウイルス性肝炎)、飲酒歴、体重の急激な変動(脂肪肝や悪性腫瘍)、右季肋部痛(胆石症)、尿と便の色(閉塞性黄疸)などを聴取する。
- 乳がん症例の場合、**薬物性肝障害(drug-induced liver injury；DILI)**だけではなく、**閉塞性黄疸**、**転移性肝腫瘍**、**HBV再活性化**などの可能性があるため、速やかに腹部超音波検査(場合によってはCTやMRCP)を行い、肝内・肝外胆管拡張(閉塞性黄疸)と転移性肝腫瘍の有無などを確認。閉塞性黄疸であれば内視鏡的胆道ドレナージを行う。

B HBV再活性化

- 乳がんやステロイド使用はHBV再活性化の危険因子で[2]、HBs抗原陽性乳がん患者に対する化学療法(主なレジメンはAC、CMF)でHBV再活性化が報告されている[3]。乳がんでは、**アンスラサイクリン系抗がん剤を含む化学療法で再活性化が比較的多くみられる**。
- 化学療法中だけではなく、**化学療法終了後にHBVが再活性化することもある**。また、免疫抑制作用のある抗がん剤(エベロリムスなど)は直ちに中止せず、肝臓専門医に対応を相談する。

C 肝機能異常・高ビリルビン血症をきたす薬剤を探す・対処のコツ

- 抗がん剤だけではなく、解熱消炎鎮痛薬、漢方薬、健康食品、サプリメントなどの服用歴を確認。**多くは服用後1～8週間で発症**するが、1年以上の長期服用後に発症することもある。
- DILIの診断には、薬物投与と肝障害の出現および消退の時間的

関係、ほかの原因の除外診断の2つが重要である。診断基準は、DDW-J 2004のワークショップのスコアリングを用いる（表1）[4]。初診時のALT値とALP値から肝障害のタイプを**肝細胞障害型**、**胆汁うっ滞型**、**混合型**の3つに病型分類する。厚生労働省の「重篤副作用疾患別対応マニュアル 薬物性肝障害」[5]も参考にする。

D そのほかの原因のチェック

- 急性ウイルス性肝炎、アルコール性肝障害、脂肪肝、自己免疫性肝炎、原発性胆汁性胆管炎、胆石症、ショック肝などの鑑別。

E 薬物性肝障害治療のコツ

- 被疑薬を速やかに中止する。原疾患に対する治療のため被疑薬を中止できない場合、継続・減量して、慎重に肝機能をモニタリングする。必要に応じて、以下のような治療を行う。

【肝細胞障害型】

グリチルリチン製剤（強力ネオミノファーゲンシー®）
40～60mL/回　1日1回 点滴静注または静注
ウルソデオキシコール酸（UDCA）　300～600mg/日 分3 毎食後　経口

【胆汁うっ滞型】UDCAが第一選択薬。黄疸が遷延する場合、ビタミンKなどの脂溶性ビタミンを補充する。

F 効果の検討のコツ

- DILIの多くは原因薬物中止によって速やかに回復するが、肝障害が重篤化すると生命にかかわることもあるため、**肝臓専門医と連携**し、適切に対処する。

G 免疫チェックポイント阻害薬による肝障害

- 免疫チェックポイント阻害薬（ICI）によって自己免疫疾患様の**免疫関連有害事象**が出現することがあり、従来の抗がん剤による副作用とは異なるマネジメントが必要である。ICIによる肝障害の発生率は0.7～16％で、ICIの種類、投与量、ICI単剤療法か併用療法かによって大きく異なる（抗PD-1抗体薬＜抗PD-L1抗体薬・標準量の抗CTLA-4抗体薬＜抗CTLA-4抗体薬/抗PD-1抗体薬併用・高用量の抗CTLA-4抗体薬[6]）。
- 大部分は無症状であるため、**ICI投与開始後は定期的に肝機能検**

査を実施する。通常4～12週間後に発生する。肝障害が生じた場合、併用薬による肝障害、HBV再活性化、そのほかの要因を速やかに鑑別して、最終的にICIによる肝障害と診断する。まれにICIによる胆管炎もある。ICIによる肝障害は自己免疫性肝炎とは異なる病態と考えられており、女性の優位性はなく、抗核抗体は約半数で検出されるが低力価である[7]。

- 治療は、G2の場合はICIを休止し、改善しない場合には経口ステロイドを投与する。G3以上ではICIを中止し、直ちに静注ステロイドを投与する[8]。また、ステロイドに反応しない場合は、ミコフェノール酸モフェチル（保険適用外）などの免疫抑制薬を投与する。

【Grade 2】

経口メチルプレドニゾロン　0.5～1.0mg/kg/日（またはその当価量のステロイド）

肝機能がG1またはベースラインまで改善したら、4週間以上かけてステロイドを減量。メチルプレドニゾロン10mg/日以下にできればICI投与再開を検討する。

【Grade 3以上】

静注メチルプレドニゾロン　1.0～2.0mg/kg/日（またはその当価量のステロイド）

G2まで改善したら、少なくとも4週間以上かけてステロイドを漸減。

G3で、ASTまたはALTが正常上限の8倍以上、または総ビリルビンが正常上限の5倍以上の場合は、ICIを中止する。

（中水流正一／三田英治）

2 消化器⑥

文献

1）日本肝臓学会 肝炎診療ガイドライン作成委員会，編．B型肝炎治療ガイドライン（第3.3版）．2021年1月．
https://www.jsh.or.jp/lib/files/medical/guidelines/jsh_guidlines/B_v3.3.pdf
2）Yeo W, et al. Br J Cancer 2004; 90: 1306-11. PMID: 15054446
3）Yeo W, et al. J Med Virol 2003; 70: 553-61. PMID: 12794717
4）滝川　一，ほか．肝臓 2005; 46: 85-90.
5）厚生労働省．重篤副作用疾患別対応マニュアル 薬物性肝障害，（令和元年9月改定）．
https://www.mhlw.go.jp/topics/2006/11/dl/tp1122-1i01_r01.pdf
6）Peeraphatdit TB, et al. Hepatology 2020; 72: 315-29. PMID: 32167613
7）De Martin E, et al. J Hepatol 2018; 68: 1181-90. PMID 29427729
8）日本臨床腫瘍学会，編．がん免疫療法ガイドライン 第2版．東京：金原出版; 2019. p32-5.

表1 DDW-J 2004 薬物性肝障害ワークショップのスコアリング

	肝細胞障害型		胆汁うっ滞または混合型		スコア
1. 発症までの期間[1]	初回投与	再投与	初回投与	再投与	
a. 投与中の発症の場合 投与開始からの日数	5〜90日	1〜15日	5〜90日	1〜90日	+2
	<5日、>90日	>15日	<5日、>90日	>90日	+1
b. 投与中止後の発症の場合 投与中止後の日数	15日以内	15日以内	30日以内	30日以内	+1
	>15日	>15日	>30日	>30日	0
2. 経過	ALTのピーク値と正常上限との差		ALPのピーク値と正常上限との差		
投与中止後のデータ	8日以内に50%以上の減少		(該当なし)		+3
	30日以内に50%以上の減少		180日以内に50%以上の減少		+2
	(該当なし)		180日以内に50%未満の減少		+1
	不明または30日以内に50%未満の減少		不変、上昇、不明		0
	30日後も50%未満の減少か再上昇		(該当なし)		−2
投与続行および不明					0
3. 危険因子	肝細胞障害型		胆汁うっ滞または混合型		
	飲酒あり		飲酒または妊娠あり		+1
	飲酒なし		飲酒、妊娠なし		0
4. 薬物以外の原因の有無[2]	カテゴリー1、2がすべて除外				+2
	カテゴリー1で6項目すべて除外				+1
	カテゴリー1で4つか5つが除外				0
	カテゴリー1の除外が3つ以下				−2
	薬物以外の原因が濃厚				−3
5. 過去の肝障害の報告	過去の報告あり、もしくは添付文書に記載あり				+1
	なし				0
6. 好酸球増多(6%以上)	あり				+1
	なし				0
7. DLST	陽性				+2
	擬陽性				+1
	陰性および未施行				0
8. 偶然の再投与が行われた時の反応	肝細胞障害型		胆汁うっ滞または混合型		
単独再投与	ALT倍増		ALP(T-Bil)倍増		+3
初回肝障害時の併用薬とともに再投与	ALT倍増		ALP(T-Bil)倍増		+1
初回肝障害時と同じ条件で再投与	ALT増加するも正常域		ALP(T-Bil)増加するも正常域		−2
偶然の再投与なし、または判断不能					0
			総スコア		

1) 薬物投与前に発症した場合は「関係なし」、発症までの経過が不明の場合は「記載不十分」と判断して、スコアリングの対象としない。
投与中の発症か、投与中止後の発症かにより、a または b どちらかのスコアを使用する。
2) カテゴリー1：HAV、HBV、HCV、胆道疾患(US)、アルコール、ショック肝　カテゴリー2：CMV、EBV。
ウイルスは IgM HA 抗体、HBs 抗原、HCV 抗体、IgM CMV 抗体、IgM EB VCA 抗体で判断する。

判定基準：総スコア 2点以下：可能性が低い。3、4点：可能性あり。5点以上：可能性が高い。

(文献4より引用)

B型肝炎ウイルス再活性化
−化学療法施行前に再活性化リスクを評価し、適切な対応を−

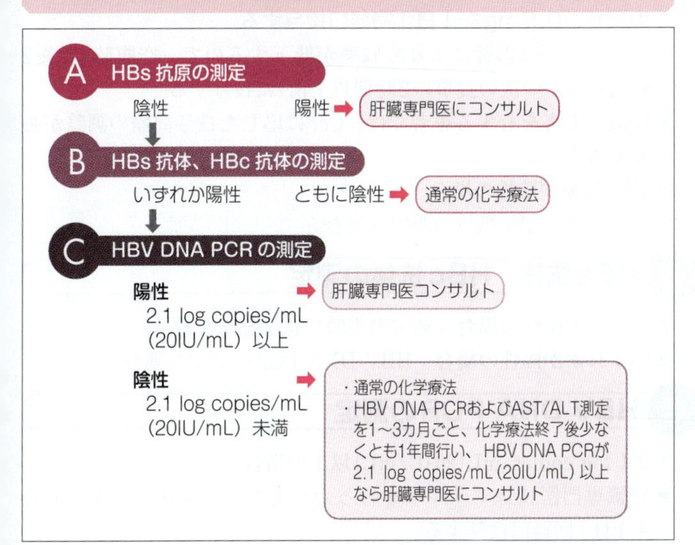

HBV感染を伴う乳がん患者におけるHBV再活性化

- B型肝炎ウイルス（HBV）感染を伴う乳がん患者に対して免疫抑制・化学療法などによりHBVが再増殖することが知られており、再活性化と称される[1)]。
- 添付文書上HBV再燃の注意喚起のある薬剤として、**デキサメタゾン**、**エベロリムス**、**S-1**、**メトトレキサート**などが挙げられている。
- 本項では乳がん患者に化学療法を施行する前に必要なHBV関連の検査オーダーおよび診療の流れについて、「日本肝臓学会　肝炎診療ガイドライン作成委員会 編　B型肝炎治療ガイドライン（第2.2版）」および「免疫抑制・化学療法により発症するB型肝炎対策ガイドライン」[2, 3)]に準拠して概説する。
- C型肝炎ウイルスの化学療法による再活性化の危険性は高くないとされている[4)]。

A HBs抗原の測定

①HBs抗原が陽性の場合

- 肝臓専門医にコンサルトを行ったうえで、**エンテカビル(バラクルード®)0.5mgを1日1回経口投与**する。
- 本剤は食事の影響により吸収率が低下するので、空腹時(食後2時間以降かつ次の食事の2時間以上前)に投与する。
- 腎機能障害を有する患者では、Ccrに応じた投与間隔の調整が必要である。

②HBs抗原が陰性の場合

- HBs抗体、HBc抗体の測定へ進む。

B HBs抗体、HBc抗体の測定

①**いずれも陰性の場合**：通常の手順で化学療法を行う。
②**いずれかが陽性の場合**：HBV DNA PCRの測定へ進む。

C HBV DNA PCRの測定

①**2.1 log copies/mL(20IU/mL)以上の場合**

- 肝臓専門医にコンサルトを行ったうえで、エンテカビル0.5mgを1日1回経口投与する。

②**2.1 log copies/mL(20IU/mL)未満の場合**

- 化学療法を開始する。
- 化学療法開始後から終了後少なくとも1年の間、1～3カ月ごとにAST、ALT、HBV DNA PCRを測定する。
- HBV DNA PCRが2.1 log copies/mL以上になった場合は肝臓専門医にコンサルトを行ったうえで、エンテカビル0.5mgを1日1回経口投与する。

(石飛真人)

文献

1) 日本肝臓学会 肝炎診療ガイドライン作成委員会, 編. B型肝炎治療ガイドライン(第2.2版), 2016年5月. http://www.jsh.or.jp/medical/guidelines/jsh_guidlines/hepatitis_b
2) 坪内博仁, ほか. 肝臓 2009; 50: 38-42.
3) 坪内博仁, ほか. 免疫抑制・化学療法により発症するB型肝炎対策ガイドライン(改訂版). 厚生労働省「難治性の肝・胆道疾患に関する調査研究」班劇症肝炎分科会および「肝硬変を含めたウイルス性肝疾患の治療の標準化に関する研究」班, 2011.
4) Morrow PK, et al. Ann Oncol 2010; 21: 1233-6. PMID: 19875760

蛋白尿
－血管新生阻害薬とビスホスホネート製剤で高頻度－

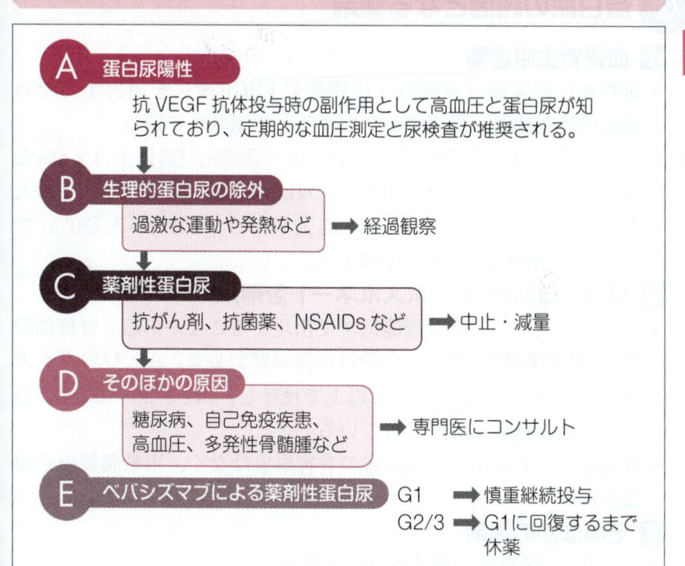

A 蛋白尿をみつけるコツ

- 血管新生阻害薬投与時の代表的な副作用として高血圧 ➡P.226 と蛋白尿が知られており、定期的な血圧測定と尿検査が推奨される。
- 蛋白尿が出現した際は、がんの進行状況に応じ治療薬の継続か、減量または休薬を判断することが求められる。
- 薬剤に起因しない蛋白尿の鑑別も重要である。

B 生理的蛋白尿の除外

1 一過性蛋白尿の除外

- 病的意義はなく、激しい運動、発熱、精神的ストレスや月経前などに一過性に出現する。複数回の再検査にて陰性であり、血尿を伴わなければ一過性蛋白尿と診断する。

2 起立性蛋白尿

- 蛋白尿が早朝第一尿で陰性、立位後で陽性となる。治療の必要はない。

C 蛋白尿の誘因となる薬剤

1 血管新生阻害薬

- 血管新生阻害薬は糸球体上皮細胞のVEGF産生を阻害するため濾過機能が破綻し蛋白尿が発生すると推測されている。
- **ベバシズマブによる発症頻度は23～38%**、G3以上は2.8%と報告されている[1,2]。わが国で行われたJO19901試験では、120人中71人(59%)に発現し、G1が35人(29%)、G2が36人(30%)でG3以上の発現はみとめていない[3]。

2 ゾレドロン酸(ビスホスホネート製剤)

- **ゾレドロン酸**による腎機能低下で出現することがある。腎機能障害 ➡ P.212,409 が生じた際は用量調整が必要。ASCOのガイドラインでは通常4mgを15分以上で投与し、Ccrが30～60mL/分の症例では減量が推奨されている。
- 抗RANKL抗体は腎機能障害の有害事象はなく、用量調整の必要はない。

3 そのほかの薬剤

- NSAIDs、抗菌薬、抗リウマチ薬など

D そのほかの原因

1 全身疾患に伴う蛋白尿(→専門医に相談)

- 糖尿病、自己免疫疾患、高血圧などの長期罹患による続発性の蛋白尿など
- 家族性腎炎(家族歴の問診も重要)
- 糸球体蛋白尿(血尿や円柱を伴い、尿蛋白分画ではアルブミンが優位)

2 そのほかの疾患(オーバーフロー型蛋白尿)

- 多発性骨髄腫、アミロイドーシス、リンパ腫：産生された蛋白が尿細管の再吸収能を超えた場合に出現。
- 特に多発性骨髄腫は画像上、骨破壊像を伴い骨転移との鑑別が困難なこともあり、蛋白尿(Bence-Jones)の精査は重要である。

3 原因不明な蛋白尿の遷延

- 蛋白尿はさまざまな糸球体疾患や尿細管疾患で認められる。
- 原因不明で蛋白尿が遷延する場合、血尿を伴う場合は、腎臓内科へ相談する。

E 対処法

1 ベバシズマブ投与中時に蛋白尿を認めたときの対処

- **G1では慎重な経過観察のうえ投与継続、G2/3ではG1に回復するまで休薬**が規定されている（表1）。

2 減量と休薬後

- 血管新生阻害薬による蛋白尿は用量依存性に出現すると考えられ、JO19901試験では、6カ月以内に40％、6カ月～1年以内に30％、1年以降に10％出現している。
- 多くの場合、特別な治療を必要とせず、休薬により回復する。
- 蛋白尿に血尿が伴う場合や血清Cr値の急速な上昇がみられた場合は糸球体疾患の可能性があり、速やかに腎臓内科に相談する。

3 血圧管理と生活指導

- 定期的な血圧測定と尿検査を実施する。積極的に降圧薬を投与し130/80 mmHg未満を目標としている。第一選択薬はアンジオテンシンⅡ受容体拮抗薬（ARB）あるいはアンジオテンシン変換酵素阻害薬（ACE）を用いている。

（ARB）ブロプレス® 4～12 mg/回 1日1回 朝食後
（ACE）レニベース® 5～10 mg/回 1日1回 朝食後

- 食塩や蛋白質の過度の摂取に注意喚起をする。造影剤検査やNSAIDsの使用を控える。（中村力也／山本尚人）

表1 国内臨床試験における蛋白尿発現時の休薬・中止基準

G1	G2	G3	G4
1＋ or 0.15～1.0g/24h	2＋～3＋ or 1.0～3.5g/24h	4＋ or ＞3.5g/24h	ネフローゼ症候群 （蛋白尿、低アルブミン血症、浮腫、脂質異常）
投与継続可能 モニタリングを継続	G1以下に回復するまで休薬 G2の場合は2g/24h以下で投与可能		投与中止

（アバスチン®点滴静注用 適正使用ガイド．中外製薬株式会社より引用）

文献

1）Zhu X, et al. Am J Kidney Dis 2007; 49: 186-93. PMID: 17261421
2）Gray R, et al. J Clin Oncol 2009; 2: 4966-72. PMID: 19720913
3）Aogi K, et al. Breast Cancer Res Treat 2011; 130: 855-61. PMID: 21805309

腎機能障害

－原因となる薬剤などの中止が重要。事前の補液や水分補給は予防につながる－

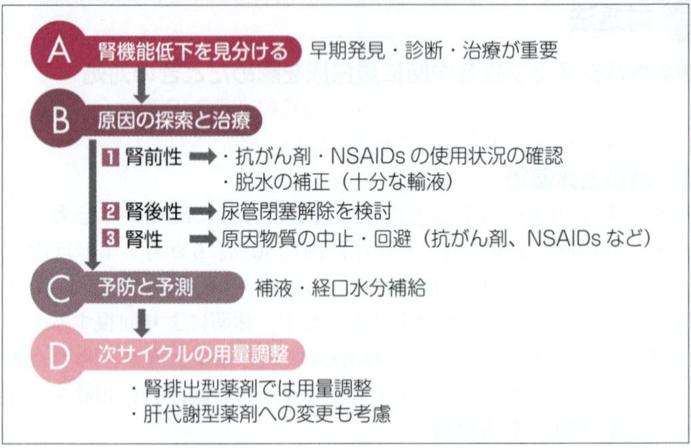

A 腎機能低下を見分ける　早期発見・診断・治療が重要

↓

B 原因の探索と治療

1 腎前性 ➡ ・抗がん剤・NSAIDsの使用状況の確認
・脱水の補正（十分な輸液）

2 腎後性 ➡ 尿管閉塞解除を検討

3 腎性 ➡ 原因物質の中止・回避（抗がん剤、NSAIDsなど）

↓

C 予防と予測　補液・経口水分補給

↓

D 次サイクルの用量調整

・腎排出型薬剤では用量調整
・肝代謝型薬剤への変更も考慮

A 腎機能低下を見分けるコツ

- 化学療法による腎機能低下の頻度は高く、しばしば治療継続が困難となる症例も経験する。腎機能低下の予防と早期発見・診断・治療が重要である。
- 急性腎障害発症の危険因子は心疾患、慢性腎障害、糖尿病、重症感染症の合併、高齢者である。
- 腎機能低下の原因として腎前性、腎性、腎後性を鑑別し、治療を行う。
- 尿の検体は輸液や利尿薬投与前に採取する。
- エコーや単純CT画像検査は腎後性腎機能障害（水腎症など）や慢性腎臓病（両側萎縮腎など）の診断に有用である。造影CTは腎機能を悪化させることがあり基本的には使用しない。

B-1 腎前性腎機能低下をみつけるコツ

1 原因

- 腎臓への血流量の減少である。化学療法による有害事象である食欲低下や嘔吐、下痢による細胞外液の減少や、腫瘍からの出血、うっ血性心不全、腹水、胸水貯留など、またがん性疼痛で使用されるNSAIDsは腎血流を減少させる。

2 診断

- 上記臨床所見の問診と薬剤の使用状況を確認する。
- 細胞外液の減少では、低血圧と頻脈また、皮膚、口腔粘膜は乾燥し、皮膚のツルゴール低下を認める。
- 尿生化学検査ではFE Na：1%未満、FE UN：35%未満であれば腎前性腎機能低下の可能性が高い。
- CTや超音波により下大静脈の虚脱、心胸比の縮小なども参考に脱水の程度を評価する。

3 治療

- 心不全を認めなければ、脱水を補正するために十分な輸液（生理食塩水500 mL/h）を行う。Kを含む輸液は避ける。
- 脱水時の腹水穿刺や胸水穿刺は禁忌である。
- 抗がん剤治療によるうっ血性心不全 ➡P.222。

3-2 腎後性腎機能低下をみつけるコツ

1 原因

- 乳がんの病状進行に伴う腹膜播種などでまれに遭遇する両側の尿管閉塞で生じる。
- そのほか、尿管結石やオピオイドによる尿路閉塞・乏尿など。

2 診断

- 超音波やCTなどの画像診断で水腎症を認める。
- 腰痛や腹痛を伴うことがある。
- 水腎症に発熱を伴う場合は重篤化することがあり緊急対応が必要。

3 治療

- 膀胱が緊満していれば膀胱留置カテーテルを挿入する。
- 膀胱が緊満していない場合は腎瘻造設・膀胱瘻造設や尿管ステント留置など、閉塞解除を泌尿器外科へ依頼する。
- オピオイドによる尿閉が疑われる場合は導尿後、α_1受容体遮断薬（ハルナール®0.2mg 分1）を処方する。

3-3 薬剤起因性の腎性腎機能低下をみつけるコツ

1 原因

- さまざまな抗がん剤［プラチナ系薬、ベバシズマブ、シスプラチン（用量依存性に腎毒性が生じる）］、ゾレドロン酸、抗コリン薬を含む感冒薬、NSAIDs、抗菌薬（ゲンタマイシン、バンコマイシン、アシクロビル）、造影剤などで生じる。
- 腫瘍崩壊症候群 ➡P.179 による腎機能障害も注意が必要である。

2 診断

- 尿生化学検査ではFE Na：1％以上、FE UN：35％以上。
- 尿沈渣では上皮円柱が出現する。

3 治療

- 原因物質の中止、回避を検討する。
- 生活指導・食事療法として、禁煙、十分な睡眠、規則正しい生活、低蛋白・高カロリー食を指導する。

C 予防と予測

- **シスプラチン投与時の3L/日以上の補液は腎機能障害を軽減する**と報告されており、推奨されている。
- 日常臨床では経口水分補給を推奨している。
- わが国では、急性腎障害の早期診断のための測定可能なバイオマーカーとして尿中アルブミン、尿蛋白、血清シスタチンC、β_2ミクログロブリン、NAGなどが報告されている。しかしながら、いずれのバイオマーカーも実臨床での有用性は確立していない。

D 次サイクルの用量調整

- 腎機能障害の原因と考えられる薬剤は、中止を検討する。
- 新たに使用する薬剤の候補は、腎排泄型の薬剤（S-1、カペシタビン、プラチナ系薬など）では血清Ccrを参考に用量調整が必要となるため、当施設では**肝代謝型の薬剤（ドキソルビシン、タキサン）**を使用している。
- また、ビスホスホネート製剤での腎機能障害が出現した場合、用量調整を必要としない**抗RANKL抗体への変更**を行っている。
- がん薬物療法時の腎障害診療ガイドライン2016[1]では、腎機能の低下した患者に対して毒性を軽減するために抗がん剤投与量減量を推奨している。ただし、治療を目的とする場合は利益・不利益のバランスを考慮して投与量を決定する必要があるとしている。

（中村力也／山本尚人）

文献

1）日本腎臓学会ほか，編．がん薬物療法時の腎障害診療ガイドライン2016．東京：ライフ・サイエンス出版；2016.

出血性膀胱炎
－排尿指導を含めた万全の予防対策が重要－

A 化学療法開始前に行っておくべき検査は

・尿沈渣　・CT
・超音波検査　・残尿測定

B 早期診断のために重要なことは

・問診　・シクロホスファミド投与時期
・尿沈渣　・膀胱鏡検査

C 出血性膀胱炎の予防

・尿量確保　・排尿指導
・メスナ

D 治療

肉眼的血尿（－）

・膀胱刺激症状のみ認める場合：休薬を行う必要はない。
・症状が悪化し、日常生活に支障をきたすとき：休薬を考慮。

肉眼的血尿（＋）

・シクロホスファミドの休薬、抗凝固薬や抗血小板薬を併用している場合は可能であれば中止。
・貧血の進行を認めない→輸液や水分摂取により尿量の確保。
・血塊による排尿困難・腹部膨満感などの症状が出現→尿道カテーテルを留置し、膀胱洗浄。
・血尿が持続→生理食塩水による膀胱持続灌流を開始。
・貧血が進行し、輸血が必要→麻酔下に血塊除去術ならびに経尿道的膀胱止血術が必要。

E シクロホスファミド再開

肉眼的血尿が消失していることが最低条件

A 化学療法開始前に行っておくべき検査

1 尿沈渣

- 尿検査は尿潜血反応のみならず、尿沈渣を行い赤血球の有無を調べておく。治療前のコントロールとしての評価も必要。

2 画像診断

- 乳がんの腎尿路への転移は剖検例で2.7%とまれではあるが、進行例ではエコー・CTなどの画像診断は施行しておいたほうがよい。
- 泌尿器科・婦人科疾患などの基礎疾患との鑑別に有用。

3 残尿測定

- 出血性膀胱炎はシクロホスファミドの活性代謝産物であるアクロレインが長時間膀胱粘膜に接することで発症する。
- 神経因性膀胱では排尿時痛・残尿感などの症状を伴わないことが多く、残尿測定による排尿障害の有無を検索しておく。

B 早期診断のためには排尿状態の問診が重要である

1 臨床症状

- 肉眼的血尿のほか初期には頻尿・排尿困難・排尿時痛・尿意切迫感などの症状を認めることが多く、その問診が重要。

2 シクロホスファミド投与時期の把握

- シクロホスファミドによる出血性膀胱炎は点滴静注の場合は投与翌日から数日後に、経口投与では20～30カ月後の発症が多い。治療経過や使用薬剤などの患者背景を把握しておく。

3 診断に必要な検査

- 尿沈渣を含めた尿検査が診断の基本であり、点滴静注の場合は投与1週以内の尿検査を推奨。
- 肉眼的血尿を認める場合は出血点の同定が必要であるため、泌尿器科医との連携が必須。
- 膀胱鏡検査が必須で、膀胱粘膜の発赤・浮腫・潰瘍ならびに粘膜からの出血を確認。

C 出血性膀胱炎をいかに予防するか

1 尿量確保

- 点滴静注の場合、**1時間250 mL以上の輸液とフロセミド投与により尿量を1時間150 mL確保する**ことで出血性膀胱炎の発症は7%、重症例は2%であったと報告されている。
- 尿量の確保が必要であることは事前に患者にも説明が必要であり、経口投与においても**1日2L程度の飲水励行を十分指導する**。

2 メスナ

- 血液中で酸化され安定したジスルフィドとなり、尿中でアクロレインと結合し不活性化されることで出血性膀胱炎を予防する。
- シクロホスファミドの血中半減期は6～7時間であるのに対し、メスナは90分であることより、シクロホスファミド投与量の約40％相当量を投与前・4時間後・8時間後の3回分割投与する。

3 排尿指導

- 高濃度のアクロレインが長時間膀胱粘膜に曝露することを回避するための簡便な予防方法である。頻回の排尿（夜間は1～2回）を行うよう生活習慣を指導する。

4 間欠的導尿・尿道カテーテル留置

- 残尿量が多いなど排尿障害を有する場合や出血性膀胱炎の既往例では、膀胱粘膜への影響を最小限にするために考慮される。

D 治療はどのように行うか

1 肉眼的血尿がない場合

- 頻尿・排尿時痛などの膀胱刺激症状のみ認める場合、休薬は不要。
- 症状が悪化し、日常生活に支障をきたすときは休薬を考慮。

2 肉眼的血尿を認める場合

- **シクロホスファミドの休薬**を行い、抗凝固薬や抗血小板薬を併用している場合は可能であれば中止。
- **貧血の進行を認めない場合はまず輸液や水分摂取**により尿量の確保を行う。
- 血塊による排尿困難・腹部膨満感などの症状が出現すれば、尿道カテーテルを留置し、膀胱洗浄を行う。
- 血尿が持続する場合は生理食塩水による**膀胱持続灌流**を開始するが、貧血が進行し、輸血が必要となれば麻酔下に血塊除去術ならびに経尿道的膀胱止血術が必要。

E シクロホスファミドの再開は可能か

- 肉眼的血尿が消失していることが最低条件であり、可能であれば膀胱鏡検査で膀胱粘膜が正常化していることを確認することが望ましい。
- 高度の血尿を認めた例では治療レジメンの変更も念頭に置くべきであるが、再開が必要な場合は万全の予防対策をとりたい。

（西村健作）

間質性肺疾患・薬剤性肺障害

－すべての薬剤で起こりうるため、常に念頭において診療を。免疫チェックポイント阻害薬のirAEにも注意－

A まずは、疑うこと

自覚症状に注意
咳嗽、発熱、息切れ、最近疲れやすい、など

B 検査

・胸部X線
・胸部CT（HRCTを含めること）
・組織診断（胸腔鏡下肺生検、気管支鏡検査など）
・採血（KL-6、SP-D、SP-A、β-Dグルカンなど）

C 鑑別疾患

・感染症（ニューモシスチス肺炎、非定型肺炎など）
・がん性リンパ管症、肺転移、pulmonary tumor thrombotic microangiopathyなどがんと関連する病態
・心不全、肺血栓塞栓症、COPDや間質性肺炎の急性増悪など、呼吸困難をきたすほかの疾患や病態

D 間質性肺疾患／薬剤性肺障害の確定診断

・重症度の評価（臨床症状、動脈血酸素飽和度など）
・呼吸器内科医へのコンサルト
・被偽薬の中止（エベロリムスの場合は例外あり）
・ステロイドの検討

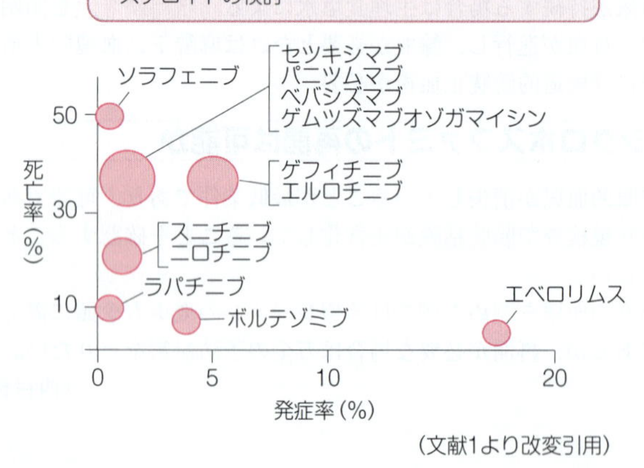

（文献1より改変引用）

A まずは、疑うこと

- 間質性肺疾患はすべての薬剤で起こりうるため、常に念頭において診療にあたるべきである。
- 自覚症状としては咳嗽、発熱、呼吸困難が主であるが、「普段より疲れやすくなった」などの症状を見逃さないことが重要である。
- 免疫チェックポイント阻害薬による肺障害にも注意する。

B 検査を行う

- 自覚症状から間質性肺疾患が疑われた場合は、画像検査を行う。胸部X線は簡便ではあるが、間質性肺疾患を必ずしもとらえきれないことも多く、疑わしい場合は胸部CTを撮影することをためらわない。胸部CTを撮影する際にはHRCTで評価する。

C 鑑別疾患

- 呼吸困難をきたす疾患は多岐にわたる。もともと肺や心臓に合併症がないか、あるいは新たな病態の変化はないかを調べるとともに、呼吸困難の原因として**血栓塞栓症**、**がんそのものの進行**を鑑別する。
- **ニューモシスチス肺炎**などの感染症の除外も重要である。

D 間質性肺疾患／薬剤性肺障害の確定診断

- 診断の確定と同時に、重症度（**表2左列**[1]）と原因薬剤（**表2**[2]）について検討する。
- **エベロリムス**では、G1の有害事象の場合（自覚症状がなく、画像上のみ指摘可能な状況）は、**慎重に継続可能**であるが、その他の薬剤では**原則として被偽薬を中止**する。
- 重症度に応じてステロイドの使用を検討する。日本呼吸器学会によるステロイド治療の例を示す。

副腎皮質ホルモン剤による治療の例
・中等症ではプレドニゾロン換算で0.5～1.0mg/kg/日を原因薬剤、重症度、治療反応性を考慮して投与する。中止する場合には漸減して中止する。
・重症例ではパルス療法（メチルプレドニゾロン500～1,000mg/日 3日間）を行い、プレドニゾロン換算で0.5～1.0mg/kg/日で継続し、漸減する。

（日本呼吸器学会薬剤性肺障害の診断・治療の手引き作成委員会, 編. 薬剤性肺障害の診断・治療の手引き第1版. 東京: メディカルレビュー社; 2012. より作成）

表1　主要な薬剤の肺障害（間質性肺炎）の頻度

異なる事象名で報告されているものもあるため、注意が必要。最新の添付文書を参照。

薬剤	頻度	薬剤	頻度
パクリタキセル	0.5%	エベロリムス	11.6%
ドセタキセル	0.6%	レトロゾール	記載なし
エリブリン	1.5%	アナストロゾール	0.1%未満
ゲムシタビン	1.0%	エキセメスタン	記載なし
ビノレルビン	1.4%	タモキシフェン	0.1%未満
イリノテカン	0.9%	トレミフェン	記載なし
ドキソルビシン	頻度記載なし	フルベストラント	頻度不明
エピルビシン	頻度不明	パルボシクリブ	頻度不明
シクロホスファミド	頻度不明	アベマシクリブ	2.0%
ベバシズマブ	0.4%	アテゾリズマブ	2.9%
カペシタビン	頻度不明	ペムブロリズマブ	4.1%
S-1	0.3%	エヌトレクチニブ	1.2%

（2020年7月時点での最新の添付文書より）

E　免疫チェックポイント阻害薬による薬剤性肺障害（irAE）

- メタ解析では2.7%に発症すると報告されている。喫煙や放射線治療による肺障害はリスク因子とされる。
- 免疫チェックポイント阻害薬による肺障害の改善後に、免疫チェックポイント阻害薬を再開することについてはcontroversialである（表2）。

（内藤陽一）

表2　免疫関連肺障害の管理

<table>
<tr><th colspan="2">CTCAE Grade
(肺臓炎)</th><th>投与の可否</th><th>対処方法</th></tr>
<tr><td>1</td><td>症状がない；臨床所見または検査所見のみ；治療を要さない</td><td>投与を休止する。</td><td>・1週ごとに症状のモニタリングを行う。
・呼吸器および感染症専門医との協議を検討する。
・少なくとも3週間ごとに画像診断を行う。
【回復した場合】
・投与再開を検討する。
【悪化した場合】
・G2または3～4の対処法で治療する。</td></tr>
<tr><td>2</td><td>症状がある；内科的治療を要する；身の回り以外の日常生活動作の制限</td><td>投与を休止する、もしくは中止する。</td><td>・呼吸器および感染症専門医との協議を検討する。
・3～4日ごとに症状のモニタリングを行う。
・1～2mg/kg/日のプレドニゾロンまたはその等価量の経口薬を投与する。
・気管支鏡検査および肺生検を検討する。
・抗菌薬の予防投与を検討する。
・1～3日ごとに画像診断を行う。
【症状が改善した場合】
・症状がベースラインの状態近くまで改善した場合、少なくとも4～6週間以上かけてステロイドを漸減する(5～10mg/週)。
【症状が48～72時間を超えて改善しない場合または悪化した場合】
・G3～4の対処法で治療する。</td></tr>
<tr><td>3</td><td>高度の症状；身の回りの日常生活動作の制限；酸素投与を要する</td><td rowspan="2">投与を中止する</td><td rowspan="2">・入院
・呼吸器および感染症専門医との協議を検討する。
・2～4mg/kg/日の静注メチルプレドニゾロンまたはその等価量の副腎皮質ステロイドを静注する。
・日和見感染症に対する抗菌薬の予防投与を追加する。
・気管支鏡検査および肺生検を検討する。
【症状がベースラインの状態に改善した場合】
・少なくとも4～6週間以上かけてステロイドを漸減する。
【症状が48時間を超えて改善しない場合または悪化した場合】
・ステロイドパルス療法やそのほかの免疫抑制薬*(インフリキシマブ、シクロホスファミド、静注免疫グロブリン(IVIG)、ミコフェノール酸モフェチルなど)の併用を検討する。</td></tr>
<tr><td>4</td><td>生命を脅かす；緊急処置を要する(例：気管切開や気管内挿管)</td></tr>
</table>

*：いずれも有効性は確立されておらず、保険適用外である。

(CTCAE：文献1より作成、対処方法：文献3より抜粋引用)

4 呼吸器①

文献

1) 有害事象共通用語規準 v5.0 日本語訳 JCOG 版(略称:CTCAE v5.0-JCOG)[CTCAE v5.0/MedDRA v20.1(日本語表記:MedDRA/J v21.1)対応-2018年11月6日]. http://www.jcog.jp

2) Saito Y, et al. Int J Clin Oncol 2012; 17: 534-41. PMID: 23152005

3) 日本臨床腫瘍学会, 編. がん免疫療法ガイドライン 第2版. 東京: 金原出版; 2019.

心機能低下（心不全）

－投与薬剤別の心毒性を考慮し、心不全発症を予想した対応を行う－

化学療法開始前

A 病歴聴取、診察、治療前チェック

病歴：高齢（65歳以上）、心疾患既往、家族歴の有無
心血管リスク因子（喫煙、高血圧、糖尿病、脂質異常症、肥満など）
がん治療歴（化学療法、放射線療法）
診察：聴診所見（心雑音、肺野ラ音）、浮腫の有無、血圧、心拍数、体重（BMI）
心電図、胸部X線、血液検査（貧血、肝腎機能障害）

化学療法開始後

B 心不全の早期診断

自覚症状：
- 心不全症状：息切れ（労作時、安静時、夜間起坐呼吸）、倦怠感、胸部症状（胸部圧迫感、動悸、胸痛）、四肢冷感など
- 身体所見：浮腫、体重増加（2kg/週以上）、乏尿・夜間多尿、不眠など

診察：浮腫、頸静脈怒張、聴診所見、血圧、心拍数、体重、酸素分圧

ハイリスク症例・心機能低下が疑われる症例：腫瘍循環器医との連携し、精査を行う
- 心エコー検査：左室駆出率（LVEF）、ストレインイメージング（GLS）
- 心機能検査：心拍同期心プールイメージング検査（MUGA）、心臓MRI検査
- 心臓バイオマーカー：トロポニンI/T、BNP/NT-proBNPなど

C 投与薬剤別心機能障害

- アンスラサイクリン系薬（ドキソルビシンなど）
- 抗HER2抗体薬（トラスツズマブなど）
- 血管新生阻害薬（ベバシズマブなど）
- そのほか細胞障害性抗がん剤、免疫チェックポイント阻害薬など

D がん治療関連心筋障害（CTRCD）

- 心不全症状の有無
- LVEFがベースラインより10%ポイント以上低下して50%を下回る

- 心エコー検査/MUGA/心臓MRI検査：GLSがベースラインより15%以上低下
- 心臓バイオマーカー：トロポニン陽性、BNP上昇

E　CTRCDに対する対応

急性期心毒性：
・RA系阻害薬（ACE阻害薬/ARB）、β遮断薬を中心とした治療を発症後早期に開始
・予防的治療も検討されている。
晩期心毒性：治療後も長期間のモニタリングが望ましい。特に晩期ハイリスク症例に注意。

- 乳がんと心血管疾患は、年齢、肥満、喫煙、ライフスタイルなど重複したリスク因子を有し、その関係は深い。
- 乳がんの薬物療法では、アンスラサイクリン系薬剤など心毒性のある薬剤を用いることも多い。投与前には心血管リスク因子をチェックし、投与開始後にも心毒性モニタリングが不可欠である。

A 病歴聴取、診察、治療前チェック

- フローチャートを参考に、データ収集を行う。
- 心血管リスク因子（喫煙、高血圧、糖尿病、脂質異常症、肥満など）を複数有する、高齢（≧60歳）、CTRCD症例、心筋梗塞の既往歴、中等度以上の心臓弁膜症はハイリスク症例である。

B 心不全の早期診断

- フローチャートを参考に、心不全を示唆する所見の有無を確認する。
- 上述のハイリスク症例、心機能低下例（LVEF＜50%）では腫瘍循環器医（循環器専門医）と連携し、精査を行う。

C 投与薬剤別心機能障害の特徴

1 アンスラサイクリン心筋症（発生率：3～26%）

- ドキソルビシン（DXR）の総累積投与量が400 mg/m²以上で5%、550 mg/m²で26%と**用量依存性**に心不全を発症する。
- **心血管リスク因子を有する症例、心疾患の既往、縦隔放射線治療例、抗がん剤併用例**は、低用量（250～300 mg/m²程度）から心毒性が出現することもある。
- DXR 250～300 mg/m²では投与前、400～450 mg/m²では投与後に心毒性を確認する。以降、投与ごとに確認する。心機能低下例（LVEF＜50%）では投与ごとに心毒性を確認する。

2 トラスツズマブ心筋症（2～28%）

- 投与後数週間以降に発症し、投与期間により発症頻度が高まる傾

5 循環器①

向にあるが、総投与量との相関はない。

- **投与前、および投与後3カ月おき**（心機能低下例では6週間おき）に心毒性を確認する。**治療終了後半年間は定期的な心機能評価を行う**ことが望ましい。
- **高齢者、心血管疾患合併、心機能低下症例、DXR投与例**で発症リスクが高い。

3 血管新生阻害薬（ベバシズマブなど）による心筋障害、虚血性心疾患、高血圧、血栓塞栓症（1.7〜3%）

- 血管内皮機能障害による。**心疾患の既往、心血管リスク因子を有する症例**で発症リスクが高い。
- 投与直後から血圧上昇を呈する症例がある一方で、長期間の投与により心機能障害や血栓塞栓症などを呈する重篤例では用量・時間依存性である。

4 そのほかの薬剤

- 細胞障害性抗がん剤：**シクロホスファミド（高用量）**による心筋炎（7〜28%）、**カペシタビン**による冠血管攣縮、心筋虚血、心電図異常（2〜7%）など。
- **免疫チェックポイント阻害薬**による免疫関連有害事象（激症型心筋炎、血管炎、たこつぼ様心筋症、心外膜炎）（1〜2%）。

D がん治療関連心機能障害（CTRCD）

- 心不全症状とLVEFを確認する。LVEFが**ベースラインより10%ポイント以上低下して、かつ50%を下回る**ときをCTRCDと診断する。
- 心エコー検査ができない場合、技術的に可能であればMUGAまたは心臓MRI検査を行い、心臓バイオマーカーを併用し診断する。
- **腫瘍循環器医（循環器専門医）**と連携し、**global longitudinal strain（GLS）や心臓バイオマーカー**などの指標も加え、LVEF値のみに捉われないようにする。

E CTRCDへの対応：急性期心毒性への対応

- 通常の心不全と同様、RA系阻害薬（ACE阻害薬/ARB）、β遮断薬を中心とした治療を発症後早期に開始する。

1 アンスラサイクリン心筋症

- CTRCDと診断された時点で投与を中止する。発症早期に診断し対応することで心機能が改善する症例も多いが、重症例では不可逆性心筋障害を呈する。

2 トラスツズマブ心筋症

- 心筋障害は可逆性を示すが、遷延化する症例も報告されている。発症早期の対応が重要である。
- 心不全症状または中等度以上の心機能低下(LVEF＜40～45％)を認めた時点で休薬する。**3週間後**に心機能回復を確認できれば投与を再開する。増悪する場合には投与中断を考慮する。

E CTRCDへの対応：がんサバイバーにおける晩期心毒性への対応

- 晩期心毒性とは、アンスラサイクリンベースの化学療法、トラスツズマブ、放射線療法などを施行後、数年～10年以上経過した後に発症する心機能障害である。
- 以下は晩期心毒性のハイリスク症例である：
  - ・高用量アンスラサイクリン投与例(DXR≧250 mg/m^2、エピルビシン≧600 mg/m^2)
  - ・高線量放射線療法照射例(RT≧30 Gy心臓が放射線治療領域にある場合)
  - ・低線量RT(＜30 Gy)と低用量アンスラサイクリン投与(DXR＜250 mg/m^2、エピルビシン＜600 mg/m^2)の併用例
  - ・低用量アンスラサイクリンまたはトラスツズマブ単独治療、および上述の心不全のハイリスク症例
  - ・低用量アンスラサイクリンとそれに続くトラスツズマブ投与例
- 晩期心毒性のハイリスク症例に対しては、治療終了後の健康的なライフスタイルの維持、心血管リスクの積極的な管理、心毒性モニタリングの継続(定期的な心エコー検査や心臓バイオマーカーの測定、血栓症などのチェック)が望ましい。
- がん治療開始前から晩期心毒性の発症を予測した治療戦略を考慮する**腫瘍循環器的介入**が求められている。(向井幹夫)

参考文献

1) Herrmann J, et al. Mayo Clin Proc 2014; 89: 1287-306. PMID: 25192616
2) Zamorano JL, et al. Eur Heart J 2016; 37: 2768-801. PMID: 27567406
3) Chang HM, et al. J Am Coll Cardiol 2017; 70: 2536-551. PMID: 29145954
4) Armenian SH, et al. J Clin Oncol 2017; 35: 893-911. PMID: 27918725
5) Brahmer JR, et al. J Clin Oncol 2017; 36: 1714-68. PMID: 29442540
6) Mehta LS et al. Circulation 2018; 137: e30-66. PMID: 29437116
7) Henry ML, et al. JACC Cardiovasc Imaging 2018; 11: 1084-93. PMID: 30092967
8) Mukai M, et al. J Atheroscler Thromb 2018; 25: 994-1002. PMID: 30224607
9) Rassaf T, et al. Clin Res Cardiol 2020; 109: 1197-222. PMID: 32405737
10) Curigliano G, et al. Ann Oncol 2020; 31: 171-90. PMID: 31959335

高血圧（特にベバシズマブ治療に伴う）
ー降圧薬を有効に使用することで安易にベバシズマブ治療を中断しないー

A 治療開始前に高血圧の有無を確認

- 140/90mmHg 以上では降圧薬を開始してからベバシズマブ治療
- 降圧薬既投与例では循環器内科医に事前コンサルト
- 二次性高血圧（腎性、薬剤性、内分泌性）の除外 ➡原因に応じた対応
- 白衣性高血圧の存在 ➡慎重な経過観察

B 血圧のモニタリングとその対処

家庭で血圧手帳の記載（測定値、高血圧関連症状）
来院時の血圧測定、問診

↓

- 140/90mmHg 以上または拡張期血圧20mmHg 以上の上昇
- 高血圧関連症状の出現

➡ 治療介入

C 降圧薬による治療

通常量の ARB を開始
➡効果不十分なら通常量の Ca 拮抗薬を追加

↓ コントロール困難

ARB を増量
➡効果不十分なら Ca 拮抗薬を増量

➡（コントロール困難）

ベバシズマブ１カ月休薬
（回復しなければ中止）

D ベバシズマブ治療を遂行していくうえでの留意点

- 高血圧が発現したからといって安易に本治療を中断しない
- 治療期間が長くなった症例ではより慎重に血圧のモニタリング
- ベバシズマブ投与量減量の意義は不明
  ➡血圧コントロールに難渋した場合にはいったん中断
- Ca 拮抗薬を開始したらパクリタキセルによる骨髄抑制に注意

ベバシズマブと高血圧

- 乳がんにおける過去の第Ⅲ相試験におけるベバシズマブによるG3以上の高血圧の発生頻度は3～18%とされる[1)]。
- 承認を目指した国内臨床試験（JO19901試験）ではG1以上は51.7%に発生し、G3以上は16.7%であった[2)]。
- 実臨床においても同程度またはそれ以上発生する有害事象ではあるが、十分に対応可能であるので、担当医はその方法を習熟し、これが原因の治療中断を極力回避するよう努めなければならない。

A 治療開始前に高血圧の有無を確認

1 ベバシズマブ治療開始前には必ず血圧を測定する

- 高血圧治療ガイドライン[3)]に従い、治療前の血圧が140/90mmHg以上であれば後述する方法で治療を開始して降圧が得られてから開始したほうがよい。
- すでに降圧薬を処方されている症例では処方医に情報提供するか、循環器内科医にコンサルトしてから開始する。

2 そのほかの高血圧の存在に注意する

- 薬剤性（NSAIDs、甘草、グルココルチコイドなど）、腎性、内分泌性などの二次性高血圧の存在に注意を払う。特に腎機能低下の有無を確認する。
- 白衣性高血圧と診断された場合、降圧薬は開始せずに慎重に経過観察する。

B 血圧のモニタリングとその対処

1 家庭での血圧測定を依頼する

- 血圧手帳の記載を患者に依頼して診察時に確認する。
- 高血圧関連症状（頭痛など）の有無も記載することを依頼する。

2 治療来院時の血圧測定、問診

- 参考までに図1に国内臨床試験においてCTCAE v3.0に基づいて作成された高血圧発現時の休薬・中止基準を示す[2)]。CTCAE v4.0に置き換えた場合、140/90mmHg以上がG2となり治療介入を要する。160/100mmHg以上または2剤以上の降圧薬が必要なものがG3となる。
- 診察時と家庭での血圧を勘案し、140/90mmHg以上の場合や、拡張期血圧が治療開始前に比較し20mmHg以上上昇していた場合には治療介入する。

- 高血圧関連症状があれば血圧が上記以下でも治療介入する。

C 降圧薬による治療

1 まずはアンジオテンシンⅡ受容体拮抗薬（ARB）を開始

- 高血圧治療ガイドライン[3]では少量のARBから開始することを推奨しているが、経験的に少量ではコントロール困難なことが多い。例えば**オルメサルタンメドキソミル（オルメテック®）**であれば通常量の**20mg/日**で開始してもよい。アジルサルタン（アジルバ®）20mg/日でもよい。

2 ARB単独でコントロール困難であればCa拮抗薬を追加する

- 実際にはARB単独でのコントロールは難しいため、例えば**ニフェジピン（アダラート®CR）20mg/日**を追加する。シルニジピン（アテレック®）10mg/日でもよい。
- 図1の国内臨床試験における高血圧発現時の休薬・中止基準[2]では2剤以上の降圧薬を用いた場合にはG3となり休薬の基準に抵

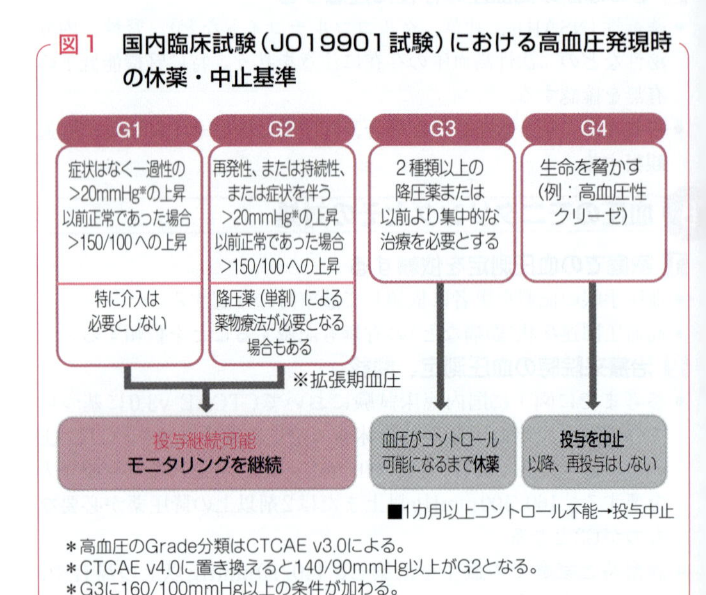
図1　国内臨床試験（JO19901試験）における高血圧発現時の休薬・中止基準

（文献2より改変引用）

触するが、実臨床においては**ARBとCa拮抗薬の併用によって経験上は多くがG2以下（多くはG0）に回復する**ので、その場合はベバシズマブを続行する。

3 通常量のARBとCa拮抗薬でもコントロール困難であれば両者を順次増量する

- まずはARBを**オルメテック®**であれば**40mg/日**に増量する（アジルバ®であれば40mg/日）。
- これでも困難であれば**アダラート®CR**を**40mg/日**とする（アテレック®であれば20mg/日）。
- 経験的にはこの対処法でG3が持続することはほとんどないが、これ以上の高血圧対策が必要な場合にはベバシズマブを**1カ月は休薬**。休薬1カ月でG3以上の高血圧が継続していれば投与そのものを断念する。

D ベバシズマブ治療を遂行していくうえでの留意点

1 高血圧は比較的容易に対処可能である

- ベバシズマブによる高血圧は循環器内科医の助けを借りずとも、上述の方法でほとんどがコントロール可能である。
- ベバシズマブ治療のベネフィットは非常に大きいので高血圧が発現したからといって**安易に本治療を中断してはならない**。

2 高血圧はベバシズマブの用量依存性に発現

- 治療期間が長くなった症例ではより慎重に血圧のモニタリングを行う。
- 降圧を目的としたベバシズマブ投与量減量の意義は不明なので、**血圧コントロールに難渋した場合にはいったん中断する**。

3 Ca拮抗薬はパクリタキセルの骨髄抑制を増強させる可能性がある

- Ca拮抗薬を開始したら**パクリタキセルによる骨髄抑制に注意**を払い、適宜パクリタキセルを減量するなどの対処を図る。

（池田雅彦）

5 循環器②

文献

1） Syrigos KN, et al. BioDrugs 2011; 25: 159-69. PMID: 21627340
2） アバスチン®適正使用ガイド（乳癌）2016年7月改訂．中外製薬株式会社．
3） 日本高血圧学会ガイドライン作成委員会，編．高血圧治療ガイドライン2014．東京：ライフサイエンス出版; 2014.

血栓症・塞栓症
－タモキシフェン・ベバシズマブ使用時の下腿浮腫はまず血栓症を疑う－

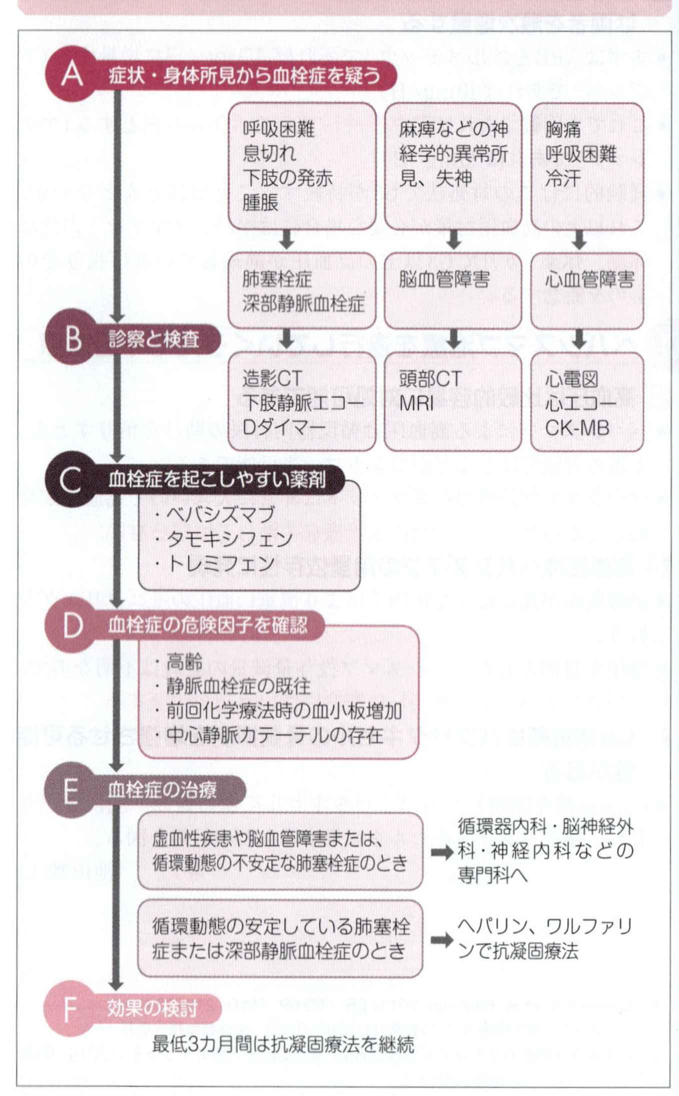

A 症状・身体所見から血栓症を疑う

1 肺血栓塞栓症

- 呼吸困難、息切れ、胸痛、喀血、失神、頻呼吸、頻脈

2 深部静脈血栓症

- 下肢の発赤、局所熱感、痛み、腫脹

3 脳血管障害

- 麻痺などの神経学的異常所見、失神

4 心血管障害

- 胸痛、呼吸困難、冷汗

B 診察と検査

1 肺塞栓症を疑う場合

- 血液検査(Dダイマー、FDPの上昇)、血液ガス分析、胸部X線、心電図、心エコー、胸部造影CT、肺血流スキャン、肺動脈造影

2 深部静脈血栓症を疑う場合

- 下肢静脈に対するエコー、造影CT、静脈造影、下肢静脈シンチグラフィー

3 脳血管障害を疑う場合

- 頭部CT、MRI(DWI)

4 心血管障害を疑う場合

- 血液検査(CK、CK-MB、トロポニンI)、心電図、心エコー、胸部X線

C 血栓症を起こしやすい薬剤を探す

- ベバシズマブ、ホルモン療法薬(タモキシフェン、アナストロゾール、レトロゾール、トレミフェン、リュープロレリン、エキセメスタン)は、血栓症を起こしやすい薬剤である。
- **ベバシズマブ**：血管内皮細胞増殖因子(VEGF)に対するモノクローナル抗体であり、動脈血栓塞栓症のリスクが増加することが報告されている[1)]。
- **ホルモン薬**：タモキシフェンやトレミフェンなどのホルモン薬の投与により、静脈血栓症のリスクが増大することが報告されている[2)]。

D 血栓症の危険因子を確認

- がんは過凝固状態と関連しており、肺血栓塞栓症、深部静脈血栓症、播種性血管内凝固、血栓性微小血管症、遊走性表層性血栓性静脈炎、非細菌性血栓性心内膜炎などさまざまな病態をとる[3)]。
- 血栓塞栓症の危険因子としては、高齢、静脈血栓塞栓症の既往、前回化学療法時の血小板増加、中心静脈カテーテルの存在などがあげられる[4)]。

E 血栓症の治療

1 動脈血栓塞栓症

- 原因が疑われる薬剤を中止。
- 症状に応じて、脳神経外科、神経内科、循環器内科などの各専門科に治療介入を依頼。

2 静脈血栓塞栓症

- 「肺血栓塞栓症および深部静脈血栓症の診断、治療、予防に関するガイドライン（2009年改訂版）」の急性肺血栓塞栓症の臨床重症度分類を参考に対応を検討[5)]。
- 循環動態の不安定な急性肺血栓塞栓症は、診断・対応が遅れると死亡率が高率となるため、速やかに循環器内科に治療を依頼。
- 循環動態の安定した肺血栓塞栓症ならびに深部静脈血栓症に対する治療方針は以下に示す。

3 循環動態の安定した肺血栓塞栓症、深部静脈血栓症

- 抗凝固療法としてヘパリン、ワルファリンが使用されるが、治療開始時にはワルファリン単独治療は再発率が高いので、両者の組み合わせが必須。ヘパリンは未分画ヘパリンを使用。
- ヘパリンを使用する際は出血に留意し、出血合併症が生じたら、ヘパリンを一時的あるいは永久的に中止。
- ヘパリンは、**活性化部分トロンボプラスチン（APTT）が1.5～2.5倍**に延長するように調整。**初回5,000単位静注後、10,000～15,000単位を24時間で持続点滴（400～625単位/時間）**し、4～6時間後にAPTTを測定、その後は1日1回測定して増減。
- ヘパリンの半減期は約1時間である。
- 深部静脈血栓症の患者にワルファリンを開始する場合は、ヘパリンと5日間重複して投与。
- ワルファリン投与量は、プロトロンビン時間国際標準比（PT-INR）

を基準に調節。当初2日間はワルファリン5mgを投与し、PT-INRが1.5～2.5（目標INR 2.0）になるように調節し、その後定期的にモニターしながらフォロー。

4 下大静脈フィルター

- 抗凝固療法禁忌例、抗凝固療法の合併症ないし副作用発現例、十分な抗凝固療法にもかかわらず静脈血栓塞栓症が再発・増悪する例に対して検討。

F 効果の検討

- 最低3カ月間は抗凝固療法を継続することが推奨されている。
- 抗凝固療法の中止により、血栓塞栓症の発症リスクは高くなることから、低分子ヘパリンやワルファリンの投与を継続。その後の治療の継続はリスク・ベネフィットを勘案して決定。
- ベバシズマブ投与中に静脈血栓症を発症した場合の継続について一定の見解はない。
- 継続の利益があると判断されたときには、抗凝固薬を併用しながら継続することも可能[2,6]。

（佐藤康幸／林　孝子／加藤恭子）

文献

1）Hurwitz HI, et al. J Clin Oncol 2011; 29: 1757-64. PMID: 21422411
2）Howell A, et al. Lancet 2005; 365: 60-2. PMID: 15639680
3）Sack GH Jr, et al. Medicine（Baltimore）1977; 56: 1-37. PMID: 834136
4）Lyman GH, et al. J Clin Oncol 2007; 25: 5490-505. PMID: 17968019
5）日本循環器学会ほか，編．肺血栓塞栓症および深部静脈血栓症の診断，治療，予防に関するガイドライン（2009年改訂版）．2009. http://www.j-circ.or.jp/guideline/pdf/JCS2009_andoh_h.pdf
6）Leighi NB, et al. Br J Cancer 2011; 104: 413-8. PMID: 21245868

貧血
－骨髄抑制以外の原因による貧血に注意－

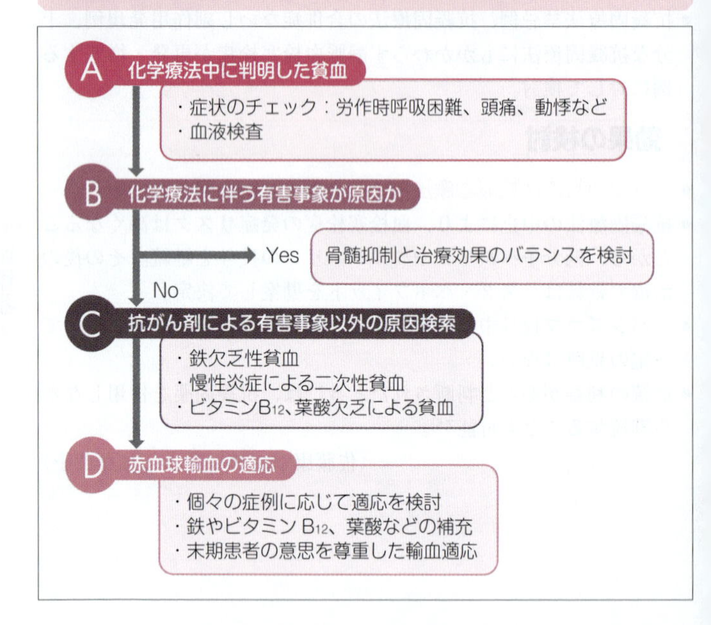

A 化学療法中に判明した貧血－症状のチェック、血液検査

1 化学療法中に発症する貧血

- 赤血球の寿命は約120日と比較的長いため化学療法による骨髄抑制が生じても、貧血は緩徐に進行する場合が多い。
- 原因は骨髄抑制だけでなく、化学療法以外の可能性もあることに注意する。

2 貧血の評価

- 貧血の程度は主に血中Hbで評価される。
- 貧血に伴う症状としては、労作時呼吸困難、頭痛、動悸などが挙げられる。
- CTCAE v5.0では**Hb 8g/dL未満**および輸血を必要とする状態がG3と定義されているが、輸血のためにこの基準を一律に適応するのではなく、個々の症例について状態に応じて対応することが重要。

3 鑑別のための検査

- CBC、網状赤血球、血清鉄、TIBC、フェリチン、ビタミンB_{12}、葉酸、出血の有無、腎機能障害の有無

B 化学療法中に伴う有害事象が原因か

1 骨髄抑制に伴う貧血

- 使用している薬剤について、有害事象としての貧血の頻度をチェックし、生じている貧血の原因が骨髄抑制で妥当であるか検討。
- 骨髄抑制が原因であれば回復を待ち、病態と貧血の重症度に応じて治療計画を再検討。

2 腎障害に続発する貧血

- 骨髄抑制による貧血以外に、使用薬剤で腎障害 ➡P.212,409 を生じた場合に、腎臓からのエリスロポエチン産生が障害されることがあり、このことが貧血の原因になっていることがある。
- 血清エリスロポエチン濃度を測定することで鑑別が可能であり、この場合網状赤血球上昇のない正球性正色素性貧血を示す。

C 抗がん剤による有害事象以外の原因検索

1 鉄欠乏性貧血

- 消化管や子宮などからの持続性出血による出血性貧血の場合は、鉄欠乏性貧血となり、小球性低色素性貧血となり、貯蔵鉄(フェリチン)の低下をきたす。
- 出血原因への対応と鉄補充で対応することができる。

2 慢性炎症による二次性貧血

- 長期の担がん患者においては、鉄の利用障害により貧血を生じることがある。
- この場合小球性低色素性貧血を示すが、鉄欠乏状態ではないためフェリチンの低下を伴わないことで鑑別が可能。

3 ビタミンB_{12}、葉酸欠乏による貧血

- CMF療法に使用する**メトトレキサート**は葉酸代謝拮抗薬であるため、長期にわたる使用で大球性貧血となることがある。
- まれに胃切除後などのビタミンB_{12}、葉酸吸収障害が原因となることもある。

D 赤血球輸血の適応

1 赤血球輸血の適応

- 輸血の適応はHb 7g/dL以下が基準とされていることが多い。
- 高度の貧血の場合は、一度に大量の輸血を行うと心不全や肺水腫をきたすことがあり、一般に1日に1～2単位の輸血量とするのが望ましい。

2 個々の症例に応じて適応を検討する

- 基準以下の貧血でも、急速に進行し症状の強い貧血や、循環器系や呼吸器系の合併症があり、貧血が全身状態の悪化につながるケースでは**積極的に輸血**を行うこともある。
- 慢性炎症などが原因でゆっくり進行する症状のない貧血では輸血を急ぐ必要はなく、個々の症例に応じて判断すべきである。

3 輸血以外の対応

- 鉄やビタミン B_{12}、葉酸などの不足が原因の場合はこれらの補充を優先して行う。
- 腎障害による腎性貧血が明らかな場合は、EPOなど**赤血球造血刺激因子製剤（erythropoiesis-stimulating agents；ESAs）**の投与を検討する。ESAsの投与は血栓症の発症リスクを上昇させる、予後を悪化させるなどのリスクも報告されており、**投与は慎重に**判断する。

4 末期の患者への輸血適応

- 末期患者に対しては、患者の自由意思を尊重し対応することが重要であり、患者の意思を尊重しない単なる延命処置としての輸血療法は控えるべきである。

（川崎賢祐）

文献

1）鳥本悦弘，ほか．日本臨牀 2015; 73(増刊号2): 341-44.
2）河野 勤．適切な治療マネジメントのポイント A副作用 骨髄抑制．渡辺 亨，監・編．Expert choice 乳がんレジメン．東京：先端医学社; 2015. p130-2.

血小板減少症
－骨髄抑制以外の原因の検索が重要－

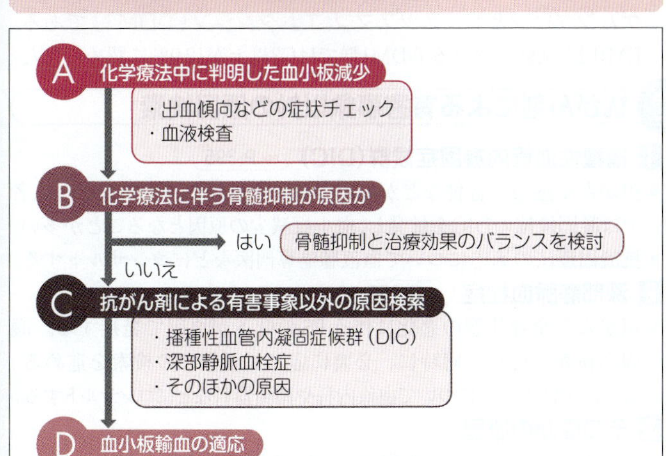

A 化学療法中に判明した血小板減少 －出血傾向などの症状チェック、血液検査

1 化学療法に伴う血小板減少

- 抗がん剤投与開始後約1週目ごろから低下し、2～3週で最低値となることが多いが、治療レジメンによって減少の時期、頻度および程度に違いがある。

2 血小板減少の評価

- 出血傾向が最も重要な症状となる。
- CTCAE v5.0では血小板50,000/mm³未満でG3、25,000/mm³未満でG4と判定される。

3 鑑別のための検査

- CBC、PT、APTT、Dダイマー、FDPなど

B 化学療法中に伴う骨髄抑制が原因か

1 骨髄抑制に伴う血小板減少

- 骨髄抑制に伴う血小板減少は早くて**投与5日目から**起こりうる。

- 頻回の化学療法により骨髄が疲弊している場合は、血小板減少の発現が早くなり程度も強くなる。

2 血小板減少をきたしやすい薬剤

- 乳がんに使用される薬剤のうち血小板減少をきたしやすいのは**ゲムシタビン**と**トラスツズマブ エムタンシン(T-DM1)**である。EMILIA試験におけるT-DM1群ではG3以上が12.9%に認められた。

C 抗がん剤による有害事象以外の原因検索

1 播種性血管内凝固症候群(DIC) ➡P.395

- 担がんや感染の合併などが原因でDICを生じる。特に担がん患者では凝固優位のDICを併発し、血小板減少の原因となることが多い。
- 抗凝固療法の適応について血液腫瘍専門医などにコンサルトする。

2 深部静脈血栓症 ➡P.230

- 担がんや全身状態の悪化に伴うPSの低下が原因で発症する。凝固系検査を行うと同時に、必要に応じて画像での検索を進める。
- 抗凝固療法の適応について血液内科や循環器科などにコンサルトする。

3 そのほかの原因

- 骨髄がん腫症、偽性血小板減少、巨赤芽球性貧血など

D 血小板輸血の適応

1 血小板輸血

- 血小板減少に対する対処法としては血小板輸血が唯一の方法であるが、終末期など必要のない場合にはできるだけ行わないようにし、必要最低限に留めることが原則である。

2 血小板輸血の適応

- **血小板が20,000/mm³以下**で出血傾向を認める場合は血小板輸血の適応である。
- 明らかな出血傾向を認めない場合は10,000/mm³が血小板輸血の閾値と考えてよいが、腫瘍壊死や他の基礎疾患で出血のリスクがある場合には20,000/mm³以上を保つように血小板輸血を行う。

(川崎賢祐)

文献

1) 西森久和. 日本臨牀 2015; 73(増刊号2): 345-9.
2) 河野 勤. 適切な治療マネジメントのポイント A副作用 骨髄抑制. 渡辺 亨, 監・編. Expert choice 乳がんレジメン. 東京: 先端医学社; 2015. p130-2.
3) Verma S, et al. N Engl J Med 2012; 367: 1783-91. PMID: 23020162

視覚異常

ー視覚異常の原因は多岐にわたる。眼科へ早めのコンサルトをー

A 化学療法中の視覚異常

「薬物のなかには重篤な不可逆性の視力障害を生じるものがある」との認識をもち、専門医へのコンサルトを忘れない姿勢が肝要

B 視覚異常の鑑別

・眼内の光が透過する部位（角膜、水晶体、硝子体、網膜）に起因する異常
・視神経、脳に起因する異常

C がん化学療法剤の副作用として出現する視覚異常

・タキサン系：黄斑浮腫
・シスプラチン：球後視神経炎
・フッ化ピリミジン系（S-1）：流涙、角膜炎
・免疫チェックポイント阻害薬：ぶどう膜炎

D 可逆性後白質脳症症候群による視覚異常

・シスプラチン、メトトレキサート、フルオロウラシル、ベバシズマブなどが原因
・被疑薬の中止と血圧のコントロールが大切

E そのほかの薬剤に起因する視覚異常

長期ステロイドによる白内障、緑内障

F 脳転移を疑うことを忘れない

A 化学療法中の視覚異常

- 抗がん剤による視覚異常は総じてその頻度が不明なものが多く、対処法もがん診療に携わる医師にとっては抗がん剤の休薬以外に方法がないものも多い。
- 「薬物のなかには重篤な不可逆性の視力障害を生じるものがある」との認識をもち、他科専門医へのコンサルトを忘れない姿勢が肝要と思われる。

B 視覚異常の鑑別

- がん化学療法時の視覚異常にはさまざまな原因がある。すなわち、角膜、水晶体、硝子体、網膜など光が透過する部位に起因した視力障害である。もちろん、視神経や大脳に原因をもつ視覚障害の鑑別も必要。適宜、眼科や神経内科など専門外来へのコンサルトが必要である。

C がん化学療法剤の副作用として出現する視覚障害

1 タキサン系薬剤による視覚異常

- パクリタキセルやドセタキセルなどの**タキサン系薬剤**では、**黄斑浮腫**（図1）や網膜の異常をきたすことがある[1]。
- 黄斑浮腫については眼科で一般的に使用されている抗VEGF薬やステロイドへの反応が悪く、**原因抗がん剤の休薬が最も有効**。

2 シスプラチンによる視力異常

- **シスプラチン**はまれに**球後視神経炎**を引き起こすことがあるとされる。

3 フッ化ピリミジン系薬剤（S-1）による視覚異常

- フッ化ピリミジン系薬剤は涙中にも分泌されるため、副作用として流涙や角膜炎（図2）が有名である[2]。角膜炎で角膜の透明性が障害されると視覚異常が出てくる。**S-1開始後平均3.1カ月**で出現するといわれている[3]。

図1　パクリタキセルによる黄斑浮腫

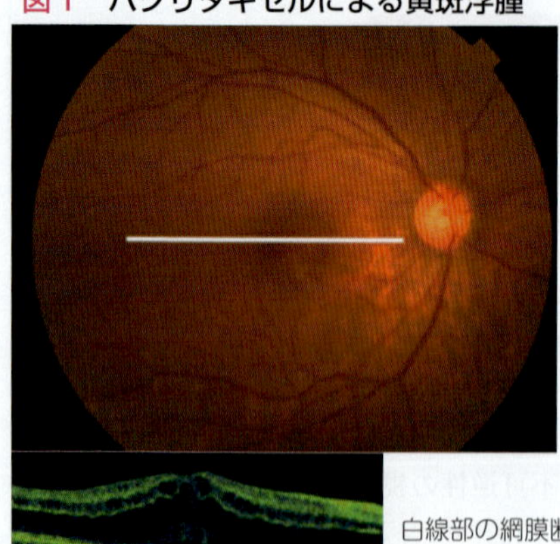

- 幹細胞の位置する角膜輪部上皮細胞で増殖抑制が起こるため生じるという説、また涙液に含まれるS-1により直接角膜が障害される説がある。
- **人工涙液点眼**を涙液に含まれる抗がん剤成分を洗い流す目的で行う。涙道閉塞の予防的効果もあるため、流涙の症状がなくても開始してよい。
- 防腐剤の入っていない**人工涙液ソフトサンティア®などを1日6回点眼**する。涙液中の薬物成分を洗い流す目的。処方箋ではなくドラッグストアで購入する。
- 重篤な角膜障害は一般的な角膜治療剤(ヒアルロン酸点眼)では改善が難しいことが多く、**S-1の中止または他薬剤への変更**により角膜状態が改善されることが多い。また、**自己血清点眼**で改善したとの報告もある。

4 免疫チェックポイント阻害薬による視機能障害

- 免疫チェックポイント阻害薬はぶどう膜炎を引き起こすことがある。眼症状としては**羞明、眼痛、視力低下**が挙げられる。
- ぶどう膜炎は**ステロイドの内服、局所投与**が有効とされているが、効果が限定的な場合、免疫チェックポイント阻害薬の休薬が必要になることがある。

D 可逆性後白質脳症症候群による視覚異常

- 薬剤性の視覚異常きたす病態の1つとして、可逆性後白質脳症症候群(症状：痙攣発作、頭痛、精神状態変化、視覚異常など)にも留意する必要がある。
- 可逆性後白質脳症症候群はその名のとおり、後頭葉白質に可逆性の病変をきたす疾患である。視野異常よりは意識混濁や不随意運動などが目立つことが多いが、視覚異常が出現することもある。

図2 S-1による角膜障害

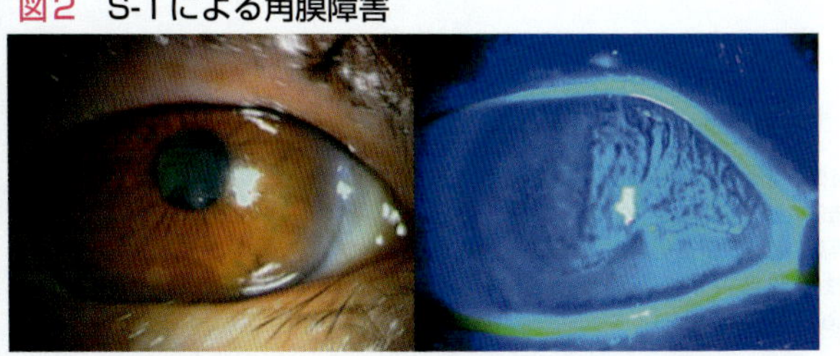

- 薬剤のみならずさまざまな背景因子が原因として報告されているが、血圧上昇による血管性浮腫が原因との説が有力である。
- 発症頻度は高くないものの、**シスプラチン**、**メトトレキサート**、**フルオロウラシル**、**ベバシズマブ**などが原因となりうる。
- 可逆性後白質脳症症候群を疑った際にはMRIを行い、T2強調画像とFRAIR画像で後頭葉白質に高信号の存在を確認する。
- 症状出現の際には速やかに被疑薬の中止をするとともに、血圧のコントロールなど適切な処置を行う必要がある。

E そのほかの薬剤に起因する視覚異常

1 長期ステロイド使用による視覚異常

- 抗がん剤ではないが、長期ステロイド使用により白内障または緑内障(眼圧上昇)が発症もしくは悪化することが知られている。
- ステロイド白内障の発症リスクは使用するステロイドの用量とその使用期間の長さに依存するとされているが、プレドニゾロン10mg/日以上を1年以上継続使用した場合に発症しやすいといわれている。
- 白内障により視力低下をきたした場合には手術が必要である。
- 眼圧上昇が判明した場合にはまずは点眼で眼圧下降を行う。

F 脳転移を疑うことを忘れない

- 視神経に限らずほかの脳神経についても同様のことがいえるが、化学療法時に視野異常が出現した場合は、薬剤の副作用だけでなく**がんの脳転移の可能性を疑う**ことが重要。
- 視神経は網膜の視神経細胞節から起こり眼窩を抜けた後視交叉、外側膝状体、視放線を経て後頭葉に達する。臨床症状に応じて頭部造影CTやMRIを撮る必要がある。
- 転移性脳腫瘍のなかで乳がんが占める割合は9.3%である[4]。

（松田　理）

文献

1）冨田有輝，ほか. 臨床眼科 2010; 64: 1149-52.
2）勝村浩三，ほか. 臨床眼科 2011; 65: 363-.7
3）白坂哲彦，ほか. 癌と化学療法 2001; 28: 855-864.
4）転移性脳腫瘍の原発巣頻度(脳腫瘍全国統計第12版 1984-2000). Neurologia medico-chirurgica 2009; 49(Supplement).

流涙・涙道閉塞

－QOLを大きく下げるため、特にS-1服用時は要注意。早期発見、治療がカギ－

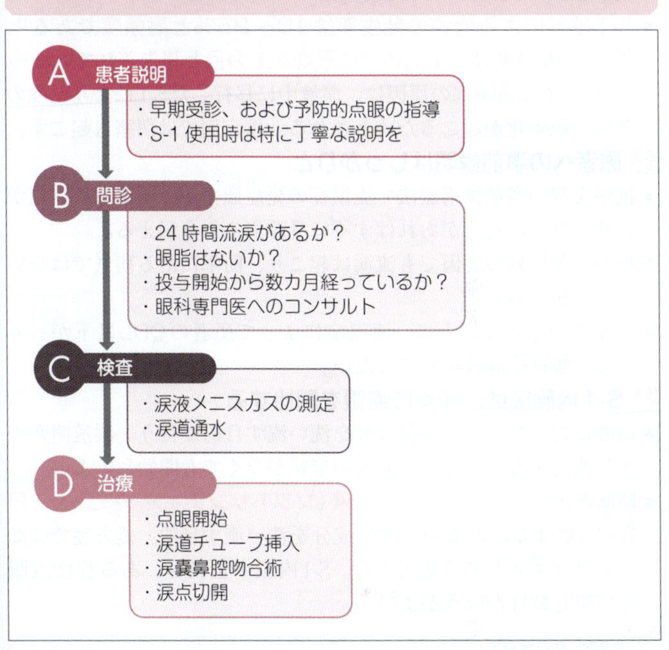

A 患者説明

1 流涙症のメカニズムを知っておく

- 流涙の原因は、涙が出すぎるか、排泄系が詰まっているか、である。

分泌型流涙：角膜知覚が過敏になり、かえって過剰に涙液を分泌する状態。

・ドライアイ、角膜上皮障害

・アレルギーなどの炎症

・内反症や睫毛乱生による機械的刺激

涙道閉塞、狭窄による流涙：炎症、外傷などで涙道（涙点→涙小管→涙嚢→鼻涙管→鼻涙管開口部）の通過障害が起こっている状態。抗がん剤使用による流涙はこのタイプ。

2 抗がん剤使用の背景を知っておく

- 統計ではがんを部位別にみると、男性1位は胃がん（18.5%）、女性1位は乳がん（20.2%）で、その両者に適応のある経口の抗がん剤がS-1である。
- **S-1投与による流涙の発生率は10〜25%と高頻度**である[1]。また、発症時期は**服用開始から平均4.5カ月**と報告されている[2]。
- S-1による涙道閉塞の原因は、涙液中に移行したS-1により粘膜の肥厚、線維化が起こるためとされる。重症例では閉塞も起こす。

3 患者への事前説明はしっかりと

- 抗がん剤の多剤併用療法で流涙症の発症確率が上がるため、抗がん剤投与中は変化があればすぐに受診するよう伝える。
- 抗がん剤以外の要因でも流涙は起こり、簡単に治る病気ではないことを伝える。
- 医療者が考える以上に、流涙症によって患者のQOLは下がっている。眼科受診は早めにしたい。

4 S-1内服後は、すぐに点眼を開始する

- 涙液に含まれる抗がん剤成分を洗い流す目的で行う。涙道閉塞の予防的効果もあるため、流涙の症状がなくても開始してよい。
- 防腐剤の入っていない**人工涙液（ソフトサンティア®など）**を**1日6回点眼**する。涙液中の薬物成分を洗い流す目的。処方箋ではなくドラッグストアで購入する。S-1内服中止後も、ある程度点眼を使用し続けたほうがよい。

B 問診のコツ

1 24時間涙が出るか？

- 涙は24時間分泌されるため、涙道狭窄による流涙は理論的には24時間続く。睫毛、ドライアイによる反応性の流涙の場合には目を閉じている間は刺激されないため流涙は起こらない。

2 眼脂はないか？

- 感染症による涙液排泄不全は流涙＋眼脂。対応は抗菌薬点眼。背景に涙道閉塞が隠れている場合もあるので注意が必要ではあるが、まずは抗菌薬投与。

3 投与開始から数カ月経っているか？

- 涙道閉塞発症の時期の中央値は、抗がん剤投与から4.5カ月程度である。すぐに発症しないというわけではないが、ある程度の時

間が経っていると発症の可能性が上がる。

4 眼科へのコンサルトのポイント

- 詳細は眼科にて問診するため、抗がん剤の副作用が懸念される旨が伝わればよい。
- 抗がん剤投与開始時期、予想投与期間など。

C 検査のコツ

1 涙液メニスカス（涙三角）の測定

- 眼表面に滞留する涙の量を測る。下眼瞼と角膜表面にかけて表面張力によりできる涙の幅を計測する（図1）。
- 蛍光色素残留試験では色素をのせて5分ほど経過させ、直後の状態との変化をみる。涙の多い人は色素をのせた直後に多いが、瞬目により排泄されるなら問題はない。しかし、涙道障害では涙液の排出が障害されるため、涙液の経時的減少を示さない（陽性）。陽性であれば鼻涙管閉塞を含む、何らかの疾患が涙液排泄の障害を起こしているといえる。

2 涙道通水

- 通水試験は生理食塩水を上下の涙点より通水し、抵抗と逆流をみて狭窄、閉塞がどの位置で起こっているかを判定する方法である。点眼による局所麻酔を行い、仰臥位で施行する。
- 正常であれば、涙点から入った生理食塩水は涙小管、涙嚢、鼻涙管、鼻腔へと流れるため、患者は喉まで水が通った感じがわかる。
  ①上下とも通水、逆流なし：正常、軽度鼻涙管狭窄
  ②片方から通水、片方は入れた場所より逆流：涙小管閉塞
  ③上下とも通水なし、反対側よりの逆流：総涙小管～鼻涙管開

図1　涙液メニスカス（涙三角）

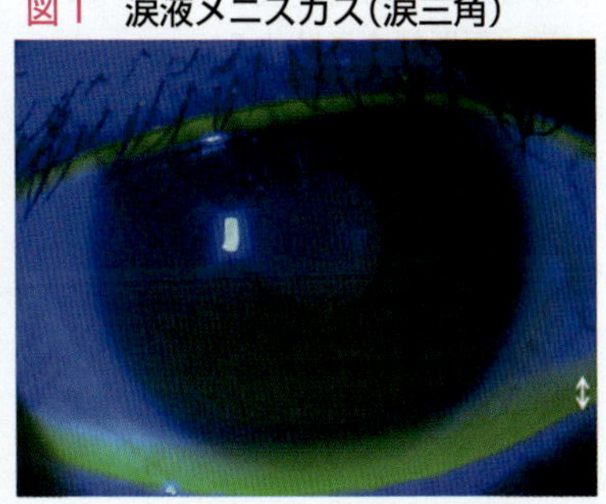

口部までのどこかで閉塞

D 治療のコツ

1 流涙の重症度と治療

- 正常：点眼で予防
- 軽症～中等度：涙道チューブ、涙道内視鏡
- 重症：手術

2 点眼

3 涙道チューブ

- 通水試験を行い、閉塞や狭窄が認められた場合はチューブを留置する。
- 上下の涙道から鼻腔までチューブを通す。一般にシリコン製の直径1mm程度のものを通す。挿入後は抗菌薬点眼、ステロイド点眼を開始し、チューブ挿入による感染と炎症を抑制させる。
- 1カ月ごとに涙道洗浄を行い、通水させる。
- 通常3カ月後に抜去するが再閉塞も考えられる。再挿入や、留置期間延長も考える。

4 涙道にチューブが挿入できない場合

- 閉塞の位置によって対応が変わる。
- 涙嚢から鼻腔開口部までであれば、涙道内視鏡を用いた穿破術を用いるが、涙小管の閉塞の場合は結膜と鼻腔を吻合する手術を全身麻酔下で行う。
- 涙嚢より下流の閉塞は涙嚢鼻腔吻合術となる。

5 涙点が閉塞している場合

- 涙点を切開する。涙点から耳側へ切開し、拡張針により涙点を拡張する。
- これだけで開放されることもあるが、再診時開放されていないようならば涙道チューブも挿入し、再閉鎖を予防する。

（松田　理）

文献

1）柏木広哉. あたらしい眼科 2013; 30: 915-21.
2）坂井　譲, ほか. 臨眼 2012; 66: 271-4.

味覚障害

－頻度の高い有害事象であり、積極的な診断・サポートが重要－

A 乳がん薬物療法による味覚障害

頻度の高い障害であり、積極的な診断を心がける。

B 味覚障害の診断

詳細な問診に加えて味覚検査の積極的な実施を。

発症時期と状況の確認：化学療法開始時期との関連、全身疾患（腎・肝障害、糖尿病、消化器疾患、ビタミン欠乏症、甲状腺機能障害）、歯科治療（金属などの補綴物装着など）、心理的ストレスのエピソードなど
嗅覚障害（においの変化）の有無
口腔合併症：口腔内の自発性疼痛の有無、食物の刺激による疼痛の有無、口内炎・舌炎・口腔乾燥・舌苔の視診
食欲低下の有無：体重減少・食欲不振の有無、食事量減少の有無

C 味覚障害の原因

複合的要因から発症することが少なくない。

①口腔乾燥症
②心因性
③口腔粘膜疾患
［口腔粘膜炎（舌炎を含む）・舌苔・カンジダ症など］
④亜鉛欠乏
⑤味覚伝導路の神経障害
⑥嗅覚障害

D 治療

経過とともに改善を認めることも少なくない。安易な亜鉛投与にとどまらず、さまざま方法を試しながら、患者をサポートする姿勢が重要。

- 亜鉛欠乏例に対する亜鉛製剤の内服
- 唾液腺マッサージ
- 氷片による冷刺激（特に食前）
- ビタミンB_{12}の内服
- 心因性の場合は味覚機能検査も有効

A 乳がん薬物療法による味覚障害について

- がん治療(化学療法・放射線療法・併用)に共通する口腔内の合併症であり、QOL低下につながる。**化学療法による有病率は56%**との報告があり[1]、患者の訴えのみに頼らず、積極的な診断を行うべきである。
- **症状は多様**である(味覚感度の低下だけでなく、味覚感度の上昇、自発的な不快な異常味覚など)。
- 亜鉛製剤の内服は亜鉛欠乏例のみに有効で、すべての味覚障害に有効性を認めるものではない[2,3]。
- 口腔乾燥症・口腔粘膜炎などの**口腔内トラブルや嗅覚障害などを伴うことも多く、味覚障害の増悪因子となりうる。**

B 味覚障害の診断

1 自覚症状

- 味覚減退：味覚感度が低下し、味を感じにくくなる。
- 味覚消失：味がしない。
- 味覚乖離：特定の味質(たとえば塩味)だけがわかりにくい。
- 異味症・錯味症：食べ物・飲み物の味が本来の味と異なった味に感じられる。
- 味覚過敏：味覚感度が上昇し、味が濃く感じる。
- 自発性異常味覚：実際は何もないのに口の中で特定の味が持続する。
- 部分的味覚障害：舌・口腔内の特定の部位で味を感じない。

2 重症度分類(CTCAE v5.0)

- G1:食生活の変化を伴わない味覚の変化。
- G2:食生活の変化を伴う味覚変化；不快な味；味の消失。

3 他覚症状

- 味覚機能検査・血液検査にて味覚障害の診断および評価をする。

臨床検査

- 抗がん剤による味覚障害の診断は自覚症状のみで行われているのが現状だが、正確な病態把握や重症度の評価には、味覚機能検査などによる客観的な評価が望まれる。
- **継続的な検査の実施・評価は患者の安心感につながり治療成績の向上にも寄与することが多い。**

1 血液検査

- **血清亜鉛値の測定**
- 通常血清亜鉛値80 μg/dL未満を低値とする。

2 味覚機能検査

①ろ紙ディスク法(テーストディスク®法)

- 医療用検査キットとして市販されているものにテーストディスク(三和化学研究所)がある。直径5 mmのろ紙(ディスク)を用いて、支配神経ごとに四基本味それぞれの検知閾値と認知閾値を測定する。
- 検査にかなりの時間を要するため、患者に負担がかかり、心因性要因の関与が強い症例では症状の悪化につながることもある。健常者でも正常域を外れる結果となることもあり、本検査は味覚障害の程度の評価ではなく、部位による味覚異常の訴えのある症例で有用である。

②全口腔法

- 口腔全体に味溶液を含み基本味の識別感度を検査する。
- 術者が作成することも可能であるが、①で示したテーストディスクを使って全口腔法の変法の滴下法を行うのが簡便である(方法:舌の上に1滴味質溶液を滴下し、口を閉じて口全体に広げてもらい認知閾値・検知閾値を測定)。

③電気味覚計(electrogustometry:EGM)による味覚検査

- 一般的な電気味覚計としてリオンTR-06型(リオン)がある。
- 舌および軟口蓋に微量な電流で刺激すると、金属味・酸味のような味がする。この現象を用いて、支配神経ごとに短時間で検査ができ、患者への負担が少ないことが利点である。
- 四基本味それぞれの感度に関する情報が得られないこと、またペースメーカー装着者には使用できないことが欠点である。

3 唾液分泌検査:サクソンテスト

- 2分間ガムのようにガーゼを噛み、分泌した唾液量を測定する。
- 2分間2 gが基準値であるが、3 g以下の場合は口腔乾燥感があることが多い。

専門医への相談のタイミング

- 客観的検査(味覚検査など)は専門外では行い難いので、発症当初からできるだけ専門医(耳鼻咽喉科または歯科)にコンサルトする。
- 抗がん剤治療前に口腔内に問題がある場合(口臭・舌苔・動揺歯・

プラークおよび歯石付着など）は、歯科へコンサルトする。

C 原因

- 乳がん薬物療法による味覚障害にはさまざまな症状があり、またその要因も複数であることが多い。

1 口腔乾燥症

- 抗がん剤に限らず薬剤の副作用として、頻度が高い副作用である。
- 味細胞は味蕾のなかにあり、口から摂取された味質は数μmの味孔から味蕾内の味細胞の受容体へと運ばれる。そのため唾液が少ないことにより、味孔に入りにくい・受容体から味質がはずれにくいなどの理由で味がしない（味覚減退・消退）・何も食べていなくても味がする（自発性異常味覚）などの症状を呈するものと考えられる。

2 心因性 ➡P.262

- 告知および抗がん治療など、患者は強いストレスに曝されている（化学療法の副作用の説明によりさらに不安が増すこともよく見受けられる）。味覚障害の要因の1つとして常に念頭に置く。

3 口腔粘膜疾患（舌炎・口内炎・口角炎・舌苔・カンジダ症など） ➡P.182

- 口腔粘膜炎はがん化学療法において高頻度の有害事象である。特に舌苔およびカンジダ症は味覚障害の原因となることがある。

4 亜鉛欠乏

- 抗がん剤その他投与中の薬剤が亜鉛をキレートする、吸収率の低下や排泄率の増加などを生じるなどの機序、食欲低下に伴う摂食量の低下による摂取不足などから亜鉛欠乏をきたし味覚障害を生じることがある。
- ヒト味細胞は10日～2週間でターンオーバーしており、その際に亜鉛が必要となるため、亜鉛欠乏症により味覚障害が発症すると考えられている。

5 味覚伝導路の神経障害

- 味覚は舌前方2/3は鼓索神経（顔面神経の枝）、舌後方1/3は舌咽神経、軟口蓋は大錐体神経（顔面神経の枝）、咽頭は迷走神経支配である。
- 抗がん剤によりこれらの経路が障害されることにより味覚障害を発症する可能性がある。

6 嗅覚障害

- 抗がん剤により嗅神経が障害されることにより嗅覚障害を発症することがある。
- 味覚と嗅覚は密接な関係にあり、味覚に問題がなくても嗅覚障害により味がしない・美味しくないなどの訴えに繋がる。

D 治療

1 亜鉛欠乏例に対する亜鉛製剤の内服

- ポラプレジング（プロマック®、ポラプレジンクOD錠）を内服（保険適用外）にて亜鉛補充を行うことは有効である。

2 唾液腺マッサージ

- サクソンテストにて3g未満または口腔乾燥感がある場合には一定の有効性が認められ、特に副作用も認めないことから奨励される治療法である[4]。

3 氷片による冷刺激（特に食前）

- 味には五基本味（甘味・塩味・酸味・苦味・うま味）がある。味質それぞれに関与する味細胞やチャネルが明らかになっており、その受容体と温度感受性受容体が共発現しているため、相互に影響しうる。
- 氷による冷刺激療法により、突発性味覚障害患者での回復や[5]、健常者において味覚感度が上昇したとの報告がある[6]。特に有害事象も生じないことから試みる価値はある。

4 ビタミン B_{12} の内服

- 味覚および嗅覚神経障害が疑われる症例ではビタミン B_{12}（メチコバール®錠：ただし保険適用外）の内服は奨励される。

5 心因性の場合は味覚機能検査も有効

- 自覚的味覚障害と他覚的味覚障害は一致しないことも決してまれではない。
- 化学療法施行患者は強いストレス下にあることが多く、心因性要因の関与が強い。味覚検査を行い、適切な説明を行うことにより精神的ストレスが減少し、自覚的味覚障害の改善がみられることもまれではない。
- 問診による自覚症状の確認にとどまらず、味覚検査の積極的実施が推奨される。

アドバイス

- 抗がん剤により嗜好性に変化がみられることもある。
- 味覚障害患者にとって一番違和感があるのは、これまでの味と異なることである。よって**味覚障害の症状があるときはできるだけ美味しいと感じるものを摂取することが有効**である。
- 味覚検査結果より料理の味付けなどのアドバイスも有効である。「栄養のため」など無理をして美味しくないものを摂取することは心因性味覚障害の増悪につながる。
- 経過とともに味覚障害は改善する可能性も高いため、適切な検査の実施と結果の評価・説明を行い、患者をサポートし精神的ストレス軽減に努めることも大切である。
- 抗がん剤治剤は味覚障害・口内炎のほか、歯周病の悪化といった歯科的トラブルのリスクを高め、味覚障害に関与する可能性も考えられる。
- 乳がん患者は健常者よりもデンタルケアの頻度が低いという報告もあり[7]、**周術期口腔ケア（抗がん剤治療前・治療中・治療後）に準じた口腔ケアを勧めることは、味覚障害発症予防はもちろん、抗がん剤治療完遂にも有効**である。

（藤山理恵）

文献

1）Hovan AJ, et al. Support Care Cancer 2010; 18: 1081-7A. PMID 20495984
2）Ripamonti C, et al. J Pain Symptom Manage 1998; 16: 349-51. PMID 9879158
3）Lyckholm L, et al. J Pain Palliat Care Pharmacother 2012; 26: 111-4. PMID: 22764846
4）Hakuta C, et al. Gerodontology 2009; 26: 250-8. PMID: 19555360
5）Fujiyama R, et al. Odontology 2010; 98: 82-4. PMID: 20155512
6）Fujiyama R, et al. Odontology 2017; 105: 275-82. PMID: 27550339
7）Lo-Fo-Wong DN, et al. Breast 2016; 29: 1-7. PMID: 27376886

末梢神経障害

－抗がん剤の減量・休薬も含め、早朝からの予防・対応が重要－

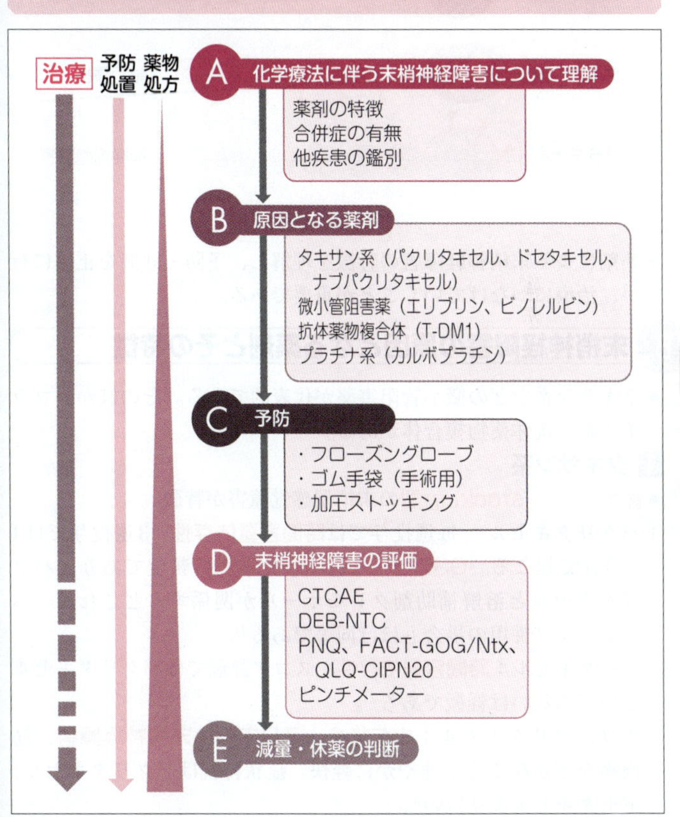

A 化学療法に伴う末梢神経障害

- 末梢神経には感覚神経、運動神経、自律神経があり、これらが化学療法によりダメージを受け、働きに異常をきたした場合を末梢神経障害という。神経細胞は細胞分裂を行わないため、神経軸索の微小管障害や神経細胞の直接障害により、感覚障害（手足がピリピリする、ジンジンする、感覚がなくなる）が引き起こされる（図1）。

図1　化学療法に起因する神経障害

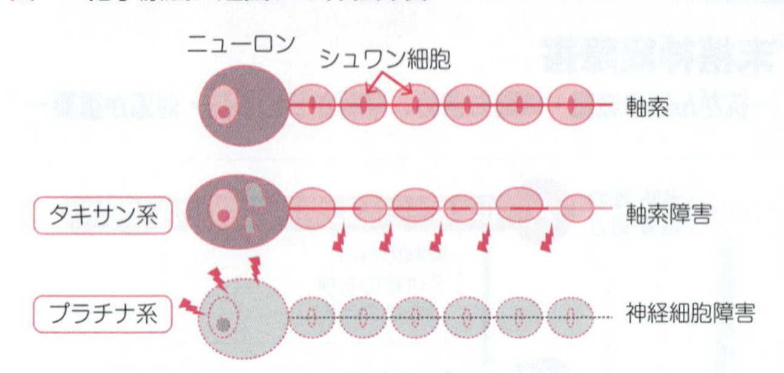

- 薬剤による末梢神経障害の特徴を理解し、予防・評価を正確に行い、治療につなげていくことが重要である。

B 末梢神経障害の原因となる薬剤とその特徴

- タキサン系などの微小管阻害薬が代表的である。そのほか、プラチナ系、抗体薬物複合体がある。

1 タキサン系

- **globe and stocking型**の末梢型感覚障害が特徴。

①**パクリタキセル**：毎週投与では**時間容量依存性**、3週投与では1～3日で起こる。**G3以上は5～20％程度**の頻度であり、パクリタキセルと溶解補助剤クレモホールが関係するとされる。ベバシズマブ併用の場合もほぼ同等である[1)]。

②**ドセタキセル**：**時間容量依存性**、スコア評価ではパクリタキセルと同等あるいは軽微である[2)]。

③**ナブパクリタキセル**：**投与後3～7日で強い末梢神経障害**、筋肉痛などが起こるが速やかに軽快。症状持続はパクリタキセル、ドセタキセルより短い[3)]。

2 そのほかの微小管阻害薬

①**エリブリン**：**全G 30％前後、G3は5％未満**である[4)]。

②**ビノレルビン**：発生頻度は＜5％、タキサンと比較して軽微なことが多い[5)]。

3 抗体薬物複合体

①**T-DM1**：全G 20％前後、G3以上は1～3％。タキサン系より緩徐に発症[6)]。

4 プラチナ系（カルボプラチン）

- 神経症状の発現は比較的少ないが、**高用量の使用でシスプラチンと同様の神経症状**（感覚性障害が中心、聴神経障害）を起こすことがある。ドセタキセルとの併用（TCbH療法）では発現頻度は変わらず。

C 予防処置

1 フローズングローブの使用

- 薬剤投与中に四肢末梢を冷却することで、四肢末梢の急激な薬剤血中濃度上昇を予防し、末梢神経障害予防の効果がある[8)]（図2）。
- ナブパクリタキセルの場合、**薬剤投与時間とその前後15分、計約1時間**施行する（図3）。

2 ゴム手袋（手術手袋）による圧迫療法

- 治療前にゴム製手術手袋を2枚重ねで着用して手指末梢を圧迫し、指尖部への薬物到達を予防することで、しびれ・知覚障害が有意に改善した[9)]。

3 加圧ストッキングの使用

- 糖尿病性神経障害に使用するものを利用する。**投与後24時間**を目安に着用する試みも行われている。
- 日常生活で、滑りにくい靴の着用時や、熱いもの・危険なものを扱うときには注意が必要である。

図2　フローズングローブ

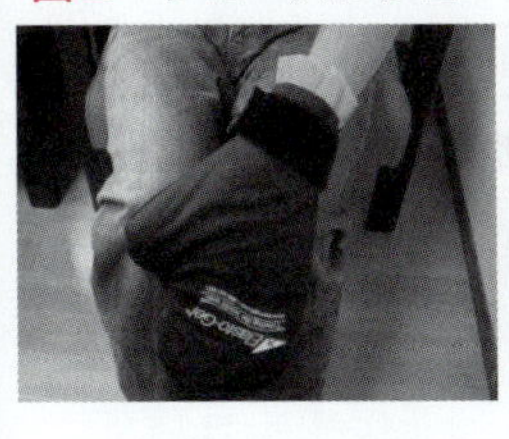

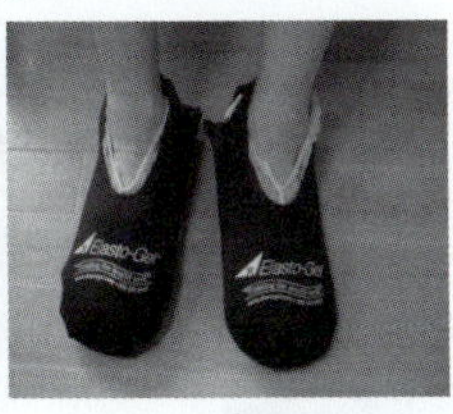

図3

投与15分前　　投与15分後

ベバシズマブ投与（30分）

フローズングローブ（計60分）

D 末梢神経障害の評価

- 評価方法では客観的評価が難しい場合が多い。近年医療者評価だけでなく、患者自らの評価・報告（patient reported outcome；PRO）が注目されている。

1 CTCAE v5.0

- 有害事象を適切に評価・集計するために、米国NCIが主導し世界共通で使用されることを意図して作成された有害事象に関しての評価規準で、G1～5で評価する。

2 DEB-NTC

- CTCAEは主に知覚異常の症状について、DEB-NTCは症状発現期間について評価するので、CTCAEによる評価と一致しない場合があるので注意が必要である。

3 PNQ（Patient Neurotoxicity Questionnaire）、FACT-GOG/Ntx、QLQ-CIPN20[7]

- 患者評価による末梢神経障害の評価法。PNQは質問形式による。CTCAEに類似した5段階評価で簡単で使いやすい。FACT-GOG/Ntx、QLQ-CIPN20は多項目アンケート方式の評価。これらはPROとして有用性が報告されている。

4 ピンチメーター（手指筋力測定器）

- ピンチ力（つまむ力）は握力として計測される力の一部で、感覚・運動神経の総合的評価として簡便に数値化できるメリットがある（図4）。

E 薬物療法

①デュロキセチン（サインバルタ®）：治療開始時点からの服用に

図4　ピンチメーター

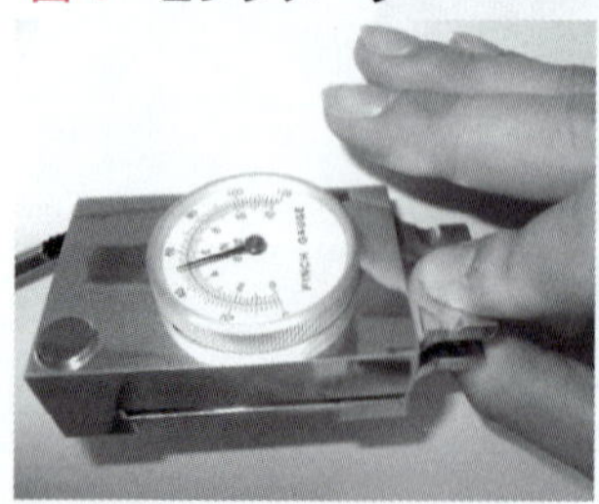

てタキサン系およびプラチナ系に起因する末梢神経障害に有意な改善効果を示した[10]。現在の保険適用は、うつ病・うつ状態、糖尿病性神経障害に伴う疼痛である。

②**プレガバリン（リリカ®）**：神経障害性疼痛に対する適用があるが、エビデンスが少なく化学療法由来（タキサン系）の疼痛性末梢神経障害に対する有効性は不明である[11]。めまい、傾眠、意識消失などの副作用に留意する。

③**牛車腎気丸およびビタミン B_{12}（メコバラミン、メチコバール®）**：ビタミン B_{12} は末梢神経障害が適応であり神経細胞での酵素の働きを助けるとされるが、抗がん剤による末梢神経障害に対する効果は明確ではない。末梢神経漢方薬である牛車腎気丸は10種の生薬からなり、神経伝達速度低下を抑制するとされ、タキサン系による鎮痛、進行抑制効果があるといわれビタミン B_{12} よりその効果は高いとされる[12]。

④**アセチル-L-カルニチン**：脂肪酸代謝改善、α-リポ酸は抗酸化作用の面から、末梢神経障害の予防あるいは軽減に有効との報告もある。

- 鎮痛剤（NSAIDs、オピオイド）：神経障害性疼痛に用いられることもあるが、明確なエビデンスはない。

3 休薬および減量

- 病状とQOLのバランスを考慮しつつ、抗がん剤の減量・休薬を考慮する。症状の重篤化は休薬期間の延長や治療継続を困難にするので、早期からの評価と対策を講じるべきである。

（二村　学）

7 神経・感覚器・精神④

文献

1) Tanabe Y, et al. Int J Clin Oncol 2013; 18: 132-8. PMID: 22105895
2) Shimozuma K, et al. Support Care Cancer 2009; 17: 1483-91. PMID: 19330359
3) Gradishar WJ, et al. J Clin Oncol 2005; 23: 7794-803. PMID: 16172456
4) Cortes J, et al. Lancet 2011; 377: 914-23. PMID: 21376385
5) Argyriou AA, et al. Crit Rev Oncol Hematol 2012; 82: 51–77. PMID: 21908200
6) Verma S, et al. N Engl J Med 2012; 367: 1783-91. PMID: 23020162162
7) Le-Rademacher J, et al. Support Care Cancer 2017; 25: 3537-44. PMID: 28634656
8) Hanai A, et al. J Natl Cancer Inst 2018; 110: 141-8. PMID: 29924336
9) Tsuyuki S, et al. Breast Cancer Res Treat 2016; 160: 61-7. PMID: 27620884
10) Smith EM, et al. JAMA 2013; 309: 1359-67. PMID: 23549581
11) Shinde SS, et al. Support Care Cancer 2016; 24: 547-53. PMID: 26155765
12) Abe H, et al. Asian Pac J Cancer Prev 2013; 14: 6351-6. PMID: 24377531

頭痛・めまい・ふらつき

ー生命にかかわるリスクのある中枢性疾患をスクリーニング、その後に頻度の高い疾患を鑑別するー

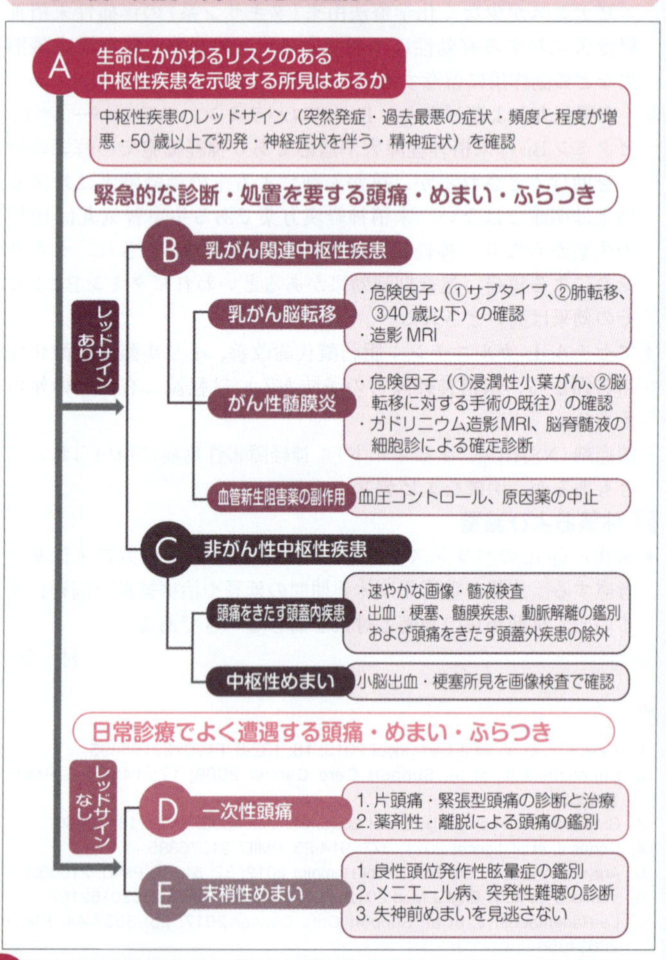

A 生命にかかわるリスクのある中枢性疾患をみつけるコツ

1 リスクの高い中枢性疾患のスクリーニング

● **中枢神経転移**および**非がん性中枢性疾患（二次性頭痛および中枢**

性めまい）という生命にかかわる病態を除外する。その後に一次性頭痛や末梢性めまいなどの頻度の高い疾患の鑑別を行う。

2 中枢性疾患のレッドサインを確認する

- ①突然発症、②過去最悪の症状、③頻度と程度が増悪する、④50歳以上で初発、⑤いつもと異なる症状、⑥神経症状を伴う、⑦精神症状を伴うなど。これらの所見が陽性の症例に対しては画像検査や髄液検査を行う。

B 乳がん関連の中枢性疾患をみつける・対処する

乳がん脳転移

1 乳がん脳転移の疫学

- 乳がんは脳転移の原因疾患として2番目に多く、転移性乳がんの10～16％の症例に有症状脳転移を認める。薬物療法の進歩に伴う進行・再発乳がんの予後延長に伴い、増加傾向にある。

2 乳がん脳転移の危険因子

- ①サブタイプ（トリプルネガティブ乳がん、HER2陽性乳がん、高増殖能）、②肺転移の存在、③40歳以下。

3 乳がん脳転移の症状・検査

- 頭痛や神経症状のみならず、認知症やうつ状態など精神異常もきたしうる。比較的緩徐な進行を呈するが、腫瘍内出血や水頭症、塞栓症により急激な症状を呈することがある。
- 造影MRIが推奨される。放射線性壊死との鑑別が困難な場合にPETやSPECTが追加される。
- 単発病変の場合は他中枢性疾患との鑑別を要する。生検施行により6～54％の症例で乳がん脳転移が否定されたとの報告がある。

乳がんのがん性髄膜炎

1 乳がんのがん性髄膜炎の疫学

- 比較的まれな疾患であるが原発巣として乳がんが最も多い（12～35％）。危険因子として①浸潤性小葉がん、②脳転移に対する手術療法の既往が挙げられる。

2 がん性髄膜炎の症状と診断

- 脳脊髄液圧の亢進や脳浮腫、神経への直接浸潤、脳脊髄液の代謝障害などmulti-focusに中枢神経障害をきたすため、頭痛、吐き気、嘔吐、精神状態異常、複視、嚥下障害、顔面痛や麻痺、小脳機能不全、発作、神経根障害、馬尾症候群などさまざまな神経症状を呈し、数日から数週間で進行する亜急性の経過を特徴とする。

- 診断のためにはがん性髄膜炎を強く疑うことが肝要である。ガドリニウム造影MRIでの髄膜の線状濃染や結節像が特徴的な所見であり(感度76～87%)、確定診断は脳脊髄液の細胞診により行われる(感度80～95%)。

血管新生阻害薬の副作用としての中枢神経疾患

- 血管新生阻害薬である**ベバシズマブ**の副作用として脳出血、脳梗塞、高血圧性脳症などの中枢性疾患が挙げられる。
- **可逆性後白質脳症症候群は**頻度1%未満とまれであるが、大脳半球後部における血管性浮腫を特徴とし、頭痛、混乱、発作、視力障害を主訴とする。頭部MRIが診断に有用であり、血圧コントロールや原因薬剤の中止で改善することが期待されるため、適切な診断と加療が必要である。

C 非がん性の中枢性疾患をみつける・対処する

頭痛をきたす頭蓋内疾患

- 神経症状(麻痺や感覚障害、複視、ろれつ困難など)、意識障害や髄膜刺激徴候などの神経所見が認められる場合は緊急性の高い頭蓋内疾患[くも膜下出血、頭蓋内動脈解離(90%は椎骨脳底動脈解離)、髄膜炎、高血圧性脳症、静脈洞血栓症や下垂体卒中]が存在するリスクが高く、速やかに画像検査や髄液検査を施行し、治療を開始する。
- 頭痛を主訴とする頭蓋外疾患としては、後頭神経痛、副鼻腔炎、緑内障発作、脳脊髄液漏出症(低髄圧症候群)、側頭動脈炎や頸椎症などがあり、これらの疾患を除外する。

中枢性めまい

1 小脳出血・梗塞を見逃さない

- めまいやふらつきを主訴とする症例では、脳幹または小脳の出血・梗塞による中枢性めまいを示唆する所見(①突発、②安静にても持続するめまい(眼振)、③頸部・後頭部痛を伴う、④神経症状を伴う、⑤片側に倒れそうになる)を見逃さないことが重要であり画像検査で確認する。

D 一次性頭痛をみつける・対処する

1 頻度の高い片頭痛・緊張型頭痛を診断・治療する

- 片頭痛や緊張型頭痛などの一次性頭痛では、頭痛を繰り返すことが多く、いつもと性状は同じであることが二次性頭痛との鑑別となる（日本神経学会・日本頭痛学会の共同編集「慢性頭痛の診療ガイドライン」などの成書を参照）。

2 薬剤性・離脱による頭痛の鑑別

- Ca拮抗薬や亜硝酸塩薬などの血管拡張薬による。
- カフェインによる頭痛があり、コーヒーや緑茶、栄養剤を常用している人に禁断性頭痛が生じることがある。

E 末梢性めまいをみつける・対処する

1 良性発作性頭位めまい症を診断できるようにする

- めまい・ふらつきの診療では、頻度が高い疾患である良性発作性頭位めまい症（BPPV）を診断できることが最大のコツである。
- 頭位誘発性のめまいはBPPVであることが多く、典型的な病歴として「起床時に起き上がるときのめまい」、「1分で治まるが、頭を動かすとめまいが再発する」などが挙げられる。検査としてDix-Hallpikeが陽性であり、治療としてEpley法がある。症状が強い場合は対症療法（制吐薬、抗ヒスタミン薬）を行う。

2 内耳疾患（メニエール病・突発性難聴）では蝸牛症状を伴う

- 内耳疾患であるメニエール病および突発性難聴は蝸牛症状（耳鳴り、難聴、耳閉塞感）を伴う。メニエール病は激しい自発性回転性眩暈を繰り返し、突発性難聴では難聴が目立つ。
- ともに経過とともに聴力障害が進行するため、早期の診断および耳鼻科コンサルトが必要である。

3 失神前めまいを見逃さない

- 出血や不整脈などの心血管性の疾患では、失神前症状をめまい・ふらつきの症状として訴えることがあり注意が必要である。
- 立位で起こった場合は出血や脱水を疑い、臥位で起こった場合は不整脈や虚血性心疾患などの心血管性疾患を疑い心電図を行う。

（重松英朗）

文献

1）金城光代，ほか．ジェネラリストのための内科外来マニュアル．東京：医学書院；2013. p92-105, 166-75.
2）Up to date. https://www.uptodate.com/contents/search

うつ・不安・アカシジア

－身体症状の丁寧な緩和と、気持ちに配慮する姿勢が、がん治療と並行してできる最強の心理的ケアとなる－

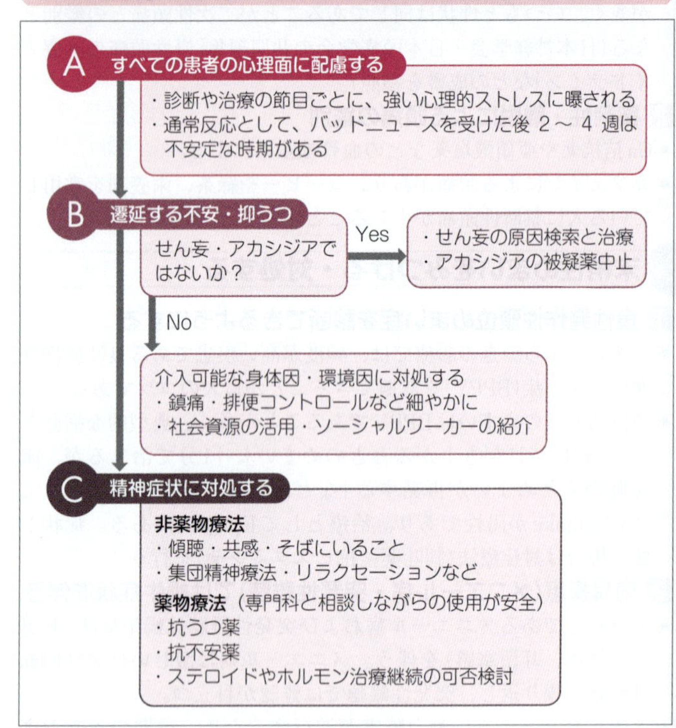

A がん患者の心理面に目を向ける

1 がん患者の心理的な特性を知る

- がんの疑いに始まり、告知、再発、病状進展、積極的治療中止など、節目ごとに告げられるバッドニュースは、程度の差はあれ、すべてのがん患者の心理的負荷となる。
- がん患者の「気持ちのつらさ」は、患者自身が苦痛であるのみならず、治療アドヒアランス低下、入院長期化、自殺リスク増大、家族の苦悩とも関連しており、「がん罹患とその治療」に起因する有害事象といえる。

- 心理的ストレスに対する"通常"の反応として、一連の気持ちの動きがみられる。バッドニュースを受けた直後の衝撃の段階(頭が真っ白になり、言われたことを覚えていない、他人事のように感じる)から、1～2週間の不安定な時期(強い不安、不眠、怒り、落ち込み)を経て、2～4週間かけて、次第に適応的な方向に気持ちの向きを変えてゆく。
- がん患者は「治療医に、気持ちの話題をもち出しにくい」という報告がある。
- がん患者の自殺リスクは一般人口に比し2倍程度、罹患1年以内はさらに高くなる。

2 すべての患者の「気持ちの面」に配慮する

- 通常反応の時期は、共感的傾聴や安心できるような説明を心掛け、適応までの期間として待つ。
- バッドニュースの直後は、理解力や集中力が低下することが多いので、一度に複雑な情報をすべて話してしまわない、家族同席の場を設定しなおすなど、コミュニケーションの工夫をする。
- バッドニュースを受けてしばらくの不安定さは異常ではなく、多くの患者に生じ、1カ月程度の間には変化してゆく可能性を告げるだけで、安心することが多い。
- 治療医の立場では、まず身体的側面から会話をはじめ、その流れで精神面にも言及すると、患者が応じやすい。「こんな状態で、お気持ちもしんどくなっていませんか？」
- 強い焦燥や絶望感をみせる患者には、突発的な危険行動の可能性を考え、自殺念慮について尋ね、専門科へ相談する。「生きているのもつらいという思いになったりしませんか？」

B 初期反応を過ぎて持続する、病的なうつ・不安を見逃さない

1 ハイリスク患者がいる

- 進行/再発がん、痛みなど身体症状コントロールの不十分さ、全身状態の悪さ、独居など社会的サポートの乏しさ、若年、短い教育歴、精神疾患の既往などが、気持ちの不安定さをきたしやすいリスク要因である。
- 内分泌療法とうつとの関連は一定の見解が出ていないものの、臨床上、不安・不定身体愁訴・抑うつ気分を訴える例が多い。

2 介入の必要性を評価する

- 介入を要する具体例として「仕事や家事ができなくなる」、「治療

や説明を受けられない」、「不眠や食欲低下が続く」など。

- 「うつ」には、“初期の通常反応”のような病的とはいえないものから、“反応性抑うつ状態（適応障害）”、“うつ病”に至る広い病態を含んでおり、「抑うつ気分」（「気持ちが落ち込んでいませんか？」）あるいは「喜びの喪失」（「好きだったことが楽しめなくなっていませんか？」）が終日2週間以上続く場合、介入が必要な“うつ病”の可能性があり、専門科に相談する。

3 アカシジアやせん妄による不安定さを除外する

- 意識障害（せん妄）で、不安や抑うつ状態を呈することがある。終末期以外に進行がん、脳転移、髄膜播種、電解質異常、感染合併時などには要注意である。
- アカシジアとは、ドパミン遮断薬による錐体外路症状で、身体（主に下肢）および精神の静止困難状態を呈し、不安・焦燥症状と間違えやすい。制吐薬（プロクロルペラジン、メトクロプラミド）、消化器用薬（スルピリド）、せん妄治療のための抗精神病薬（ハロペリドール、リスペリドンなど）が原因となる。中止にて通常1週間以内に消退するが、基盤に脳の脆弱性があると、症状消退に数週以上要することもあり、類似薬で再発しやすい。
- 症状が重篤、あるいは被疑薬中止が困難な場合は、対症的治療薬を使用する。β遮断薬（プロプラノロール）、ベンゾジアゼピン（クロナゼパム）、中枢性抗コリン薬（ビペリデン）などがあるが、抗コリン薬はせん妄やイレウスなどの有害事象を引き起こしやすく、使用は慎重かつ短期間にとどめる。

4 介入可能な点に可及的アプローチする

- 経済的懸念への対処（社会資源の活用、相談支援センターの紹介）、身体症状のきめ細かい緩和によって、驚くほど精神状態は変化する。
- 介入困難な点の把握：家庭内環境や元の性格特性が主因で潜在していた問題が、がん治療中に表面化・複雑化している場合や、脳転移などによる器質因は、薬物療法や一般的な支持的かかわりでは問題解決しないことが多く、「そこそこでよしとする」、「付き合ってゆく」。
- 治療関連薬（ステロイド、インターフェロン、ホルモン治療）が精神症状の原因となっている場合は、専門科と相談のうえメリット/デメリットを勘案し、使用継続可否を判断する。

C 精神症状に対応する

1 非薬物療法

- 大部分のがん患者は基盤の精神機能が健全であり、支持的なかかわりが奏効する。すなわち批判せず傾聴し、患者の健康な部分を支え強化する。
- 答えに困るような質問(「もう死ぬんですよね」など)には、論理的説明よりも、沈黙・傾聴・共にいること“being”が、共感的な対応となる。

2 薬物療法

- 抗うつ薬は、効果発現に数週以上要するため、週単位の予後予測患者には不適切である。また、肝代謝酵素活性に影響を及ぼす薬剤も多く、タモキシフェンなどの治療薬との併用には注意を要する。
- 適応障害レベルの抑うつに対して、抗うつ薬の効果は立証されておらず、非薬物療法が原則。生活上の支障が強い場合に、対症的薬物療法を検討する。
- 抗不安薬は、長期使用による依存、中止時の退薬、転倒、認知機能低下、せん妄をきたすリスクがあり、処方は殊に慎重に行う。
- がん患者の不安は通常、短時間で消退するものではない。短時間作用性型の抗不安薬(エチゾラムなど)は薬効消退時の不安が増強し、依存形成しやすい。中時間作用型抗不安薬の屯用が、MRI撮像時の不安発作や、予期性悪心・嘔吐に有効な場合がある。

ロラゼパム(ワイパックス®) 0.25～0.5mg(0.5mg錠 0.5～1錠)
不安な医療処置の30分前に屯用

(和田知未)

文献

1) 厚生労働省. 重篤副作用疾患別マニュアル アカシジア. 2010.
https://www.mhlw.go.jp/topics/2006/11/dl/tp1122-1j09.pdf
2) Ostuzzi G, et al. Cochrane Database Syst Rev 2018; 4: CD011006. PMID: 29683474
3) Amiri S, et al. Arch Suicide Res 2019; 1-19. PMID: 30955459
4) Saad AM, et al. Cancer 2019; 125: 972-9. PMID: 30613943
5) Bates GE, et al. JAMA Oncol 2017; 3: 1007. PMID: 28358931

不眠

ー詳細な情報収集と非薬物的介入を先行したうえで、睡眠薬は単剤で調整をー

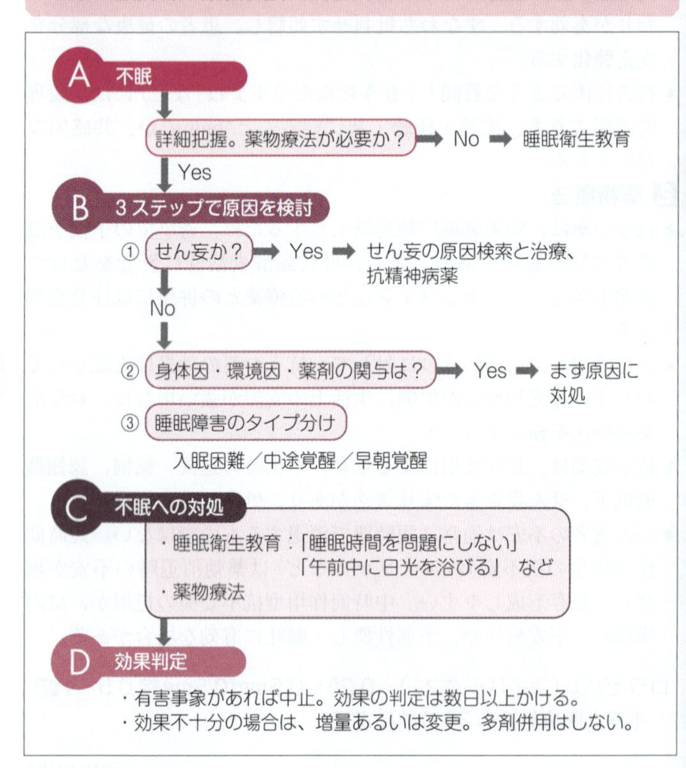

A 「寝られない」の訴えを聴く

1 関心を示し、具体的に把握する

- 症状出現の時期と頻度、睡眠習慣（入床時間・入眠・覚醒・起床時間、日中の活動状況、勤務形態）、アルコールやカフェイン摂取、抗がん剤投与サイクル／生活上の出来事／月経周期との関連性を聴取することが重要である。
- 関心を寄せて聴くことで、不眠は解消しなくとも、不眠に伴う心理的苦痛は多くの場合軽減する。

2 対処の必要性を判断する

- 「何時間寝ているか」は重要ではなく、**「日中眠気で困らない」、「生活面で支障が出ていない」なら、薬物療法の必要性は低い**。入院中は、病院の消灯時間に合わせて眠れないことを"不眠"と訴えている例も多い。
- 鎮痛薬や倦怠感のために、日中に眠気をきたし、おのずと夜間の睡眠が短時間となっている患者では、「1日全体でどれだけ休んでいるか」という観点で考えることも必要となる。

B 不眠の原因について、3ステップで考える

1 第一にせん妄を除外

- せん妄では概日リズムの乱れがほぼ100%に出現する。夜間不眠を呈するが、睡眠導入薬がせん妄を悪化させるため、まず除外する。
- せん妄かどうか判断が難しいハイリスク患者では、ベンゾジアゼピンを避け、せん妄をきたしにくい睡眠導入薬屯用の準備で様子をみるのも手である。

スボレキサント(ベルソムラ®) 15mg/回 不眠時屯用

2 次に身体因、環境因、薬剤の関与を検討

- よくある身体因は、痛み・かゆみ・便秘。輸液・利尿薬による尿意も問題となりやすい。
- 環境因としては、入院環境のほか、点滴による拘束感も多い。
- 薬剤では、ステロイドが圧倒的に多い。気づかないうちに他科処方が原因となっているケースもある(ジギタリス、Ca拮抗薬、抗パーキンソン病薬など)。

3 最後に睡眠障害のタイプ分け

- 入眠困難:不眠への恐怖や考え事など心因が絡む場合によく起こる。かゆみや入眠時の下肢異常感覚が原因の場合もある。
- 中途覚醒:一般成人の15%に認め、年齢とともに頻度が増す。痛みや尿意など身体因が絡んでいる場合も多い。
- 早朝覚醒:うつ病に特徴的だが、高齢者では一般的によくみられる。

C 不眠に対処する

1 環境や身体因を可及的に減らす

- 就寝時にあらかじめレスキューなどの鎮痛薬を追加使用してお

く、利尿薬やステロイドは朝のうちに投与する、夜間は輸液を中断する、など。

- 前投薬としてのステロイドによる不眠は、「投与日は眠りにくくなる」と説明する。理由がわかると不安や苦痛が減じ、不眠を訴えなくなることも少なくない。

2 睡眠衛生教育

- 一般社会のみならず医療者のなかでも、睡眠に関する誤った知識が広まっており、正しい知識の普及と、考え方や環境の調整を目指すものである。
- 患者のいう「不眠」が生理的なものであることも少なくない。正常な睡眠のメカニズム（深度変化があり中途覚醒は通常あること、加齢に伴い平均睡眠時間は短縮すること）を、図示しながら説明すると有効である。
- 「睡眠障害対処12の指針」が厚生労働省より掲げられている。「寝床を睡眠以外に使用しない」、「3度の食事と運動習慣」のように、がん患者では実行困難な提案もあるが、「午前中のうちに、窓越しでもよいので日の光を浴びる」、「昼寝は15時より前なら良い」、「睡眠薬を飲んだらすぐ横になる」、「カフェインは就寝4時間前以降控える」、「寝床に長くいるほど熟睡感は減じるものである」などは、有用なアドバイスとなる。

3 薬物療法

①ベンゾジアゼピン受容体作動薬

- 最もポピュラーな睡眠導入薬である。非ベンゾジアゼピン系に分類される薬剤も、作用機序はベンゾジアゼピンと同じである。**短時間作用型は入眠困難**に、**中時間作用性は中途覚醒**に選択する。単剤投与が原則で、非薬物療法（睡眠教育、環境調整）を並行すれば2剤以上必要となる例は少ない。
- 副作用が多数あり、2週間以内の使用にとどめるよう推奨されている。特に短時間作用型（トリアゾラムなど）で耐性・依存・退薬が問題となりやすい。高齢者や身体状態変化時にしばしばせん妄の誘因となる。ほかに、筋弛緩による転倒、翌日の持ち越し、長期連用による認知機能低下をきたす。
- 同じ薬効を得るための必要量が増してくるのが耐性、使用中止困難となるのが依存、使用中止すると以前よりもさらに強い不眠・不安・振戦・痙攣などを生じるのが退薬。いずれも短時間作用型を数週以上常用すると起こりやすい。非ベンゾジアゼピンでは、これらの副作用が比較的少ないとされる。

（作用時間の短い順に）

ゾルピデム（マイスリー®） 5～10mg/回
筋弛緩・耐性が若干少ないとされるが、抗不安効果をもたない。

ゾピクロン（アモバン®） 5～10mg/回
エスゾピクロン（ルネスタ®） 1～3mg/回
起床時に苦味を感じる例があるが、口をゆすぐことを勧める。

ブロチゾラム（レンドルミン®） 0.25mg（0.5～1錠）/回
不安や筋緊張伴う場合に。

ロルメタゼパム（エバミール®、ロラメット®） 1～2mg/回
肝障害患者にも使用しやすい。

フルニトラゼパム（サイレース®、ロヒプノール®） 0.5～2mg（0.5～2錠）/回
力価が強く、他の薬剤無効の場合に。

ニトラゼパム（ベンザリン®） 5～10mg/回
上記より長時間作用、早朝覚醒に。

②そのほかの睡眠薬

- ベンゾジアゼピン受容体作動薬のもつ筋弛緩、依存などの問題を回避できるとして注目されている。せん妄の予防効果についても検証されつつあり、周術期やせん妄ハイリスク症例では、まず選択される。
- ラメルテオンは週単位で連用することで概日リズムを矯正する効果をもつため、屯用には向かない。

ラメルテオン（ロゼレム®） 8mg/回
眠前（入眠まで時間がかかる場合、夕食後などに早めてもよい）

スボレキサント（ベルソムラ®） 15～20mg/回 眠前あるいは屯用。

レンボレキサント（デエビゴ®） 2.5～10mg/回

③副次作用の眠気を利用する

- うつ病に伴う不眠や、せん妄リスクが高い患者で、鎮静作用のある抗うつ薬が、催眠とせん妄回避を両立させる場合がある。

ミルタザピン（リフレックス®、レメロン®） 7.5～15mg（0.5～1錠）/回
食欲改善作用も。

ミアンセリン（テトラミド®）　10～30mg（1～3錠）/回
強い鎮静効果。

トラゾドン（デジレル®）　25～50mg（1～2錠）/回

- かゆみを伴う例や、ベンゾジアゼピン受容体作動薬による呼吸抑制を避けたい場合に、抗ヒスタミン薬を利用することもある。

ヒドロキシジン（アタラックス®P）　25～50mg（1カプセル）
せん妄に注意。

D 評価

- 薬物療法は副作用が出ないかぎり、1日で効果判定せず、数日から数週単位で検討する。
- 効果不十分の場合は、多剤併用ではなく、単剤で増量するか、変薬する。

（和田知未）

文献

1）内山　真，編．睡眠障害の対応と治療ガイドライン第3版．東京：じほう；2019．
2）厚生労働省健康局．健康づくりのための睡眠指針2014．http://www.mhlw.go.jp/file/06-Seisakujouhou-10900000-Kenkoukyoku/0000047221.pdf
3）Hatta K, et al. J Clin Psychiatry 2017; 78: e970-9. PMID: 28767209
4）Hatta K, et al. JAMA Psychiatry 2014; 71: 397-403. PMID: 24554232

認知機能低下・認知障害・ケモブレイン

－抗がん剤投与中もしくは治療後に記憶力、思考力、集中力の低下をみとめたら、ケモブレインの可能性を考える－

A ケモブレインとは

抗がん剤投与中もしくは治療後の記憶力、思考力、集中力の低下

B ケモブレインの原因

- **がんそのもの**：がんと診断されること自体がかなりのストレスを与える。脳転移、髄膜播種などの病変
- **治療全般**：化学療法、ホルモン療法、免疫療法、分子標的薬、手術、放射線治療、骨髄移植など
- **治療の副作用**：血球減少、貧血、全身倦怠感、治療による閉経、ホルモン環境の変化、感染、不眠、疼痛、など
- **抗がん剤以外の薬剤**：ステロイド、疼痛薬、手術時の麻酔、など
- **そのほかの原因**：遺伝的な感受性、栄養状態、糖尿病、甲状腺機能異常、高血圧、不安、ストレス、そのほか精神的苦痛、年齢、など

C 治療・マネジメント方法

- **スケジュールやメモをとる**：「スケジュール」「すること」「大事なこと」をメモし、リストを作成、達成したかチェックする。携帯電話を有効に使用。
- **頭の体操**：ゲームやパズル、関心のある講義に行ったりして、脳を活発にする。新しい言語を学ぶなど。
- **休息、十分な睡眠**
- **エクササイズ**：規則正しい生活、野菜中心の食事、生活の中に日常的に運動を取り入れる。
- **一度に複数のことを行おうとしない**
- 日常生活のルーチン化、規則正しい生活リズムをもつ
- 過度なアルコール摂取を避ける
- **周囲に助け、理解を求める**
- **自身の症状を記録する**：いつ、どのような症状、何の薬剤を服用中か、どんな影響を感じたかなど。また症状が出やすいとき（空腹時や疲労時、日内変動など）を理解し、重要な仕事のタイミングを避けるなどの工夫が可能。
- **必要以上に症状に囚われない**：自身の状態を受け入れることで、自分自身の捉え方が前向きになる。
- **医療従事者に症状を伝える**：症状を伝えることによって薬との関係やさまざまな要因を専門的に考えたり、対応策を一緒に考えたりすることが可能。

A ケモブレインとは

- 化学療法に関連した記憶、認知機能障害と定義される。しかし、治療を受けた全員に認める症状ではなく、起こる時期、症状が継続する期間、生活への影響もさまざまである(表1)。
- 多くの場合、急に発症し、短期間しか続かないといわれるが、治療期間中だけ続いて治療後は改善する場合もあれば、治療後長期間続く場合もある。患者本人の認識にも個人差があり、多くの場合、日常生活で常に問題となる程度となるまで、医療従事者へ訴えがなく、気づかれにくい。また、医療従事者の認識不足によって副作用と認められず、患者によってはQOLが著しく低下する原因となりうる。
- 診断時は採血や頭部CT/MRIなどの画像検査を行い、脳転移、貧血、肝障害の有無などを精査する必要がある。

表1 American Cancer Society(ASCO)により挙げられている症状の例

・普段まったく問題なく思い出せるようなことでもうまく思い出せない(記憶の欠落)
・集中できない(患者は自分がしていることに集中できず、短期間しか集中力が保てない、"ぼんやりしてしまう")
・名前や日にちなど、詳細を覚えることが困難、ときには大きなイベントも覚えられない
・一度に複数のことを行うことが困難。たとえば料理をしながら電話に応答するなど、何かをやりながら別のことを行うことが難しい(患者は一度にできることが少なくなったと感じている)
・物事を成し遂げるのに以前より時間がかかるようになる(整理できない、考えや過程がゆっくりになってしまう)
・新しいことを学べない
・日常に使うような一般的な言葉が思い出せない(的確な言葉を思い出して文章にできない)

(文献8より引用)

B ケモブレインの原因

- 明らかな原因、メカニズムは特定されておらず、がん患者を取り巻くさまざまな因子が複雑に影響し合って起こる症状である。短期間の症状の場合は、さまざまな因子を1つずつ快服することにより快復することが多い。
- 機能的MRIなどによって、化学療法による脳の画像的変化を捉えることが可能となった。白質変化、特に海馬領域、前頭前野皮質に変化を認め、認知機能障害の原因となりうると考えられている。
- 認知訓練時の脳血流をモニタリングすると、化学療法施行歴のあ

る患者と健常人では脳活動に違いを認めたとの報告もある。
- **乳がんにおける発現頻度は17～75％**と報告され、**特に55歳以上**の患者の多くが認知障害を自覚しているとされる。
- Keslerら[6]の検討において、化学療法無治療群、アンスラサイクリン系以外の薬剤治療群と比較し、**アンスラサイクリン治療群**では認知機能検査と安静時機能的MRIによる頭部画像評価にて、有意に言語記憶機能低下、即時再生や遅延再生の低下、brain networkの脆弱性を認めた。
- 化学療法のみならず、分子標的薬や免疫療法、特にホルモン療法によるホルモン環境の変化、免疫不全、微小梗塞なども原因となる。
- アルツハイマー病発症の危険因子となる遺伝子、遺伝的な脳の脆弱性の有無も注目され、副作用に対する個別化対応が期待される。
- 認知、記憶障害を起こす危険因子：脳腫瘍、髄膜播種、中枢神経系への化学療法の直接投与、化学療法と全脳照射の併用、高用量化学療法、高線量放射線治療、多種にわたる化学療法施行歴、若年での診断、治療開始、加齢、など。

C 治療・マネジメント方法

- 症状に合わせた包括的かつ専門的な治療、マネジメント方法を検討する。
- 化学療法施行前にケモブレインの可能性を患者に伝え、患者自身にも症状の把握と対処方法、マネジメントを理解し心掛けていただくことが、症状軽減につながる。
- 通常、症状は軽度で、治療終了後、症状が改善することが多く、この副作用を避けることを目的に治療変更をすべきではない。最善な治療選択への妨げとならないよう、十分な説明、理解を促すことも重要である。また、患者周囲の理解も深める必要がある。

海外の報告では、状況により使用する場合がある薬剤

- **メチルフェニデート（リタリン®）**：ナルコレプシーに対する適用がある。慢性疲労に対しても効果があるとされるが、日本においてはその適用はない。
- **モダフィニル（モディオダール®）**：ナルコレプシー患者および閉塞性睡眠時無呼吸症候群患者に対する適用がある。覚せい作用以外の効果の1つに認知力の向上がある。
- アルツハイマー病治療薬である**ドネペジル（アリセプト®）、メマンチン（メマリー®）**なども有用な可能性が報告されている。

D 予防

- ケモブレイン発症の予測が可能であれば、治療前に脳を活性化させる、単語記憶トレーニング、数字や単語の認識トレーニングなど、認知機能訓練を行うことでケモブレイン症状の改善が期待されるとの報告がある。（増田紘子／明石定子）

文献

1）Cognitive impairment in adults with non-central nervous systems cancer (PDQ). https://www.cancer.gov/about-cancer/treatment/side-effects/memory/cognitive-impairment-hp-pdq
2）Niederhuber JE, et al, eds. Neurologic complications. In: Abeloff's Clinical Oncology 5th ed. Philadelphia Pa: Churchill Livingstone Elsevier; 2014.
3）Vannorsdall TD. ed Clin North Am 2017; 101: 1115-34. PMID: 28992858
4）National Comprehensive Cancer Network. Survivorship. https://www.nccn.org/professionals/physician_gls/default.aspx. Accessed Jan. 17, 2019.
5）Asher A. Am J Phys Med Rehabil 2011; 90: S16-26. PMID: 21765260
6）Berman MG, et al. Health Psychol 2014; 33: 222-31. PMID: 23914817
7）Boykoff N, et al. J Cancer Surviv 2009; 3: 223-32. PMID: 19760150
8）CancerCare. Coping with Chemobrain: Keeping Your Memory Sharp. February 10, 2016. http://www.cancercare.org/publications/70-coping_with_chemobrain_keeping_your_memory_sharp on May 2, 2016.
9）Dietrich J, et al. Oncologist 2008; 13: 1285-95. PMID: 19019972
10）Kesler SR, et al. JAMA Oncol 2016; 2: 185-92. PMID: 26633037
11）Ferguson RJ, et al. Psychooncology 2007; 16: 772-7. PMID: 17152119
12）American Cancer Society. Chemo brain. February 01, 2020. https://www.cancer.org/treatment/treatments-and-side-effects/physical-side-effects/changes-in-mood-or-thinking/chemo-brain.html#references
13）Mayo Clinic Staff. Chemo brain. March 22, 2019. https://www.mayoclinic.org/diseases-conditions/chemo-brain/symptoms-causes/syc-20351060
14）Moore HC. Oncology (Williston Park) 2014; 28: 797-804. PMID: 25224480
15）Reid-Arndt SA, et al. J Psychosoc Oncol 2009; 27: 415-34. PMID: 19813133
16）Schilder CM, et al. Crit Rev Oncol Hematol 2010; 76: 133-41. PMID: 20036141
17）Schmidt JE, et al. J Cancer Surviv 2016; 10 302-11. PMID: 26238504
18）Wefel JS, et al. Cancer 2010; 116: 3348-56. PMID: 20564075
19）Wefel JS, et al. Cancer 2011; 117: 190-96. PMID: 20737560

爪囲炎・爪変形・陥入爪
−予防的スキンケアと発症早期からの介入により悪化を防ぎ、化学療法の継続を目指す−

A 化学療法開始前

①爪囲炎、爪変形を起こしやすい薬剤について知っておく
- フルオロウラシル、カペシタビン、テガフール
- タキサン（パクリタキセル、ドセタキセル）
- ラパチニブ
- ペルツズマブ

②患者への十分な説明
③予防的スキンケアの導入

B 化学療法開始後

①受診時ごとの問診と視診
②発症早期からの介入
③重症度評価（G2以下でコントロール）

C そのほかの原因のチェック

爪甲異常をきたす疾患：
爪甲剥離、爪甲変形

D 爪囲炎、爪変形の治療

①保清、保湿、保護
②自己管理：ヤスリの使用、テーピング
③早期段階での皮膚科コンサルト
④保湿剤、ステロイド外用薬など

E 効果の検討

改善なければ、専門医へのコンサルト

A 化学療法開始前のコツ

1 爪囲炎、爪変形を起こしやすい薬剤について知っておく

- EGFR阻害薬である**ラパチニブ**は開始後約8週ころに爪囲炎を起こしやすい。
- **ペルツズマブ**も爪囲炎や爪変形を起こすことがある。
- **フルオロウラシル**、**カペシタビン**、**テガフール**は爪甲に帯状の横

溝や爪甲変形をきたすことがある。

- タキサン（パクリタキセル、ドセタキセル）も爪甲変形や爪甲剥離を起こす。

2 患者への十分な説明

- 爪変形や爪囲炎は比較的軽微な副作用であるが、手指の爪変形は患者にとっては整容的に大きな問題となり、爪囲炎に伴う痛みが強くなると患者のQOLを低下させるため、副作用をコントロールしながら、治療を継続することの重要性を事前に説明しておく。

3 予防的スキンケアの導入

- 石鹸や入浴剤は低刺激性で香料やアルコールを含まない製品を使い、手を洗うときは爪の間も意識して洗う。
- 保湿ローションやクリームを使う際は爪全体にも塗る。
- 深爪も爪の伸ばしすぎも避け、爪がもろくなった際は手袋や靴下を着用する。

B 爪囲炎、爪変形対処のコツ

1 受診時ごとの問診と視診

- 爪甲変形、爪囲の発赤や腫脹の有無を観察し、爪囲の痛みの有無や変化について受診ごとに質問して把握しておくとよい。

2 発症早期からの介入

- 化学療法に伴う爪障害のうち爪囲炎は悪化すると治療の一時中止や減量につながるため、発症早期に介入するのが望ましい。

3 重症度評価

- CTCAE v5.0に則って判定する。
- 外科的処置や身の回りの日常生活動作の制限を要するとG3となり、休薬が必要となる。
- 爪囲炎は休薬により比較的速やかに改善するが、G2以下でコントロールするのが望ましい。

C そのほかの原因のチェック

- 薬剤以外に爪甲異常をきたす疾患。

1 爪甲剥離

- 甲状腺機能亢進症、甲状腺機能低下症、乾癬、貧血やカンジダ症によっても起こる。

2 爪甲変形

- 鉄欠乏性貧血による匙形爪甲（スプーンネイル）や慢性心肺疾患に

よる時計皿爪(太鼓ばち指)などがある。

- 爪甲横溝は円形脱毛症と関連が深く、マニキュアによる刺激や外傷でも起こる。

爪囲炎、爪変形の治療

1 保清、保湿、保護

- 手とともに爪も清潔に保って保護するのが重要。
- 爪甲剥離や爪囲に炎症が起きた際もよく洗って、二次的な感染を予防する。
- 水仕事の際には手袋を着用して刺激を避ける。
- 爪がもろくなったり、横溝で変形した際はベースコートを塗ってもよい。
- ドキソルビシンやタキサンでは手足のcoolingによる血管収縮効果によって、爪甲障害が軽減される。

2 自己管理

- 爪がもろくなった際は、爪切りを使いにくくなるので、ヤスリで爪を削って整える。
- 爪囲炎の初期からテーピングで皮膚を引っ張り、爪甲先端が周辺皮膚にくいこみにくくする。

3 早期段階での皮膚科コンサルト

- 爪囲炎は悪化すると手作業や歩行にも支障をきたし、QOLを大きく損なうので、早期に皮膚科へのコンサルトを検討する。
- 二次的な感染が疑われる際は早急に皮膚科にコンサルトを。抗菌薬投与や液体窒素による冷凍療法、爪甲の部分除去など専門的処置を行う必要がある。

4 自科で初期対応を行う場合

- 爪甲変形そのものには有効な治療法がないが、薬剤中止後数カ月で回復する。
- 爪甲変形による陥入爪や爪囲炎の悪化を防ぐことが主眼となる。

保湿剤

ヘパリン類似物質(ヒルドイド®ソフト軟膏)　適宜塗布
副作用はほとんどないので、何回塗ってもよい。手洗い後などはそのつど塗布が望ましい。

ステロイド外用薬

ストロングクラス[吉草酸デキサメタゾン(ボアラ®軟膏)]以上　1日2回塗布
外用後はなるべく手洗いなどは避けるのが望ましい。夜は入浴後、朝は家事などを終えてしばらく手を休めるときに外用。

ミノサイクリン(ミノマイシン®)　50mg/回　1日1～2回内服
抗菌作用に加えて抗炎症作用が期待できる。

テーピング(アンカーテーピング)
伸縮性のあるテープを用いて側爪郭先端部の皮膚を引っ張り、指の周囲にらせん状に巻くように固定する。爪甲先端の爪郭皮膚へのくい込みや圧迫を解除し、炎症、痛みが改善する。

E 効果の検討

- 1～2週の経過で改善しなければ皮膚科へのコンサルトを検討する。
- 皮膚科へのコンサルトに時間を要する場合は上記対応に加えてステロイド外用薬のベリーストロングクラスへのランクアップを検討する。

ジフルプレドナート(マイザー®軟膏)

(小澤健太郎)

文献

1) 静岡県立静岡がんセンター．抗がん剤治療と皮膚障害．2016.
2) Susser WS, et al. J Am Acad Dermatol 1999; 40: 367-98. PMID: 10071309
3) Reyes-Habito CM, et al. J Am Acad Dernatol 2014; 71: 203.e1-203.e12. PMID: 25037800

皮疹・皮膚乾燥・瘙痒感
－緊急対応が必要な徴候、重症薬疹の症状を見逃さない－

A 皮疹・皮膚乾燥・瘙痒感をみつけるコツ
①抗がん剤、分子標的薬、免疫チェックポイント阻害薬による皮疹について知っておく
②抗がん剤、分子標的薬、免疫チェックポイント阻害薬による皮疹の特徴について知っておく
③予防的スキンケアの導入

B 皮疹への対処のコツ
①緊急性の判断
②Stevens-Johnson症候群、中毒性表皮壊死症（TEN）を見逃さない
③重症度評価（G3以上は休薬）

C そのほかの原因のチェック
・すべての薬剤が皮疹を誘発する可能性がある
・抗がん剤以外に服用中の薬剤がないかチェック

D 皮疹・皮膚乾燥・瘙痒感治療のコツ
①保清、保湿、保護
②外用薬（保湿剤・ステロイド外用薬）
③内服薬（抗アレルギー薬など）

E 効果検討のコツ
・改善なければ専門医へのコンサルト
・白癬など皮膚感染症にも留意

A 皮疹・皮膚乾燥・瘙痒感をみつけるコツ

1 抗がん剤、分子標的薬、免疫チェックポイント阻害薬による皮疹について知っておく

- すべての抗がん剤が皮疹を起こしうるが、薬剤によって起こしやすい皮疹に傾向がある。
- EGFR阻害薬では皮膚障害の強さと抗腫瘍効果に相関があることが指摘されており、皮膚障害をコントロールしながら可能なかぎり治療の継続を目指す。

- 投与直後に出現する瘙痒感はアナフィラキシー (➡P.161) の初期症状である可能性がある。
- 免疫チェックポイント阻害薬を投与された患者の約4割に皮疹が生じ、その多くは開始後4〜8週に出現する。

2 抗がん剤、分子標的薬、免疫チェックポイント阻害薬による皮疹の特徴について知っておく

- 即時型過敏反応では顔面の紅潮や蕁麻疹、血管浮腫が投与後30分以内に現れることが多い。
- **手足症候群** (➡P.283) はフルオロウラシルやドキソルビシンで起こしやすいが、シスプラチン、ドセタキセル、パクリタキセルでも起きることがある。
- EGF受容体阻害薬である**ラパチニブ(タイケルブ®)**は**開始後2週間以内にざ瘡様皮疹**を、**約1カ月ころから皮膚乾燥や爪囲炎** (➡P.275) を起こしやすい。ざ瘡様皮疹は顔面では頬部や前額などの脂漏部位に好発するが、かゆみを伴う点が尋常性ざ瘡との相違点であり、頭部や体幹、四肢に多発することもある。
- 多型紅斑など広範囲に皮疹が出現するとかゆみを伴うことが多い。
- 免疫チェックポイント阻害薬では特徴のない紅斑や丘疹が多発することが多いが、湿疹、乾癬、扁平苔癬に類似する皮疹を示す場合もある。また、皮膚の乾燥や痒みのみを訴える例もある。

3 予防的スキンケアの導入

- 抗がん剤により皮膚は薄くもろくなり、乾燥しやすくなるため、皮膚表面の保湿、保清、保護が重要である。皮膚乾燥が悪化するとひび割れが起こり、かゆみが強いと掻破により、皮膚を掻き破ったり、湿疹化することがある。
- 皮膚乾燥や瘙痒感に対してはこまめな保湿剤の外用を行う。入浴後に皮膚表面が湿った状態で保湿剤を外用すると効果的である。
- 石鹸やボディソープは皮膚乾燥を助長し、また刺激にもなるので、無香料、アルコール無添加の低刺激性製品を用い、使用量は少なめにしてタオルで体を擦るのは避ける。
- 抗がん剤による皮膚障害は紫外線により悪化することが多いため、帽子や衣類の工夫や日焼け止めなどで紫外線対策を行う。

B 皮疹への対処のコツ

1 緊急性の判断

- 紅斑が多発して発熱、倦怠感、関節痛、食欲低下などの全身症状を伴う場合は重症薬疹の可能性を考慮する。
- 投与直後に出現する蕁麻疹は即時型アレルギーまたはinfusion reactionであり、アナフィラキシーに進行する可能性を考慮する。infusion reactionは発熱を伴うことがあり、投与24時間以内まで起きる可能性がある。

2 Stevens-Johnson症候群、中毒性表皮壊死症（TEN）を見逃さない

- 発熱、紅斑の水疱化、口唇や口腔内の腫脹と痛み、流涙や眼球結膜の充血は**Stevens-Johnson症候群**の徴候である。
- さらに全身の発赤と水疱やびらんの形成は**中毒性表皮壊死症（TEN）**の徴候であるため、直ちに皮膚科にコンサルトする。

3 重症度評価

- CTCAE v5.0に則って判定する。
- 体表面積の30％以上や日常生活動作の制限を要するとG3となり、休薬が必要となる。

C そのほかの原因のチェック

- すべての薬剤が皮疹を誘発する可能性がある。
- 抗がん剤以外に服用中の薬剤がないかチェックする。
- 一般に紅斑や丘疹が多発する**遅延型アレルギーによる薬疹は開始後1週間以降**に発症することが多い。

D 皮疹治療のコツ

1 保清、保湿、保護

- 皮疹が出現してもスキンケアは継続する。

2 外用薬の使い方

- 皮膚乾燥には保湿剤のみを処方する。
- 紅斑、丘疹など赤みが目立つ炎症部にはステロイド外用薬も併用する。

①**保湿剤**：全身に外用可能。1日に何回塗ってもよい。

- **ヘパリン類似物質**（ヒルドイド®ソフト軟膏、ヒルドイド®ローション）。さらっとしたクリームタイプで伸びがよい。

- アズレン（アズノール®軟膏）。油性軟膏で、しっかりしたベトつき感を好む人に使用する。

②ステロイド外用薬：1日2回外用。外用後すぐに皮膚を洗うと効果が期待できないので、朝用事を済ませた後、入浴後などに外用するのがよい。

部位によってランクを変える。顔面や頸部は皮膚が薄いのでミディアムクラス［プロピオン酸アルクロメタゾン（アルメタ®軟膏）］、体幹や四肢はストロングクラス［吉草酸ベタメタゾン（リンデロン®-V軟膏）］、角質が厚い手掌足底はベリーストロングクラス［酢酸プロピオン酸ベタメタゾン（アンテベート®軟膏）］を使用する。

3 内服薬の使い方

- 抗アレルギー薬：皮疹、皮膚乾燥に伴う皮膚瘙痒に有効であるが、効果や副作用である眠気には個人差がある。
  眠気の出にくいビラスチン（ビラノア®）、フェキソフェナジン（アレグラ®）、デスロラタジン（デザレックス®）が使いやすいが、無効な場合はオロパタジン（アレロック®）、ルパタジン（ルパフィン®）なども試みる。
- ミノサイクリン（ミノマイシン®）：EGF受容体阻害薬によるざ瘡様皮疹に有効であり、悪化してしまう前に開始するのが望ましい。50mg/回 1日1～2回で処方するが、副作用としてめまい感がある。
- EGFR阻害薬による皮膚乾燥に伴う瘙痒や免疫チェックポイント阻害薬による瘙痒にアプレピタント（イメンド®）が有効との報告がある。

E 効果検討のコツ

- 2週の経過で改善がなければ皮膚科へのコンサルトを検討する。
- ステロイド外用薬で悪化する場合は白癬など皮膚感染症の可能性があるので、漫然と継続するのは避ける。

（小澤健太郎）

文献

1）静岡県立静岡がんセンター．抗がん剤治療と皮膚障害．2016.
2）Susser WS, et al. J Am Acad Dermatol 1999; 40: 367-98. PMID: 10071309
3）Vincenzi B. N Engl J Med 2010; 363: 397-8. PMID: 20660413
4）Sibaud V, et al. Am J Clin Dermatol 2018; 19: 345-61. PMID: 29256113

手足症候群
－痛みが出たら直ちに休薬、これが治療成功の極意－

A 手足症候群（HFS）をみつけるコツ

①HFSの原因となる乳がん治療薬を知る
②患者への十分な説明をする、医療スタッフにも熟知してもらいケアにあたる

B 他疾患との鑑別のコツ

①手湿疹（洗剤皮膚炎、進行性指掌角皮症）
②白癬
③凍瘡
④掌蹠膿疱症
⑤異汗性湿疹
⑥乾癬

C 対処法・治療のコツ

①重症度判定（Grading）：有痛性でG2、G3は日常生活を遂行できない症状
②休薬：G2で直ちに休薬。初回のG2の場合は同一用量で再開し、2回目のG2/3の場合は減量
局所療法：保湿剤・ステロイド外用薬など
③全身療法

A 手足症候群（HFS）をみつけるコツ

1 HFSの原因となる乳がん治療薬を知る

- **カペシタビン**、5-FU、メトトレキサート、ドセタキセル、テガフール・ウラシル、テガフール・ギメラシル・オテラシルカリウム、ラパチニブ。
- カペシタビンでは高齢者、貧血、腎機能障害のある患者にG2以上が多いことが報告されている。
- 発症早期ではしびれやチクチク、ピリピリといった異常感覚をみとめるが、手足の皮膚に変化を伴わないことも多い。最初に起こる皮膚の症状はびまん性発赤（紅斑）であり、少し進行すると皮膚表面に光沢を伴い、指紋の消失がみられるようになるころには疼痛が出現する。**多くは2サイクル目に顕性化する**。

2 患者に十分な説明をする、医療スタッフにも熟知してもらいケアにあたる

- HFSの重症度が治療効果と相関することが多く、**無理をせず休薬・減量すること**、**できるだけ早期に対処を始めること**が重要であると伝え、HFSの悪化により抗がん剤治療が長期に中断しないようにする。
- 手足の異常感覚に注意し、発赤腫張が起こってないか、たびたび観察する。足底は手掌に比べて日常の観察がおろそかになりがちなため、意識して毎日観察するよう指導する。

B 他疾患との鑑別のコツ

- HFSに類似する症状を呈する皮膚疾患が多数存在するので注意が必要である（表1）。疑わしい病変がみられたら、皮膚科医へ診察を依頼。

表1　HFSに類似する皮膚疾患との鑑別

	症状	鑑別点
手湿疹（洗剤皮膚炎、進行性指掌角皮症）	炊事などで使用する洗剤類によって角層のバリア機能が障害されて生じる。HFSと合併し、その増悪因子となる可能性があるので注意を要する。	利き手の指腹（特に母指、示指、中指）に症状が強く、足には症状がみられず、色素沈着も生じない。
白癬	足白癬（角質増殖型）：足底全体がびまん性に角化し、紅斑、落屑を伴う、爪白癬：爪甲が白く混濁、肥厚し、脆弱になる。	KOH直接鏡検にて菌要素（菌糸、分節胞子）を検出することで鑑別。
凍瘡	寒冷刺激を受けやすい手指尖～指背や足趾などの四肢末端部に紫紅色斑を生じ、腫脹を伴う。女性に多い	発症の季節（晩秋～初冬）や寒冷への曝露歴。角化や色素沈着は伴わない。
掌蹠膿疱症	手掌、足底に2～4mm大の多数の小水疱と小膿疱が出現して痂皮化する。慢性に経過し、角化性の紅斑に新旧の小水疱と小膿疱が混在するようになる。ときに爪甲の変形、混濁を伴う。	小膿疱や小水疱が出没することと慢性の経過から鑑別。
異汗性湿疹	局所多汗症に起因すると考えられる病態で、手掌、足底、指腹に1～2mm程度の小水疱が多発して、数週間で落屑することを繰り返し、しばしば紅斑を伴う。夏季や季節の変わり目に出現しやすい。	小水疱が出没を繰り返すこと、色素沈着や爪甲の変化を伴わないことなどから鑑別。
乾癬	手掌、足底に厚い鱗屑を付す紅斑角化性の病変を生じ、慢性の経過をとる。手掌、足底の一部に限局することも、全体に及ぶこともある。しばしば爪甲の変化（白濁、肥厚など）を伴う。	通常、他の身体部分（特に頭部、膝蓋部、肘部など）に銀白色の厚い鱗屑を付す紅斑性病変が多発性に認められるので鑑別できる。

C 対処法・治療のコツ

1 重症度判定(Grading)(表2)

- 臨床領域と機能領域に二分して判定する。臨床領域の腫張、紅斑、過角化、落屑などは全Gに出現するため、日常生活が困難な状況をもって確定する。G1は異常感覚を伴うことはあっても、基本的には無痛の状態である。**明らかに有痛性になるとG2、G3は通常激しい症状**を合併する。
- カペシタビンによる典型例ではHFSの発赤腫張が進行していくと皮膚表面に光沢が生じ、指先の指紋が消失する傾向が見られ、しだいに疼痛が出てG2に移行するので、この変化を見逃さないようにする。

2 休薬と局所療法

- **G2では直ちに休薬**。タイミングを逸してG3になった場合も可能な限り早急に休薬。**対応が遅れると休薬後の回復に時間がかかり、投与計画に支障をきたすことも多い**。
- 休薬と同時に、保湿軟膏、皮膚柔軟化軟膏、ステロイド外用薬、ビタミンB_6、NSAIDの投与を適宜行う。G1の段階で処置を開始してもよいが、これらの薬剤は主として休薬後の治療回復を促進する。疼痛や腫脹を抑え、感染の合併を防ぐことが大切である。
- 軟膏治療：物理的刺激がかかる部分に起こりやすいため、予防をかねて刺激を避けるような処置を行い、保湿を目的とした尿素軟膏(ウレパール®、ケラチナミン)、ヘパリン類似物質含有軟膏(ヒルドイド®クリーム)、ビタミンA含有軟膏(ザーネ®軟膏)、白色ワセリンなどの外用薬を使用する。
- 皮膚炎が主たる病態なので**紅斑などを認めたらストロング以上の強力なステロイド外用薬の塗布**を始める。

表2　実用的なHFSのgrading

	臨床領域	機能領域
G1	痺れ、皮膚知覚過敏、ヒリヒリ・チクチク感、無痛性腫脹、無痛性紅斑	日常生活に制限を受けることのない症状
G2	腫脹を伴う有痛性皮膚紅斑	日常生活に制限を受ける症状
G3	湿性落屑、潰瘍、水疱、強い痛み	日常生活を遂行できない症状

(文献1, 2より改変引用)

- 腫脹が強い場合：四肢の挙上と手足のcooling（冷却）が有効である。
- びらん・潰瘍化した場合：病変部を洗浄し（水道水で可）、白色ワセリンやアズレン含有軟膏などで保護する。二次感染を伴った場合には、抗菌薬（内服、外用）の投与も考慮する。
- 休薬によりG1以下に軽快すれば、次のサイクルの投与を始めることが可能である。**初回のG2の場合は同一用量で再開**し、**2回目のG2/3の場合は減量**して再開することを考慮する。カペシタビンは休薬や減量により有効性が損なわれないことが報告されている。また、HFSが出現するほど治療効果が高いといった報告もある。そのほかの薬剤については現在のところ、回復までの期間を検討した客観的データはない。

3 全身療法

- 塩酸ピリドキシン（保険適用外）：早期の臨床試験以来、HFSの症状を軽快させることが報告されてきたが、海外における消化器がんを対象とした二重盲検試験の結果では、200 mg連日投与によりカペシタビンによるHFSの重症化の予防および改善に関しては対照群との間に有意差が確認できなかったと報告され、エビデンスは確立していない。
- NSAID：COX-2阻害薬セレコキシブ（セレコックス®）の投与がG2（疼痛）の出現を遅らせたという、どちらかというと予防に繋がる報告がある。しかし、少数例の報告であり、十分な追試などの検証がないままである。

（田口哲也）

文献

1）Blum JL, et al. J Clin Oncol 1999; 17: 485-93. PMID: 10080589
2）田口哲也，ほか監修．手足症候群アトラス．ゼローダ®投与のマネージメント 第3版．東京：中外製薬株式会社；2009.
3）厚生労働省．重篤副作用疾患対応別マニュアル【癌】手足症候群．2010年3月18日．http://www.mhlw.go.jp/topic/2006/11/dl/tp1122-1q01.pdf

色素沈着・光線過敏症
－事前の説明と生活指導を中心に継続的なサポートを－

化学療法開始前

A 患者への説明

①事前に十分な説明を行う
②出現後の対応も説明しておく

化学療法開始後

B 生活指導

光線過敏症の早期発見

①スキンケアの励行
②紫外線対策
③化粧品の使用
④光線過敏症早期発見

C 抗がん剤によるほかの皮膚障害との鑑別

①色素沈着をきたしやすい抗がん剤と特徴を知っておく
②光線過敏をきたすことがある薬剤を知っておく
③他の原因のチェック
④手足症候群やざ瘡様皮疹との鑑別
⑤判断に迷うときは皮膚科にコンサルトを

D 色素沈着出現後の心理的サポート

A 患者への説明のコツ

1 事前に十分な説明を行う

- 色素沈着は抗がん剤による皮膚障害のなかでも軽微な副作用であるが、皮膚や爪、粘膜に生じて、整容的な変化が患者に与える心理的影響は大きい。出現後の治療を円滑に継続するためにも、治療前に説明しておくのが望ましい。特に色素沈着をきたしやすい薬剤については具体的に説明しておく。
- 光線過敏症はまれであるが、露光部にのみに皮疹が出現し、改善後にも色素沈着を残すこともある。

2 出現後の対応も説明しておく

- 色素沈着は多くの薬剤では投与を中止すれば時間とともに徐々に改善する。通常は数カ月、薬剤によっては1年程度かかることもあるが、治療効果との兼ね合いで治療が継続される場合が多い。患者が受容しやすいように説明し、心理的なサポートにも努める。
- 光線過敏症は原因薬剤を中止しないと改善しないので、出現時は早めに受診するよう説明する。

B 生活指導

1 スキンケアの励行

- 確実な予防法はないので、皮膚の保清、保湿、保護が重要である。
- 入浴時は、石鹸は低刺激性の製品を使い、手のひらの上に泡立て、皮膚をやさしくなでるように洗う。タオルでゴシゴシ皮膚をこするのは避ける。皮膚を乾燥させないように**保湿剤**や**保湿ローション**を適宜使用する。

2 紫外線対策

- 紫外線により色素沈着も光線過敏症も悪化するので、**遮光**が重要。
- 外出時には**日焼け止めクリーム**を塗布する。女性では紫外線防護効果をもつ化粧品の使用を考慮してもよい。つばの広い帽子や長袖の服、手袋の着用や日傘の使用を勧める。

3 化粧品の使用

- 色素沈着を**ファンデーション**や**マニキュア**などでカバーする方法もある。ファンデーションは無香料でアルコールを含まない低刺激性の製品を選ぶのがよい。ただし、爪障害も伴う場合はマニキュアが刺激になる可能性があるので、注意が必要である。

4 光線過敏症早期発見のコツ

- 光線過敏症は衣服で守られていない顔面やVネックゾーン、手から腕や下腿に出現する。衣服で被覆された部分と境界のはっきりした日焼けの症状や湿疹となる。特に日光がよく当たる鼻背や頬部、前額、耳介、手背に出やすい。

C 抗がん剤による他の皮膚障害や他の原因による症状との鑑別

1 色素沈着をきたしやすい抗がん剤と特徴：表1に示す。

2 光線過敏をきたすことがある抗がん剤：フルオロウラシル、テガフール、メトトレキサート

- 痛みや浮腫を伴う強い日焼け症状を示す。

3 ほかの原因のチェック

- 甲状腺機能亢進症やAddison病、肝硬変、慢性腎不全でも広い範囲の色素沈着をきたすことがある。
- 抗がん剤以外にも光線過敏症を起こす薬剤があるので、ほかの併用薬についてもチェックする。

4 手足症候群やざ瘡様皮疹との鑑別を行う

- 手足の色素沈着だけでなく、発赤を伴って痛みを訴える場合は**手足症候群**（➡P.283）を考える。
- 顔面の毛包に一致する丘疹で膿疱を伴う場合は**EGFR阻害薬による皮膚障害**の可能性を考えて、胸や下肢など他部位にも皮疹がないかチェックする。

5 判断に迷うときは皮膚科にコンサルトを

- 投与中の抗がん剤による色素沈着や光線過敏症なのか、ほかのタイプの皮膚障害なのか、ほかに原因による皮膚症状なのか、鑑別や判断に迷うときは皮膚科専門医へのコンサルトを考慮する。

D 色素沈着出現後の心理的サポートのコツ

1 多職種による継続的なサポート

- 治療前に説明を受けていても、実際に色素沈着が出現して整容的な変化に直面すると、不安になったり落ち込んだりして、精神的に動揺する可能性もある。
- スキンケアの指導を継続するともに、医師のみではなく看護師や薬剤師など多職種による心理的サポートを行い、治療継続を図る。

（小澤健太郎）

表1　色素沈着をきたしやすい抗がん剤と特徴

一般名	皮膚		粘膜	爪
	限局	全身		
ドキソルビシン	○	○	○	○
シクロホスファミド	○	○	○	○
ドセタキセル	○			○
パクリタキセル	○			○
シスプラチン	○		○	○
フルオロウラシル	○		○	○
テガフール	○		○	○
カペシタビン	○		○	

文献

1）静岡県立静岡がんセンター．抗がん剤治療と皮膚障害．2016. http://www.scchr.jp
2）Susser WS, et al. J Am Acad Dermatol 1999; 40: 367-98. PMID: 10071309
3）Reyes-Habito CM, et al. J Am Acad Dernatol 2014; 71: 203. e1-203. e12. PMID: 25037800

脱毛

―乳房切除と並ぶ脱毛の苦痛に対して、そのプロセスに応じた支援が大切―

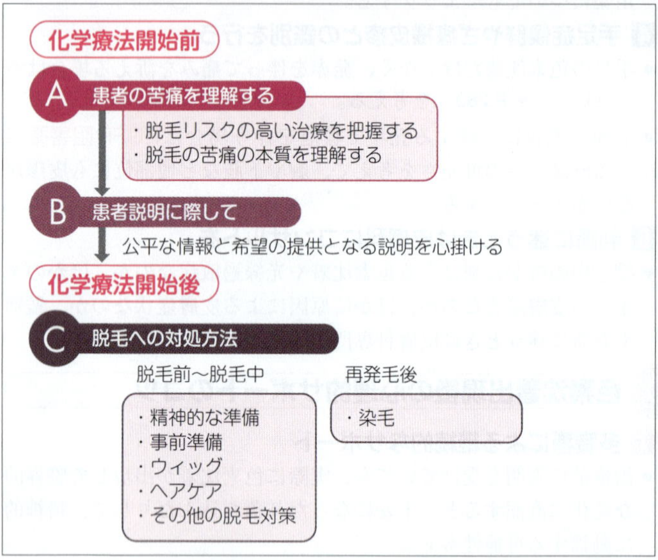

化学療法開始前

A 患者の苦痛を理解する

・脱毛リスクの高い治療を把握する
・脱毛の苦痛の本質を理解する

B 患者説明に際して

公平な情報と希望の提供となる説明を心掛ける

化学療法開始後

C 脱毛への対処方法

脱毛前〜脱毛中
・精神的な準備
・事前準備
・ウィッグ
・ヘアケア
・その他の脱毛対策

再発毛後
・染毛

A 患者の苦痛を理解する

1 脱毛リスクの高い治療を把握する

- 乳がんの標準治療では、脱毛率はきわめて高く、1,500人の全国調査[1)]によると、**99%の患者が脱毛を体験**している。
- ドセタキセルの併用によって再発毛率の顕著な低下がみられ、**恒久的な薄毛に悩む患者の増加**が指摘されている。

2 脱毛の苦痛の本質を理解する

- 乳がん患者は、乳房切除と同等に脱毛に強い苦痛を感じている。
- 背景には、①脱毛症状がシンボルとして常に自分に病気や死を思い起こさせることや、②自分の身体イメージが変わってしまったことへの違和感、③外見からがんが露見して、「かわいそう」と思われるなど、**他人と対等な関係でいられなくなることへの大きな不安**がある。

B 患者説明に際して

1 公平な情報と希望の提供となる説明を心掛ける

- メーカー情報には、根拠のない情報が含まれていることもあるため、必ず吟味し、**医療者の視点から公平な情報を提供**する。
- 患者が安心して準備できるよう、必ず何らかの対処法が可能であることを、ときにユーモアを交えて伝え、患者が想定する**不安状況に応じた対処法**を一緒に考える。

2 ウィッグ装着の見方を変える

- 脱毛に象徴される「がん」を隠すために、ウィッグを装着する患者が多い。その気持ちを受容しながらも、患者は、他者から見たら、おしゃれウィッグを楽しんでいる中高年女性と同じであるため、堂々と振る舞ってよいことを伝える。理由は、加齢による薄毛や白髪染めの大変さ、染毛剤かぶれなど何でも構わないことを伝えると安心する。

C 脱毛への対処方法

1 精神的な準備

- **脱毛のプロセスをあらかじめ知らせる**ことは、精神的な準備として重要である。一般的に抗がん剤開始後2～3週間目に脱毛が発現し、明らかな脱毛が問題となる薬剤を使用した場合には、脱毛開始後約1週間でほぼ髪の毛がなくなる。
- 頭髪がどの程度抜けるか、眉毛やまつ毛まで脱毛するか否かは、薬剤の種類や個人差が大きいが、脱毛の多くは可逆的である。

2 事前準備

- 事前に髪を短くカットすることで、脱毛時の処理が楽になる。
- 似合うウィッグのヘアスタイルに合わせて**自毛をカット**し、ヘアスタイルに慣れておくことでウィッグへの移行が精神的にもスムースになる。帽子やつけ毛も状況により使い分けるとよい。

3 ウィッグ

- ウィッグは、洋服のブランドと同様に、価格帯がブランドによって異なり、材質などの何か1つを基準に価格が決まっているわけではない。**①自分の予算**、**②かぶり心地**、そして何より、**③自分が似合うと思える品**を選択すればよく、医療用と書かれている製品にこだわる必要もない。
- 予算がない場合は、返品可能な通販サイトを利用する方法もある。

- ウィッグを補助する自治体や、15歳以下の患者には無償提供する企業もあるため、地域の情報を把握する。
- 似合わないと思ったときは、美容院でカットしてもらうなど、**自分に合うようにカスタマイズ**すればよい。

4 ヘアケア[2)]

- 化学療法により脱毛が進行中の患者と、化学療法終了後再発毛し始めた患者が洗髪する際には、**治療前から使用していたシャンプーを継続して使用**し、頭皮に何らかの刺激感があった場合に、他の製品に変更すればよい。
- 脱毛中で毛髪がない頭皮は、これまでどおりのシャンプーを量を少な目に先に泡立てて用いるか、ボディソープ、洗顔料など身体を洗浄するものでも洗うことができる。
- 頭髪の育毛剤においては、**ミノキシジル**の再発毛促進時の使用に関してのみ、一定レベルのエビデンスがある。

5 そのほかの脱毛対策

- まつげの脱毛：腕の内側など皮膚の柔らかい部分で接着剤のパッチテストを行い、問題がなければ**つけまつげ**を使用してもよい。**アイラインやアイシャドウ、縁のあるメガネ**を利用することで、目の印象をはっきりさせることもできる。
- **アートメイク**[2)]：重篤な副作用やMRI検査の障害の報告もあるが、高いQOL改善効果が見込まれるなら主治医と相談のうえ、医師免許をもつ者が注意深く施術する場合は認められる。

6 染毛[2)]

- 化学療法終了後に再発毛し始めた患者や脱毛を起こさない化学療法を施行中の患者の染毛については、エビデンスがない。
- 積極的に推奨するものではないが、以下の**5要件を満たしたうえで注意深く行うならば、治療前に使用していた染毛剤、カラーリンス、カラートリートメント、ヘアマニキュアを第1選択として使用することを否定しない。**
  - ①過去に染毛剤によるアレルギーや皮膚症状がない
  - ②頭皮に湿疹がない
  - ③染毛剤の使用に適した長さまで毛髪が伸びている
  - ④地肌に薬剤がつかないように染毛する
  - ⑤パッチテストの実施が記載されている製品は使用前のパッチテストが陰性
- 皮膚に問題が生じた際には、直ちに皮膚科医への受診を勧める。

7 頭皮冷却装置

- わが国でも脱毛予防を目的とした頭皮冷却装置として、2019年3月にPaxman Scalp Coolingシステム Orbis®、2020年3月にはCell Guard®が、PMDAより認可された。
- 抗がん剤点滴中とその前後の時間(30～90分)、頭皮を19℃以下に冷却することで、血管を収縮させて血流を制限するとともに、頭皮の毛根細胞の代謝を抑えることによって、抗がん剤の影響を少なくし、脱毛を予防しようとするものである。
- ただし、頭痛・悪心などの有害事象が生じやすい。
- アントラサイクリン系・タキサン系の抗がん剤治療を行う乳癌患者を対象にした頭皮冷却法の試験(SCALP試験)[3]では、脱毛が抑制された割合(抗がん剤4クール投与/3週間後にCTCAE v5.0で脱毛/Grade0または1)は、53.1%(無処置群で0%)であった。
- 国内試験(HOPE試験)[4]では26.7%だったほか、使用する抗がん剤の順序や種類によって差が生じる可能性も指摘[5]されており、今後の研究が待たれる。
- 保険適用外であるため、機器購入費に加え、専有面積や占有時間、人件費の増大など、通院治療センターのコストが増加する。
- これを誰がどのように分担するかが定まっておらず、対応できる施設は少ない。

(野澤桂子)

文献

1) Watanabe T, et al. National survey of chemotherapy-induced appearance issues in breast cancer patients. 2015, The 38th San Antonio Breast Cancer Symposium. abstr#P5-15-09
2) 国立がん研究センター研究開発費 がん患者の外見支援に関するガイドラインの構築に向けた研究班，編．がん患者に対するアピアランスケアの手引き 2016年版．東京：金原出版；2016.
3) Nangia J, et al. JAMA 2017; 317: 596-605. PMID: 28196254
4) Kinoshita T, et al. Front Oncol 2019; 9: 733. PMID: 31448235
https://www.frontiersin.org/articles/10.3389/fonc.2019.00733/full
5) Kurbacher CM, et al. J Clin Oncol 2018; 36.
https://ascopubs.org/doi/abs/10.1200/JCO.2018.36.15_suppl.e22196

血管外漏出
－リスクを理解したうえでの予防と対処が重要－

A 血管外漏出（EV）を予防するコツ
- 薬剤による組織障害のリスク分類を理解
- 静脈穿刺前に EV リスクアセスメント

B 血管外漏出を早期発見するコツ
- EV の初期症状の有無確認
- 患者への指導
- 血管外漏出に類似した症状（静脈炎）との鑑別

C 血管外漏出に対処するコツ
- 重症化を防ぐためにも迅速かつ適切な対処：対応フローチャート（図1）の備えと理解が重要
- デクスラゾキサンの使用

D 血管外漏出後の対応のコツ
- 血管外漏出の記録
- 次回以降の投与への配慮

A 血管外漏出を予防するコツ

1 血管外漏出（extravasation；EV）

- 静脈注射した薬剤や輸液が、カテーテルの先端の移動などによって、血管外の周辺組織に漏れたときに、組織の炎症や壊死をもたらすもの。
- 無症状あるいは、軽い発赤・腫れ・痛みの皮膚症状が出現し、数時間～数日後にその症状が増悪し、水疱→潰瘍→壊死形成へと移行する。
- さらに重症化すると瘢痕が残ったりケロイド化したり、漏出部位によっては運動制限をきたして外科的処置（手術）が必要になることもある。
- 血管外漏出のリスクを十分に理解して予防することが重要である。

2 薬剤による組織障害のリスク分類

- 血管外に漏出した抗がん剤は、すべて組織障害をきたす可能性があるが、抗がん剤の種類や濃度、漏出した量によってその危険度は異なる。

- 表1に主に乳がんで使用される薬剤の分類を示す。
- 起壊死性抗がん剤(vesicant drugs):少量の漏出でも強い痛みが生じ、水疱や潰瘍、組織障害や組織壊死を生じる可能性がある。
- 炎症性抗がん剤(irritant drugs):注射部位やその周囲、血管に沿って痛みや炎症(多量に漏れ出た場合は潰瘍)が生じる可能性がある。
- 非壊死性抗がん剤(non-vesicant drugs):漏れ出た場合に、組織が障害を受けたり破壊されたりすることはない(可能性は非常に低い)といわれている。

3 静脈穿刺前にEVリスクをアセスメント

- EVの主な危険因子を表2に示す。
- これらを理解し穿刺部位を選択することが重要である。

B 血管外漏出を早期発見するコツ

1 EVの初期症状の有無を確認する

- 輸液ラインの確認:点滴の滴下速度の減少、末梢静脈ライン内の血液逆流の消失、自然滴下がないなどの異常がないかを確認する。

表1 組織障害の強さによる薬剤分類

起壊死性抗がん剤(vesicant drugs)	炎症性抗がん剤(irritant drugs)	非壊死性抗がん剤(non-vesicant drugs)
・アンスラサイクリン:エピルビシン、ドキソルビシン、マイトマイシンC ・ビンカアルカロイド:ビノレルビン ・タキサン:ドセタキセル、パクリタキセル、アルブミン結合型パクリタキセル	・代謝拮抗薬:フルオロウラシル(5-FU)、ゲムシタビン ・アルキル化剤:シクロホスファミド ・プラチナ製剤:カルボプラチン ・トポイソメラーゼ阻害薬:イリノテカン ・微小管阻害薬:エリブリン ・そのほか:トラスツズマブエムタンシン、トラスツズマブデルクステカン	・代謝拮抗薬:メトトレキサート ・分子標的治療薬:トラスツズマブ、ペルツズマブ、ベバシズマブ ・免疫チェックポイント阻害薬:アテゾリズマブ、ペムブロリズマブ

表2 血管外漏出の危険因子

- 高齢者(血管の弾力性や血流量の低下)
- 栄養不良患者
- 糖尿病や皮膚結合織疾患などに罹患している患者
- 肥満患者(血管を見つけにくい)
- 血管が細くて脆い患者
- 化学療法を繰り返している患者
- 循環障害のある四肢の血管(上大静脈症候群や腋窩リンパ節郭清後など、病変や手術の影響で浮腫、静脈内圧の上昇を伴う患側肢の血管)、など

- 刺入部の視覚的変化：刺入部が赤い、腫れているなどの変化がないかを確認する。
- 痛みの訴え：患者が灼熱痛などを感じていないかを確認する。

2 患者への指導

- 投与される抗がん剤の組織侵襲のリスクについて説明する。
- 抗がん剤の血管外漏出を疑う症状について説明する（痛いとは限らない）。
- 抗がん剤投与中の、穿刺部位の安静について説明する。
- 医療者への報告のタイミングについて説明する（投与中／投与後）。
- 投与後の血管管理について説明する。重い荷物はなるべく穿刺部位とは逆の腕で持つなど。

3 血管外漏出に類似した症状との鑑別

- 穿刺部位の皮膚が変化するものに静脈炎（➡P.298）やフレア反応などがあり、鑑別が必要である。

C 血管外漏出に対処するコツ

- 血管外漏出が疑われる場合は、重症化を防ぐためにも迅速かつ適切な対処が必要となり、図1に示すような対応フローチャートの備えと理解が重要である。
- わが国で使用できる漏出に対する治療薬（解毒剤）は、デクスラゾキサン（表3）のみであり、アンスラサイクリンの血管外漏出による皮膚障害を抑制する効果が認められている。

D 血管外漏出後の対応のコツ

1 血管外漏出の記録を残す

- 血管外漏出時の状況などについてカルテに記入し、場合によっては経過を写真に残しておくことが大切。

2 次回以降の投与への配慮

- 血管外漏出が認められた症例については経過を確認し、同一血管からの抗がん剤の投与を避けるなどの対応が必要。

（藤井千賀）

図1　抗がん剤の血管外漏出時対応フローチャート

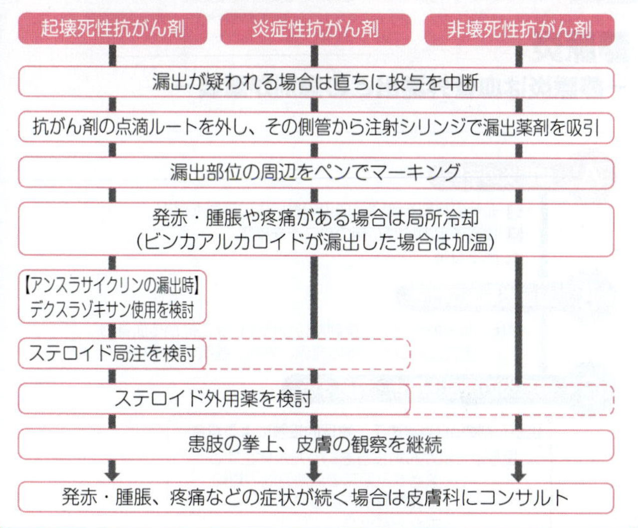

表3　デクスラゾキサン（サビーン®）の使用方法

準備	アンスラサイクリンの血管外漏出が発生してから6時間以内に、可及的速やかに投与を開始。 本剤投与の15分以上前から漏出部位の冷却を中止する（冷却による血管収縮により、漏出部位への本剤の灌流が不十分になる可能性がある）。
投与法	1日1回、3日間連続投与（連日±3時間の範囲で同時刻に投与） 1日目、2日目：1,000 mg/m²（最大2,000 mg/body） 3日目：500 mg/m²（最大1,000 mg/body） 腎機能障害（Ccr＜40 mL/分）の場合は50％量で投与
投与経路	静脈内投与（皮下注射、筋肉内注射は行わない） 血管外漏出部が上肢であれば、対側上肢からの投与が望ましい（患部で本剤も血管外漏出する可能性があるため）。

文献

1）日本がん看護学会，編．外来がん化学療法看護ガイドライン1 2014年版 第2版 抗がん剤の血管外漏出およびデバイス合併症の予防・早期発見・対処．東京：金原出版；2014.
2）Pérez Fidalgo JA, et al. Ann Oncol 2012; 23(suppl 7): vii167-73. PMID: 22997449
3）中根　実．がんエマージェンシー 化学療法の有害反応と緊急症への対応．東京：医学書院；2015.

静脈炎
ー静脈炎は血管外漏出との鑑別が重要ー

A 静脈炎の予防

1 血管の状態を確認、血流の良い太い静脈を選択
2 投与予定の抗がん剤のリスクを確認
3 感染対策

B 静脈炎をみつける

症状：刺入部周囲や、穿刺部位から中枢側に向かう血管の走行に沿って、腕の発赤、疼痛、腫脹、熱感など

C 静脈炎の原因を探す・対処する

抗がん剤のpHや浸透圧・物理的接触による場合：
投与中：抗がん剤投与をいったん休止する
・該当する薬剤の点滴時間の短縮
・生理食塩水によるフラッシュ
・ホットパック
投与後：・冷罨法
・ステロイド外用
静脈カテーテルなどの感染による場合：
直ちに抜針し新たに点滴ルートを取り直す

A 静脈炎予防のコツ

1 抗がん剤投与前の血管の状態を確認しておく

- 血流の良い太い静脈を選択し穿刺する。毎回、穿刺部位を変えられるように、以前の穿刺部位を確認しておく。以前長く針を留置していた静脈、過去に静脈炎を起こした血管は避ける。
- 視診、触診のみでは穿刺に適した血管を選択することが困難な場合、血管可視化装置*1（AccuVein AV400®、AccuVein Inc.）を使用することも一助になる。末梢静脈に適した血管がない場合は、埋込み型カテーテル*2（パワーポート®、メディコン）を使用するのも一案である。

2 投与予定の抗がん剤は静脈炎を起こしやすいか

- 静脈炎を起こしやすい抗がん剤（表1）であれば、投与方法を工夫することも必要である。抗がん剤は一般的には単独投与されてい

表1　静脈炎・血管痛を起こす代表的な抗がん剤

	一般名
アンスラサイクリン系	エピルビシン、ドキソルビシン
代謝拮抗薬	ゲムシタビン
ビンカアルカロイド系	ビノレルビン
アルキル化薬	ダカルバジン
プラチナ系	オキサリプラチン

るが、エピルビシンのようにpHが低い刺激性の高い薬物を使用する場合は、制吐薬(ステロイドなど)の前投薬時に側管より投与するSub-route法を採用している。

3 感染の予防

- 穿刺を行う際には十分な手洗いを行い、同じ穿刺針を複数回使用しない、ドレッシングの際に清潔操作を行うことが重要である。

*1：血管可視化装置：血管穿刺部位に近赤外線を照射することで、照射範囲にある皮下10mmまでの静脈・瘤・弁などの状態を皮膚上にリアルタイムに画像として投影できる装置。

*2：埋込み型カテーテル：鎖骨下静脈などからカテーテルを挿入し、上大静脈にカテーテル先端を留置する。反対側のカテーテル先端には薬の注入口(ポート)を接続し、皮下にポートを埋め込む。薬剤投与の際はポートに専用針を穿刺することで、薬剤を簡便・確実に投与することが可能となる。

B 静脈炎をみつけるコツ

- 点滴針の刺入部周囲や、穿刺部位から中枢側に向かう血管の走行に沿って、腕の発赤、疼痛、腫脹、熱感などが認められる。抗がん剤の血管外漏出 ➡P.294 とは異なり、点滴ルートからの血液の逆流は正常である。
- 点滴終了後に穿刺静脈に沿って血管のつっぱり感や硬結・発赤などの色調変化を起こすことがあり、さらには後々に色素沈着を起こすこともある。
- 疼痛を伴うことがあるが、血管外漏出と異なり多くは潰瘍形成には至らない。症状が進行すると、数日後には水疱や潰瘍をつくることがある。さらに悪化すると、まれに皮膚の傷害部位が壊死を起こすこともある。

C 静脈炎を起こす原因を探す・対処する

- 抗がん剤点滴投与をいったん休止し、血管外漏出の可能性を除外した後に適切な処置を開始する。血管外漏出は静脈炎と症状が類似することもあるが、対応方法は異なるため鑑別診断は非常に重要である。

- 静脈炎は化学的静脈炎・機械的静脈炎・細菌性静脈炎に大別される。

①化学的静脈炎

薬剤のpH(酸性・中性・アルカリ性)：血液のpHは弱アルカリ性でおよそpH 7.4程度であるが、投与薬剤のpHが酸性側あるいはアルカリ性側に傾いた薬剤の場合、血管に刺激を与える。

薬剤の浸透圧：血液と浸透圧が異なる薬剤に血管内皮が接触すると、血管内皮細胞の障害が引き起こされ、静脈炎の原因となる。

②機械的静脈炎

物理的接触：抗がん剤の投与速度や血管外の刺激により血管が収縮すると、投与薬剤と血管内皮の接触時間が長くなる可能性や静脈カテーテルと血管内皮の物理的接触も発生しやすくなるため注意が必要である。

- 該当する薬剤の点滴時間の短縮、点滴投与後に生理食塩水で残留する成分を洗い流す、ホットパック*3などを用いて血管を加温し血管内腔を広げることで、投与薬剤と血管内皮の接触する機会を減らして緩和を図る。
- 薬剤投与終了後であれば、炎症を抑えるために冷罨法やステロイド外用薬の塗布を行う場合もある。

③細菌性静脈炎

感染：穿刺時の不十分な手洗いや不適切なドレッシング、同一の穿刺針を複数回使用したことによる。静脈カテーテルを直ちに抜針し新たに点滴ルートを取り直す。

*3：ホットパック：ゲル状の保温材を内封した袋。多くは電子レンジで本体を温めることで、1時間程度40℃を保持することが可能である。

（本田　健／山岡尚世／山岡桂子）

参考文献

1）Bednar-Gilbert CD, et al. Immediate complications of cytotoxic therapy. In: Chemotherapy and Biotherapy Guidelines and Recommendations for Practice (Polovich M, et al, eds), 3rd ed, Oncology Nursing Society (ONS); 2009. p105-16.
2）日本乳癌学会, 編. 患者さんのための乳がん診療ガイドライン. http://www.jbcs.gr.jp
3）日本臨床腫瘍学会, 編. 各種抗がん薬. 新臨床腫瘍学 がん薬物療法専門医のために 改定第5版. 東京: 南江堂; 2018; p266-93.
4）Narducci F, et al. Eur J Surg Oncol 2011; 37: 913-8. PMID: 21831566
5）Aulagnier J, et al. Acad Emerg Med 2014; 21: 858-63. PMID: 25176152

浮腫
−ドセタキセル投与時は要注意。がんやがん治療が基礎疾患を悪化させて生じることも−

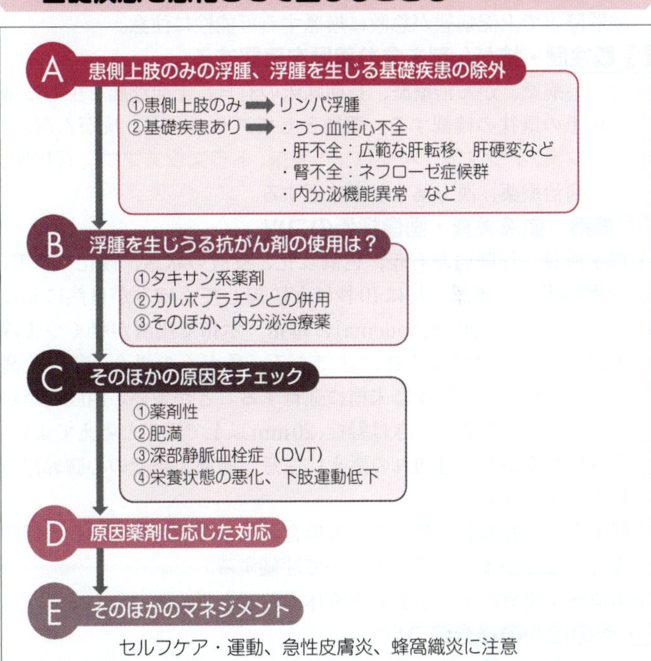

- 浮腫のない生理的な状態とは、組織における血管濾過量と血管による再吸収およびリンパ管による吸収が平衡している状態である。

A 患側上肢のみの浮腫、浮腫を生じる基礎疾患の除外

1 患側上肢のリンパ浮腫か

- リンパ管の機能障害と定義されるリンパ浮腫は、術後患側上肢のみに認める場合では、腋窩郭清や腋窩リンパ節転移に伴うことが多い。リンパ流量の機能的予備は正常時の10倍ほどあるが、腋窩郭清により予備能が低下する。センチネルリンパ節生検でも若干の予備能の低下があるため、8％程度の発症報告があることに留意すべきである[1)]。

2 浮腫を生じる基礎疾患はあるか

- 心不全、肝不全、ネフローゼなどアルブミン低下、廃用性障害、蜂窩織炎、深部静脈血栓症（DVT）➡P.230、肥満、甲状腺機能異常などを鑑別。化学療法に伴う臓器不全や再発巣に起因する臓器障害で上記病態が急激に増悪する可能性に注意。

3 既往歴・抗がん剤を含む薬歴を確認する

- 詳しい病歴、がん治療歴、長期臥床の有無、上記浮腫を生じる基礎疾患の既往の確認する。薬歴としてステロイド、抗がん剤（タキサン系、アンスラサイクリン系薬剤、トラスツズマブ）、降圧薬、糖尿病治療薬、漢方薬などを確認する。

4 診察・血液検査・画像評価のコツ

①**理学所見**：浮腫の左右差、色調変化、皮膚の状態、硬化や多毛、皮膚の張りを確認。特に10秒ほど圧迫してくぼみが自然に元に戻らない所見（pitting edema）、母指・示指で皮膚が軽くつまみ上げられるかは簡便な確認法である。乳がんの場合、創・腋窩周囲から発症し、徐々に末梢に進行することが多い。四肢周径が10mm以上差があるときは軽症、20mm以上で重症と考えてよい。

②**うっ血性心不全**：息切れの訴えに注意。胸部X線での心胸郭比の拡大に留意する。

③**肝不全**：広範な肝転移を認める場合、腹水の貯留や両下肢の浮腫を伴うことが多い。腹部エコーで評価する。

④**エコー**：皮膚直下に不整域や液体の貯留を認める。

5 そのほかの検査のコツ

- リンパシンチグラフィ：RIやICG（840nm近赤外線で蛍光を発する）を用いて、うっ滞する部位、dermal backflow、側副路を確認する。
- 四肢体組成計：浮腫の程度を部位別に確認でき有用である。

B 浮腫を生じうる抗がん剤の使用は？

1 抗がん剤の副作用としての浮腫

①**タキサン系薬剤**：ドセタキセルによる浮腫はfluid retention syndromeとよばれ、毛細血管透過性の亢進が主な原因と考えられている。**総投与量300mg/m²以上で高頻度**に発現する。体重増加や下肢の浮腫に注意する。パクリタキセルでは頻度は5%以下とされ少ないが、末梢神経障害を伴い浮腫の程度が軽くても「重たい」といった訴えがある。

②**TCbH（ドセタキセル、カルボプラチン、トラスツズマブ）療法**：

HER2陽性患者に適応となるが、一過性に認めることがある。

③**内分泌治療薬**：乳がん治療において内分泌治療薬は血栓症の頻度を上げることが知られている。DVTに伴うエコノミークラス症候群の発現に留意する。

C そのほかの原因をチェック

1 薬剤性

- **NSAIDs**、**Ca拮抗薬**、**ACE阻害薬**、**甘草を含む漢方薬**など、特に内服開始した後に発症した場合、薬剤性を疑う。
- NSAIDsはプロスタグランジン産生を抑制し、腎血流低下や尿細管の水再吸収亢進が起こる。
- Ca拮抗薬では動脈優位の血管拡張が起こり、毛細血管静水圧が上昇し浮腫の原因となる。
- ACE阻害薬ではクインケ浮腫とよばれる限局性浮腫をきたすことがあり、喉頭浮腫から気道閉塞といった重篤化に注意する。
- 甘草の有効成分のグリチルリチンには、多種多様の薬理効果があり、消炎、抗潰瘍、抗アレルギー作用などがあるが、偽アルドステロン作用として低K血症、浮腫をきたす。芍薬甘草湯や加味逍遥散、十全大補湯、補中益気湯といった乳がん治療でよく併用する漢方薬に配合されている。

2 肥満

- 体重管理の指導：肥満の定義として、BMI 25～30 kg/m^{2}が第1度肥満となる。急激な減量はリバウンドが多いため、現在の体重の3%を減量の目安として指導する。

3 深部静脈血栓症（DVT）

- 下肢に多いが、担がん状態ではどの部位に起こりうる。中心静脈ポートを留置している場合には、カテーテル周囲の血栓による顔面の浮腫にも注意する。造影CTが有用である。

4 栄養状態の悪化、運動低下

- 栄養状態の悪化による低Alb血症、骨転移による疼痛・加齢による下肢筋力の低下による運動低下をきたし、下肢筋肉によるポンプ作用の低下が浮腫の原因となる。

D 原因薬剤に応じた対応

1 ドセタキセルに伴う浮腫

- 補助療法終了後に浮腫が改善するまで数カ月かかることが多いた

め、休薬よりも、予防的に下記を投与する。

デキサメタゾン(デカドロン®) 4mg/回
前日夕食後に1回、開始後1日2回を3日間

- 体重測定は簡便な浮腫の目安であり、水分・塩分摂取の制限を指導。
- 体液貯留が存在する場合は利尿薬フロセミド(ラシックス®)やスピロノラクトン(アルダクトン®)が奏効する。

2 休薬または薬剤の変更

- 休薬することで改善するかを検討する。または同効薬で浮腫をきたしにくい薬剤に変更する。

E そのほかのマネジメント

1 セルフケア

①スキンケア、②用手的リンパドレナージ、③圧迫療法、④弾性ストッキング:20〜30mmHg軽めの圧迫圧から開始。注意点として、食い込みを避け、末梢から中枢へ段階的に圧が低くなるように装着。

2 浮腫の合併症に注意

①急性皮膚炎

- 特にリンパ浮腫をきたしている際、小さな赤い点々程度から、一晩で広い範囲に発赤が急激に広がる点に注意が必要である。
- リンパ浮腫が急激に発症・悪化した際に起こる皮膚の発赤・熱感・触診上の硬化であり、ほとんどの症例ではWBC正常、CRP陰性で抗菌薬は無効であり、蜂窩織炎との鑑別を要する。
- 感染がない場合、リンパドレナージや圧迫療法を早期に開始することで改善する。
- タキサン系抗がん剤、特にドセタキセルでよくみられる。

②蜂窩織炎

- 炎症を伴う場合は抗菌薬が必要となり、ときに入院での加療を要する。

3 そのほか

- 運動によるリンパ還流の促進。
- 手術療法:浮腫組織除去術、脂肪吸引、リンパ管移植・移行、リンパ節移植、リンパ管静脈吻合術(LVA)など。
- 病状が進行し、緩和ケアが主体となる時期には全身の浮腫を伴うことが多い。その際には苦痛を和らげることが主眼となるが、観察は大切である。

(吉留克英)

文献

1) De Groef A, et al. Breast 2016; 29: 102-8. PMID: 27479040

抗利尿ホルモン不適合分泌症候群（中枢性尿崩症とSIADH）

中枢性尿崩症

－乳がん脳転移や放射線照射後、頭蓋底骨転移に続発性中枢性尿崩症を起こしうる－

A どのような状況で疑うべきか

「3徴」（口渇・多飲・多尿）がキーワード

B 診断と鑑別

- 鑑別ポイント①：腎性尿崩症、心因性多飲症、糖尿病、高K血症を除外
- 鑑別ポイント②：特発性、続発性の鑑別には頭部MRIが必須

D 治療

- 原疾患治療と点鼻バソプレシンが基本

SIADH

－低Na血症と尿中Na高値をみたらまず疑おう－

A どのような状況で疑うべきか

- 低Na患者において血漿浸透圧が低値・尿浸透圧が高値かつ尿中Naが比較的高値な場合にSIADHが疑われる

B 診断

- 診断基準を参照

C 鑑別診断

①低Naを生じる疾患の除外
②SIADHを生じる基礎疾患の除外
③悪性腫瘍の除外
④原因薬剤の有無を確認

D 治療

- 基礎疾患の治療も忘れずに

- 下垂体後葉から抗利尿ホルモンであるバソプレシン（ADH）分泌低下による**中枢性尿崩症**と、逆に過剰状態である**SIADH（syndrome of inappropriate secretion of ADH）**の2つの病態がある。

中枢性尿崩症

- 尿崩症には抗利尿ホルモン（ADH）の分泌不全である中枢性尿崩症と腎集合尿細管のADH受容体の機能障害による腎性尿崩症がある。

A どのような状況で疑うべきか

①口渇：口腔粘膜の乾燥、発汗減少、発熱などを示す。
②多飲：氷を入れた冷水を好む。
③多尿：昼間8回以上、睡眠時に5回以上の1日合計8～10回以上が目安（心因性多飲症では睡眠中の排尿は顕著ではない）。

B 中枢性尿崩症の診断

1 検査所見

①スクリーニング検査：24時間蓄尿で尿量は**1日3,000 mL以上**かつ**尿浸透圧は300 mOsm/kg以下**、一般尿・採血検査（鑑別ポイント①：糖尿病、高K血症、腎機能障害を除外）
②5％高張食塩水負荷時（0.05 mL/kg/分で120分間点滴投与）に、血清Naと**血漿バソプレシンが健常者の分泌範囲（図1）[1]から逸**

図1 血清Naに対するバソプレシン分泌の正常範囲

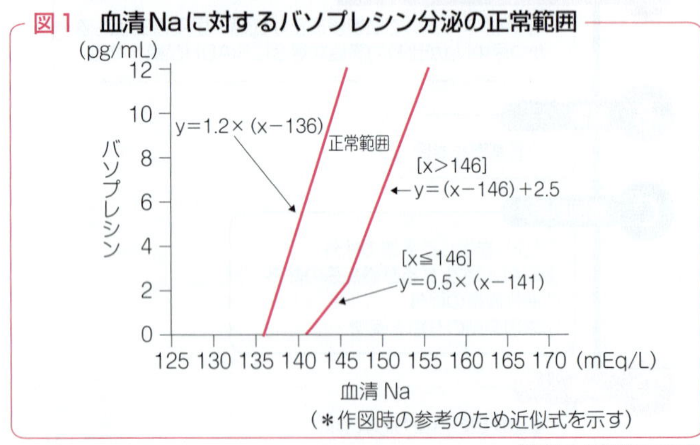

（文献1より改変引用）

脱し、血漿浸透圧（血清Na濃度）高値下においても分泌低下を認める（鑑別ポイント①：心因性多飲症では尿量の減少と尿浸透圧の上昇および血漿バソプレシン濃度の上昇を認める）。

③**バソプレシン負荷試験**（水溶性ピトレシン5単位皮下注後30分ごとに2時間採尿）で尿量は減少し、尿浸透圧は300 mOsm/kg以上に上昇する（鑑別ポイント①：腎性尿崩症ではバソプレシン負荷での尿量減少と尿浸透圧上昇を認めない）。

④水制限試験においても尿浸透圧は300 mOsm/kgを超えない（簡易ではあるが患者の苦痛が強く、脱水によりショックなどが生じる可能性もあるため慎重な症例選択が必要）。

2 診断基準

- 3徴と1検査所見の①～③をすべて満たすもの。

3 鑑別ポイント②：特発性と続発性の鑑別は頭部MRIが必須

- 画像診断で明らかな病変がみつからない特発性（40%）と脳腫瘍や外傷、手術後などによる視床下部－下垂体系を障害する続発性（60%）を鑑別する。
- **乳がんの下垂体転移**や**放射線照射後**に生じることがある。

D 治療

- ①**デスモプレシン（デスモプレシン・スプレー）の点鼻**：**2.5～10 μg/回を朝夕**に点鼻する。
- ②**デスモプレシン（ミニリンメルト®OD錠）60～120 μg/回1日1～3回経口投与する**（1回投与量は240 μgまで、1日投与量は720 μgを超えない）。
- 治療導入後、数日間は体重または血清Na濃度を頻回に測定し、水過剰の出現に注意する。
- 続発性の場合は原疾患の治療も必須である。

SIADH

A どのような状況で疑うべきか

1 症状

- **低血清Na血症**（120 mEq/Lまでは倦怠感のみや無症状が多い。110 mEq/L以下では意識レベル低下、痙攣を引き起こす。ただし比較的急速に発症した場合は120～130 mEq/Lでも頭痛や悪心を生じる）。
- 乳がん患者に生じるSIADHの多くは慢性で緩徐な進行である。

B SIADHの診断

1 主症状

①脱水の所見を認めない。

②倦怠感、食欲低下、意識障害などの低Na症状を呈することがある。

2 検査所見

①低Na血症：血清Na値が135 mEq/Lを下回る。

②血漿バソプレシン値：血清Na値が135 mEq/L未満で、血漿バソプレシン値が測定感度以上。

③低浸透圧血症：血漿浸透圧は280 mOsm/kgを下回る。

④高張尿：尿浸透圧は300 mOsm/kgを上回る。

⑤Na利尿の持続：尿中Na濃度が20 mEq/L以上。

⑥腎機能正常：血清Creは1.2 mg/dl以下である。

⑦副腎皮質機能正常：早朝空腹時の血清コルチゾールが6 μg/dL以上。

3 診断基準

- 確実例：主症状の①および検査所見の①～⑦を満たすもの。

C 鑑別診断

1 低Naを生じる次のものを除外

- 細胞外液量の過剰な低Na血症（心不全、肝硬変の腹水貯留、ネフローゼ症候群、腎性Na喪失、下痢、嘔吐、心因性多飲、利尿薬の使用）

2 SIADHを生じる基礎疾患を除外

- 脳病変（脳の外傷、脳血管障害、脳炎、髄膜炎、精神疾患、多発性硬化症）、肺病変（肺炎、ARDS、肺結核、肺膿瘍、気管支喘息、肺アスペルギルス症、陽圧呼吸）、ストレス（手術、疼痛など）

※中枢神経系疾患と呼吸器疾患でSIADHを生じることが多いため、脳のCTやMRI、肺のCTが必要である。

3 悪性腫瘍（異所性産生）の除外

- SIADHを生じる悪性腫瘍の80％は肺がんが占めており、そのほかは頭頸部がん、膵がん、前立腺がん、悪性リンパ腫、脳腫瘍などがある。脳のCT、MRIおよび頸部から骨盤までの造影CT、上下消化管内視鏡検査、腹部エコーにより検索する。
- 乳がんそのものによるSIADHはまれで、**薬剤性が多い**。

4 原因薬剤の有無を確認

- 化学療法として**シスプラチン**、**ビンクリスチン**、**シクロホスファミド**、**イホマイド**での報告が多いが、カルボプラチンやパクリタキセルでの報告もある。ほかの原因が除外された場合には変更を考慮。

- 抗うつ薬アミトリプチリン、イミプラミン、抗てんかん薬カルバマゼピン、脂質異常症治療薬クロフィブラート投与中に生じる可能性もある。

D 治療

- SIADHを生じる基礎疾患や原因薬剤がある場合はまず原疾患の治療、薬剤変更を行う。
- 悪性腫瘍が原因の場合は抗腫瘍効果を期待できる手術、放射線照射、化学療法など病期に合わせた治療を優先する。

1 水分摂取量の制限

- 1日の総水分摂取量を体重1kg当たり15〜20mLに制限する。

※悪性腫瘍で全身状態が悪い症例では水分制限で脱水をきたし全身状態のさらなる悪化をまねく場合があるため慎重に行う。

2 食塩の補充

- 食塩を経口的または非経口的に投与する[1日200mEq以上(12g)]。

3 重症低Na血症(120mEq/L以下)で中枢神経症状を伴うなど速やかな治療を必要とする場合

- **フロセミド(ラシックス®、オイテンシン®)随時10〜20mg静脈内に投与+尿中Na排泄量の3%に相当する3%食塩水の投与。**

※橋中心髄鞘崩壊を防止するため1日に10mEq/L以下の上昇にとどめる。

4 既存の治療で効果不十分な場合

- **モザバプタン(フィズリン®)30mg**を**1日1回食後に経口投与**(開始3日間で有効性が認められた場合に限り、引き続き7日間まで継続投与することができる)。
- **トルバプタン(サムスカ®)7.5mg**を**1日1回経口投与**。必要に応じて60mg/日まで増量できる。

5 抗菌薬の投与(保険適用外)

- **デメチルクロルテトラサイクリン(レダマイシン®)**を**1日600〜1,200mg 分2〜4経口投与**。

(森川希実)

文献

1) 大磯ユタカ, ほか. 血漿バゾプレシンを指標とした5% 高張食塩水投与法による下垂体後葉機能検査法の検討. 日本内分泌学会雑誌 1986; 62: 608-18.
2) 日本間脳下垂体腫瘍学会, 編. バゾプレシン分泌過剰症(SIADH)の診断と治療の手引き(平成22年度改訂)
http://square.umin.ac.jp/kasuitai/doctor/guidance/SIADH.pdf
3) 厚生労働科学研究費補助金難治性疾患克服研究事業　バゾプレシン分泌低下症(尿崩症)の診断と治療の手引き(平成22年度改訂)
http://square.umin.ac.jp/kasuitai/doctor/guidance/diabetes_insipidus.pdf

骨量減少・骨粗鬆症

－ホルモン薬投与時には年1回のリスクチェックと生活指導を－

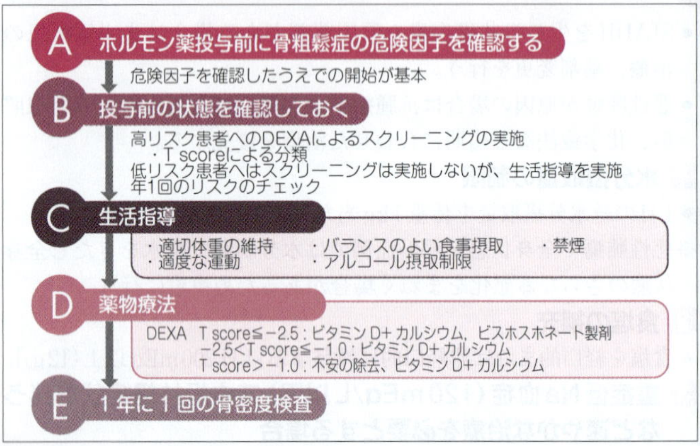

A ホルモン薬投与前に骨粗鬆症の危険因子を確認する

危険因子を確認したうえでの開始が基本

B 投与前の状態を確認しておく

高リスク患者へのDEXAによるスクリーニングの実施
・T scoreによる分類
低リスク患者へはスクリーニングは実施しないが、生活指導を実施
年1回のリスクのチェック

C 生活指導

・適切体重の維持 ・バランスのよい食事摂取 ・禁煙
・適度な運動 ・アルコール摂取制限

D 薬物療法

DEXA T score≦−2.5：ビタミンD+カルシウム，ビスホスホネート製剤
−2.5<T score≦−1.0：ビタミンD+カルシウム
T score>−1.0：不安の除去、ビタミンD+カルシウム

E 1年に1回の骨密度検査

A ホルモン薬投与前に骨粗鬆症の危険因子を確認する

- **エストロゲン**は骨破壊を阻害する作用をもつため、閉経後の女性ではエストロゲン欠乏による骨粗鬆症が急速に進行する。
- Ca摂取量の低下、運動不足、日光浴不足、乳がん治療のための**アロマターゼ阻害薬（AI薬）**投与などの要因は骨粗鬆症の危険因子となりうる（表1）。AI薬は著明なエストロゲン濃度低下をきたすため骨密度低下・骨粗鬆症の発症をきたす（表2）[2]。
- **タモキシフェン（TAM）**は骨にはエストロゲン様に働くため、閉経後の女性においてTAM投与例では明らかに骨密度が増し、骨量が保持されることが示されている[3]。閉経前女性では骨密度を低下させる[4]が、骨折を増加または減少させるとのデータはない。
- **LH-RHアゴニスト製剤**は2年間投与により5%の骨密度低下がみられ、投与終了後1年後には1.5%回復したとの報告がある[5]。

B 投与前の状態を確認しておく

- がん治療による骨量減少は骨粗鬆症に比べて進行が早く、かつ減少する程度が大きい。特にAI薬を継続して行うと急激に骨量が減少することを念頭に置き、治療を開始する。
- 表1に示す骨粗鬆症高リスク患者においては**dual-energy**

表1　骨粗鬆症の高リスク

・65歳以上の女性
・下記の条件を満たす60〜64歳
　・家族歴あり
　・非外傷性骨折の既往
　・体重70kg未満
　・その他の危険因子
・AI薬内服中の閉経後女性　ほか
・治療により早期閉経をきたした女性

（文献3より改変引用）

表2　タモキシフェン vs AI薬の臨床試験における骨折発生頻度(%)

アロマターゼ阻害薬		タモキシフェン
アナストロゾール	12.0	7.5
レトロゾール	8.6	5.8
エキセメスタン	7.0	4.9

（文献7より改変引用）

X-ray absorptiometry（DEXA）などを用いた骨密度の他覚的な評価をホルモン薬投与前および1年に1回に行う。
- 低リスク患者には生活指導を積極的に進め、1年に1回のリスクのチェックを勧める。

C 生活指導（リスクによらずホルモン薬投与患者全員）

- 禁煙、アルコール摂取制限あるいは適度の運動が、骨量減少や骨折を防ぐことは骨粗鬆症の研究においても明らかにされている。
- 生活スタイルの改善と適度の運動による筋肉の強化を勧める。

D 薬物療法

- AI使用時には定期的な骨密度の評価を行い、骨折のリスクに応じて骨吸収抑制薬を投与することが標準である[8)]。
- ヒト化抗スクレロスチンモノクローナル抗体であるロモソズマブは、骨形成を促進するとともに骨吸収も抑制する。これにより海綿骨および皮質骨の骨量が急速に増加し、骨折リスクが低下する。ただし有害事象として心血管系事象の報告があるため、骨折抑制のベネフィットと有害事象のリスクを十分理解したうえで、適用患者を選択する必要がある。
- ビスホスホネート製剤は内服および注射製剤が広く使用されており、近年、患者のライフスタイルに応じて投与頻度も考慮されるようになった。リクラスト®点滴静注液5mgは骨粗鬆症治療薬として1年に1回で、患者の負担軽減となりうる。

E 1年に1回の骨密度検査

- 骨密度は1年ごとに測定し、T scoreが≦－2.5になったら骨粗鬆症の治療を開始すべきとされている。　（鍛治園　誠／枝園忠彦）

文献

1） Hillner BE, et al. J Clin Oncol 2003; 21: 4042-57. PMID: 12963702
2） Hadji P. Crit Rev Oncol Hematol 2009; 69: 73-82. PMID: 18757208
3） Eastell R, et al. J Clin Oncol 2008; 26: 1051-7. PMID: 18309940
4） Powles TJ, et al. J Clin Oncol 1996; 14: 78-84. PMID: 8558225
5） Sverrisdóttir A, et al. J Clin Oncol 2004; 22: 3694-9. PMID: 15365065
6） Anagha PP, et al. J Oncol 2014; 2014: 625060. PMID: 24795759
7） 米田俊之. Clinical Calcium 2010; 20: 690-9.
8） 日本乳癌学会. 乳癌診療ガイドライン2018年版 1治療編. 東京: 金原出版; 2018.

高コレステロール血症・高トリグリセリド血症
－一部の薬剤でLDL-C値、TG値が上昇する可能性がある－

A 高LDL-C血症・高TG血症をみつける

①血液生化学検査　②閉経しているか
③危険因子はないか
④家族性高コレステロール血症・家族性混合型はないか
⑤頸動脈エコーの施行

B 高LDL-C血症・高TG血症を起こす薬剤を探す

・トレミフェン　・リュープロレリン、ゴセレリン
・レトロゾール　・メドロキシプロゲステロン

C そのほかの原因のチェック

・食事　・運動不足

D 薬物治療

高LDL-C血症：スタチン、エゼチミブ
高TG血症：　フィブラート、EPA・DHA合剤

E 効果検討

LDL-C：120mg/dL（1次予防）、100mg/dL（2次予防）
TG：150mg/dL

A 高コレステロール血症・高トリグリセリド血症をみつけるコツ

1 投与前の血液生化学検査

- LDL-コレステロール（C）値、トリグリセリド（TG）値を測定しておき、薬剤投与後に変化が認められないかチェックをする。LDL-Cはあまり食事の影響を受けないが、TGは食事の影響を受けるので、通常は空腹時採血とする。日本動脈硬化学会の基準では高LDL-C血症は140mg/dL以上、高TG血症は150mg/dL以上となっている[1]。

2 閉経前後での変化

- 閉経前女性では、エストロゲンが正常に生成されている場合、LDL-C・TGは低値に抑えられているが、閉経後にエストロゲン生成が低下すると、LDL-C・TGは上昇することが多くなる。

3 高LDL-C血症・高TG血症が問題となるケース

- 女性は通常、高LDL-C血症・高TG血症のみでは動脈硬化性疾患を発症しないことが多いが（下記の家族性高脂血症は別）、喫煙、受動喫煙、高血圧症、糖尿病、耐糖能異常、虚血性心疾患（IHD）や脳血管疾患の家族歴などの危険因子を有する場合には、狭心症・心筋梗塞などのIHD・脳梗塞などの疾患を惹起することがある[2]。

4 家族性高コレステロール血症、家族性複合型高脂血症に注意

- 遺伝性疾患である家族性高コレステロール血症、家族性複合型高脂血症の場合には、上記の危険因子を有する閉経前および閉経後女性で動脈硬化性疾患を惹起することがあるので注意が必要である。前者は特に男性の親類に若年発症のIHDがあり、アキレス腱厚が0.9mm以上となることが鑑別となる。後者ではLDL-CとTGがともに高値となり、IHDの家族歴を有することが多い。

5 治療の必要な高LDL-C血症・高TG血症をどうみつけるか

- 日本動脈硬化学会は頸動脈エコー施行を推奨している[1]。内膜中膜厚（IMT）が1.1mm以上あるか、1.1mm以上のプラークが存在すれば、スタチンを投与してLDL-Cを強力に低下させなければ動脈硬化が進展するという日本人のデータがある[3]。

B 高LDL-C血症・高TG血症を起こす薬剤を探す（表1）

- 乳がんに対する抗がん剤では、女性ホルモン関連製剤で高LDL-C血症・高TG血症への配慮が必要となる。
- 抗エストロゲン薬（SERM）：タモキシフェンはむしろLDL-Cを低下させ、トレミフェンは高LDL-C血症・高TG血症を起こすことがある。
- LH-RHアゴニスト製剤：リュープロレリンとゴセレリンは高LDL-C血症・高TG血症を起こすことがある。
- アロマターゼ阻害薬：高LDL-C血症をレトロゾールが起こすこ

表1　各種乳がん治療薬によるLDL-C、TGへの影響

薬剤	商品名	LDL-C増加	TG増加
抗エストロゲン薬	ノルバデックス	むしろ低下	（−）
	フェアストン	1〜5％未満	1〜5％未満
LH-RHアゴニスト	リュープリン	0.1〜5％未満	0.1〜5％未満
	ゾラデックス		
アロマターゼ阻害薬	フェマーラ	5％以上	（−）
	アリミデックス	0.1〜1％未満	（−）

とが多く、アナストロゾールはわずかに起こし、エキセメスタンは起こさない。

- 合成プロゲステロン薬：メドロキシプロゲステロンは、高TG血症の患者に投与した場合に静脈血栓症を起こす危険性が指摘されている。

C そのほかの原因のチェック

- 上記A4の遺伝性疾患のほか、食事中の飽和脂肪酸（特に乳脂：牛乳、ヨーグルト、乳脂肪の多いアイスクリーム）とトランス型1価不飽和脂肪酸（マーガリン、ファットスプレッド、ショートニング：洋菓子・クッキー・ビスケット）の摂り過ぎは高LDL-C血症を、過食・運動不足は高TG血症を惹起する。

D 薬物治療

- 高LDL-C血症で頸動脈にプラークがあるか、ほかの危険因子を有する場合は、スタチンによる治療の対象となる。スタチン不耐性の場合は、エゼチミブ（ゼチーア®）などのLDL-C吸収阻害薬を投与する。高TG血症に対しては、フィブラート（トライコア®、リピディル®、ベザトール®など）やEPA・DHAの合剤（ロトリガ®）が効果的である。

E 効果検討のコツ

- LDL-Cの低下基準は1次予防では120mg/dL未満、2次予防では100mg/dL未満、TGの低下基準は150mg/dLとされていたが[1]、日本動脈硬化学会は、現在各種危険因子を点数化した、新たな低下基準を作成中である[4]。

（佐久間一郎／野々山由香理）

文献

1）日本動脈硬化学会，編．動脈硬化性疾患予防ガイドライン2012．日本動脈硬化学会; 2012.

2）佐久間一郎．性差医学の進歩と臨床展開：高脂血症と性差．医学のあゆみ 2017（in press）

3）Nohara R, et al. CirC J 2012; 76: 221-9. PMID: 22094911.

4）日本動脈硬化学会，編．動脈硬化性疾患予防ガイドライン2017．東京：日本動脈硬化学会; 2017.

甲状腺機能異常
－合併症か薬剤が原因なのか鑑別を。特に分子標的薬や免疫チェックポイント阻害薬に注意－

A 甲状腺機能異常をみつけるコツ

・甲状腺機能異常を疑うこと

機能低下症状
・疲労
・虚弱
・寒気
・乾燥皮膚
・粘液水腫
・脱毛

機能亢進症状
・活動亢進
・興奮
・神経不安
・温熱耐性低下
・発汗
・動悸
・食欲亢進にもかかわらず体重減少
・頻脈（心房細動）
・振戦

臨床検査
・血中ホルモン
・血中抗体
・エコー
・心電図

B 甲状腺機能障害を起こす薬剤

免疫チェックポイント阻害薬、スニチニブ、
INF-αやIL-2などのサイトカイン
ヨウ素含有造影剤、リチウム

C ほかの原因をチェック

・機能低下症：自己免疫性甲状腺低下症の鑑別
・機能亢進症：自己免疫性甲状腺亢進症、破壊性甲状腺炎（亜急性甲状腺炎、無痛性甲状腺炎）

D 甲状腺機能異常の対処のコツ

・機能低下症：甲状腺薬で、TSH、血中甲状腺ホルモンの正常化、副腎皮質機能低下を合併しているときは、ステロイドをまず使用
・機能亢進症：抗甲状腺薬で、TSH、血中甲状腺ホルモンの正常化、頻脈に対してβ遮断薬

E 効果の検討

TSH、FT_4、FT_3の定期測定

A 甲状腺疾患を見つけるコツ

1 抗がん剤を使用する前の検査

- 通常の化学療法薬や抗HER2薬を使用する場合には、甲状腺機能を検査する必要はないと思われる。
- ただし、スニチニブ、インターフェロンα(INF-α)やそのほかのサイトカイン、**免疫チェックポイント阻害薬(ICI)(抗PD-1抗体、抗PD-L1抗体、抗CTLA-4抗体など)**を使用する場合、治療前に甲状腺刺激ホルモン(TSH)、非結合型T_4(FT_4)、非結合型T_3(FT_3)、抗甲状腺ペルオキシダーゼ抗体(抗TPO抗体)、必須ではないが、抗チオグロブリン抗体(抗Tg抗体)、TSH結合阻害免疫グロブリン(TBII)/TSH刺激性抗体(TSAb)を測定することで自己免疫性甲状腺疾患の素因の有無を判定できる。

2 甲状腺機能異常が発症時

- 臨床症状より、甲状腺異常を疑ったとき：血中TSH、FT_4、FT_3、抗TPO抗体を測定する。
- 自己免疫性甲状腺機能低下症(図1)：エコーにより甲状腺の萎縮、腫大している場合には血流亢進した画像が得られる。
- 自己免疫性甲状腺機能亢進症(図2)：甲状腺の血流亢進している場合が多く認められる。
- 薬剤性甲状腺異常：超音波所見の報告はほとんどない。
- 放射性同位元素(^{99m}Tc、^{123}I、^{131}I)による甲状腺スキャンがあり、

図1　症候性甲状腺機能低下症の評価

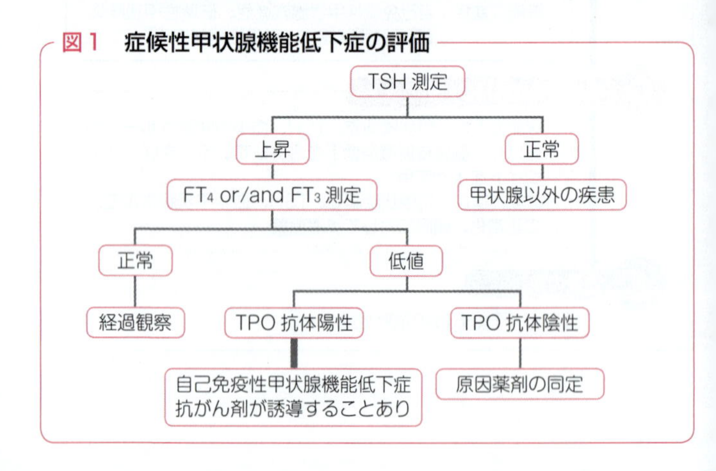

図2　症候性甲状腺機能亢進症の評価

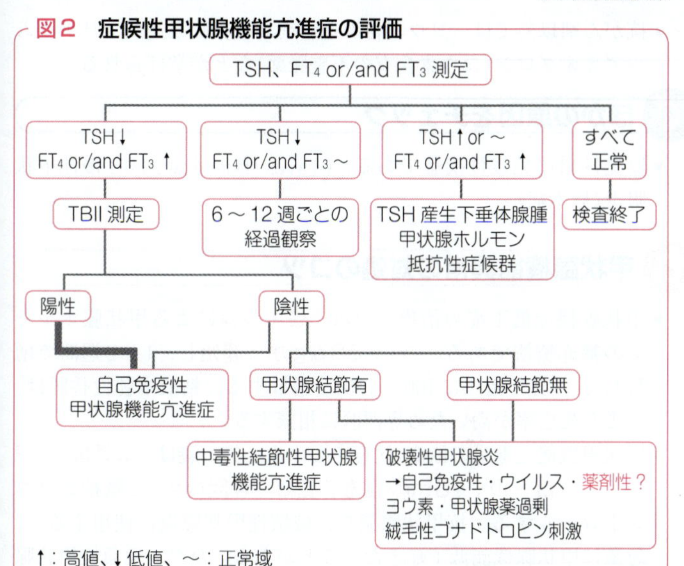

自己免疫性甲状腺機能亢進症、破壊性甲状腺炎や結節性甲状腺疾患が鑑別可能であるが、抗甲状腺薬を使用する前に行われることが望まれる。

- 心電図で頻脈の程度や心房細動の有無を確認する必要がある。

B 甲状腺機能障害を起こす薬剤を探す

- 抗がん剤で甲状腺機能異常を引き起こすものとして、スニチニブは20%以上に、INF-αやインターロイキン2（IL-2）を使用すると5%に併発する。
- 免疫チェックポイント阻害薬についての報告では、進行再発乳がんの第Ⅲ相試験において、アテゾリズマブ＋nab-PTX（A群）とプラセボ＋nab-PTX（P群）の甲状腺関係併発率（%）は、A群（全19.9、低下13.7、亢進4.4、G3以上0.2）に対して、P群（全5.5、低下3.4、亢進1.4、G3以上0.0）であった[2)]。また、ほかのがん種の報告であるが、イピリムマブ、ニボルマブ、ペンブロリズマブ、イピリムマブ＋ニボルマブでの甲状腺機能低下と亢進の発症率（%）は、3.8、7.0、3.9、13.22と1.7、3.2、0.6、8.0であった[3)]。
- 抗TPO抗体陽性者には注意を要する可能性がある。

- 抗がん剤以外では、ヨウ素含有造影剤、甲状腺薬過剰、リチウムやアミオダロン(ヨウ素含有の不整脈薬)などが挙げられる。

C ほかの原因をチェック

- 原発性自己免疫性疾患である、Graves(Basedow)病と慢性甲状腺炎(橋本病)

D 甲状腺機能異常の対処のコツ

- 甲状腺機能低下症の治療:**レボチロキシン**による甲状腺ホルモンの補充療法である。**25〜50μgから開始**し、1〜2週間で増量してTSHを指標に100〜150μg増量する。粘液水腫性昏睡は、いまだ死亡率が高いため専門医に相談する。
- 甲状腺機能亢進症の治療:注意を要する。第一義は、**β遮断薬(プロプラノロール;10mg/回を1日3〜4回投与)**で脈拍数をコントロールする。抗甲状腺薬を、破壊性甲状腺炎に使用すると、急激に甲状腺機能低下症きたすことがある。ただ、亜急性甲状腺炎以外、無痛性甲状腺炎による甲状腺機能亢進状態の状況予測をすることは困難である。また、抗がん剤治療を中止することは困難なことも想定される。
- 私見であるが、症候性の甲状腺機能亢進状態の患者に対しては、**抗甲状腺薬(チアマゾール;10mg/回を1日3回投与、プロピルチオウラシル;100mg/回を1日3回投与)±β遮断薬**を投与し、1〜2週にTSH、FT_4、FT_3の測定をし、甲状腺機能低下になったら甲状腺薬を併用投与する。抗甲状腺薬の発疹や無顆粒球症については注意する。
- 甲状腺中毒性クリーゼを、発症している場合には専門医に相談する。

E 効果の検討

- 症状が落ち着いたら2〜6カ月に1回、TSH、FT_4、FT_3の測定をし、甲状腺薬や抗甲状腺薬を調整する。

(井上賢一)

文献

1) 福井次矢, ほか監修(ダン L ロンゴ, 編). ハリソン内科学第4版. 甲状腺の異常. 東京: メディカルサイエンスインターナショナル; 2013.
2) Schmid P, et al. N Engl J Med 2018; 379: 2108-121. PMID: 30345906
3) Barroso-Sousa R, et al. JAMA Oncol 2018; 4: 173-82. PMID: 28973656

発熱性好中球減少症(FN)
−重症度を評価し、適正な抗菌薬治療を中心とした支持療法を行う−

A 診断

- 化学療法治療中の発熱（腋窩温≧37.5℃）
- 好中球数＜500/mm^3、または＜1,000/mm^{3}で48時間以内に＜500/mm^{3}になると予想される

B 必要な検査

- 感染巣がないか症状の問診、診察
- 血算、白血球分画、血清生化学検査、検尿
- 静脈血培養（2セット）
- MASCCスコアで評価

C 初期治療

MASCCスコア21点以上の低リスク
- キノロン予防投与なし：状況が許せば外来でシプロフロキサシン＋クラブラン酸・アモキシシリンを内服し、十分な観察
- キノロン予防投与あり：入院して静注抗菌薬治療

MASCCスコア20点以下の高リスク
- 抗緑膿菌作用をもつβラクタム薬（セフェピム、メロペネム、タゾバクタム・ピペラシリン、セフタジジム）を静脈投与
- 血行動態不安定、蜂窩織炎合併、MRSA感染を疑うなど：抗MRSA薬（バンコマイシン、テイコプラニン）を併用
- 敗血症性ショック、肺炎、緑膿菌感染を合併した重症例：アミノグリコシドまたはフルオロキノロンによる予防投与がなければキノロン（シプロフロキサシン）を併用

D 初期治療開始後3〜4日の再評価

- 毎日の診察、バイタル確認
- 血液培養の再検
- 感染巣からの検体培養
- 解熱しても好中球が500/mm^{3}に回復するまで抗菌薬治療を続ける
- 解熱しない場合：原因菌や感染巣の精査を続ける
- 好中球低下が持続：抗真菌薬（アムホテリシンBリポソーム、イトラコナゾール、ミカファンギン、ボリコナゾール）の追加を検討

A 診断

1 確認事項

- 化学療法の種類、投与量、実施日など
- 並存疾患の有無、薬剤アレルギーの有無
- 病歴や身体所見を取得
- 意識障害や血圧低下の有無をチェック

2 鑑別すべき病態

- 腫瘍熱、薬剤性、感染症などを念頭に診断を進める。
- 原因菌特定に努めるが、同定されないことも多い[1]。
- 感染源は口腔、咽頭、消化管、尿路、下気道など。

B 検査

- 必要に応じてX線、CTなどの画像検査を追加する。
- 2セットの血液培養は異なる部位から採取する。
- 必要に応じてその他の体液培養も行う。

C 初期治療

1 FN重症化のリスクスコアを用いて患者を評価

- FN患者のなかで重症化するリスクが低いものを予測する臨床的スケールとしてMASCCスコア[2]が用いられている(表1)。

2 21点以上の低リスクの場合

- キノロン予防投与なし：状況が許せば外来でシプロフロキサシン＋クラブラン酸・アモキシシリンを内服し、十分な観察を行う。
- キノロン予防投与あり：入院して静注抗菌薬治療を行う。

3 20点以下の高リスクの場合

- 抗緑膿菌作用をもつβ-ラクタム薬(セフェピム、メロペネム、タゾバクタム・ピペラシリン、セフタジジム)を静脈投与する。
- 血行動態不安定、蜂窩織炎合併、MRSA感染を疑うなどの場合は抗MRSA薬(バンコマイシン、テイコプラニン)を併用する。
- 敗血症性ショック、肺炎、緑膿菌感染を合併した重症例ではアミノグリコシドまたはフルオロキノロンによる予防投与がなければキノロン(シプロフロキサシン)を併用する。

4 G-CSF製剤の投与 ➡ P.156

- 好中球5,000/mm^{2}の回復を目処として投与する。

表1 MASCCスコア

項目	スコア
臨床症状 無症状 軽度の症状 中等度の症状	 5 5 3
血圧低下なし	5
慢性閉塞性肺疾患なし	4
固形がんである、あるいは造血器腫瘍で真菌感染症の既往がない	4
脱水症状なし	3
外来管理中に発熱した患者	3
60歳未満(16歳未満には適用しない)	2

(文献2より引用)

D 初期治療開始後3～4日の再評価

血液培養分離菌と薬剤感受性を確認

- 以前は緑膿菌、大腸菌などのグラム陰性桿菌が多かったが、近年はコアグラーゼ陰性ブドウ球菌、黄色ブドウ球菌、レンサ球菌などグラム陽性菌の頻度が高くなっている[1)]。
- 多剤耐性緑膿菌、カルバペネム耐性腸内細菌科細菌の頻度が上昇している。
- 好中球減少の期間が長い場合はカンジダ属、アスペルギルス属などの**深在性真菌症も念頭に**置いて対応する。
- 初期治療で解熱、全身状態の改善が認められない場合には、感染症専門医にコンサルテーションを依頼する。

(鶴谷純司)

文献

1) 日本臨床腫瘍学会, 編. 発熱性好中球減少症(FN)診療ガイドライン. 東京: 南江堂; 2012.
2) Klastersly J, et al. J Clin Oncol 2000; 18: 3038-51. PMID: 10944139

参考資料

1) Smith TJ, et al. J Clin Oncol 2006; 24: 3187-205. PMID: 16682719

侵襲性カンジダ症・ニューモシスチス肺炎
ー陰性化するまで、適切な量・期間で抗菌薬を継続するー

A 真菌感染症をみつける

・危険因子：悪性腫瘍、化学療法、広域抗菌薬治療
　中心静脈カテーテル、好中球減少症（<500/mm³）
・血液培養は２セット以上採取

検出

B-1 侵襲性カンジダ感染症に対処する

・直ちに抗菌薬治療開始
・①眼内炎、網膜結膜炎
　②カテーテル関連血流感染
　③感染症心内膜炎
　の精査

B-2 ニューモシスチス肺炎に対処する

・危険因子：免疫不全状態かつ
　呼吸困難、呼吸回数の増加、
　間質性肺炎像、LDH、βDグルカン上昇
・治療：ST合剤が第1選択（代替案ペンタミジン、アトバコン）
　ステロイド併用

A 真菌感染症をみつける

- 真菌は臨床検体からの培養陽性率が低いため、適切な検体から採取する必要がある。血液、髄液などの無菌検体からの検出は起因菌である。
- **血液培養は２セット以上採取**する。真菌が検出された場合、起因菌かどうかを見極めることが重要である。陰性化を確認するまで1～2日おきに実施する。
- 危険因子：**悪性腫瘍**、**化学療法**、**広域抗菌薬治療**、**中心静脈カテーテル**、**好中球減少症（＜500/mm³）**

  悪性腫瘍：発熱の診断精査には積極的に血液培養を採取する。

  広域抗菌薬の長期使用：経験的治療として広域抗菌薬で開始した場合でも、感染巣の精査を行い、必ず培養を提出する。培養結果

が判明したら、できる限り狭域の抗菌薬に変更し（de-escalation）、適切な量と期間で投与する。

- がん患者においては、①侵襲性カンジダ症、②化学療法などの免疫不全に伴う重症の呼吸器感染症であるニューモシスチス肺炎が問題となる。

-1 侵襲性カンジダ感染症に対処する

- 主に*C. albicans*、*C. glabrata*、*C. tropicalis*、*C. parapsilosis*、*C. krusei*よって引き起こされ、侵入門戸はカテーテルや腸管である。
- 喀痰や尿から検出された場合：播種性でない限り、一般的には定着菌である。βDグルカン陽性、ほかに複数箇所の定着部位が証明された場合は、経験的治療の適応がある。血清カンジダ抗原は感度が低く、診断的価値は低い。
- 血液培養から検出された場合：真の菌血症がほとんどであり、直ちに抗真菌薬の全身投与が必要である。コンタミネーションを疑う場合でも必ず血液培養を再検する。①眼内炎、②カテーテル関連血流感染、③感染性心内膜炎の精査を行い、それぞれ必要な量・期間で投与する。菌種が不明な場合は**表1**、菌種が判明した場合は**表2**である。

1 眼内炎、網脈絡膜炎

- 危険因子：中心静脈もしくは末梢静脈カテーテル留置、広域抗菌薬治療
- 真菌性眼内炎のうち、カンジダ属が原因真菌の9割を占める。また、カンジダ菌血症のうち20％前後に眼内炎が認められ、*C. albicans*、*C. glabrata*の頻度が高い。
- 抗真菌薬は薬剤感受性と眼内移行を考慮して選択する。**フルコナゾール、ボリコナゾールの眼内移行は良好**である。治療期間は3週～3カ月程度である。経口投与が可能な例や腸管機能を有する患者では、経口投与への変更を考慮できる。血液培養で菌の陰性化を確認し、網膜病変が感染に瘢痕化するまで続ける。全身状態が改善していても、眼科病変の進行があれば中止してはならない。
- **必ず眼科受診を行う**。早期に適切な治療を行わなければ、視力予後は不良となる。眼底検査を行い、診断する。難治性の場合は、硝子体手術を行い、眼内の真菌を除去する。眼科医による検査は、抗菌薬中止後も少なくとも6週まで行うことが奨められている。

2 カテーテル関連血流感染

- 不要なデバイスは速やかに抜去する。感染源が中心静脈カテーテ

表1　侵襲性カンジダ症における注射用抗真菌薬の選択：菌種が不明な場合

*敗血症ショック、severe sepsis時に使用

	第1選択薬		
		推奨度	投与量
標準的治療	MCFG	AⅠ	100～150mg/回1日1回点滴静注
	CPFG	AⅠ	50mg/回(loading dose：初日のみ70mg/回)1日1回点滴静注
	(F-)FLCZ	BⅠ	400mg/回1日1回静脈内投与(F-FLCZのみloading dose：800mg/回1日1回静注を2日間)
	L-AMB*	BⅠ	2.5mg/kg/回1日1回点滴静注
経験的治療	MCFG	BⅢ	100mg/回1日1回点滴静注
	CPFG	BⅢ	50mg/回(loading dose：初日のみ70mg/回)1日1回点滴静注
	(F-)FLCZ	BⅢ	400mg/回1日1回静脈内投与(F-FLCZのみloading dose：800mg/回1日1回静注を2日間)

(文献1より改変引用)

表2　侵襲性カンジダ症における注射用抗真菌薬の選択：菌種が判明した場合

	第1選択薬	第2選択薬	使用する根拠がない	使用しないことを勧告
C.albicans	(F-)FLCZ	MCFG CPFG VRCZ L-AMB		
C.glabrata	MCFG CPFG	L-AMB ITCZ	VRCZ	(F-)FLCZ
C.krusei	MCFG CPFG L-AMB	VRCZ	ITCZ	(F-)FLCZ
C.parapsilosis	(F-)FLCZ	VRCZ L-AMB ITCZ	MCFG CPFG	
C.tropicallis	(F-)FLCZ MCFG CPFG	L-AMB VRCZ ITCZ		

(文献1より改変引用)

略号	一般名	留意点
FLCZ	フルコナゾール	・腎機能別投与量 Ccr≧50mL/分　：通常用量 Ccr 11～50mL/分：半分
F-FLCZ	ホスフルコナゾール	・フルコナゾールのプロドラッグ。 ・腎機能別投与量 Ccr≧50mL/分　：通常用量 Ccr 11～50mL/分：半分
MCFG	ミカファンギン	
CPFG	カスポファンギン	
VRCZ	ボリコナゾール	・重度の腎機能障害患者Ccr 30mL/分未満は原則禁忌。 ・5～7日以降に血中濃度を測定する。目標トラフ値≧1～2μg/mL
ITCZ	イトラコナゾール	
L-AMB	アムホテリシンBリポソーム	

ルであると推定される場合も可能な限り早期に抜去する。

- 骨髄炎、眼内炎、心内膜炎などがなければ、血液培養で菌の陰性化を確認後、**抗真菌薬を14日間静脈内投与**する。好中球減少例では、好中球数が回復するまで投与する。

3 感染性心内膜炎

- 危険因子：長期の中心静脈カテーテル留置、心臓弁膜疾患、ステロイド長期服用例など
- 真菌性心内膜炎の起因菌は、カンジダ属が大部分を占める。心エコー(経胸壁、食道)を実施し、外科的治療を考慮したうえで抗真菌薬の投与を行う。

2 ニューモシスチス肺炎に対処する

- *Pneumocystis jirovecii* とよばれる真菌による。高度免疫不全の患者で、胸部X線で間質性肺炎像を呈する。
- 主な症状は呼吸困難、発熱、乾性咳嗽で、喀痰を認める例は少ない。血液検査ではLDH、βDグルカンの上昇を認める。確定診断には喀痰や肺胞洗浄液から菌体を検出するが、診断のために治療の開始が遅れてはならない。ごく初期の場合は症状が乏しく、胸部単純X線でも所見が明らかでないこともあるが、非HIV感染者ではHIV感染者より急速に進行し、診断時にはすでに重症化していることも多く、死亡率は高い。
- 重症例の多くが悪性腫瘍の患者である。発症リスクがあり、**呼吸困難**、**呼吸回数の増加**、**間質性肺炎像**、**LDHやβDグルカン上昇**を認める場合は、本疾患を疑い、早期に治療を開始することが重要である。

治療

- **ST合剤が第1選択薬**である。いずれの薬剤も副作用により一剤で治療を完遂できない場合が多いため、第1選択薬が使用できない場合は代替薬で治療を継続する。
- 治療期間は3週間で、全例に2次予防が推奨される。

1 ST合剤

スルファメトキサゾール・トリメトプリム合剤(**バクタ®**)

9～12g/日　分3または分4　静脈内投与あるいは経口投与

腎機能に応じて、投与量の調整が必要である。

副作用：皮疹、発熱、嘔気、腎機能障害、低Na血症、高K血症、肝機能障害

2 ST合剤の使用が困難な場合

ペンタミジン(ベナンバックス®) 3～4 mg/kg/日
2時間以上かけて静脈内投与
初回投与時は、血糖や不整脈などモニタリングする。
副作用：腎機能障害、耐糖能異常(低血糖、高血糖)、骨髄抑制、不整脈

アトバコン(サムチレール®) 750 mg/回 1日2回食後
軽症～中等症
副作用：皮疹、肝機能障害

3 ステロイドの併用

- HIV感染者では有効性が示されており、PaO_2が70 mmHg以下に低下の場合に行うが、非HIV感染者ではルーチンには奨められていない。重症例において、プレドニゾロン60 mgまたはそれ以上の高用量では低用量よりも良好な結果が得られるとする報告があるが、予後を改善しないとする報告もある。
- 発症前から原疾患に対してステロイド治療が行われている例もあり、適切な投与量は定まっていない。呼吸不全の程度や病状に応じて症例ごとに判断しなければならない。

評価

- 毎日経過を観察し、8日後に評価する。通常3～5日で改善傾向を示し、57%の患者でCT所見も改善する。
- 治療不応例は、適切な治療を行っていても改善せず、呼吸不全が進行する。死亡率は30～60%とされている。
- 予後不良因子：基礎疾患のコントロール不良、治療開始の遅れ、低Alb血症、単純ヘルペスウイルス・サイトメガロウイルス感染症、縦隔気腫の合併など。

(上平朝子)

文献

1) 深在性真菌症のガイドライン作成委員会, 編. 深在性真菌症の診断・治療ガイドライン2014. 東京: 協和企画; 2014.
2) Peter G, et al. Clin Infect Dis 2016; 62: e1-50. PMID: 26679628
3) Thomas CF Jr, et al. N Engl J Med 2004; 350: 2487-98. PMID: 15190141
4) Weng L, et al. BMC Infect Dis 2016; 16: 528. PMID: 27686235
5) Maschmeyer G, et al. J Antimicrob Chemother 2016; 71: 2405-13. PMID: 27550993

う歯・顎骨壊死(ARONJ)

ー発症後の治療は困難を極める。予防のための医科歯科連携がなにより重要ー

A ARONJを予防する

①歯科医師との緊密な連携
②患者教育
③口腔内スクリーニング
④薬剤投与前に口腔衛生状態を整えておく

B ARONJを診断する

①ゾレドロン酸もしくはデノスマブによる治療歴がある
②顎骨への放射線照射歴なし
③顎骨の露出もしくは歯肉の腫張、疼痛

→ 歯科口腔外科へ紹介 → X線など画像検査 → がんの顎骨への転移ではない → ARONJの診断

C ARONJへの対応、治療

①抗菌性先口剤および抗菌薬処方、局所の洗浄
ステージ2以上：外科治療を考慮
②BMA休薬の可否を検討

A 顎骨壊死(ARONJ)を予防するコツ

- 骨転移や高Ca血症に対して、骨修飾薬(BMA)が投与される。骨吸収抑制薬関連顎骨壊死(antiresotive agents-related osteonecrosis of the jaw；ARONJ)の発症率は、**デノスマブ(抗RANKL抗体製剤)で1.8%、ゾレドロン酸(ビスホスホネート)で1.3%**との報告があるが、わが国においてはその数倍の発症率であるとの臨床報告も多数あり、過小評価にはリスクがあることを念頭におく。

1 歯科医師との緊密な連携を

- 主治医から歯科への紹介を実施。院内に歯科口腔外科がある場合は院内紹介し、ない場合は、直接地域の歯科へ連携する。その際、継続的な受診のために、患者の住居や職場の近くの歯科を勧める。
- そのために、診療情報提供書が必要。①病状、病態、②見込むBMAの投与開始予定時期、③そのほかの併用抗腫瘍薬における

骨髄抑制などの有無、④歯科口腔外科的観血的処置の注意点。これらの情報がないと一般歯科では、抜歯などの侵襲的な治療を行ってもよいのかわからない。ここが抜けてしまうと再度問い合わせが来ることが多い。

- 乳がんの病状、病態、治療方針、予後の見込み、予想されるリスクとONJが発症した場合の対応を歯科医師と事前に協議。
- BMA治療中は歯科医師による定期的な口腔内のメンテナンスが必要である。歯科医師は口腔内の状態について主治医に報告できる体制をとる(歯性疾患の増悪など)。主科も、再診時に口腔内の状態、歯科受診の有無について確認する。

2 BMAの有益性とONJのリスクについて、患者へ正確な情報提供を行う。

- 発症後の治療は困難であるため予防が一番大事であることを伝える。毎食後の口腔内清掃の徹底を強く勧める。
- 現在まで歯科治療を受けていない患者の多くは定期健診の習慣がないため、痛みなどの急性症状がなければ歯科受診しないことが多い。**重要なのは継続的に受診すること**で、治療ではなく予防に行くことを伝える。

3 口腔内スクリーニング

- 検査項目：視診、歯周ポケット測定、デンタル・パノラマX線、歯科用コーンビームCT。歯性疼痛の自覚症状の有無。
- **①骨への侵襲的歯科治療(抜歯、インプラント埋入、歯周外科手術など)**、②不適合義歯、過大な咬合力、③口腔衛生状態の不良、歯周病、歯肉膿瘍、根尖性歯周炎などの炎症性疾患、④下顎隆起、口蓋隆起、顎舌骨筋線の隆起、⑤根管治療、矯正治療。①～④はARONJの危険因子、⑤のみ危険因子ではない。

4 口腔衛生状態を整える

①保存不可能なう歯や歯周病、歯科インプラントがある場合：抜歯、あるいは歯科インプラント除去

②保存可能なう歯や歯周病がある場合：保存的治療(う蝕処置、歯石除去)

③不適合な義歯がある場合：義歯調整

④口腔衛生状態不良の場合：歯磨き指導

①は投与2週間前まで、②～④は直前まで可能である。**継続的な歯科メンテナンス**を行う。

5 BMA投与中に抜歯などの侵襲的歯科治療が必要になった場合、BMA休薬は必要か？

- 現在のところ休薬によるメリットのエビデンスはない。骨粗鬆症と異なり、がん患者においては急激なADLの低下につながる可能性もあり、**原則として休薬はしない**とされている。しかし、いずれも高いエビデンスを有していないため、発症した場合のリスクも考慮し、十分な患者へのインフォームドコンセントが必要である。
- 抜歯などの侵襲的治療を避けたいがあまり非抜歯の方針を勧めることで、ONJ発症のリスクが高まることもある。その際は術前から抗菌薬を投与し、侵襲を最小に抑え、処置後に残存する骨鋭縁などは平滑にし、術創は骨膜を含む口腔粘膜で閉鎖することが望ましい。
- **侵襲的歯科治療後に可能なら2カ月休薬**するが、治癒が確認できしだい速やかにBMA投与を再開することが可能である。

B 発症したARONJを診断するコツ

- **①デノスマブまたはゾレドロン酸による治療歴**がある、②顎骨への放射線照射歴がない、③がんの顎骨への転移でないことが確認できる、④顎骨の露出がある、あるいはなくても顎骨に疼痛などの症状がある、に当てはまる場合、かかりつけ歯科、ない場合は口腔外科専門施設へ紹介し、ステージング(表1)および治療方針(表2)を決定する。

C 顎骨壊死発症時の対応、治療方法は

- 明確なエビデンスはないものの、**ARONJの発症が確定した場合はBMAの休薬**が望ましい。デノスマブの場合は休薬によりONJが改善したという報告があり、筆者も休薬により改善した症例を

表1 ARONJの臨床症状とステージング

ステージ	臨床症状
0	骨露出や骨壊死なし。歯牙動揺。歯肉の腫脹、膿瘍形成など
1	無症状で感染を伴わない骨露出や骨壊死、骨を触知できる瘻孔
2	感染を伴う骨露出、骨壊死。骨を触知できる瘻孔。骨露出部の疼痛。発赤
3	歯槽骨を超えた骨露出、骨壊死。その結果として、病的骨折や口腔外への瘻孔形成

(文献1より改変引用)

表2　ARONJの治療

ステージ	治療
0、1	①抗菌性洗口剤（ネオステリン®グリーン）の含嗽、瘻孔、歯周ポケットの洗浄。局所抗菌薬の注入
2	上記①に加え、②抗菌化学療法（内服、注射）、③腐骨除去、壊死骨掻爬、顎骨切除
3	上記①②③に加え、顎骨の辺縁切除や区域切除

（文献1より改変引用）

経験しており、高いエビデンスはないもの有効性は無視できないと考える。そのうえでも主科との綿密な情報共有が重要である。

- 基本治療方針：①骨壊死領域の進展抑制、②疼痛、排膿などの症状の緩和と感染制御によりQOLを維持、③歯科医療従事者による患者教育および口腔管理の徹底、④腐骨分離を認めたら、腐骨除去を行う。
- 歯/歯周疾患の積極的治療とブラッシングなどのセルフケアや、**抗菌性洗口剤（ネオステリン®グリーン）**使用励行による口腔衛生状態の改善。抗菌化学療法の実施は必須。
- 抗菌薬の選択および投与期間に一定の見解は得られていないが、8週の長期投与により、効果があったとの報告がある。耐性菌の発症に注意しながらの抗菌化学療法の実施が望まれる。
- ステージ1は保存的治療が推奨されているが、近年ステージ2以降には外科治療の実施が推奨されるようになってきている。外科手術のコツは、病変部を完全に切除すること、術創を閉鎖創にすることである。エビデンスは十分ではないが、創部治癒までBMAを休薬したほうが経過良好との報告があるため、可能であれば休薬を検討する。

（平岡慎一郎）

文献

1）顎骨壊死検討委員会，編．骨吸収抑制薬関連顎骨壊死の病態と管理：顎骨壊死検討委員会ポジションペーパー 2016. https://www.jsoms.or.jp/medical/wp-content/uploads/2015/08/position_paper2016.pdf

2）Fleisher, KE, et al. Antiresorptive Drug-related Osteonecrosis of the Jaw（ARONJ）—a Guide to Research. An AOCMF publication. 2016.

月経異常・不正出血
－子宮体がんを見逃さないこと－

A 乳がん薬物療法による月経異常・不正出血

乳がん薬物療法では女性ホルモン抑制や卵巣障害のため、月経異常の発症は必然

↓

B 月経異常・不正出血をみつけるコツ

問診	臨床症状	経腟エコー	血液検査
月経歴 妊娠歴 婦人科既往歴 患者自身の記録	稀発月経 無月経 性器出血 更年期障害	卵胞 子宮内膜厚 子宮内膜ポリープ	ゴナドトロピン（LH、FSH） エストロゲン

↓

C 月経異常・不正出血を起こす薬剤

- GnRHアゴニスト
- タモキシフェン（SERM）
- アロマターゼ阻害薬
- 抗がん剤、特にシクロホスファミド

↓

D 月経異常・不正出血に対する対処のコツ

- 薬物療法施行前の十分な説明
- 定期的な婦人科受診
- 子宮体がんに留意
- 挙児希望の場合、慎重な妊娠可否の判断

↓

E その他の留意事項

- アロマターゼ阻害薬は、閉経の確認とエストロゲン検査
- 持続する高エストロゲン状態のリスク
- 遺伝性卵巣がんのリスク

A 乳がん薬物療法による月経異常・不正出血

- 乳がん、特にホルモン受容体陽性症例はエストロゲン依存性に増殖・進展することから、閉経前においては女性ホルモン作用の抑制を目的とする薬物療法が行われる。その方法は、①エストロゲ

ン産生を抑制する、あるいは②乳がん細胞へのエストロゲン作用を阻害する、ことにある。したがって、閉経前の女性において卵巣機能低下による月経異常の発症はある意味で必然である。

- 抗がん剤治療は卵巣を直接障害してホルモン産生機能を低下させ、月経異常の原因となる。
- 不正出血は女性ホルモン抑制による場合のほか、子宮体がんの初発症状である可能性に留意する必要がある。

B 月経異常・不正出血をみつけるコツ

1 問診

- 治療以前の月経周期、過多月経の有無、子宮筋腫や子宮内膜症などの婦人科疾患の既往歴、妊娠歴、不妊の有無などを確認する。
- 乳がん薬物療法開始にあたり、患者自身が月経の状態や不正出血の有無について関心をもって記録するよう勧める。

2 臨床症状

- 月経の間隔が延長する稀発月経や、長期間にわたり月経のない無月経。逆に、月経時の出血期間が延長する過長月経や月経の間隔が短縮する頻発月経も起こりうる。
- エストロゲン低下による、のぼせ、発汗やいらいらなど、更年期障害様の不定愁訴である。
- 月経周期と関係のない性器出血が不正出血であり、閉経前、後にかかわらず起こる。

3 経腟エコー

- 卵巣・子宮内膜を観察すると、卵巣機能が障害されたときは、卵胞発育の欠如と子宮内膜の菲薄化が認められる。
- タモキシフェンを使用したときは、子宮内膜肥厚や子宮内膜ポリープ様の所見を認めることがある。
- 多嚢胞性卵巣症候群(PCOS)では、卵巣が軽度腫大し多数の小嚢胞を認める。

4 血液検査

- ゴナドトロピン放出ホルモン(GnRH)アゴニストを使用すると、低ゴナドトロピン(低LH、低FSH)および低エストロゲン、低プロゲステロンとなる。
- タモキシフェンを単独で使用したときは、黄体期にエストロゲンが高値となる傾向がある[1]。
- 抗がん剤療法により卵巣機能が障害されたときは、低エストロゲン、低プロゲステロンであるが、ゴナドトロピンは高値を示す。

- アロマターゼ阻害薬により、エストロゲンレベルが上昇することがある[1)]。

C 月経異常・不正出血を起こす薬剤

1 GnRHアゴニスト(リュープロレリン、ゴセレリンなど)

- 視床下部より分泌されるGnRH類似のペプチド薬剤であり、下垂体からのゴナドトロピン分泌を一過性に亢進した後で強力に抑制する。その結果、卵巣において卵胞発育が阻害されエストロゲン分泌が抑止されるため無月経となる。
- 年齢などによりそのまま閉経になる場合もあるが、一般にこの作用は可逆的で、治療終了後に月経は回復する。

2 選択的エストロゲン受容体機能調節薬(SERM)(タモキシフェンなど)

- エストロゲンのERへの結合を競合阻害する薬剤であるが、標的臓器によりエストロゲン作用と抗エストロゲン作用がさまざまな程度で発現する。
- タモキシフェンは子宮に対してはエストロゲン作用を示して内膜を増殖させることがあり、不正出血をきたしたり、子宮内膜ポリープや子宮内膜増殖症を発生させる。また子宮体がんの発症リスクを投与期間に比例して増加させることが知られている[2)]。

3 アロマターゼ阻害薬

- 閉経後にはエストロゲンは卵巣では作られなくなるが、副腎からのアンドロゲンが脂肪組織などにあるアロマターゼの働きでエストロゲンに変換される。アロマターゼ阻害薬はこの酵素の作用を阻害する薬剤である。
- 閉経期周辺女性に投与すると、卵巣機能が回復し、エストロゲン分泌が増加して月経が再開することがある。

4 抗がん剤

- 卵巣を直接障害しホルモン産生機能を低下させる。特にシクロホスファミドは卵巣機能の障害作用が強いことが知られている。不可逆的な卵巣機能低下をきたし早発閉経 ➡P.428 となるおそれがある。

D 月経異常・不正出血に対する対処のコツ

- 乳がん薬物療法を施行するときは、月経異常・不正出血が起こりうることをあらかじめよく説明しておく。

- 閉経が近く挙児希望がない場合は、稀発月経や無月経に対して特に治療の必要はない。
- 不正出血がある場合は、婦人科を受診して婦人科がん検査を行うことが勧められる。また症状がなくても半年～1年に1回程度の定期的な婦人科受診が望ましい。
- 不正出血は女性ホルモン抑制による場合のほか、子宮体がんの初発症状である可能性に留意する必要がある。経腟エコーで子宮内膜肥厚や子宮内膜ポリープ様の所見の有無を検査し、子宮内膜細胞診や組織診、必要に応じて子宮鏡検査を行い、確定診断のために子宮鏡下ポリープ切除術や子宮内膜掻爬術を考慮する。
- 挙児希望 (➡P.431) が強い場合は、年齢や乳がん再発のリスクを厳密に評価して妊娠の可否を判断し、ホルモン療法終了の可否および時期を検討する。治療を中止する場合は、乳腺外科医と産婦人科医が連携して、十分なインフォームドコンセントに基づいて行うことが望ましい。
- 抗がん剤治療により早発閉経となることがある。特に若年者の場合、更年期障害様の各種不定愁訴の症状に加え、骨粗鬆症 (➡P.310) のリスク増加などが懸念される。

E そのほかの留意事項

- アロマターゼ阻害薬を使用する際は、閉経の確認と定期的なホルモン(エストロゲン、FSH)レベルのチェックが望ましい。
- 多数の卵胞形成と排卵障害のため高エストロゲンレベルが持続するPCOSは乳がんの高危険因子である。
- 遺伝性乳がん卵巣がん症候群(HBOC)の可能性に留意し、婦人科受診時は卵巣腫瘍にも注意して検診する。

(巽　啓司)

文献

1) Murakami K, et al. Jpn J Breast Cancer 2010; 25: 37-42.
2) Early Breast Cancer Trialists' Collaborative Group(EBCTCG), Davies C, et al. Lancet 2011; 27: 771-84. PMID: 21802721

帯下異常・外陰部炎・腟炎・粘膜異常

－化学療法・ホルモン療法の抗エストロゲン作用による外陰部・腟への影響－

A

外陰部・腟の瘙痒感、灼熱感、乾燥感、疼痛
帯下増加、悪臭、性交痛、不正出血　など

B 病態

ホルモン療法と化学療法施行時における外陰部・腟疾患の病態

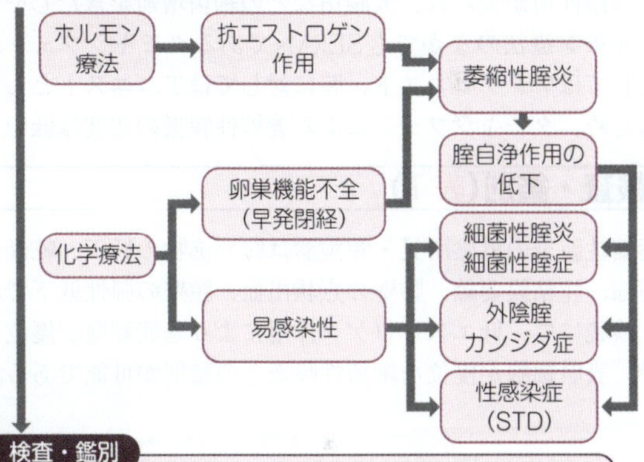

C 検査・鑑別

問診、外陰部所見、腟鏡診、塗抹・培養検査、pH検査

D 治療

1 非薬剤治療

・腟洗浄（ただし過度な腟洗浄は逆に悪化を招くことがある）
・締め付ける下着やストッキングの使用を控える
・局所の安静

2 薬剤治療

萎縮性腟炎	エストリール腟錠（エストリオール）、クロマイ®腟錠（クロラムフェニコール）投与を14日間
細菌性腟炎	クロマイ®腟錠投与を7～10日間
外陰腟カンジダ症	エンペシド®腟錠(クロトリマゾール)を1日1回6日間、もしくはオキナゾール®腟錠600mg(オキシコナゾール）を週1回投与。外陰部に腟と同様に、イミダゾール系抗真菌薬のクリームや軟膏を塗布。

・性感染症治療（クラミジア、淋菌、トリコモナス、性器ヘルペス、尖圭コンジローマなど）

A 症状

- 萎縮性腟炎はエストロゲン欠乏に基づく腟上皮の炎症変化を病態とする。化学療法・ホルモン療法治療中における症状頻度：腟乾燥感67％、疼痛31％、瘙痒感30％、悪臭29％と、高頻度に出現する。

B 病態（図1）

- ホルモン療法と化学療法はともにエストロゲンを低下させる。このため腟分泌の低下と腟壁の菲薄化により、グリコーゲン量の減少、その結果乳酸産生が減少し、腟のpHが上昇することで、腟の自浄作用が失われ、大腸菌などの細菌増殖をきたしやすい。
- ホルモン療法のなかでもSERMsであるタモキシフェンは乳腺に対してはアンタゴニスト、腟に対してはアゴニストとして作用するため、タモキシフェンによる萎縮性腟炎の頻度は低い（8％）。

C 検査・鑑別（表1）

- 萎縮性腟炎の外陰所見・腟鏡診は腟分泌物の低下、乾燥、小陰唇萎縮、腟粘膜萎縮、腟壁の点状出血、腟壁の弾性低下である。塗抹検鏡にて、低エストロゲン作用により基底細胞が優位である点で、表層細胞が優位な細菌性腟炎との鑑別が可能である。

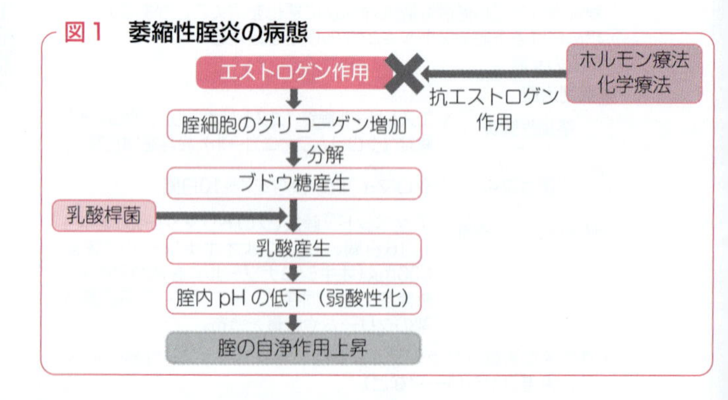

図1 萎縮性腟炎の病態

表1　腟炎における症状と帯下の所見

なし…ー、軽度…◯、高度…◎

		正常	萎縮性腟炎	カンジダ症	細菌性腟炎
症状	帯下感	ー	ー/◯	◎	◎
	瘙痒感	ー	◯/◎	◎	ー/◯
	外陰腟発赤	ー	◯/◎	◯/◎	◯
帯下	帯下増加	ー	ー/◯	◎	◎
	色	白	白〜黄	白	黄
	性状	ー	漿液性 膿性	酒粕状 カッテージチーズ状	漿液性 膿性
	臭い	ー	ー/◯	ー	◯
塗抹検鏡	特徴	乳酸桿菌	球菌・桿菌 傍基底細胞	仮性菌糸・胞子	球菌・桿菌 表層細胞優位
	白血球増多	ー	◎	◯	◎

D 治療

- 局所エストロゲン腟内投与と乳がん再発リスク上昇について明らかな関連は確認されていない。よって、エストロゲン依存性乳がん患者や治療終了後患者に対して、第1選択は非ホルモン治療としながらも、同療法に無効な場合には局所エストロゲン療法も選択肢になりうる。

（南　裕佳子）

文献

1）Lester J, et al. J Pers Med 2015; 5: 50-66. PMID: 25815692
2）American College of Obstetricians and Gynecologists' Committee on Gynecologic Practice, Farrell R. Obstet Gynecol 2016; 127: e93-6. PMID: 26901334
3）日本産科婦人科学会，編．産婦人科研修の必修知識2016-2018．日本産科婦人科学会；2016. p737-41.

男性機能障害（ホルモン療法に伴う）

－男性ホルモンを抑制すると性機能障害のみならず、さまざまな症状が現れる－

A 男性ホルモン抑制による症状を見逃さない

起こりうる症状を理解しておく（表1）。
性機能症状、心理症状、身体症状に大別できる。

表1 男性ホルモン抑制により起こるさまざまな症状

性機能症状	性欲低下、勃起障害（ED）
心理症状	集中力低下、不安感、うつ傾向、不眠
身体症状	倦怠感、ほてり・発汗、めまい、動悸、頭痛、耳鳴り、手足のしびれ、肩こり、関節痛、口渇、食欲低下、下痢、便秘、頻尿・残尿感

↓ 異常あり

B それぞれの症状に応じた対症療法を行う

心理症状：抗不安薬・抗うつ薬・眠剤・カウンセリング
身体症状：運動・食事療法や漢方薬など

↓ EDあり

C ED治療の第1選択はPDE5阻害薬

わが国では3剤が使用可能である。
3剤とも同様の効果と安全性をもつが、薬物動態に違いがある。

↓ ED改善不良

D ED治療の第2選択は陰茎海綿体注射や陰圧式勃起補助具

以後の治療は男性機能障害専門医に相談する。

- 男性乳がんの発症頻度は女性患者の0.5％未満とまれで、好発年齢は60歳代後半で、女性患者と比較して5～10歳程度、高齢者に発症するとされている。
- 治療については報告が少ないものの、男女間でがんの病態には大きな差がないことから、NCCNおよび日本乳癌学会のガイドラインにおいて、適応やレジメンの選択は閉経後の女性乳がんと同様のものが推奨されている。
- 一般に、男性乳がんはホルモン受容体の陽性率がきわめて高いため、内分泌療法の効果が期待でき、周術期や再発時に5～10年のタモキシフェン(TAM)やTAM禁忌がある場合のLH-RHアナログ+アロマターゼ阻害薬を用いることが多い。なかでもTAMは80～90%以上に使用されている[1]。

- TAMやLH-RHアナログのいずれにおいても、体重増加 ➡P.176、ホットフラッシュ ➡P.173、性機能障害、うつ病 ➡P.262、不眠 ➡P.266 などの有害事象が報告されている[2,3]。このうち前3者はTAMによる最も頻度の高い副作用として挙げられる。前2者は他項に記されているので、ここではEDに関して記載する。

A 男性ホルモン抑制による症状を見逃さない

- 筆者は男性乳がん患者を治療した経験はないが、前立腺がん患者に対する男性ホルモン遮断療法と、いわゆる男性更年期障害(LOH症候群)に対する男性ホルモン補充療法を行っている。
- 男性乳がんあるいは前立腺がんに対する内分泌療法施行患者と、LOH症候群患者との根本的な違いは、前者に対しては男性ホルモン補充療法が施行できないことである。したがって、表1のような症状それぞれに応じた代替治療を行っていくことになる。

B それぞれの症状に応じた対症療法を行う

- 性機能症状のうち、勃起障害(erectile dysfunction；ED)に関しては後述する。
- 性欲低下に関してはbupropion(日本では未承認)やカウンセリング、心理症状については抗不安薬・抗うつ薬・カウンセリング、身体症状に関しては、症状に応じた一般的治療(例えば体重増加には運動、食事療法)などで対応する[4]。
- 長期的には表1の症状以外にも、筋力低下や内臓脂肪の増加、骨粗鬆症などの徴候も生じるが本稿では割愛する。
- LOH症候群においては、ホルモン補充療法以外の治療法として、漢方薬の有効性も報告されている。具体的には**桂枝茯苓丸**、**柴胡加竜骨牡蛎湯**、**加味逍遥散**などが挙げられる[5]。その有効率は70%程度であり、男性乳がんに対しても適応の可能性があるものと考える。また、前立腺がんでは間欠的投与という方法もあるが、男性乳がんで同様の方法が有効かに関してはわかっていない[6]。

C ED治療の第1選択はPDE5阻害薬(図1)

1 ED治療開始前に

- EDは、生活様式や服用中の薬剤など可逆的な危険因子と関連して発生していることがあるので、ED治療開始前に生活習慣の改善(運動、ダイエット・禁煙など)などを行うことが推奨される。
- EDの治療選択は有効性、安全性、侵襲性、コスト、患者および性的パートナーの好みにより行われるが、どのガイドラインにおいても第一選択はPDE5阻害薬である[7,8]。
- 勃起を起こすための十分な動脈血流の増加には、海綿体平滑筋および海綿体内の動脈の弛緩が必要である。PDE5阻害薬は平滑筋の弛緩作用を増強することで勃起を保持するが、勃起そのものを誘発する働きはないということを、患者には理解してもらう。
- 通常、有効性は、挿入に十分な硬度を得ることができるかどうかで評価される。評価方法により異なるが、**PDE5阻害薬の有効率は約70%**である。

2 PDE5阻害薬3剤の特徴(表2)

- 薬物動態に特徴があるため、処方する医師はその違いを患者に説明する。現在までに3剤の有効性を直接比較するための二重盲検比較試験は行われておらず、その有効性と安全性は同様であるという評価になっている。

シルデナフィル(バイアグラ®)

- 上市された最初のPDE5阻害薬であり、わが国では1999年より発売されている。わが国では50mgまでしか認可されていないが、わが国を除く世界では100mgまで使用可能である。内服後30～60分で有効な血中濃度まで達し、その濃度は食後、特に脂肪の

図1　ED治療のフローチャート

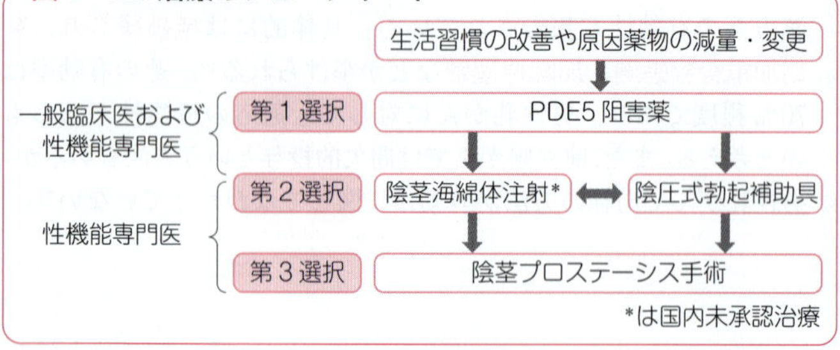

		生活習慣の改善や原因薬物の減量・変更	
一般臨床医および性機能専門医	第1選択	PDE5阻害薬	
性機能専門医	第2選択	陰茎海綿体注射*	陰圧式勃起補助具
	第3選択	陰茎プロステーシス手術	

*は国内未承認治療

表2　PDE5阻害薬3剤の特徴

	シルデナフィル(バイアグラ®)	バルデナフィル(レビトラ®)	タダラフィル(シアリス®)
最高血中濃度到達時間(hrs)	0.95	0.66	2
半減期(hrs)	4	4	17.5
食事の影響	食後は効果発現までに時間がかかる	高脂肪食食後は効果発現までに時間がかかる	食後でも問題ない
内服の時期	1時間前	25分～60分前	少なくとも30分前
性交成功率(%)	69	68	68
有害事象(%)	頭痛(10～15)、ほてり(5～10)、消化不良(5～15)、鼻閉(3～10)		
	青視症(0～5)		背部痛(5～10)

多い食事では低下する。2014年以降はジェネリックが発売されている。フィルムタイプのバイアグラ®ODは携帯性に優れる。

バルデナフィル(レビトラ®)

- わが国では2004年より発売されている。わが国でも諸外国同様に20mgまで認可されている。内服後比較的早期に(＜30分)で有効な血中濃度に達することが特徴である。シルデナフィル同様、その効果は、脂肪の多い食事により低下する。2020年6月以降はジェネリックが発売されている。

タダラフィル(シアリス®)

- わが国では2007年より発売されており、諸外国同様に20mgまで認可されている。半減期が17.5時間あることから、効果の持続時間も36時間と長時間であることが特徴である。

ED治療の第2選択は陰茎海綿体注射や陰圧式勃起補助具

1 陰茎海綿体注射(intracavernous injection：ICI)

- 血管作動性薬を陰茎海綿体内に注射し、勃起を誘発する方法であり、血管性EDの診断にも使用されている。日本では検査のみ承認され、治療としては未認可だが、認可に向けた多施設共同研究が現在進行中である。
- わが国で最も使用されているのはプロスタグランジンE_1(PGE_1)製剤(プロスタンディン®など)である。細い注射針により、12時方向を避けて陰茎海綿体側方に薬剤を局所注射する。**有効率は70～80%**である。

2 陰圧式勃起補助具（vacuum constriction devices：VCD）

- 補助具を使用して、①陰圧により陰茎海綿体内に血液を流入させ充満させる。②海綿体内の血液を維持するために陰茎根部に締め付けリングを装着することにより擬似勃起状態をつくりだす。
- 陰茎はうっ血状態であるため、**30分以上の長時間使用は禁忌**である。有効率は報告により差があり、50～80％である。

3 陰茎プロステーシス挿入術

- ED治療の最終選択肢であり、人工的な陰茎支持物であるプロステーシスを陰茎内に移植する方法である。
- 外科的手術であること、プロステーシス自体が高額であること、感染や脱出などの合併症の報告があるためか、決してわが国での導入は多くない。

（末富崇弘）

文献

1）Korde LA, et al. J Clin Oncol 2010; 28: 2114-22. PMID: 20308661
2）Pemmaraju N, et al. Ann Oncol 2012; 23: 1471-4. PMID: 22085764
3）Reis LO, et al. Aging Male 2011; 14: 99-109. PMID: 21204612
4）Elliott S, et al. J Sex Med 2010; 7: 2996-3010. PMID: 20626600
5）天野俊康．臨泌 2015; 69: 82-7.
6）Ruddy KJ, et al. Ann Oncol 2013; 24: 1434-43. PMID: 23425944
7）日本性機能学会，編．ED診療ガイドライン 2012年版．東京：リッチヒルメディカル；2012. p63.
8）Hatzimouratidis K, et al. J Sex Med 2016; 13: 465-88. PMID: 27045254

免疫関連有害事象総論
－全身に起こりうる。チームで取り組む－

A 自覚症状をみつける

心筋炎－動悸、倦怠感、胸痛、浮腫、不整脈
ぶどう膜炎－目の充血、目のかすみ、飛蚊症、視力低下

免疫関連有害事象チェックリストなどが有用

B 検査の異常値をみつける

心筋炎－血清トロポニン、胸部Ｘ線、BNP、心電図、心エコー
ぶどう膜炎－視力・屈折、眼圧、細隙灯、眼底検査

血液検査、パルスオキシメーター、胸部Ｘ線など
あらかじめモニタリングの計画をたてる

C 鑑別診断を行う

免疫関連有害事象以外の鑑別診断
- がんの増悪による病態
- 感染症
- 既往症、合併症

D ステロイドホルモン治療の使用方法

- ステロイド外用薬（軟膏、点眼薬など）
- プレドニゾロン内服、20～40mg/body/日 x 数日間
- メチルプレドニゾロン静注、2～4mg/kg / 日
  または 1g/ 日 x 数日間
  （パルス療法）

E チーム医療；多職種連携、多診療科連携

- 多職種での分業と情報共有
- 有害事象に特化した多診療科連携、フローチャート
- 再投与の可否

A 自覚症状をみつけるコツ

- 乳がん領域における免疫チェックポイント阻害薬（ICI）は、PD-L1陽性、ホルモン受容体陰性かつHER2陰性の手術不能または再発乳がんに対して、抗PD-L1抗体であるアテゾリズマブが承認されている。ICIがもたらす不適切な自己免疫反応は、免疫関連有害事象（irAE）とよばれ、生体内のほとんどすべての臓器に影響を

及ぼす可能性がある[1)]（**図1**）。

- 甲状腺機能異常（一過性に亢進症になり、その後低下症になる場合が多い）、下痢・大腸炎、皮膚障害は、投与後比較的早期に生じる（**表1**）。一方、肺臓炎、下垂体機能障害、副腎不全、1型糖尿病は、ある程度ICIが投与された後に生じることが多い。
- 全Gの発症頻度は、甲状腺機能異常、下痢・大腸炎、皮膚障害、肝炎などで多いが、重症（G3以上）のものはirAEの種類を問わず数％もしくは1％以下である。治療効果が高い症例ほどirAEの頻度が高い傾向がある。
- 自覚症状を問診することは、irAEの早期発見に役立つ。例えば、甲状腺機能低下症（**浮腫、体重増加、倦怠感、便秘**など）、大腸炎（**腹痛、下痢、血便**）、肺臓炎（**労作時息切れ、咳、発熱**）、副腎不全（**疲労感、食欲不振、無気力**）など、それぞれのirAEに特徴的な自覚症状をチェックリストに挙げ、定期的に問診する。
- **心筋炎**に特徴的な自覚症状は、動悸、倦怠感、胸痛、浮腫、不整

図1　免疫関連有害事象（irAE）

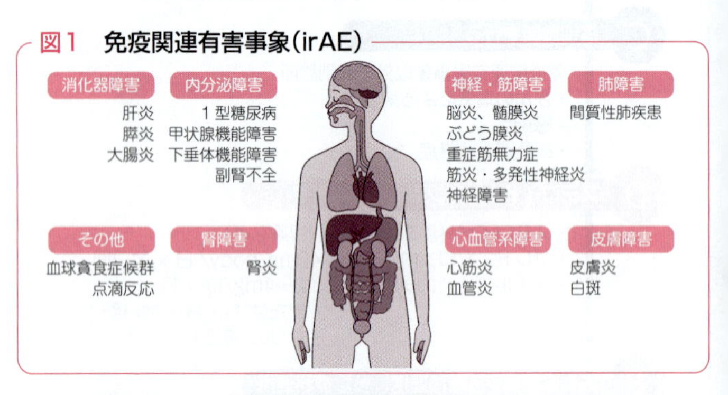

表1　免疫関連有害事象の発現時期と頻度

有害事象*	発現時期（投与後、月）	発症率（全G）（%）	発症率（G3以上）（%）
甲状腺機能亢進症	1～2	10～15	＜1
下痢・大腸炎	1～3	30～35	1～2
甲状腺機能低下症	2～4	18～23	＜1
皮膚障害	2～4	43～50	1～2
肝炎	4～7	13～18	4～6
肺臓炎	4～7	2～4	1～2
副腎不全	5～8	1～2	＜1
下垂体炎	6～9	1～2	＜1

＊：アテゾリズマブまたはペムブロリズマブ単剤投与の有害事象について概算したもの

脈などである。また、ぶどう膜炎に特徴的な自覚症状は、目の充血、かすみ、飛蚊症、視力低下などである。

B 検査の異常値をみつけるコツ

- irAE診断に有効な検査項目と検査間隔をあらかじめ設定し、定期的にモニタリングすることは早期発見に役立つ。自覚症状と検査異常がセットでそろうことは、特定のirAEを強く疑う。検査方法としては、血液検査、パルスオキシメーター、心電図、心エコー、画像診断(胸部X線など)、眼科検査などである。
- 甲状腺機能低下症(FT_3低下、FT_4低下、TSH上昇)、大腸炎(便潜血、アルブミン低下、ヘモグロビン低下、CRP高値)、肺臓炎(SpO_2低下、胸部X線、胸部CT、血清KL6上昇)、副腎不全[低Na血症、好酸球増多、コルチゾール低下、ACTH上昇(下垂体炎の場合は低下)]など、それぞれのirAEの発見に有効な検査項目を設定し、治療期間中にモニタリングする。検査間隔については、保険診療の上限についても考慮する。
- 心筋炎の診断のための検査項目[2]は、血清トロポニン[3]、BNP、CK(CPK)、心電図、心エコー、胸部X線、などである。確定診断には心筋生検を施行し、CD8陽性細胞障害性T細胞や、CD68陽性マクロファージの浸潤などを確認する。
- ぶどう膜炎の診断のための検査項目[3]は、視力・屈折、眼圧、細隙灯、眼底検査などである。

C 鑑別診断を行う

- 乳がんの場合、鑑別すべき病態は大きく3つに分かれる。
- 1つ目は、がんの増悪である。例えば、irAEとしての肺臓炎の鑑別としては、がん性リンパ管症などが挙げられる。
- 2つ目は、感染症である。irAEとしての肺臓炎の鑑別としては、細菌性、ウイルス性、真菌性肺炎などが挙げられる。
- 3つ目は、既往症や合併症である。irAEとしての肺臓炎の鑑別としては、特発性間質性肺炎、リウマチ肺、放射性肺臓炎、塵肺症、過敏性肺炎、心不全などが挙げられる。

D ステロイドの使用方法のコツ

- irAEの基本的治療はステロイドの投与である。G2以下の皮膚炎に対しては、ステロイド含有軟膏で対応する。また、G2以下のぶどう膜炎に対してはステロイド点眼薬を用いる。
- 副腎機能障害や下垂体機能障害などでコルチゾールが欠乏している場合には、ヒドロコルチゾン内服薬で補充する。
- irAEに対してステロイドホルモン治療を行う場合は、**低用量投与**と**高用量投与**の使い分けを覚えておくとよい。
- G2の下痢、大腸炎、肝炎、腎炎などに対しては、低用量投与。**プレドニゾロン内服20～40 mg/body/日**を数日間投与する。
- G3以上、低用量投与でも増悪する場合、または、肺臓炎、劇症肝炎、胆管炎、副腎不全など急激で致死的なirAEの発症時は、初回より高用量投与を行う。具体的には、**メチルプレドニゾロン静注2～4 mg/kg/日または1 g/日を3日間(パルス療法)**投与する。
- 効果が得られた場合、緩やかにステロイドホルモンを漸減する。

E チーム医療(多職種連携、多診療科連携)

- irAEのマネジメントには**チーム医療**が有効である。
- **多職種連携**の例を示す。看護師が所定のチェックポイント表を用いて、定期的に自覚症状を問診するのに対し、薬剤師は設定されたモニタリング検査が正しく行われているかどうかをチェックし、異常値をピックアップする。自覚症状や検査の異常値が明らかになった場合、主治医を含むチームスタッフで情報を共有する。このように、主治医、看護師、薬剤師がそれぞれの役割分担を明確にしたうえで連携することはirAEの早期発見につながる。
- **多診療科連携**はirAEの治療に有効である。肺臓炎(呼吸器内科)、皮膚炎(皮膚科)、副腎機能障害・下垂体機能障害・1型糖尿病(内分泌・代謝内科)、大腸炎・肝炎(消化器内科)、腎炎(腎臓内科)、心筋炎(循環器内科)、重症筋無力症・神経障害(神経内科)など、主治医とそれぞれのirAEに関連する診療科が、発症時のコンサルテーションの方法や診断・治療のフローについて打ち合わせとしておく。また、irAEの急激な増悪による受診に備え、電子カルテ上でICIの使用の有無がすぐわかる様式にしておくことが望ましい。

(田村研治)

文献

1) de La Rochefoucauld J, et al. Intern Emerg Med 2020; 15: 587-98. PMID: 32144552
2) Spallarossa P, et al. Front Pharmacol. 2020; 11: 972. PMID: 32676031
3) Sarocchi M, et al. Oncologist. 2018; 23: 936-42. PMID: 29567824

1型糖尿病
－早期発見・専門医紹介で重大な状況を回避－

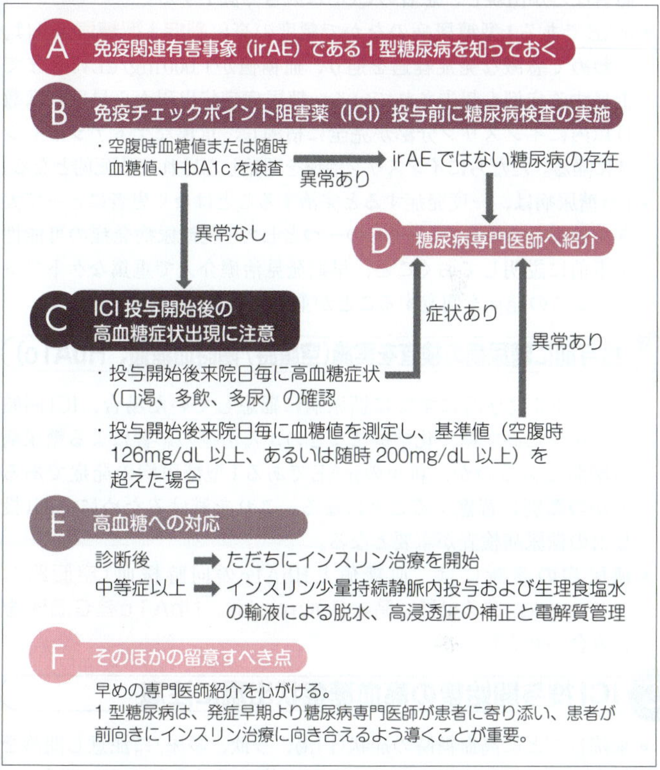

A 免疫関連有害事象（irAE）である1型糖尿病を知っておく

B 免疫チェックポイント阻害薬（ICI）投与前に糖尿病検査の実施

・空腹時血糖値または随時血糖値、HbA1cを検査 →（異常あり）→ irAEではない糖尿病の存在 → D

（異常なし）→ C

C ICI投与開始後の高血糖症状出現に注意

・投与開始後来院日毎に高血糖症状（口渇、多飲、多尿）の確認 →（症状あり）→ D

・投与開始後来院日毎に血糖値を測定し、基準値（空腹時126mg/dL以上、あるいは随時200mg/dL以上）を超えた場合 →（異常あり）→ D

D 糖尿病専門医師へ紹介

E 高血糖への対応

診断後 ➡ ただちにインスリン治療を開始

中等症以上 ➡ インスリン少量持続静脈内投与および生理食塩水の輸液による脱水、高浸透圧の補正と電解質管理

F そのほかの留意すべき点

早めの専門医師紹介を心がける。

1型糖尿病は、発症早期より糖尿病専門医師が患者に寄り添い、患者が前向きにインスリン治療に向き合えるよう導くことが重要。

A 免疫関連有害事象（irAE）である1型糖尿病を知っておく

- 糖尿病は患者の大半を占める2型糖尿病と少数の1型糖尿病がある。
- 1型糖尿病（劇症1型糖尿病を含む）はかつてIDDM（インスリン依存型糖尿病）とよばれていた。膵β細胞の破壊により絶対的インスリン欠乏に陥り、インスリンに生命を依存する、現在においても重篤な糖尿病である。

- 1型糖尿病では日々の療養生活において食事や活動量に合わせてインスリン注射量の調整を要する。調整がうまくいかないと高血糖や低血糖となる。急性の合併症としてケトーシスやケトアシドーシス、低血糖昏睡、慢性の合併症として網膜症、腎症、神経障害などが出現し、患者のQOLは大きく低下する。
- irAEである1型糖尿病のなかで頻度の高い**劇症1型糖尿病**[1]は、きわめて急激な発症経過を辿り、血糖値が1,000 mg/dLほどまで上昇する症例も報告されている。糖尿病症状出現から早ければ数日以内にインスリン分泌が完全に枯渇し、重篤なケトアシドーシスに陥る。ただちにインスリン治療を開始しなければ致死的となる。
- 1型糖尿病は、一度発症すると完治することはなく患者にとって大きな負担となるので、irAEの一つとして1型糖尿病発症の可能性を事前に説明しておくこと、早期発見治療介入で重篤なケトアシドーシスの発症を回避することが重要である。

B 投与前に糖尿病の検査を実施(空腹時/随時血糖値、HbA1c)

- 患者がICI投与前にすでに糖尿病に罹患していた場合、ICI開始後に現れた高血糖が化学療法などのがん治療の影響による糖尿病の増悪であるのか、新規のirAEである1型糖尿病の発症であるのかの鑑別に苦慮することになる。これを避けるために、ICI投与前の糖尿病検査が重要となる。
- 糖尿病の診断には、血糖値とHbA1cの同時採血(**空腹時≧126 mg/dLあるいは随時≧200 mg/dL、HbA1c≧6.5%**を組み合わせる[2]。

C ICI投与開始後の高血糖症状出現に注意

- 来院日ごとに高血糖時の症状(口渇、多飲、多尿)に注意し問診を行う。劇症1型糖尿病では、上記症状を見逃すとさらに進行し、全身倦怠感、体重減少、ケトアシドーシスからの昏睡に至り、効果的な治療を行わなければ死に至ることもある。
- 高血糖時の症状を自覚したら予定来院日でなくても受診または治療担当医に連絡するよう患者に指導しておくことが重要である。

D 専門医師への紹介

- 投与前の血糖値に異常がない場合でも、上述の基準値を超えた場合は、専門医への紹介が推奨される。

- ICI投与前の糖尿病検査に異常があるときには、糖尿病専門医(不在の場合は担当内科医)に**ICI使用を前提として**紹介しておく。たとえそれが2型糖尿病であったとしても治療開始のきっかけとなり、今後のがん治療の際の血糖増悪を予防できる可能性がある。

E 高血糖への対応

1 インスリン治療を速やかに開始

- irAEでの1型糖尿病は劇症1型糖尿病が多いので、2型糖尿病のように食事療法や内服薬処方などでは病勢が抑えられない。診断後ただちにインスリン治療を開始する。
- ケトーシス・ケトアシドーシスを疑う中等症以上では、**インスリン少量持続静脈内投与**に加え、**生理食塩水の輸液**による脱水や高浸透圧の補正と電解質管理が必要となる。

2 グルココルチコイドは使用しない

- 薬理量のグルココルチコイド投与は、irAEである1型糖尿病の改善に効果があるというエビデンスはなく、**血糖値を著しく上昇させる危険がある**。
- ほかの副作用抑制のために投与を要する場合は、高血糖とケトアシドーシスなどの急性合併症の危険性を高めるため、最大の注意を払う必要がある。

3 ICIの休薬

- インスリン治療によって血糖コントロールが改善するまではICIの休薬を検討することが勧められる[3]。

F そのほかの留意すべき点

- 1型糖尿病はインスリンに生命を依存するため、患者は日々病気と付き合うことに大きなストレスを感じる。がん患者にはがんによるストレスに加え、このストレスがさらに重くのしかかる。
- 発症早期より糖尿病専門医師が患者の気持ちに寄り添い、患者が前向きにインスリン治療に向き合えるよう導いていていくことが必要であるため、早めの紹介を心がけることが重要である。

(加藤　研)

文献

1) 1型糖尿病調査研究委員会. 糖尿病2012; 55: 815-20.
2) 日本糖尿病学会糖尿病診断基準に関する調査検討委員. 糖尿病2012; 55: 494.
3) 日本糖尿病学会. 免疫チェックポイント阻害薬使用患者における1型糖尿病の発症に関するRecommendation. http://www.fa.kyorin.co.jp/jds/uploads/recommendation_nivolumab.pdf

脳炎、多発根神経炎、重症筋無力症、筋炎
－検査や診断は容易ではない。疑ったら早めにコンサルテーションを－

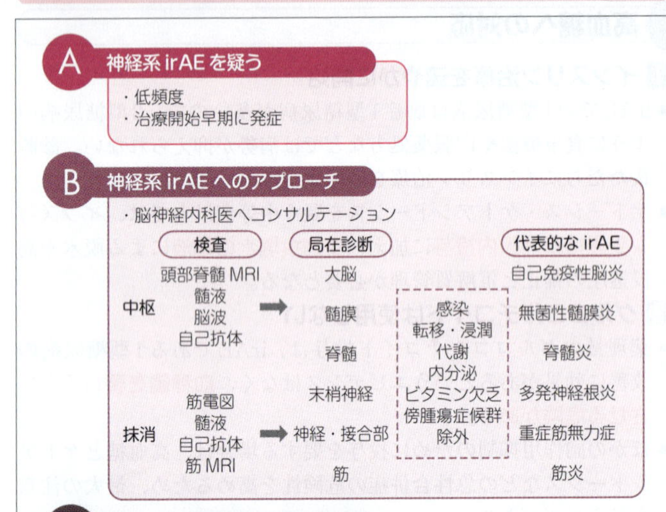

A 神経系免疫関連有害事象（irAE）を疑うコツ

- 臨床的に問題となる神経系irAE（G2以上）の頻度は、免疫チェックポイント阻害薬（ICI）で治療したがん患者の3～5％である。
- ICI開始早期に発症することが多く、初発症状は疾患によって異なり多彩である。

B 神経系irAEへのアプローチ

- 急速に症状が進行する可能性があるため、脳神経内科医へコンサルテーションする。
- 中枢神経から末梢神経、神経筋接合部、筋に至るまで多彩な疾患

がある。画像や血液など検査所見に異常がない場合があり、日常的に経験する神経免疫疾患とは異なる臨床像である。

- 過去に行われた化学療法や放射線療法による副作用の影響を考慮する。感染、代謝性、内分泌、ビタミン欠乏など、また、がん転移・浸潤に伴う神経症状や傍腫瘍症候群を除外する。

C 神経系irAEの特徴を理解するコツ

1 自己免疫性脳炎

- 発症頻度はICI単剤で治療したがん患者の0.1〜0.2％程度である。わが国では**アテゾリズマブ**で高頻度である。ICI投与開始から平均67日で発症し、死亡率は19％と高い。潜在的に存在した傍腫瘍症候群がICI投与によって顕在化した可能性がある。
- 意識変容、記憶障害、発熱、けいれん、運動障害、視野障害など多彩な臨床像である。海馬など辺縁系を主座とする辺縁系脳炎が代表的な病型であるが、混迷、記銘力障害だけの非特異的な症状のみを呈する症例もある。頭部MRIに異常を認めない場合もある。
- 結核性髄膜脳炎と同様に**髄液adenosine deaminase**が上昇することがある。自己抗体に関しては**抗Ma2抗体**の陽性例が報告されている。
- EBウイルスが病態に関与する可能性がある。

2 無菌性髄膜炎

- 発熱、頭痛などの髄膜炎症状を認めるが、髄液中の病原体が検出されない状態である。
- **解熱消炎鎮痛薬、免疫グロブリン、抗てんかん薬、ICI**が原因薬剤となる。従来の薬剤性無菌性髄膜炎は内服数日後に発症し、症状は軽微、原因薬剤の中止だけで改善するが、irAEとして発症する無菌性髄膜炎は薬剤投与から発症までの期間が長く、重篤である。脳実質に炎症が波及し、脳局所症状を伴い重症となり、**髄膜脳炎**となる場合が多い。

3 多発神経根炎（一般的な末梢神経障害は ➡P.253）

- irAEに特徴的な末梢神経障害は、四肢の運動麻痺を呈する**Guillain-Barré症候群**（GBS）として報告されている。ICI投与早期に四肢や体幹の麻痺に加えて、嚥下困難などの球麻痺症状や呼吸筋麻痺が急速に進行する場合がある。irAEの場合にはGBSという診断名よりも、多発神経根炎と記載するのが正確である。

- 一般的なGBSと比較すると、先行感染や抗ガングリオシド抗体陽性の頻度は少なく、また髄液検査ではしばしばリンパ球増多が認められる。
- 筋電図所見からは脱髄の所見を呈する症例が多いものの、軸索障害の場合もある。臨床経過から慢性炎症性脱髄性ニューロパチーに類似した症例も存在する。

4 重症筋無力症(MG)

- 神経・筋接合部のアセチルコリン受容体(**AChR**)あるいは筋特異的チロシンキナーゼ(**MuSK**)に対する自己抗体が原因となる神経・筋接合部における臓器特異的な自己免疫疾患である。
- 運動の反復、持続に伴い骨格筋の筋力が低下し(易疲労性)、休息により改善し、夕方に症状が悪化する。眼瞼下垂や眼球運動障害による複視、四肢筋力低下、構音障害、嚥下障害、咀嚼障害などの球症状、顔面筋力低下や呼吸困難を呈する。
- 一般的にはMGと筋炎は異なる疾患であるが、irAEとして発症する場合には両者の特徴を有する臨床像である。抗AChR抗体が検出されないことがあり、陽性であっても低値あるいは境界域であることが多い。
- ICI投与開始早期、ほとんどの症例が**投与4回目**まで(特に2回目までが多い)に発症する。初回投与から**平均30日程度**で発症する。初発症状として多いのが筋痛(頸部、体幹、下肢)であり、症状が出現する前にCKが高値になる場合がある。
- ICIに関連したMGは中等症全身型以上の重症が多く、**呼吸不全(クリーゼ)**になるリスクも高いため、血液ガスを確認する。
- ベッドサイドで神経・筋接合部障害を確認する方法として、アイスパック試験、塩酸エドロホニウム(テンシロン)試験があるが、典型的な反応を示さない場合がある。電気生理検査では運動神経の反復刺激を行うが、複合筋活動電位の減衰 (waning)を認める割合は少ない。

5 筋炎

- 筋肉の炎症を特徴とする障害であり、筋痛、筋力低下およびCKの上昇を伴う。呼吸筋または心筋(心筋炎)を生じた場合は致死的となる可能性がある。一般的な筋炎と同様、左右対称性の近位筋優位の筋力低下が主症状であり、日内変動はなく、症状は持続的である。
- ICIに関連した筋炎では眼筋症状、顔面筋筋力低下、嚥下障害、頸部筋力低下を認めることが多い。
- 血清CKはしばしば1,000 IU/L以上の高値になる。筋逸脱酵素であるアルドラーゼも上昇する。
- 多発関節炎の疼痛に伴う運動制限、あるいは多発筋痛様症候群の鑑別が必要である。皮膚筋炎を示唆する皮疹の有無を診察する。
- 針筋電図による筋原性変化、あるいは筋MRIにより炎症の有無を確認する。必要に応じて筋生検を検討する。筋病理では筋線維の壊死、再生変化が目立ち、リンパ球浸潤が筋束内に認められる。
- ICIに関連した筋障害（ミオパチー）はMGと筋炎の両者の臨床特徴を有する場合が多く、PD-1ミオパチーとして対応するのが現実的である。
- 抗横紋筋抗体（抗titin抗体や抗Kv1.4抗体）がバイオマーカーとなる。

D 神経系irAEの対処のコツ

- 慎重な経過観察が必要である。
- ステロイド（プレドニゾロン1.0～1.5 mg/kg）による治療を迅速に開始する。G2では少量投与（0.5 mg/kg）でも有効である。
- G3、4では入院のうえ、経過観察を行う。人工呼吸器管理など、ICU管理の可能性も考慮しておく。嚥下困難の症状が強い場合には、経管栄養が必要である。
- ステロイドは概して有効である。メチルプレドニゾロンによるステロイドパルス療法も有効だが、MGでは初期増悪のリスクがある。4週間を目安に減量していく。G2ではICI再開も可能である。
- ステロイドで十分な効果が得られない場合には、免疫グロブリンあるいは血液浄化療法を追加する。

（鈴木重明）

参考文献

1）Brahmer JR, et al. J Clin Oncol 2018; 36: 1714-68.
2）Haanen JBAG, et al. Ann Oncol 2017; 28: iv119-42. PMID: 29442540
3）Suzuki S, et al. Neurology 2017; 89: 1127-34. PMID: 28821685
4）Seki M, et al. J Autoimmun 2019; 100: 105-13. PMID: 30862448

下垂体機能低下症、副腎機能低下症
ー非特異的症状のため、存在を知っておきたいー

A 下垂体機能低下症、副腎機能低下症による非特異的症状に気付く

発現時期：投与後平均 10.4 週（3.6 ～ 46.9 週）
症状：倦怠感、食欲不振、消化器症状（嘔気・嘔吐、下痢）

↓ あり

B 症状を起こす一般的な原因について精査する

・化学療法に伴う症状ではないか？
・感染症を起こしていないか？

↓ なし

C 下垂体機能低下症、副腎機能低下症に想起させる検査所見

・低ナトリウム血症　・低血糖
・高カリウム血症　・好酸球増多症

↓ あり

D 内分泌専門医への紹介と治療

・内分泌専門医による診断と治療（ホルモン補充）
・がん治療は継続可能

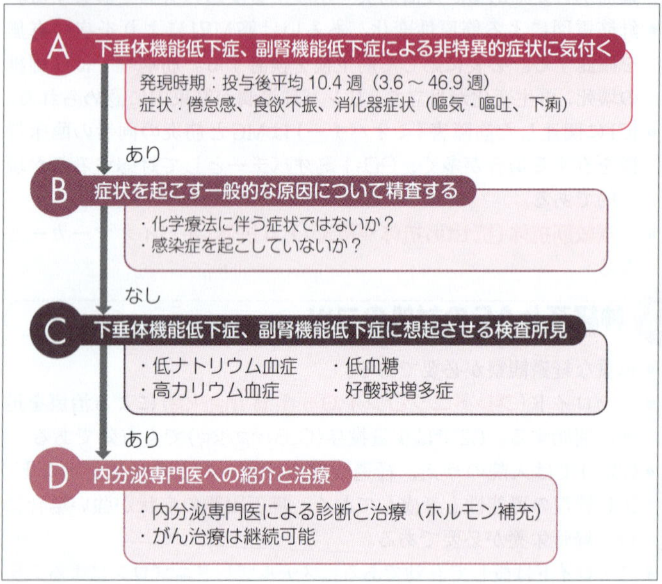

A 下垂体機能低下症、副腎機能低下症による非特異的症状に気付く

1 免疫関連有害事象(irAE)としての内分泌異常の頻度

- 免疫チェックポイント阻害薬(ICI)による内分泌異常をまとめた報告によると、抗CTLA-4抗体薬や併用療法による下垂体炎や副腎不全を数%認めるものの、それ以外ではまれである(表1)[1]。
- 抗PD-L1抗体薬であるアテゾリズマブの国際共同第Ⅲ相臨床試験(Impassion 130試験)では、副腎機能障害は1.3%、下垂体機能障害は0.0%と報告されている[2]。

2 irAEとしての内分泌異常が起こる時期

- 抗PD-1抗体薬であるニボルマブの発現時期は**投与後平均10.4週**(3.6～46.9週)と長期にわたると報告されている[3]。投与開始

表1　ICIによる内分泌異常の頻度

	全体	抗PD-L1抗体	抗PD-1抗体	抗CTLA-4抗体	併用療法
甲状腺機能低下症	6.6%	3.9%	7.0%	3.8%	13.2%
甲状腺機能亢進症	2.9%	0.6%	3.2%	1.7%	8.0%
下垂体炎	1.3%	<0.1%	0.4%	3.2%	6.4%
原発性副腎不全	0.7%			0.8%	4.2%
1型糖尿病	0.2%				

（文献1より引用）

後3週以降は**いつでも発現しうる**といえる。ICI中止後に発症した例も報告されており、注意が必要である。

3 下垂体機能低下症、副腎機能低下症による非特異的症状

- 抗CTLA-4抗体薬以外のICIではACTH単独欠損症の報告が主であり[4)]、副腎皮質ホルモンの欠乏に由来する症状と考えられる。
- 下垂体機能低下症：倦怠感、食欲不振、消化器症状（嘔気・嘔吐、下痢）、頭痛、関節痛、視力障害など。
- 副腎皮質機能低下症：脱水、低血圧、倦怠感、食欲不振、消化器症状（嘔気・嘔吐、下痢）、意識障害、筋力低下など[5-6)]。
- 両者に共通する症状として、**倦怠感、食欲不振、消化器症状（嘔気・嘔吐、下痢）**がある。患者がこの症状を訴えたときには、下垂体機能低下症、副腎機能低下症も想起するべきである。

B 症状を起こす一般的な原因について精査する

- 上記症状は、化学療法中においては珍しくないため、まずは一般的な原因がないか精査する。

1 化学療法によるものではないか

- 上記症状は、化学療法により出現する頻度のほうが高い。時間的因果関係から検討する。

2 感染症によるものではないか

- 化学療法中の患者は易感染性である。発熱の有無や炎症反応から比較的容易に判定できるであろう。「今この症状を訴えることは通常ではない」ことに気付くことがコツである。

C 下垂体機能低下症、副腎機能低下症に想起させる検査所見

- 一般的な原因が否定されたら、次に検査所見に注目する。
- 上述した副腎皮質ホルモンの欠乏は検査所見にも反映される。まずは**低Na血症**、次いで、**高K血症、低血糖、好酸球増多症**が特徴的である。認めたら、躊躇せずに内分泌専門医へ紹介する。

D 内分泌専門医への紹介と治療

- 下垂体機能低下症、副腎機能低下症の診断は困難であるため、内分泌専門医に委ねる。内分泌専門医はホルモン基礎値の測定のほか、インスリン低血糖試験、迅速ACTH試験などを施行し、その反応を評価して診断を確定する。

1 画像所見

- 下垂体機能低下症：MRI検査において下垂体の腫大を認めることもあるが正常であることも多い。
- 副腎皮質機能低下症：腹部CT検査において両側副腎腫大[7]、^{18}F-FDG-PET検査で取込み亢進を認める[8]と報告されている。
- ただ、上記はがんの副腎転移所見でもあり特異的とはいえない。

2 治療

- 副腎皮質ホルモンである**ヒドロコルチゾン（コートリル®）を生理量（10～20mg/日）で補充**する。
- 副腎機能低下症において、低Na血症、低血圧が持続するならば、鉱質コルチコイドである**フルドロコルチゾン（フロリネフ®）（0.05～0.2mg/日）の補充**も必要となる。
- 薬理量の補充は奨められず、現時点では一度起こった下垂体機能低下症、副腎機能低下症の回復は望みにくいとされている。その意味において、**ICIが乳がんに対し効果を発揮しているならば継続投与は可能**である。

（橋本久仁彦）

文献

1）Barroso-Sousa R, et al. JAMA Oncol 2018; 4:173-82. PMID: 28973656
2）中外製薬株式会社．テセントリク®適正使用ガイド 2020年1月改訂．https://chugai-pharm.jp
3）Weber JS, et al. J Clin Oncol 2017; 35: 785-92. PMID: 28068177
4）Ohara N, et al. Intern Med 2018; 57: 527-35. PMID: 29151505
5）日本内分泌学会．日本内分泌学会臨床重要課題-免疫チェックポイント阻害薬による内分泌障害の診療ガイドライン．日内分泌会誌 2018; 94 Suppl: 1-11.
6）Arima H, et al. Endocr J 2019; 66: 581-6. PMID: 31243183
7）Min L, et al. Lancet Diabetes Endocrinol 2013; 1: e15. PMID: 24622375
8）Trainer H, et al. Endocrinol Diabetes Metab Case Rep 2016; 16-0108. PMID: 27857838

免疫チェックポイント阻害薬関連大腸炎
−まれであるが重症化に注意したい−

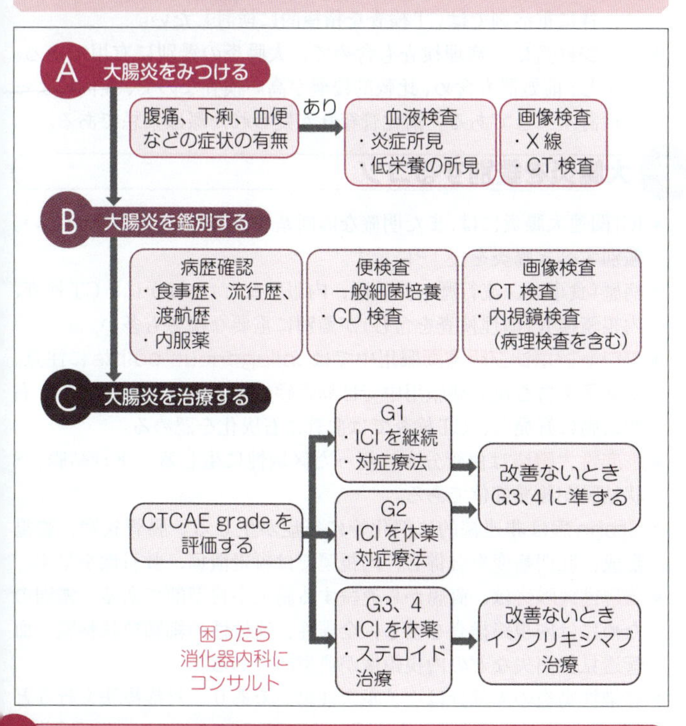

A 大腸炎をみつけるコツ

1 問診、身体所見のコツ

- 抗PD-1/PD-L1抗体薬による大腸炎の発症頻度は、それぞれ0.9〜1.4%、0.6〜1.0%とされる[1)]。
- 腹痛、下痢がないかを問診する。下血や血便がある際は**重症腸炎**の可能性がある。また、2週間以上改善がない下痢は**慢性下痢症**と考えられ、保存療法のみで改善する腸炎ではない可能性がある。消化器内科へのコンサルトを検討する。

2 検査のコツ

- 血液検査ではCBC、生化学検査などから重症度を評価する。

便検査で**一般細菌培養検査、*Clostridioides*（*Clostridium*）*difficile*（CD）検査**を行う。特異的なマーカーはいまだ不明である。

- 画像検査ではX線、CT検査を行う。免疫チェックポイント阻害薬（ICI）関連大腸炎では、重症化し**消化管穿孔を生じることもあり**、特に重症例ではCT検査を積極的に検討したい。
- **内視鏡検査**は、病理検査も含めて、大腸炎の鑑別に有用である。しかし、前処置も含め、比較的侵襲が高い検査なので、症例によって検討すべきである。消化管穿孔が疑われた際は禁忌である。

B 大腸炎を鑑別するコツ

- ICI関連大腸炎には、まだ明確な診断基準、特異的画像所見がない。鑑別すべき腸炎を**表1**[2]に示す。
- 病歴（食事歴、流行歴、渡航歴、内服歴など）のほかに、CT検査、内視鏡検査（病理検査を含む）が鑑別に重要な疾患も多い。
- **プロトンポンプ阻害薬**服用中では**collagenous colitis**に注意。
- **山査子**を含む漢方薬服用中では**静脈硬化性大腸炎**に注意する。右側結腸に好発し、CT検査では血管に石灰化を認める。
- **虚血性大腸炎**は血管分布に従った区域性に生じる。下行結腸、S状結腸が後発部位である。
- **Crohn病**は非連続的に消化管に炎症が生じる。腸管狭窄、膿瘍形成、肛門病変を合併し、内視鏡では縦走潰瘍、敷石像を呈す。
- **潰瘍性大腸炎**は、直腸から連続する腸炎が典型的である。鑑別のためには内視鏡検査を要し、全周性、連続性の細顆粒状粘膜、血管透見像消失などの内視鏡像が典型的である。
- 感染性腸炎の大部分はウイルス性腸炎であり、対症療法を行うと2週間前後で改善することが多いが、**サイトメガロウイルス腸炎、腸結核、CD腸炎、エルシニア腸炎、アメーバ腸炎、クラミジア腸炎**など保存療法で改善しない腸炎があることに注意する。

C 大腸炎の治療のコツ

- 薬剤ごとに適正使用ガイドや、各学会からガイドラインが作成さ

表1　鑑別すべき疾患

collagenous colitis	サイトメガロウイルス腸炎
静脈硬化性大腸炎	腸結核
Crohn病	*Clostridioides*（*Clostridium*）*difficile*腸炎
潰瘍性大腸炎	NSAIDs腸炎
感染性腸炎	

れているので、詳細は確認いただきたい[3-5]。CTCAE gradeによって対応が異なるので、まずその評価を行う。

- G1：ICIを継続する。症状に合わせ、整腸剤、止痢薬（**ロペラミド1mg頓用～2mg/日など**）など対症療法薬を使用する。
- G2：ICIを休薬し、対症療法薬を使用する。改善しない際は、ステロイド（**プレドニゾロン1～2mg/kg/日など**）で治療を行う。
- G3、4：ICIを休薬し、ステロイド（**プレドニゾロン1～2mg/kg/日など**）で治療を行う。
- 上記ステロイド治療を行った際は、反応性をみて漸減していく。改善しない際は、再度診断が正しいか鑑別を行う。
- ICI関連大腸炎が治療抵抗性と考えられた場合は、**インフリキシマブ5mg/kg**を用いる。Infusion reactionがある製剤であり、前処置薬として抗ヒスタミン薬（d-クロルフェニラミンマレイン酸など）、ステロイド（ヒドロコルチゾンなど）を用いたり、はじめは低速投与を行ったりする。ICI関連大腸炎では適用外使用となるため、各施設の該当部署に相談していただきたい。
- **5-アミノサリチル酸製剤、ベドリズマブ、タクロリムス**などを使用した報告がある。

D そのほか

- 予防方法は明らかになっていない。ブデソニドを用いた研究でも、予防効果を認めなかった[6,7]。
- 鑑別診断に内視鏡所見を要し、診断に難渋することが予想される。施設によっては詳細な鑑別ができず、重症化する前にステロイド治療に踏み切らねばならないこともやむなしと思われる。
- ICIの再開で34％の患者に免疫関連有害事象が再び生じるとされる[8]。腸炎症例では6％と低いとの報告もあるが、注意を要する[9]。

（長島一哲）

文献

1）Wang DY, et al. Oncoimmunology 2017; 6: e1344805. PMID: 29123955
2）Widmann G, et al. Curr Radiol Rep 2016; 5: 59. PMID: 28959504
3）Haanen JBAG, et al. Ann Oncol 2017; 28: iv119-42. PMID: 28881921
4）Brahmer JR, et al. J Clin Oncol 2018; 36: 1714-68. PMID: 29442540
5）日本臨床腫瘍学会．がん免疫療法ガイドライン第2版．東京：金原出版；2019.
6）Berman D, et al. Cancer Immun 2010; 10: 11. PMID: 21090563
7）Weber J, et al. Clin Cancer Res 2009; 15: 5591-8. PMID: 19671877
8）Menzies AM, et al. Ann Oncol 2017; 28: 368-76. PMID: 27687304
9）Pollack MH, et al. Ann Oncol 2018; 29: 250-5. PMID: 29045547

呼吸困難

－原因除去とともに、呼吸困難を緩和する薬剤を適切に使用する－

問診、視診、聴診、血液検査、画像検査にて
原因を系統的にスクリーニング

①がんが直接関連；
局所浸潤
がん性胸水
がん性リンパ管症
肝転移による横隔
膜挙上　など

②がん治療に関連；
薬剤性肺障害
放射線肺臓炎
肺塞栓症　など

③がんとは関連しない；
基礎心肺疾患による
慢性閉塞性肺障害
うっ血性心不全
など

肺炎、胸水、心不全など、
除去（治療）可能な病変がある場合は各々の加療

B がん性胸水

呼吸困難感が強い場合は症状緩和のため
胸腔穿刺、持続排液、胸膜癒着

C がん性リンパ管症

対症療法

D 呼吸困難緩和のための代表的な薬物治療

①モルヒネ（経口）
②コデイン
③コルチコステロイド
④ベンゾジアゼピン

A 呼吸困難の原因を検索する；系統的スクリーニングを行う

- 呼吸困難とは、呼吸時の不快な感覚であり必ずしも呼吸不全は伴わない。
- がん患者の呼吸困難には、①がんが直接関連した原因(局所浸潤、がん性胸水、がん性リンパ管症、悪液質、肝転移による肝腫大のための横隔膜挙上、不安、抑うつ、精神的ストレスなど)、②がん治療に関連した原因(薬剤性肺障害、放射線肺臓炎、肺塞栓症など)のほか、③がんとは関連しない原因(基礎心肺疾患; 慢性閉塞性肺疾患、うっ血性心不全など）がある。これらの原因を適切にスクリーニングし、治療につなげることが肝要である。

1 問診

- 発症形式・持続・日内変動・増悪因子といった現病歴、喘息・慢性閉塞性肺疾患、心不全の既往の有無、粉塵暴露歴の有無、喫煙歴の有無を聴取する。

2 身体所見

- 呼吸の深さ・リズム・数、チアノーゼ、補助呼吸筋の収縮の有無に留意し視診する。右心不全では、頸静脈怒張や両下肢浮腫などをきたす。聴診では、正常呼吸音の聴取範囲、副雑音の有無を把握する。

3 検査所見

- 経皮的酸素飽和度もしくは動脈血ガス分析にて呼吸不全の有無を評価する。
- 血液検査にて呼吸困難感の原因となる貧血、肺炎、心不全の評価（BNP）が可能である。
- 胸部単純X線写真、胸部CTにて肺炎・胸水、がん性リンパ管症、胸壁・縦隔腫瘤の評価を行う。

B がん性胸水

- 胸膜播種や腫瘍の浸潤などが原因となって起こりうる。
- 呼吸困難感が強い場合には症状緩和のために胸腔穿刺、持続排液、胸膜癒着 ➡P.364 を行う。

C がん性リンパ管症

- 呼吸困難、咳嗽、胸痛といった非特異的症状を示す。頻脈、頻呼吸、酸素飽和度の低下をきたす。
- 胸部X線では線状・粒状網状影を呈し、胸部CTでは小葉間隔壁や気管支肺動脈束・胸膜下の間質の結節性肥厚を認める。
- 対症療法が基本となる。

D 呼吸困難緩和のための代表的な薬物治療

- 上記検索にて肺炎、胸水、心不全などがみられた場合には各々に対する治療を行う。併せて、酸素投与、呼吸困難を改善する薬物療法を用い症状緩和に努める。

1 モルヒネ

- μオピオイド受容体およびδオピオイド受容体を活性化し1回換気量と呼吸数を減少させる。高炭酸ガス・低酸素血症、運動に対する換気反応が低下し、呼吸困難が軽減する。
- 副作用として、便秘、嘔気・嘔吐、眠気、せん妄などがあり、適宜、下剤、制吐薬を併用し対応する。

【オピオイドが使用されていない患者】

- 経口の場合、10～20mg/日で開始し、適宜増量。

MSコンチン®錠　20mg(10mg2錠)　分2　12時間ごと

もしくは、呼吸困難時にレスキューとして

オプソ®内服液　5～10mg/回

- 静注の場合、5～10mg/日となるように開始し、適宜増量。

モルヒネ塩酸塩注射液　10mg(1A)+生理食塩水23mL　1mL/時 持続静注

もしくは、呼吸困難時にレスキューとして

モルヒネ塩酸塩注射液　2～3mg/回　静脈内注射

【すでにオピオイドが使用されている患者】

- 定時内服量を25%増量し、レスキューは1日量の1/6程度とする。

2 コデイン

- 延髄の咳嗽中枢に直接作用して、咳嗽反射を抑制する。喉頭部の機械的刺激による咳嗽に有効である。
- 気管支腺分泌を抑制し痰粘稠度を増すため**閉塞性肺疾患には用いない**。また、ヒスタミン遊離や気管支収縮作用があるため**気管支喘息には禁忌である**。

コデインリン酸塩　10～20mg/回　4～6時間ごとに内服

- 120mg/日まで増量したらモルヒネ20mg/日へ変更する。

3 コルチコステロイド

- 抗炎症作用にて呼吸困難を軽減すると考えられる。がん性リンパ管症、気管支攣縮、薬剤性・放射線性肺臓炎の際に特に症状緩和を期待しうる。
- 硬質コルチコイド作用が少なく、作用持続時間が長いデキサメタゾン0.5～8mgやベタメタゾン0.5～8mgがよく用いられる。

【デキサメタゾン】

デカドロン　4mg(0.5mg8錠)　分1

もしくは

デキサート® 6.6mg(1A)　点滴静注

【ベタメタゾン】

リンデロン®錠　4mg(0.5mg8錠)　分1

もしくは

リンデロン®注　4mg(2mg2A)　点滴静注

4 ベンゾジアゼピン系薬

- GABA受容体機構におけるGABAの抑制性作用を助長し、抗不安作用を示すことで呼吸困難感を軽減する。
- 副作用として、ふらつきや眠気、一過性の記銘力低下が出現することがある。抗コリン作用を示すため、**狭隅角緑内患者には禁忌**である。
- アルプラゾラムもしくはジアゼパムを用いる。単独では呼吸困難感の緩和作用が弱いことがあり、**モルヒネとの併用がより推奨**される。

【アルプラゾラム】

コンスタン® もしくは ソラナックス® 0.2～0.4mg/回 1日3回

【ジアゼパム】

セルシン® もしくは ホリゾン®　2～5mg/回　1日2～4回

（森田　道／前田茂人）

参考文献

1）日本緩和医療学会 緩和医療ガイドライン委員会, 編. がん患者の呼吸器症状の緩和に関するガイドライン2016年版. 東京: 金原出版; 2016.

胸膜癒着術
－発熱、胸痛は起こるものとして、事前に準備を－

A 胸膜癒着術の適応

・症状を伴い、穿刺排液ではコントロール困難な胸水貯留
・症状は心不全や、肺炎・COPDなどの肺疾患によるものではない

B 胸膜癒着術に使用される薬剤と副作用

	滅菌調整タルク（ユニタルク®）	OK-432（ピシバニール®）
頻度の高い副作用	発熱、胸痛、CRP増加	発熱、疼痛
頻度は低いが注意すべき副作用	肺水腫、肺炎など	ショック、間質性肺炎、急性腎不全

C 併用禁忌・注意薬

・基本的に複数の癒着剤の同時投与は行わない
・ショック、間質性肺炎、肺水腫など癒着術による合併症に対する治療上必要である場合を除き、ステロイドの全身投与は行わない

D 前投与すべき支持療法

・疼痛（胸痛）予防のため薬剤投与直前にリドカイン（キシロカイン®）の胸腔内投与を行う

E 副作用発現時期

・副作用は投与後1週間以内に発現することが多い

F 主な副作用（発熱、胸痛）への対処

・症状観察や検温を行い、鎮痛解熱薬を適宜投与する

G 頻度は低いが注意すべき副作用への対処

・薬剤投与後はSpO_2、胸部X線写真、血液検査などを行い、呼吸器合併症だけでなく他臓器障害の有無をチェックする

A 胸膜癒着術の適応

● 胸膜癒着術は、呼吸困難、胸痛などの症状を伴い穿刺排液では

コントロール困難な悪性胸水の症例に対し、治療により症状改善が期待できる場合に行われる。すなわち症状が心不全や、肺炎・COPDなどの肺疾患によるものであれば適用外である。

- 胸水排液後、胸部X線写真などで肺の再膨張が得られていることを確認し、施行する。

B 胸膜癒着術に使用される薬剤と副作用

- 現在わが国では悪性胸水に対し滅菌調整タルク、OK-432が主に使用されている。

1 滅菌調整タルク(ユニタルク®)

- 滅菌調整タルク4gを生理食塩水を用いて懸濁液とし、ドレナージチューブを通して胸腔内投与する、あるいはタルク4gを粉末のまま胸腔鏡下に噴霧する。
- わが国では2013年懸濁液として投与する方法においてのみ承認され、欧米でひろく施行されている胸腔鏡下噴霧法は現在保険診療で行うことはできない。
- 主な副作用は発熱、胸痛、CRP増加である。頻度は少ないが、肺水腫、肺炎など治療を要する合併症の報告もある。

2 OK-432(ピシバニール®)

- OK-432 5KE程度を生理食塩水に溶解し、ドレナージチューブを通して胸腔内投与する。
- 発熱、疼痛(胸痛)は高頻度にみられる。まれではあるが、ショック、間質性肺炎、急性腎不全をきたすこともある。

C 併用禁忌・注意薬

- 副作用がより重篤に発現する可能性があるため、基本的に複数の癒着剤の同時投与は行わない。
- また、両側悪性胸水に対する胸膜癒着術は、両側同時に行わない。
- ステロイドの全身投与(経口または静注)により胸膜癒着が起こりにくくなるため、ステロイド投与を中止できない基礎疾患がある場合、またはショック、間質性肺炎、肺水腫など癒着術による合併症に対する治療に必要である場合を除き、ステロイド全身投与は併用しない。

D 前投与すべき支持療法

- タルク、OK-432とも疼痛(胸痛)をきたすことが多いため、予防として**薬剤投与直前にリドカイン(キシロカイン®)10mL**をドレナージチューブを通して胸腔内投与する。

E 副作用発現時期

- 副作用の多くは薬剤投与後1週間以内に発現することが多い。その間は自他覚症状、検査所見を注意深く評価する。

F 主な副作用(発熱、胸痛)への対処

- 発熱、胸痛は癒着を起こすための胸膜炎症状であり、いずれの薬剤でも多くみられる。
- 患者へこれらの症状が生じる可能性が高いこと、症状は薬剤投与直後からみられることがあること、また1週間程度続く可能性があることを事前によく説明しておく。
- 薬剤投与直後は症状観察や検温を頻回に行い、必要に応じてロキソプロフェン(ロキソニン®)錠60mg/回やジクロフェナク(ボルタレン®サポ®)坐薬25～50mg/回などの鎮痛解熱薬を投与する。
- 腎機能障害やアスピリン喘息患者にはアセトアミノフェン(カロナール®)錠400mg/回がより安全である。

G 頻度は低いが注意すべき副作用への対処

- タルクでは肺水腫、肺炎などの、OK-432ではショック、間質性肺炎、腎不全などの重篤あるいは重篤になりうる合併症がある。
- 薬剤投与後は注意深く臨床症状、SpO_2、胸部X線写真、血液検査等をチェックし、重篤な副作用の合併がある場合は入院期間を延長し、各疾患の専門医と連携して治療を行うことが重要である。

(石田敦子／宮澤輝臣／峯下昌道)

文献

1) Janssen JP, et al. Lancet 2007; 369: 1535-9. PMID: 17482984
2) Inoue T, et al. Intern Med 2013; 52: 1173-6. PMID: 23728550
3) Luh KT, et al. Cancer 1992; 69: 674-9. PMID: 1309678

腹部膨満

－病態により対処が異なるので適切な病態把握が肝要－

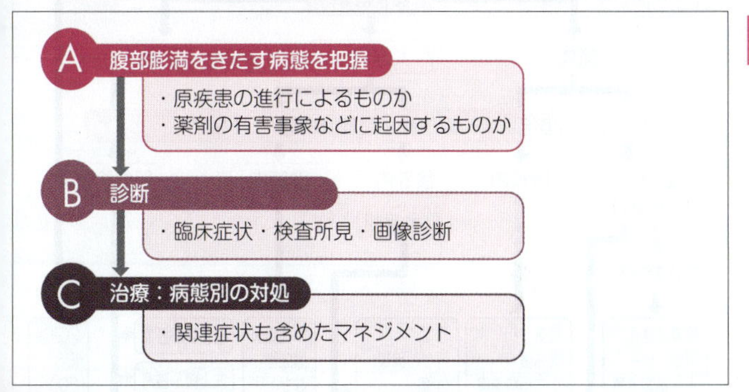

A 腹部膨満をきたす病態（図1）

腹水

- がん性腹水：がん性腹膜炎では、腹水吸収機構が閉塞し、VEGF産生による透過性亢進、腹膜中皮細胞障害による腹水産生亢進により腹水の貯留がみられる。

腸閉塞

- がん性腹膜炎・オピオイド投与などによる麻痺性イレウス：アヘンアルカロイドの消化管運動抑制作用にはオピオイド受容体、特にMOP（μ）受容体が重要な役割を果たしている。主な作用点は腸間膜神経叢に存在するMOP（μ）受容体で、胃内容物の排出時間が延長し、胃前庭部および十二指腸通過が遅れる。また、結腸の駆出性蠕動波が減少・消失することにより起こる。

腹部腫瘤

- 肝腫大（肝転移など）・がん性腹膜炎・腹腔内臓器転移など

B 診断（図1）

1 臨床症状／身体所見

- 腹部膨隆：体位変換による濁音界の変化・波動触知（腹水の確認）
- 打診による鼓音（ガス貯留）
- 直腸指診によるDouglas窩の腫瘤（骨盤内腫瘤など）

図1　腹部膨満鑑別のアルゴリズム

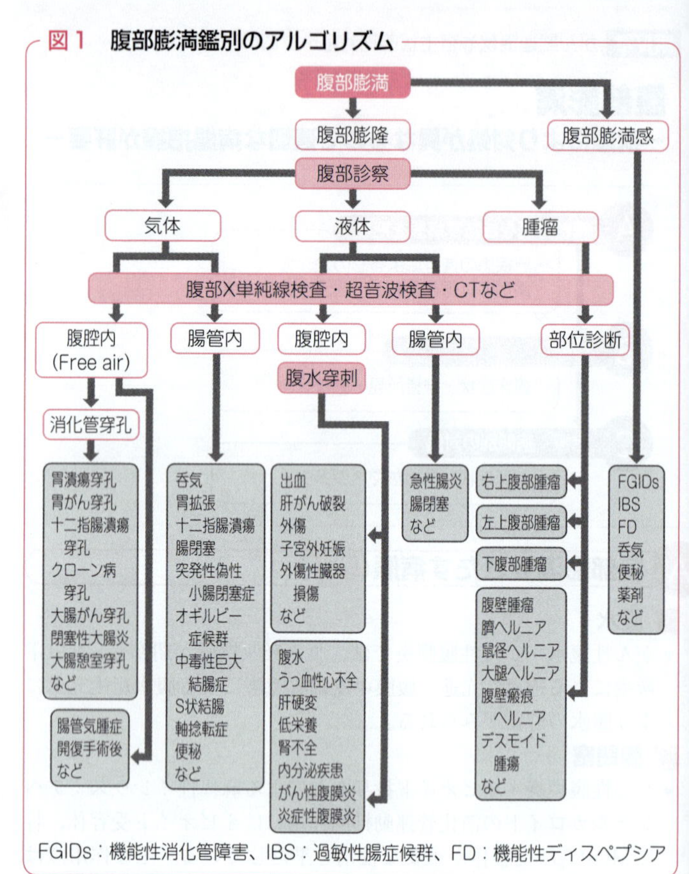

（荒武寿樹，ほか．今日の臨床サポート http://clinicalsup.jpより引用）

2 画像診断

- 腹部X線検査：腸閉塞（ニボー像）の鑑別
- 腹部エコー・腹部CT検査：腹水・肝腫大などの実質臓器の病変・腸閉塞（腸管内ガス）の鑑別

C 治療

1 腹水

- 一般的にがん性腹水出現後の予後は不良で、平均生命予後は4カ月以下である。

- 治療は症状の緩和が中心となる。

①利尿薬：**フロセミド（ラシックス®）40mg/日、スピロノラクトン（アルダクトン®A）25～100mg/日**。がん性腹水に対する利尿薬の症状改善効果は40％程度といわれる。投与にあたっては電解質異常・腎機能障害などに注意する。

②腹水穿刺：大量腹水による症状緩和目的に行う。安全な穿刺のためには超音波での確認が不可欠である。緩徐な排液であれば循環状態への影響は低く、5,000mL程度までは許容される。モニター下での処置を必要とする。

③腹腔－静脈シャント（denver shunt）：腹腔－鎖骨下静脈へルートを作成する緩和IVRである。

④腹水濃縮還流療法（cell-free and concentrated ascites reinfusion therapy；CART）：腹水を濾過し炎症細胞やがん細胞を除去し濃縮し除水した後静注する。

2 腸閉塞

- がん性腹膜炎などに伴う腸閉塞に対する治療は症状緩和が目的であり、外科的治療はPS･生命予後との兼ね合いで考慮すべきである。
- 内科的治療：**オクトレオチド（サンドスタチン®）300μg/日（持続皮下注または持続静注）**。消化管閉塞に伴う悪心・嘔吐に対して有効である。
- 排液目的のイレウス管・NGチューブの留置（苦痛を伴うため一時的にするべきである）。長期にわたることが予想される場合は**経皮経食道胃管挿入術（percutaneous trans-esophageal gastro-tubing；PTEG）**なども考慮する。
- オピオイドなどによる麻痺性イレウスに対しては、オピオイド開始と同時に緩下薬の併用により発症予防が肝要である。**センノシド（プルゼニド®）2錠/日、酸化マグネシウム（マグミット®）（330mg）6錠/日**を症状に応じて増量する。

3 腹部腫瘤

- 原疾患の治療が主体であるが、終末期には根治的治療は困難なことが多い。

（長谷川善枝）

文献

1）日本緩和医療学会，編．がん患者の消化器症状の緩和に関するガイドライン2011年版．東京：金原出版；2011．
2）国立がん研究センター内科レジデント，編．がん診療レジデントマニュアル第7版．東京：医学書院；2016．
3）Tomiyama K, et al. Anticancer Res 2006; 26（3B）: 2393-5. PMID: 16821622

心嚢液貯留・心タンポナーデ
－心嚢液貯留に頻脈、低血圧を伴う場合は心嚢穿刺を－

A 心嚢液貯留をみつけるコツ

- 心嚢液貯留
  - ・心嚢液貯留：心嚢内に液体が貯留した状態
  - ・心タンポナーデ：心嚢内に液体が貯留することによって心臓の拡張が障害され心拍出量が低下し血行動態の破綻をきたした状態
- 臨床症状
  - ・心嚢液貯留の初期は無症状。心臓の拡張を障害する程度まで心嚢液が貯留するに至って症状が出現する。
  - ・頻脈、頻呼吸、労作時息切れ、頸静脈怒張、下肢浮腫などの心不全症状。心タンポナーデへ至ると心拍出量低下に伴う症状が出現。
- 検査所見
  - ・胸部X線写真での心拡大
  - ・心エコー検査で心嚢液貯留

↓

B 心嚢液貯留を認めたときの対応

- 無症状の場合
  - ・画像検査にて偶発的に心嚢液貯留を認めるような場合には、症状や画像検査にて心嚢液の増減をフォローする。
  - ・大量の心嚢液を認めるからといって穿刺を急ぐ必要はない。
- 有症状の場合
  - ・心タンポナーデと判断される場合には心嚢穿刺を考慮。

↓

C 心嚢穿刺を行うときのコツ

- ・患者が安静を保てる体位。
- ・安全に穿刺できる場所をエコーにて確認。
- ・十分な排液を行うためには心嚢内に側孔のあるピッグテールカテーテルを挿入。　など

A 心嚢液貯留をみつけるコツ

- 定期的に胸部X線写真で心拡大がないかフォローする。
- 悪性腫瘍にて心嚢液貯留をきたすのは男性では肺がん、女性では乳がんが多い[1)]。
- CTなどの画像検査によって無症候に心嚢液貯留を指摘される場

合がある。一方で心タンポナーデとして発症することもある。

- 胸部X線写真で心拡大を認めた場合には、心毒性のある化学療法によって心不全を呈している可能性もあるため心エコーを施行することが望ましい。心機能、心嚢液貯留の有無を判断できる。

B 心嚢液貯留を認めたとき

1 臨床症状

- 大動脈解離によって心嚢液貯留をきたすときは急激にショックとなる（心タンポナーデへ移行する）。数10mL程度の心嚢液でも右室の拡張障害をきたし血行動態が破綻する。
- 悪性腫瘍に伴う心嚢液貯留は緩徐に増加してくることが多く、心嚢液貯留の初期には無症状である。症状が出現するまでには時間を要し、ときには1,000mL以上の心嚢液が貯留していることもある。
- 症状も緩徐に進んでくるため心拍出量低下による倦怠感が原疾患の悪化と考えられ、判断が遅れないようにすることが重要である。

2 画像所見

- 胸部X線写真で経時的に心拡大がないかをフォローする。
- 心嚢液は生理的に50mL程度あり、心エコー検査では心臓全体に数mm程度認める。心嚢液が増加すると心臓周囲にエコーフリースペースを認め、一般には左室後方から貯留し次第に前方に及ぶ。ときに心外膜下の脂肪組織や胸水と鑑別を要する場合がある[2)]。

3 心嚢穿刺を行うべきタイミング

- 心嚢液貯留を認めていても無症候であればドレナージを急ぐ必要はない。頻脈、低血圧など心拍出量低下に伴う症状を認める場合には心タンポナーデと判断しドレナージを行う必要がある。
- ドレナージを行うまで時間を要する場合には補液やカテコラミン投与にて血行動態の改善を期すが、ドレナージを行う以外に状況

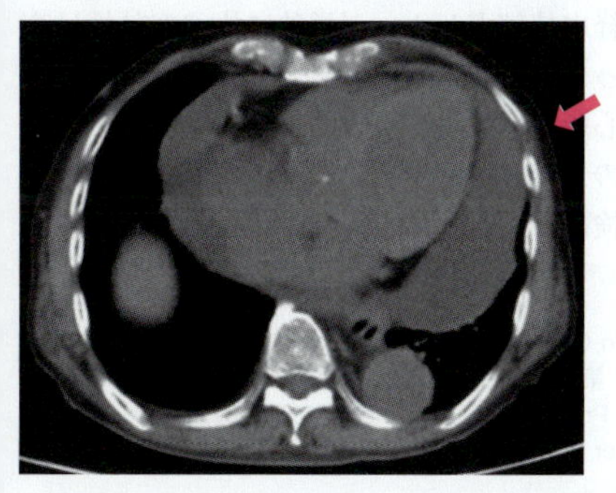

図1　悪性腫瘍に伴う心タンポナーデ
大量の心嚢液によって心嚢は拡張し胸壁に接しており（➡）、左側胸部から穿刺が容易である。

の改善は望みがたい。特にカテコラミン投与は頻脈を助長する可能性もあり注意を要する。

C 心嚢穿刺のコツ

1 心嚢穿刺に伴う合併症

- 気胸、血胸、不整脈、心筋穿孔、冠動脈損傷などに注意が必要でありモニター監視下に行う。

2 安全に施行するためのコツ

- 穿刺は半座位〜座位で行うことが多い。患者の安静を保つ。
- なによりも重要なのは安全に穿刺できる場所をエコーにて確認することである。一般に穿刺部は心窩部または胸骨左縁が推奨されているが、心尖部(左側胸部)から穿刺することも可能である。
- 悪性腫瘍に伴う心タンポナーデの場合には大量に心嚢液が貯留している場合が多く、心嚢は胸壁に接しており左側胸部から穿刺が容易であることが多い(図1)。左側に大量胸水貯留がある場合には胸腔→心嚢と穿刺されるため、胸水を心嚢液と誤ってドレナージする可能性があるため注意する。
- 十分な排液を行うためには心嚢内に側孔のあるピッグテールカテーテルを挿入する。ピッグテールカテーテルであればカテーテル先端で心損傷を起こすリスクが低く留置も安全である。施設によってはセルジンガー法によって挿入できる心嚢ドレナージキットを常備している。
- 経胸壁からの心嚢穿刺が困難であるがドレナージを要する場合、剣状突起下での心膜開窓術を行う。局所麻酔下に施行が可能である。
- 心膜穿刺のみでは約60%に心嚢液の再貯留がみられる[3)]。場合によっては心嚢液の再貯留を予防するために心嚢内に薬物を注入し癒着を起こさせる硬化療法を行う。肺がん患者に対するブレオマイシン心嚢内投与は、経皮持続ドレナージ単独に比べ有効性は高かったが有意ではなかったとされる[4)]。
- 硬化療法は長期的には心膜癒着による拡張障害が問題となる可能性があるため、原疾患の予後と心嚢穿刺を繰り返すことのリスクなどを考慮して適応を検討すべきである。　(小出雅雄)

文献

1) Takayama T, et al. Int J Clin Oncol 2015; 20: 872-7. PMID: 25655900
2) 吉川純一. 臨床心エコー図学 第3版. 東京: 文光堂; 2008.
3) Tsang TS, et al. Mayo Clin Proc 2000; 75: 248-53. PMID: 10725950
4) Kunitoh H, et al. Br J Cancer 2009; 100: 464-9. PMID: 19156149

骨転移に伴う骨痛(がん性疼痛)
ー骨転移の診断から集学的治療までー

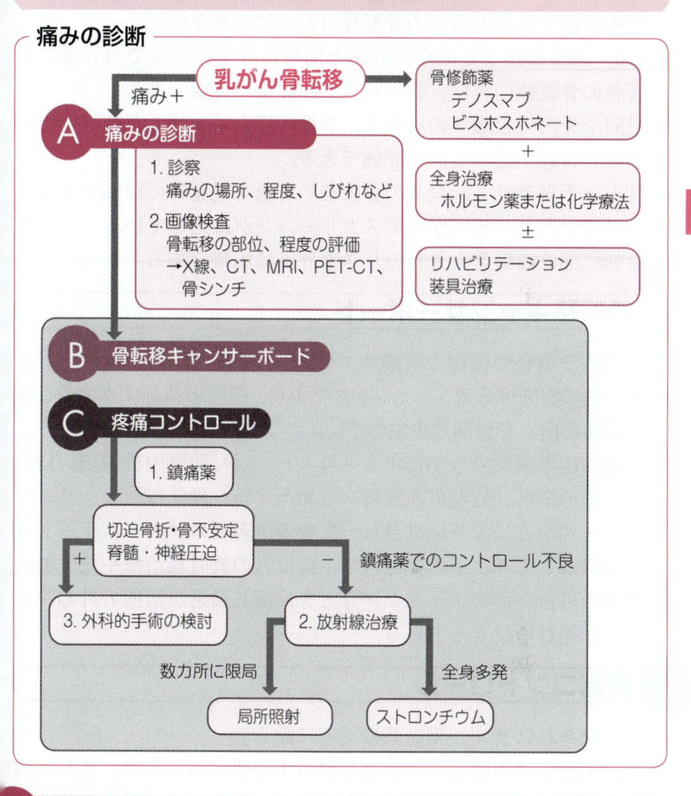

A 痛みの診断

1 診察

- 骨転移を認めた場合、疼痛が骨転移部に一致するかの診察が重要である。特に骨転移好発部位である長管骨の近位部(股関節や肩関節)や脊椎、骨盤などの持続痛は、切迫骨折の可能性を疑う。
- 随伴症状として四肢のしびれ、痛み、筋力低下などの神経症状を伴う場合は痛みが軽微であっても脊髄圧迫などを念頭において詳細な評価を行う。

2 画像検査

- 単純X線：脊椎転移のX線像の特徴は正面像での椎弓根の消失で、'owl wink sign'、'pedicle sign'とよばれる[1)]。特異度は高いが、骨破壊が進行しないと明らかにならないため感度は低い[2)]。このため単純X線像のみでの骨転移の否定はできない。
- CT：内臓転移などの全身評価と同時に骨条件画像での脊椎、長管骨の骨破壊の程度、骨折リスクの評価が可能である。
- MRI：骨内外組織への広がり、脊椎の場合における脊柱管内への進展と神経圧迫の有無を評価できる。
- 骨シンチグラフィ：全身の骨転移の有無を視覚的に評価することが可能であり、感度が高くスクリーニングに適している。一方で骨転移部位の病勢や骨折のリスク評価は困難である。

B 骨転移キャンサーボード

- 複数の診療科の医師や医療スタッフが、骨転移患者の治療方針を総合的に判断するカンファレンスであり、患者の精神・身体的な症状緩和の向上や骨関連事象の予防につながるとする報告がある[3)]。
- 聖路加国際病院でも2015年より導入し、主科、腫瘍内科、整形外科、放射線治療科、放射線診断科、緩和ケア科、理学療法士、リエゾンナースなどにより構成され、医療従事者間のコミュニケーションが円滑となり、手術の可否や手術以外の放射線治療や化学療法併用の可否、そのタイミングなどを協議し最適な治療方針の決定および遂行に役立っている。

C 疼痛コントロール

- 痛みがあればまず、鎮痛薬の適応になる。
- 放射線治療は内服薬の摂取量を減らす必要がある患者、または内服薬でコントロール不良な患者が適応となる。
- 骨の不安定性による痛みの回復には外科的治療が明らかに効果的である。

1 鎮痛薬

- WHO方式がん疼痛治療法 ➡ P.31 に基づき、まず非オピオイド系、効果がなければ、患者の状態を考慮し（症状、投与経路、合併症など）、オピオイドの使用または併用する。
- 早期からの緩和ケア専門医との連携が望ましい。

①アセトアミノフェン
- 抗炎症作用はないが、中枢のシクロオキシゲナーゼを抑制し疼痛を軽減する。
- 消化性潰瘍や腎機能障害などの副作用がほとんどなく、比較的安全に使用できる。

②NSAID
- 通常量まで使用し、効果がなければオピオイドを開始する。
- 消化性潰瘍の予防として**プロトンポンプ阻害薬**などの抗潰瘍薬を併用する。

③オピオイド
- NSAIDを使用したうえで疼痛時に頓用(レスキュー)として**コデインリン酸塩**を使用する。
- 使用回数が多い場合にオキシコドンの定期投与を考慮する。その際には必ずレスキューの**オキノーム®散**を合わせて投与する。
- 副作用対策として緩下薬と中枢性制吐薬である**プロクロルペラジン(ノバミン®)**を合わせて使用する。
- 内服困難または鎮痛が図れない場合は経静脈投与や経皮投与を考慮。

④鎮痛補助薬
- 神経障害性疼痛の場合は**プレガバリン(リリカ®)**などの鎮痛補助薬を併用したほうが良好な鎮痛が得られやすい。

⑤骨修飾薬
- ビスホスホネート、デノスマブは、投与後4週以降で鎮痛効果があるとされる[4)]。

2 放射線治療

- 局所放射線治療は限られた数の病変、また、生命予後が限られており外科的治療が適応とならない患者に適応となる[5)]。
- **局所放射線治療の疼痛コントロールは80～90%で有効**であり、50～60%に痛みの完全消失を認める。
- 30Gy/10回の分割照射が最も一般的な照射法である[6)]。
- 局所照射が不可能な多発転移には全身照射が適応。日本では**ストロンチウム(strontium chloride^{89})**が保険適用である。骨髄抑制が治療後4～8週に起こるため抗がん剤の中断が必要になることがある。

3 外科的治療

- 外科的治療の適応基準として、Harringtonらによる、大腿骨近位においては転移病変が皮質骨周径の50%以上の破壊、大腿骨近位の2.5cm以上の溶骨性病変、小転子の剥離骨折、放射線治療後の持続疼痛の4項目や[7]、長管骨に対するMirelsのscoring systemが用いられる[8]。

- 四肢の感覚障害や運動障害など神経症状を伴う脊椎病的骨折、切迫骨折を有する場合も手術適応となることが多い。

（佐藤　雄／天羽健太郎／林　直輝）

文献

1）Jacobson HG. Am J Roentgenol Radium Ther Nucl Med 1958; 80: 817-21. PMID: 13583317
2）Lange M. Eur J Radiol 2016; 85: 61-7. PMID: 26724650
3）中田英二，ほか. 院内骨転移登録システムの意義. 日整会誌 2011; 17: 728-32.
4）Wong R, et al. Cochrane Database Syst Rev 2002; (2): CD002068. PMID: 12076438
5）Lutz S, et al. Int J Radiat Oncol Biol Phys 2011; 79: 965-76. PMID: 21277118
6）日本放射線腫瘍学会，編. 放射線治療計画ガイドライン2012年版 第3版. 東京：金原出版; 2012. p277-88.
7）Harrington KD. Chapter 11 Prophylactic management of impending fracture. Orthopaedic Management of Metastatic Bone Disease. St Louis: Mosby; 1988, p282-307.
8）Mirels H. Clin Orthop Relat Res 1989; 249: 256-64. PMID: 2684463

脊髄圧迫症状
－特徴的な症状の把握と早急な治療を－

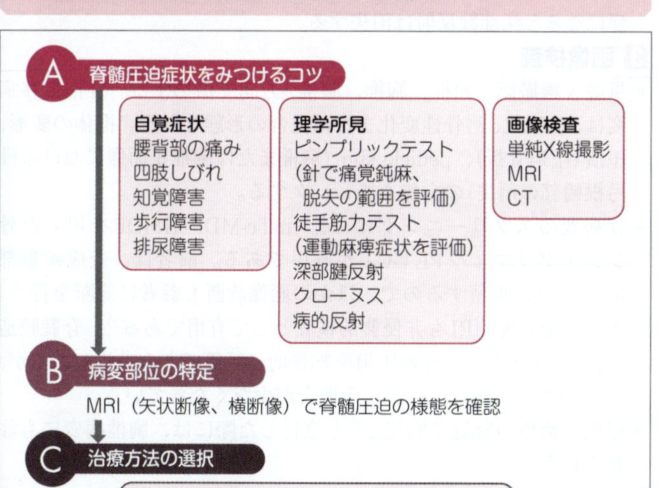

A 脊髄圧迫症状をみつけるコツ

1 自覚症状

- 罹患部位により症状は異なる。最も多い胸椎転移では、下肢のしびれ、知覚障害が起こる。頸椎転移では、しびれや知覚障害は上肢に出現する。また、筋力低下に由来する下肢脱力感、痙性によるつっぱり感や歩行障害の訴えも初期症状として大切である。排尿、排便障害を伴う場合もある。
- 上記は脊髄症状であるが、神経根症状を伴うと、上肢や季肋部のしびれ、痛みが起こる。高度の脊椎破壊性病変や圧迫骨折があると、背部痛や頸部痛を生じる。また脊椎不安定性を合併していると運動時痛が起こり、脊柱の可動域が制限される。

2 理学所見

- **運動機能**：徒手筋力検査（表1）[1]、歩行状態のチェック、起立動作、立位の維持が可能か否か。
- **知覚検査**：注射針で表在知覚の障害（鈍麻、脱失）の範囲を評価する。

- **反射**：痙性麻痺を呈する場合には、罹患脊髄レベルより下位の深部腱反射は亢進する。また足クローヌス、膝クローヌスの回数増加、病的反射（上肢：Hoffmann反射、Trömner反射、Wartenberg指屈反射。下肢：Babinski反射）の陽性は脊髄障害を疑う。完全麻痺になると深部腱反射は消失する。

3 画像検査

- 単純X線撮影：頸椎、胸椎、腰椎2方向で撮影する。脊椎転移病変は、骨硬化、溶骨性変化または混合の形態をとる。椎体の変形、圧潰（圧迫骨折）、pedicle sign（胸椎または胸椎正面像における椎弓根輪郭の消失）の有無をチェックする。
- 骨病変のスクリーニングには、^{99m}Tc-MDP/HMDPを用いた骨シンチグラフィやPET-CTが有用である。前者は、変成疾患部位にもRIが集積するので、ほかの画像診断も参考に診断を行う。また、全脊椎MRIも非侵襲的検査として有用である[2)]。脊髄腔造影、ミエロCTは、脊髄圧迫を網羅的に評価できる方法であるが、MRIの普及に伴い、行われる機会が少なくなっている。
- 原疾患治療の経過で胸部CTを施行した際には、胸椎病変にも注意を払う。

B 病変部位の特定

- 最終的な脊髄圧迫の評価は、MRIの矢状断像および横断像で行う。骨転移は通常T1強調像で低～等信号、T2強調像およびSTIR像で高信号を示し、Gd-DTPAにより造影される。ただし、造影検査は診断に必須ではない。横断像では、硬膜外腫瘍または椎体圧壊による脊髄圧迫の程度がわかる。骨粗鬆症の圧迫骨折との鑑別が困難な例があるが、拡散強調像でADC（apparent diffusion coefficient）が有用であるとの報告がある[2)]。

表1　徒手筋力検査

MRC：medical research council

内容	機能的記載	判定システム（MRC）
まったく動かない。筋収縮なし	無動	0
わずかな筋収縮あり	高度脱力	1
動くが重力に抗することができない	高度脱力	2
重力に抗して可動域を動くが、抵抗が加わると支えきれない	中等度脱力	3
重力に抗して可動域を動く。ある程度の抵抗に耐える	軽度脱力	4
正常	正常	5

（文献1より改変引用）

- CTは、軟部組織の解像はMRIに劣るが、骨破壊や骨性圧迫など骨組織の評価はMRIより優れており、インストルメンテーション手術や除圧範囲の計画には必須の検査となる。
- 乳がんの骨転移はしばしば多発性で、複数以上の脊髄圧迫部位が存在する場合がある。このような例では、神経症状を参考に責任病巣を推定する。
- 原則的に骨転移部位の生検は不要であるが、臨床的に合わないと判断された場合には、ほかの疾患の可能性を視野に針生検術を検討する。

C 治療方法の選択

- 転移性骨腫瘍による脊髄圧迫があり麻痺症状を呈する例は、MSCC (metastatic spinal cord compression) と定義され、オンコロジー・エマージェンシーの1つである。治療方法として、ステロイド、放射線治療、手術的治療がある。

1 ステロイド

- 従来よりデキサメタゾン100 mg/日(静注・day1)、24 mg/回(経口1日3回・day2～4)以後day14まで漸減する**高用量デキサメタゾン療法**が行われている。副作用に注意する。

2 放射線治療

- MSCCに対して低侵襲であるため最もよく行われる。罹患部位および周辺に照射が行われる。麻痺が急に進行している場合は緊急照射で対応する。乳がんは放射線感受性が比較的高く、MSCCに対する放射線治療の歩行機能獲得率は67%、また1年治療効果持続率49%[3]とされている。
- 硬膜外腫瘍による脊髄圧迫に対しては有効であるが、骨性圧迫の程度が強い場合は効果が少ない。脊椎転移箇所が少なく麻痺が軽度の場合には、根治的放射線治療である強度変調放射線治療(intensity modulated radiotherapy；IMRT)や体幹部定位照射(stereotactic body radiotherapy；SBRT)の施行が検討される。

3 手術的治療

- 圧迫骨折による高度の骨性の脊髄圧迫、後弯変形、脊椎不安定性がある脊髄麻痺の場合に手術が検討される。完全麻痺例、PS不良例、予測予後3カ月未満の症例は手術適応とはならない。また放射線治療を優先して行ったが、麻痺の進行がみられる場合にも手術の適応となる。

- 手術方法には**前方除圧固定術**、**後方除圧固定術**、**前方＋後方除圧固定術**がある。
- 前方法は、罹患椎体を亜全摘し、人工椎体またはケージで再建する方法である。椎体病変が大きく、前方からの脊髄圧迫が高度である場合には有効な手段であるが、侵襲が大きく、熟練した脊椎外科医のいる施設でないと施行できない。
- 後方除圧術は最も行われる方法で、罹患椎体レベルの頭尾側まで椎弓切除し脊髄の除圧を図る。脊椎不安定性や後弯変形が存在または予測される症例では後方固定術を併用する。最近では、椎弓根スクリューとロッドによる後方固定法（**脊椎インストゥルメンテーション**）が普及している。
- いずれの方法においても根治的切除は遂行できないため、術後放射線治療の併用が推奨される。また、孤立性の脊椎病変に対しては、根治的切除法として脊椎全摘出術が行われる場合もある。
- 手術例の後方視的解析では全例に神経症状の寛解および96％に除痛が得られ、生存期間の中央値が36カ月とされている[4)]。

4 MSCCに対する手術と放射線

- 全がんのMSCCメタ解析では、治療後の歩行機能および歩行可能率のいずれも手術が放射線より有意に優れており、また脊柱変形の予防や骨性圧迫には放射線では対応が困難であるとされている。しかし、治療関連の合併症は放射線が皆無であるのに対して、手術では30日以内の死亡が6.3％あり、感染やインプラント合併症の問題が含まれる[5)]。
- 101例を対象としたランダム化試験では、治療後の歩行率が手術84％、放射線57％と手術による機能改善予後の優位性が示された[6)]。しかしその後、マッチドペア分析が行われ、機能改善率、1年局所制御率、1年生存率に2つの方法間で差がないことが指摘されている[7)]。

（久田原郁夫）

文献

1）木下真男，監訳．徒手筋力テストハンドブック（Pact V, et al. The Muscle Testing Handbook）．東京：メディカル・サイエンス・インターナショナル; 1985.
2）Cook GJR, et al. J Nucl Med 2016; 57（Suppl 1）: 27S-33S. PMID: 26834098
3）Maranzano E, et al. Cancer 1991; 67: 1311-7. PMID: 1991293
4）Tancioni F, et al. Spine（Phila Pa 1976）2011; 36: E1352-9. PMID: 21358472
5）Klimo P Jr, et al. Neuro-oncology 2005; 7: 64-76. PMID: 15701283
6）Patchell RA, et al. Lancet 2005; 366: 643-8. PMID: 16112300
7）Rades D, et al. J Clin Oncol 2010; 28: 3597-604. PMID: 20606090

頭蓋内圧亢進症状

－速やかに症状の緩和を図るとともに、原因である脳転移に対する処置を行う－

A 頭蓋内圧亢進を見つける

臨床症状の内訳

- 局所症状
- 頭痛
- てんかん発作
- 意識障害

B 頭蓋内亢進の原因の鑑別

- 全腫瘍の体積量（3cm 以上、3cm 未満だが多発）
- 広範な浮腫の存在
- 水頭症
- がん性髄膜炎（髄腔内播種）

C 3cm以上の腫瘍に対する治療選択

全身状態、原発巣のコントロールを確認

- 良好な場合：手術による摘出
- 不良な場合：放射線治療

D 3cm未満、頭蓋内圧亢進症状を呈する場合

1～3個：局所放射線照射

3個以上：全脳照射または局所放射線照射

水頭症を伴う場合：急速な症状の悪化をきたす可能性があり迅速に対応が必要

- 局所麻酔による外ドレナージ術
- 全身麻酔による第三脳室開窓術または脳室 - 腹腔短絡術

浮腫を伴う場合：薬物療法を併用しながら転移巣への治療を検討

- グリセオール®、ステロイドまたは適応に応じてベバシズマブを選択

がん性髄膜炎の場合：

- 疼痛緩和を実施するとともにグリセオール®、ステロイドを投与
- 症状の軽減や脳脊髄液の吸収障害による水頭症が生じている場合、全脳照射は一時的ではあるものの化学療法と比べ有効である。

7

A 症状より頭蓋内圧亢進を見つける

- 転移性脳腫瘍における初発症状としては局所症状が47％と最も多く、頭痛などの自覚症状が25％、無症状が13％、頭蓋内高血圧9％、てんかん発作、意識障害が7％と続く。治療中の痙攣発作は全体の15％にみられる[1)]。

B 頭蓋内圧亢進の原因を鑑別する

- 腫瘍量が大きい（3cm以上の腫瘍、3cm未満だが多発）
- 広範な浮腫が存在する
- 水頭症が存在する
- 髄腔内播種（がん性髄膜炎）がある

1 検査方法：鑑別にはMRIが有用である

- 腫瘍の確認にはT1-Gd、浮腫の鑑別にはT2またはFLAIRが有用。
- 3cmを超える腫瘍の場合には局所巣症状やてんかん発作の可能性が高まるため、発見後には速やかに対応を検討する必要がある[2)]。
- 水頭症の確認には矢状断での第三脳室、第四脳室の拡大所見や中脳水道の狭窄の有無を確認する。MRIの撮像法としてtime-SLIP法は髄液の循環状態を知るために役にたつ。
- 早期のがん性髄膜炎を画像にて鑑別することは困難である。後頸部や背部の痛み、Lasegue徴候の有無など臨床所見から播種を疑うことから始まる。後半になると硬膜の肥厚像や脳や脳室の表面がGdにて層状に陽性になることが多い。矢状断とともに冠状断が参考になる。

2 解説：水頭症

- 髄液腔の総量は140〜150mLで、1日に約500mLが産生されている。すなわち正常な場合には24時間で3〜4回入れ替わることになる。
- 水頭症の発生原因により髄液通過障害による非交通性水頭症と吸収障害による交通性水頭症に分類される。著明な浮腫や大きな腫瘍による脳室の圧迫や狭窄では非交通性水頭症となる。がん性髄膜炎や播種の場合には吸収障害による交通性水頭症を呈する。
- 非交通性水頭症の場合には腰椎穿刺を行うと通過障害部位の前後での圧較差が生じ脳ヘルニアに至ることがある。交通性か非交通性かを鑑別したうえで、交通性の場合のみ腰椎穿刺を行うべきである。

3 がん性髄膜炎（leptomeningeal metastases；LM）に対する脳脊髄液検査

- 初圧の上昇＞16 cmH_2O
- 蛋白濃度の上昇＞38 mg/dL（約80％にみられる）
- 糖濃度の低下（脳脊髄液：血清比＜0.6　約30％にみられる）
- 異型細胞の混入（感度は単回で70％程度である）
- 脊髄液（CSF）を採取しセルフリーDNA（cfDNA）を計測することでより診断の精度が高まることが報告されている[3)]。
- がんの中枢転移は全がんの40％近くに発生する。がん性髄膜炎を発症するのは5％程度といわれている。
- 発生初期は無症状の場合が多いが、後に起床時の頭痛（morning headache）、後頸部や腰背部の痛みを訴えることが多い。
- 乳がんからの脳転移はtriple-negativeの場合50％に、HER2陽性の場合の40％に生じるといわれている[7,8)]。このなかからLMが発生する。

C 3 cm以上の腫瘍に対する処置：全身状態、原発巣のコントロールを確認する

- **良好な場合**：手術による摘出を第1に考える。
- **不良な場合**：全脳照射が第一選択である。ただし過去に照射が行われている場合や、治療期間中の症状の安定が確保できない場合には局所放射線照射を検討する[4)]。この場合、照射後に腫瘍の腫脹や浮腫の増強による症状の悪化の可能性が高いために、積極的に抗浮腫治療を導入する。
- **嚢胞形成により3 cmを超える腫瘍塊を形成している場合**：局所麻酔によるシスト内用液の吸引、腫瘍リザーバーの留置により腫瘍サイズを縮小したうえで局所放射線照射または全脳照射を検討する。

D 3 cm未満、頭蓋内圧亢進症状を呈する場合

1 多発病変

- **1～3個の場合**：局所放射線照射
- **3個以上**：全脳照射または局所放射線照射が選択される。
- 一度に多数の局所照射を行うとなると長時間の治療が必要になり患者の負担も増える。てんかん発作や早期に局所症状を起こす可能性のある部位を先に治療し、化学療法の反応をみつつ段階的に照射計画を立てるなどのオプションもありうる。

- わが国で行われた3cm未満の転移性脳腫瘍4個以下の症例271例を対象としたランダム化比較試験（JCOG0504試験）において、全脳照射治療に対する局所放射線照射治療の非劣性が証明された[5)]。

2 水頭症

- 腫瘍サイズが小さくても場所によっては閉塞性の水頭症を呈することがある。緊急を要する場合には局所麻酔による外ドレナージや、全身麻酔による第三脳室開窓術、脳室－腹腔短絡術による半永久的処置を速やかに検討する。

3 浮腫

- 原因となる病変の治療を行うとともに抗浮腫対策を講じる。
- 通常グリセオールの点滴（**グリセオール®200mL×3回/日**）やステロイド（**リンデロン®2〜8mg/日**）が投与される。
- 放射線治療と並行して抗浮腫治療が行われることが多いが、ベバシズマブを含むレジメンが選択できる場合には化学療法が先行されることもある。
- 特に大きな腫瘍の場合には浮腫を生じている場合が多い。また、放射線照射の後に一過性の腫瘍の増大や浮腫の増強がみられるために抗浮腫治療を併用する必要がある。

トピックス：ベバシズマブによる強力な抗浮腫効果を利用して、照射後の化学療法レジメンを変更する場合や、施設によっては高度先進医療を利用した単剤投与が行われる場合もある[6)]。ベバシズマブの投与が可能な場合、照射前に投与を行うと造影領域が不鮮明になるため、投与は照射の後に開始するほうがよい。

4 がん性髄膜炎

- グリセオールやステロイドの投与のみでは頭痛は改善しない場合も多い。積極的に麻薬性鎮痛薬などによる疼痛緩和を開始する。
- 全脳照射や薬物療法が選択されるものの予後不良である。

トピックス：最近の臨床試験の結果では、少数ではあるもののLMに対する効果が期待される薬剤や免疫チェックポイント阻害薬の報告も散見される。有効な治療手段がないといわれていたLMではあるが、他がん腫も含めて今後の治療開発が期待されている[9-11)]。

（丸山隆志）

文献

1）Report of Brain Tumor Registry of Japan（1984-2000）. Neurol Med Chir（Tokyo） 2009; 49 Suppl: PS1-96. PMID: 23914398
2）O'Neill BP, et al. Int J Radiat Oncol Biol Phys 2003; 55: 1169-76. PMID: 12654423
3）van Bussel MTJ, et al. Neurology 2020; 94: e521-8. PMID: 31907288
4）Lee CC, et al. J Neurosurg 2014; 120: 52-9. PMID: 24160478
5）Kayama T, et al. J Clin Oncol 2018; JCO2018786186. PMID: 29924704
6）Furuse M, et al. Jpn J Clin Oncol 2013; 43: 337-41. PMID: 23303838
7）Fecci PE. Clin Cancer Res 2019; 25（22）
8）Tabouret E. Anticancer Res. 2012; 32（11）
9）Kumthekar P. Neuro-Oncology Advance 2019; 1（supplement 1）
10）Brastianos PK. Journal of Clinicl Oncology 2018; 36（15_suppl）
11）Yang JCH. J Clin Oncol. 2019; Jco1900457

7

局所進行がんにおける皮膚滲出液

－患者が安心した日常生活を送れるよう支援する－

A 皮膚潰瘍のアセスメントのコツ

●皮膚潰瘍と周囲の皮膚の状態

・潰瘍の大きさ、形状、壊死組織、疼痛・出血・滲出液・臭いの有無

・疼痛：疼痛の部位、強さ、性質、痛みの誘発因子

・出血：出血の部位や量、出血の持続時間、出血の誘発因子

・滲出液：滲出液の量や性状

・臭い：臭いの発生源、感染の有無

・皮膚潰瘍周囲の皮膚：浸軟や発赤、浮腫、硬結の有無

●検査データ（血液検査、画像所見）

・血液検査：WBC、RBC、PLT、CRP、Hb、TP、Alb、Na

・画像所見：CT、MRI

●病歴

・治療歴、既往歴

●日常生活への影響

・衣服や下着への汚染、ガーゼ交換の回数、皮膚潰瘍に伴う苦痛や不安、臭いによる周囲への影響

●セルフケア

・患者が取り組んでいた皮膚潰瘍の処置方法

●心理・社会的な状況

・皮膚潰瘍に対する不安や思い、乳房への価値観や思い

・患者が望む生活、将来への希望

・経済的状況、患者へのサポート体制

B 皮膚潰瘍に影響する要因

・感染すると滲出液が増える

・乳がん治療に効果を示せば、皮膚潰瘍が改善する

・セルフケアでQOLが改善する

C 皮膚潰瘍に対する対処、薬剤などの選択のコツ

	種類
潰瘍周囲の皮膚の清潔	潰瘍周囲の皮膚の石鹸洗浄
潰瘍周囲の皮膚の保護	油脂性基材の軟膏（ワセリン）、アズレン（アズノール®） 非アルコール性皮膚被膜剤（セキューラ、リモイス®コート） 不織布ガーゼ
皮膚潰瘍の殺菌・臭気の軽減	メトロニダゾール軟膏（ロゼックス®ゲル、フラジール®軟膏）、ヨウ素含有外用薬（カデックス軟膏、ユーパスタ）、スルファジアジン銀含有外用薬（ゲーベン®クリーム）

ドレッシング材の選択	ポリウレタンフォーム（ハイドロサイト） ハイドロファイバー（アクアセル®Ag フォーム）	
特定保健医療材料以外のドレッシング材	低粘着性ソフトシリコン（メピレックス®トランスファー）、非固着性ポリエステルフィルムを使用したドレッシング（デルマエイド®） ＊不織布ガーゼを併用する	
出血がある場合	軽度の出血	アルギニン酸塩ドレッシング材（カルトスタット®）を出血点に貼付して圧迫し、非固着性で吸収力のあるガーゼで保護する
	中等度以上の出血がある場合	1,000倍希釈のエピネフリンを浸透させたドレッシング材で創部を被覆する モーズ軟膏（塩化亜鉛飽和水溶液50mL、亜鉛化澱粉10～30g、グリセリン15mL）

（文献3より調整内容引用）

D 効果の検討のコツ

・局所進行乳がんにおける皮膚潰瘍へのケアの評価は、潰瘍周囲の皮膚が清潔に保たれていること、テープやドレッシング材の剥離による潰瘍周囲の皮膚障害がないこと、患者がセルフケアできること、皮膚潰瘍による生活への影響が軽減できたことが挙げられる。

A 皮膚潰瘍部のアセスメント

1 皮膚潰瘍と周囲の皮膚の状態

- 局所進行がんでは、疼痛、出血、滲出液を伴うことが多いため、それぞれにアセスメントを行う。
- 皮膚潰瘍への思いが、処置への理解やセルフケア行動につながる。

2 検査データ（血液検査、画像所見）

- 滲出液には、水分だけでなく蛋白質や微量元素なども含まれているため、脱水や電解質バランス、低栄養の有無を確認する。
- 感染を伴うことで臭いの原因や滲出液の増加につながる。

3 病歴、既往歴

- 局所進行がんでは、外科療法、薬物療法、放射線療法を組み合わせた集学的治療が行われ、治療効果を得ることで皮膚潰瘍が改善することがある。
- 糖尿病の既往やステロイドなどの服用薬剤が潰瘍周囲のスキントラブルの誘因となる。

4 日常生活への影響

- 滲出液や出血は衣服や下着を汚染するため、頻回なガーゼ交換が必要となり、日常生活に支障をきたす。
- 臭いにより、周囲の人とのコミュニケーションの妨げになる。
- 患者が安心して日常生活を過ごせるケアにつなげる。

5 セルフケアの状況

- 患者が実践していたケア方法をアセスメントすることで、より簡便で実践可能なセルフケア方法を一緒に考えるときの参考にする。
- セルフケアが難しい場合、周囲の協力や社会資源の活用を検討する。

6 心理・社会的問題

- 皮膚潰瘍や乳房への思いをアセスメントすることで闘病意欲につなげる。
- 医療材料は経済的な負担が大きいため、処置方法を工夫する。
- 皮膚潰瘍への協力を得られるようなサポート体制や社会資源の活用方法が検討できる。

B 皮膚潰瘍に影響する要因

- 自壊の壊死の代謝産物に細菌（主に嫌気性菌）感染が伴うことで、滲出液の増加や臭いにつながる。
- 血流が豊富な腫瘍組織への外的刺激により出血を伴うことがある。

C 皮膚潰瘍に対する対処、薬剤選択のコツ

1 処置前のコツ

- 疼痛を伴う場合には、処置前に鎮痛薬を内服する。

2 剥離時のコツ

- ドレッシング材の剥離時には、微温湯や生理食塩水でドレッシング材を湿らせて愛護的に剥離する。

3 皮膚の清潔にするときのコツ

- 患部は弱酸性の洗浄剤を泡立てて洗浄し、微温湯や生理食塩水でしっかりと洗い流す。

4 外用薬使用時のコツ

- 抗菌薬を塗布した後、周囲皮膚の浸軟や皮膚炎を予防するために潰瘍周囲に油脂性基材の軟膏を塗布する。
- 抗菌薬は、がん性皮膚潰瘍部位の殺菌・臭気の軽減目的で使用する。
- ロゼックス®ゲルは、非固着性ドレッシング材を用いて不織布ガーゼで保護する。

- **フラジール®軟膏**は、当院では**フラジール3錠とマグロゴール400 30g、ソルベース®適量**で調整している。患者に院内製剤であることを説明し、同意を得る必要がある。

5 ドレッシング材を選択するときのコツ

- ドレッシング材の乾燥や粘着は潰瘍部の出血につながるため、皮膚潰瘍の湿潤環境を保てるものを選択する。
- 特定保健医療材料は、期間の制限（3週間）があり費用面での負担が大きくなるため、特定保健医療材料以外のドレッシング材を使用する。
- 特定医療材料以外のドレッシング材は、出血しやすいがん性皮膚潰瘍にも使用することができる。ただし、滲出液を保持することが困難であるため、不織布ガーゼを重ねる。

6 出血があるときのコツ

- **モーズ軟膏**は、事前に**リドカイン（キシロカイン®ゼリー）**を塗布しておく。そして、正常な皮膚に付着すると皮膚炎を生じるために、周囲の健常な皮膚をガーゼで保護し、モーズ軟膏を塗布する。5〜15分後に軟膏を拭き取り、止血を確認する。必要に応じて週1〜3回、繰り返す。
- 患者に院内製剤であることを説明し、同意を得る必要がある。

7 皮膚潰瘍を保護するときのコツ

- 皮膚潰瘍は、滲出液の量に応じて不織布ガーゼや市販されている吸水パッドを合わせて保護し、皮膚が脆弱であれば片胸帯などの下着で固定するなどの工夫を行う。
- テープは外的刺激になるため、低刺激シリコンテープを選択し、使用は最小限とする。
- 臭いに対しては、ガーゼの上に**脱臭シート（オドレスシート®）**を使用することもある。

効果の検討のコツ

- 局所進行がんの皮膚潰瘍は、ボディイメージの変容や精神的苦痛、日常生活への影響をきたしやすく、QOLを著しく低下させる。そのため、滲出液へのケアだけでなく、患者を全人的にアセスメントし、患者が安心した日常生活を送ることができるように支援することが重要である。

（熊谷敦世）

文献

1) 玉井奈緒, ほか. 滲出液に対するケアマネジメント. 中村清吾, 監, 渡部一宏, 編. がん性皮膚潰瘍とそのケア対策 がん性皮膚潰瘍臭対策を中心に. 東京: 医薬ジャーナル社; 2016. p50-7.
2) 玉井奈緒, ほか. 出血に対するケアマネジメント. 中村清吾, 監, 渡部一宏, 編. がん性皮膚潰瘍とそのケア対策 がん性皮膚潰瘍臭対策を中心に. 東京: 医薬ジャーナル社; 2016. p58-62.
3) 森岡直子. モーズ変法によるがん性皮膚潰瘍(がん性創傷)のケアの実際. 中村清吾, 監, 渡部一宏, 編. がん性皮膚潰瘍とそのケア対策 がん性皮膚潰瘍臭対策を中心に. 東京: 医薬ジャーナル社; 2016. p110-22.
4) 田中　香. 滲出液のコントロール. 松原康美, ほか編. がん患者の創傷管理. 東京: 照林社; 2007. p52-67.
5) 金沢麻衣子. 乳がんの皮膚浸潤 ナースにできる対応とケア. Expert Nurse 2010; 26: 12-5.
6) 舛田佳子, ほか. 自壊創・瘻孔に対する緩和治療 スキンケア, 外用剤, 環境調整. プロフェッショナルがんナーシング 2011; 1: 358-60.
7) 井関千裕. 局所進行乳がん患者のケア. 阿部恭子, ほか編. がん看護セレクション 乳がん患者ケア. 東京: 学研メディカル秀潤社; 2013. p286-94.

悪性腫瘍に伴う高Ca血症(hypercalcemia of malignancy；HCM)

－低アルブミン血症を伴うことが多いため、補正Ca値で正確に評価を－

A 高Ca血症をみつけるコツ

まず、高Ca血症を疑うことが重要

症状・検査所見

- 症状：口渇・多飲・多尿、悪心・嘔吐、意識障害
- 臨床検査：補正血清Ca値＞10.2mg/dL
  血清イオン化Ca値＞1.3mmol/L

低アルブミン（Alb）血症（＜4.0g/dL）の場合には、補正血清Ca値［mg/dL］＝実測血清Ca値［mg/dL］＋（4－血清Alb値［g/dL］）で算出する。

異常あり

B 高Ca血症を起こす原因を探す

HCMの主な病型は、PTHrPによるHHM（humoral hypercalcemia of malignancy）と、骨転移に伴うLOH（local osteolytic hypercalcemia）である。

高Ca血症あり

C そのほかの原因のチェック

- 原発性副甲状腺機能亢進症
- 続発性副甲状腺機能亢進症（主に慢性腎不全）
- ビタミンD過剰（サプリメント過剰摂取、サルコイドーシスなど）
- 薬剤性（サイアザイド系利尿薬など）
- 乳がん以外の悪性腫瘍（悪性リンパ腫、多発性骨髄腫、食道がんなど）

そのほかの原因なし

D 高Ca血症への初期対応のコツ

重症度	検査値・症状	治療*
軽症	中等度・高度でない場合	Caの少ない食事 Caを含まない水分を多めに摂取
中等度	有症状で、補正血清Ca値＞12mg/dL	直ちに、積極的な治療を開始する 生食大量輸液 ゾレドロン酸 点滴 カルシトニン製剤
高度	補正血清Ca値＞14mg/dL	

*奏効が期待できれば原疾患に対する抗がん剤治療は選択肢

E 効果の検討

A 高Ca血症をみつけるコツ

1 経時的に血清Ca値を把握しておく

- 高Ca血症の症状は非特異的であるために発見が困難なこともある。
- 転移性腫瘍の診療に際しては、血清Ca値を経時的に把握しておくことが重要である。

2 高Ca血症発症時臨床症状

- 主症状は、口渇・多飲・多尿、悪心・嘔吐、意識障害であるが、いずれの症状も非特異的で、慢性的に進行した場合には症状が乏しいことも多いため、高Ca血症を疑うことが重要である。
- 症状からの鑑別として、がんの進行に伴う摂食低下、抗がん剤の副作用、脳転移などが挙げられる。

3 検査所見

- 高Ca血症の検査値は、施設基準値上限を超えた場合で、**補正血清Ca値＞10.2 mg/dL、血清イオン化Ca値＞1.3 mmol/L**が目安である。
- 採血検査では血清Ca値と血清アルブミン(Alb)値を同時に測定し、**低Alb血症(＜4.0 g/dL)がある場合には、補正血清Ca値［mg/dL］＝実測血清Ca値［mg/dL］＋(4－血清Alb値［g/dL］)**の補正式で評価する。
- 血中のイオン化Caは副甲状腺ホルモン(PTH)の制御を受け、最も正確なCa動態の指標であるが、ルーチン測定が困難である。院内検査では、動脈血液ガス測定機器で測定可能な場合がある。
- CTCAE v4.0による重症度分類を表1に示す。

B 高Ca血症を起こす原因を探す

- HCMの主な病型は、PTHrPによるHHM(humoral hypercalcemia of malignancy)と骨転移に伴うLOH(local osteolytic hypercalcemia)

表1　高Ca血症の重症度分類(CTCAE v5.0)

G1	G2	G3	G4
補正血清Ca＞ULN-11.5 mg/dL；＞ULN-2.9 mmol/L；イオン化Ca＞ULN-1.5 mmol/L	補正血清Ca＞11.5～12.5 mg/dL；＞2.9～3.1 mmol/L；イオン化Ca＞1.5～1.6 mmol/L；症状がある	補正血清Ca＞12.5～13.5 mg/dL；＞3.1～3.4 mmol/L；イオン化Ca＞1.6～1.8 mmol/L；入院を要する	補正血清Ca＞13.5 mg/dL；＞3.4 mmol/L；イオン化Ca＞1.8 mmol/L；生命を脅かす

有害事象共通用語規準 v5.0 日本語訳 JCOG 版(略称：CTCAE v5.0-JCOG)［CTCAE v5.0/MedDRA v20.1(日本語表記:MedDRA/J v24.0)対応 -2021年3月5日］. http://www.jcog.jp

表2　高Ca血症の主な鑑別疾患

PTH作用の亢進による	・原発性副甲状腺機能亢進症 ・続発性副甲状腺機能亢進症(主に慢性腎不全)
活性型ビタミンD作用の亢進による	・ビタミンD含有サプリメントの過剰摂取 ・サルコイドーシスなどの慢性肉芽腫性疾患
薬剤性	・サイアザイド系利尿薬など
悪性腫瘍に随伴	・HHM：乳がん、悪性リンパ腫、扁平上皮がん(食道がんなど) ・LOH：乳がん、多発性骨髄腫など

で、乳がんはいずれの病態も起こりうる[1](表2)。

- HHMはHCMの約80%を占める。腫瘍細胞から過剰産生されるPTHrP(PTH関連蛋白)が全身性に作用して発症し、血中インタクトPTHrP値が上昇する。
- LOHはHCMの約20%を占める。多発骨転移に伴う過剰な骨吸収作用によって発症し、血中インタクトPTHrP値は上昇しない。

C　そのほかの原因のチェック

- 高Ca血症の主な鑑別疾患を表2に示す。採血検査による**インタクトPTH値**、**活性型ビタミンD($1,25(OH)_2D$)値**などを測定し、HCM以外の原因疾患が判明した場合には、それぞれの病態に対応する。

D　高Ca血症への初期対応、薬剤選択のコツ

- 軽度の場合は、Ca含有量の少ない食事、Caを含まない水分の積極的摂取を勧める。
- 中等度(症状を認め補正血清Ca値＞12 mg/dL)または高度(補正血清Ca値＞14 mg/dL)の場合は、直ちに積極的な治療を行う[2]。選択される薬剤を表3に示す。
- 生理食塩液の**大量輸液**を開始する。これは脱水補正と腎からのCaの排泄促進を目的としている。ループ利尿薬は脱水補正が十分行われてから必要に応じて用いる。
- **ゾレドロン酸(ゾメタ®)**は破骨細胞に対する骨吸収抑制作用が最も強力なビスホスホネート製剤(BP)である。HCMでは腎機能障害の程度による投与量の補正を行わず、全量(4 mg)投与が基本である。即効性はなく、効果発現までに2～3日を要するが、投与後7～10日で血清Ca値は最低値となるのが一般的である。
- **カルシトニン製剤(エルシトニン®)**には骨吸収の抑制作用と腎からのCa排泄促進作用が知られている。即効性で、効果発現は投

表3　高Ca血症に対する主な治療選択

薬剤（機序）	投与法		副作用
大量輸液（脱水補正、Caの排泄促進） ・生理食塩液	24時間 持続 点滴静注	200～ 300 mL/時間	うっ血性心不全
ループ利尿薬（Caの排泄促進） ・フロセミド　適宜	静注	－	脱水 低K血症
ビスホスホネート製剤（骨吸収の抑制） ・ゾレドロン酸 4 mg/100 mL	点滴静注	15分以上	悪寒、発熱 腎機能障害
カルシトニン製剤（骨吸収の抑制、Caの排泄促進） ・エルシトニン® 40単位×2回/日	点滴静注	1～2時間	発赤、悪心 過敏反応
ステロイド（骨吸収の抑制） ・プレドニゾロン 30～60 mg/日	点滴静注 経口	－	高血糖、胃炎 消化性潰瘍

与6時間後から認められるが、降下作用は1 mg/dL程度と弱く効果持続も約24時間と短いことから、BPの効果発現までの数日間における役割が大きい。

- **ステロイド**薬にも骨吸収抑制作用があるとされ、プレドニゾロン30～60 mg/日の連日投与などが行われることがある。
- HCMは転移が高度な症例に合併することが多く、予後はきわめて不良であることから、終末が切迫している状況などにおいては、家族らと十分に話し合ったうえで初期対応の可否を総合的に判断するプロセスが望まれる[3]。

E　効果の検討のコツ

- HCMに対してゾレドロン酸4 mgを初回投与した場合の血清Ca値の正常化率（≦10.8 mg/dL）は、投与後4日目45％、7日目83％、10日目88％である[4]。その後は重症度と血清Ca値に応じて、1週間ごとを目安に継続投与を検討する。
- BP製剤に抵抗性のHCMには**デノスマブ（抗RANKLモノクローナル抗体薬）**の有効性が示されてきている[5]。
- 全身状態を再評価し、奏効が期待できれば原疾患に対する薬物療法も選択される。

（中根　実）

文献

1）Stewart AF. N Engl J Med 2005; 352: 373-9. PMID: 15673803
2）Minisola S, et al. BMJ 2015; 350: h2723. PMID: 26037642
3）中根　実. がんエマージェンシー 化学療法の有害反応と緊急症への対応. 東京: 医学書院; 2015.
4）Major P, et al. J Clin Oncol 2001; 19: 558-67. PMID: 11208851
5）Hu MI, et al. J Clin Endocrinol Metab 2014; 99: 3144-52. PMID: 24915117

播種性血管内凝固症候群（DIC）

－原疾患の治療が最重要。DIC治療の適応・継続・中止をこまめに評価し、判断する－

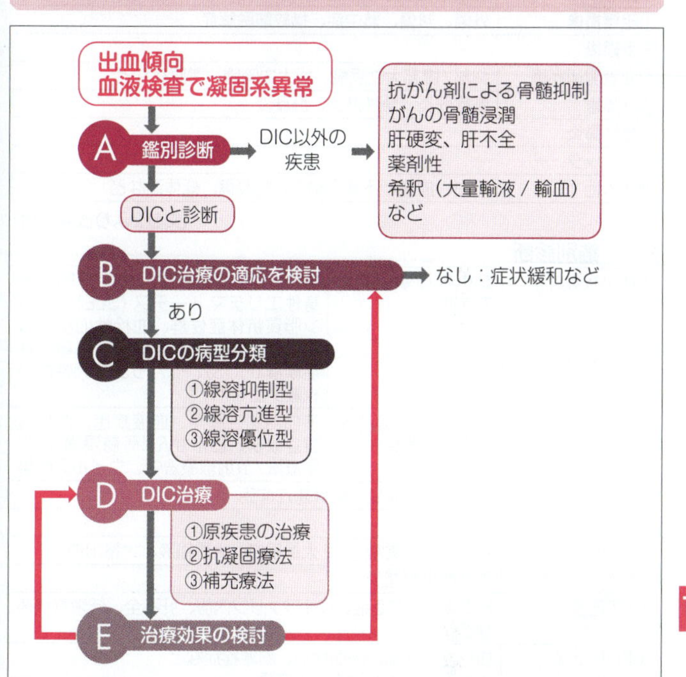

A DICの鑑別診断のコツ

1 DICと類似症状をもつほかの疾患・病態かどうか見極める

- DICには多くの原疾患がある（表1）。外傷や手術などすべての生体侵襲で合併しうる。
- DICを疑う臨床検査所見（出血傾向や凝固系異常）を認めた際、表2に示す他の疾患・病態との鑑別が必要。表2と表1は重複していることからわかるように、表2に示す疾患・病態にDICを合併することもあり、注意が必要である。

表1　DICの基礎疾患

①感染症	敗血症、その他の重度感染症(呼吸器、尿路、胆道系など)
②造血器悪性腫瘍	急性前骨髄球性白血病(APL)、その他の急性白血病、悪性リンパ腫など
③固形がん	通常は転移を伴う進行がん
④組織損傷	外傷、熱傷、熱中症、横紋筋融解症
⑤手術後	
⑥血管関連疾患	胸部/腹部大動脈瘤、巨大血管腫、膠原病など
⑦肝障害	劇症肝炎、急性肝炎、肝硬変
⑧急性膵炎	
⑨ショック	
⑩その他	溶血、血液型不適合輸血、蛇咬傷、低体温など

(文献2より改変引用)

表2　鑑別診断

①血小板数低下	血小板破壊・凝集の亢進	特発性血小板減少性紫斑病(ITP)、全身性エリテマトーデス(SLE)、抗リン脂質抗体症候群、血栓性血小板減少性紫斑病(TTP)、溶血性尿毒症性症候群(HUS)、ヘパリン起因性血小板減少症(HIT)
	骨髄抑制/骨髄不全をきたす病態	造血器悪性腫瘍、血液疾患、血球貪食症候群、固形がん(骨髄浸潤)、化学療法/放射線療法中、ウイルス感染
	肝不全、肝硬変、脾機能亢進症	
	敗血症	
	希釈、分布異常	大量輸血、大量輸液、大量出血
	偽性血小板減少	
②PT延長	ビタミンK欠乏症、ワルファリン内服、肝不全、低栄養状態など	
③FDP上昇	血栓症:深部静脈血栓症、肺塞栓症など 大量胸水、大量腹水、大血腫	
④フィブリノゲン低下	肝不全、低栄養状態、先天性フィブリノゲン異常症、薬剤性	
⑤その他	アンチトロンビン活性の低下	

(文献2より改変引用)

2 DICの確定診断を行う(図1, 表3)

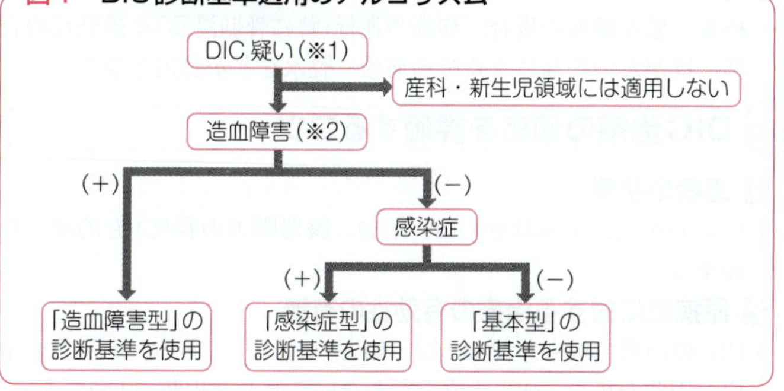

図1　DIC診断基準適用のアルゴリズム

(文献2より引用)

表3　DIC診断基準

項目		基本型		造血障害型		感染症型	
一般止血検査	血小板数 ($\times 10^4/\mu L$)	12<	0点			12<	0点
		8<　≦12	1点			8<　≦12	1点
		5<　≦8	2点			5<　≦8	2点
		≦5	3点			≦5	3点
		24時間以内に30%以上の減少(※1)	+1点			24時間以内に30%以上の減少(※1)	+1点
	FDP(g/mL)	<10	0点	<10	0点	<10	0点
		10≦　<20	1点	10≦　<20	1点	10≦　<20	1点
		20≦　<40	2点	20≦　<40	2点	20≦　<40	2点
		40≦	3点	40≦	3点	40≦	3点
	フィブリノゲン(mg/dL)	150<	0点	150<	0点		
		100<　≦150	1点	100<　≦150	1点		
		≦100	2点	≦100	2点		
	プロトロンビン時間比	<1.25	0点	<1.25	0点	<1.25	0点
		1.25≦　<1.67	1点	1.25≦　<1.67	1点	1.25≦　<1.67	1点
		1.67≦	2点	1.67≦	2点	1.67≦	2点
分子マーカー	アンチトロンビン(%)	70<	0点	70<	0点	70<	0点
		≦70	1点	≦70	1点	≦70	1点
	TAT、SFまたはF1+2	基準値上限の		基準値上限の		基準値上限の	
		2倍未満	0点	2倍未満	0点	2倍未満	0点
		2倍以上	1点	2倍以上	1点	2倍以上	1点
肝不全(※2)		なし	0点	なし	0点	なし	0点
		あり	−3点	あり	−3点	あり	−3点
DIC診断		6点以上		4点以上		5点以上	

(※1)：血小板数>5万/μLでは経時的低下条件を満たせば加点する(血小板数≦5万では加点しない)。血小板数の最高スコアは3点までとする。
(※2) 肝不全：ウイルス性、自己免疫性、薬物性、循環障害などが原因となり「正常肝ないし肝機能が正常と考えられる肝に肝障害が生じ、初発症状出現から8週以内に、高度の肝機能障害に基づいてプロトロンビン時間活性が40%以下ないしはINR値1.5以上を示すもの」(急性肝不全)および慢性肝不全「肝硬変のChild-Pugh分類BまたはC(7点以上)」が相当する。

(文献2より引用)

3 DICの原疾患を特定する

- 感染症、悪性腫瘍（造血器悪性腫瘍、固形がんなど）が大部分を占める。悪性腫瘍の場合、病態の進行（特に骨髄浸潤）や感染症の合併、抗がん剤投与による腫瘍崩壊、脱水などが誘因となる。

B DIC治療の適応を評価するコツ

1 患者の状態

- 原病の予後、全身状態（PS、年齢、臓器障害の程度）を的確に把握する。

2 原疾患に対する治療の有効性の有無

- DICの治療で最も重要なのは「原疾患の治療」である。原疾患の治療が困難な場合、DIC治療を行わないことも選択肢の1つである。
- 最近は化学療法、分子標的薬、ホルモン療法などの薬物療法の進歩により、進行がんに対する治療効果も高くなり、積極的にDIC治療を行うことのできる患者も増えているが、DIC治療の適応かどうか慎重に検討すべきである。

C DICの病型分類のコツ

- すべてのDICでは凝固系が亢進しているが、線溶活性の程度によりその病態は異なり、治療法も異なる。凝固活性と線溶活性のバランスから、図2のように分類される。原疾患により病型が異なり、固形がんでは線溶亢進型を呈することが多い。

D DIC治療のコツ

1 治療の基本

- 重要な順に、原疾患の治療、抗凝固療法、補充療法、抗線溶療法となる。適応を判断し、組み合わせて効果的なDIC治療を行う。

図2 DICの病型分類

病型	凝固（TAT）	線溶（PIC）	症状	Dダイマー	代表的疾患
線溶抑制型			臓器症状	微増	敗血症
線溶亢進型					固形がん
線溶優位型			出血症状	上昇	白血病、腹部大動脈瘤

（文献1より改変引用）

2 原疾患の治療

- 最も重要であり、進行がんであれば薬物療法など、感染症であれば原因菌に対する抗菌薬にて加療を行う。

3 抗凝固療法

- すべてのDICで過剰に亢進している凝固活性を抑制する。ただし、原疾患が固形がんである場合、有用性に関して明確なエビデンスはなく、適応については慎重に判断する。出血症状がある場合は使用禁忌である。線溶優位型では、抗凝固療法は困難である。

【ヘパリン/ヘパリン類】

①未分化ヘパリン(ヘパリンNa)　5～10単位/kg/時　持続点滴静注
目標値：APTTを正常の1.5～2倍

②低分子ヘパリン(フラグミン®)※　75抗Xa活性/日　静脈内持続投与
半減期が長いので腎障害の場合、注意を要する。

③ヘパリン類似ダナパロイドナトリウム(オルガラン®)※　1,250抗Xa活性/回　12時間間隔、1日2回静脈内投与
※APTTは延長しないのでDダイマーやTATで評価。

【合成プロテアーゼ阻害薬】

①ガベキサートメシル酸(エフオーワイ®)　20～39mg/kg/日　静脈内持続投与、中心静脈からが望ましい

②ナファモスタットメシル酸(フサン®)　0.06～0.20mg/kg/日　静脈内持続投与

【遺伝子組換えトロンボモジュリン】

rTM製剤(リコモジュリン®)：380U/kg、1日1回 約30分点滴静注、最大7日間まで

【アンチトロンビン製剤】

3,000単位/日　点滴静注
開始適応はAT≦70%の場合、最大5日間まで

4 補充療法

- 血小板減少時には濃厚血小板(PC)輸血、フィブリノゲン低下には凝固因子の補充目的に新鮮凍結血漿(FFP)輸血を行い、出血リスクをなるべく軽減する。
- **PC輸血**：血小板≧2万/μL(出血傾向あれば≧5万/μL)を維持するように、通常1回10～15単位を週2～3回投与する。
- **FFP輸血**：フィブリノゲン100mg/dL未満かつPT比≧1.7の場合、FFP 8～12mL/kgを24～48時間ごとに点滴静注する。
- 出血により貧血がある場合は、濃厚赤血球(RCC)輸血を考慮する。

- いずれも漠然と行わず、輸血基準に適合するか毎回確認する。

5 抗線溶療法

- 感染症に合併するDICのように線溶抑制型では絶対禁忌である。
- 一部の線溶亢進型DICで、出血のコントロールに難渋する場合にのみ、ヘパリン併用下で抗線溶療法は有効である。
- 不適切な使用により臓器障害を悪化させたり全身性血栓症を引き起こすため、専門家へのコンサルトが必要である。

6 治療中に注意すべき合併症

- 脳出血、消化管出血、薬剤性急性腎不全、急性呼吸窮迫症候群（ARDS）、多臓器不全などが挙げられる。H_2受容体拮抗薬を併用し、輸液量が過剰になっていないかなど、全身をみる必要がある。

E 治療効果の検討

1 臨床症状

- 出血症状や臓器障害の改善の有無を評価する。

2 検査所見

- 凝固系（血小板数、PT比、フィブリノゲン、APTT、Dダイマーなど）の改善の有無だけでなく、肝機能や腎機能もフォローする。

3 原疾患の治療効果

- 原疾患のコントロールの見通しが立たなければ、漠然と薬剤投与を行うべきではない。治療継続か中止かをこまめに検討する。

（田中希世）

文献

1）科学的根拠に基づいた感染症に伴うDIC治療のエキスパートコンセンサス．日本血栓止血学会誌 2009; 20: 77-113.
2）日本血栓止血学会．DIC診断基準2017年版．血栓止血誌 2017; 2: 369-91.
3）Takemitsu T, et al. Thromb Haemost 2011; 105: 40-4. PMID: 20941463

高齢者フレイル(Frailty)における薬物療法の工夫
ー余命・がん治療の意義・意思決定能力・治療リスク評価を患者ごとに検討するー

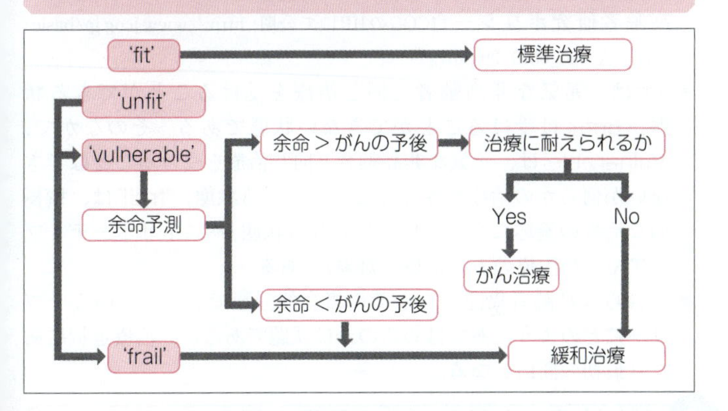

A 高齢者乳がん治療

- 日本乳癌学会の患者登録（2016年確定版）では70歳以上の高齢者は乳がん全体の26.3%と多くを占める。乳がんの治療は標準的にはintrinsic subtypeに基づき組立てる。しかし高齢者ではそのときに置かれている状態、すなわち個々の余命の予測を鑑みる必要がある。そのうえで乳がんそのものが余命を規定するのかを考え、次に行う予定の標準治療に耐えられるのかを検討する。
- NCCNガイドライン[1]ではまず余命を予測し、がん治療の意義を検討したうえで、本人が意思決定できる能力を持ち合わせているかどうかを判断する。判断でき、がん治療を希望された（治療の価値を理解できた）場合、その治療が現実的に可能かどうか、個々の危険因子を検討するように勧めている。
- 予後予測については古くからCharlson Comorbidity Indexなどが知られている[2,3]。最近はインターネットでアクセス可能なツール[4]や、日本人データ（2010年版）に基づいた余命予測も公表されている[5]。

B フレイル(Frailty)とは

- **フレイル**は元来、「虚弱」を意味する。日本老年医学会では虚弱に

11

代わり「フレイル」の定義を「しかるべき介入により再び健常な状態に戻る状態」としている。

- がん領域では若干ニュアンスは異なり、概念的な分類として、まず'fit'と'unfit'に分け、'unfit'は'vulnerable'と'frail'に分ける（JCOG高齢者研究ポリシー（JCOGのHPにて公開；http://www.jcog.jp/basic/policy/A_020_0010_39.pdf）。
- 'fit'は、元気な非高齢者と同じ治療を受けることができる状態、'unfit'は受けることができない状態である。そのなかで、'vulnerable'は、元気な非高齢者と同じ治療を受けることはできないが何らかの治療を受けることはできる状態、'frail'は、積極的な治療の適応にならないと思われる状態（ベストサポーティブケアや緩和医療のみの治療の対象）である。
- これらは高齢者集団のなかでの概念的分類であり、このカテゴリーにどのようにあてはめるのかは課題であるが、治療選択にあたり最初の間口となる。

C がん治療におけるリスク評価を行う

- 高齢者の身体機能、併存症、栄養状態、精神状態、社会背景などの科学的評価を行う高齢者総合的機能評価（Comprehensive Geriatric Assessment：CGA）は有用であり、それは生命予後予測や抗がん剤による副作用予測の可能性もある[6,7]。
- 抗がん剤治療の危険因子を検討するにあたり、乳がんを含めた高齢者の前向き試験で、Cr値やHb値など血液検査に加え、身体機能、精神状態などを総合的にスコア化し、抗がん剤治療の副作用との関連予測が可能であった[8]。最近、そのvalidation studyの結果が報告された[9]（表1、図1）。この研究においては前向きに高齢者の活動度などをスコア化し、化学療法の毒性（G3～5）の評価を行ったところ相関が認められた（n = 250）[9]。このスコアを参考にし、強い副作用が予想される場合には、適切な減量を行うことが考慮される。

D 高齢者に対する薬物療法の注意点

1 併用薬との相互作用を忘れずにチェック

- 高齢者では薬剤の代謝、吸収、分布、排泄に関わる生理的機能変化がみられるため、実地臨床における標準治療の適応と適切な薬剤量の判断は困難なことが多い。

表1　抗がん剤治療の副作用予想ツール

危険因子	スコア
72歳以上	2
消化管または尿生殖器原発腫瘍	2
計画された薬剤用量が標準投与量	2
多剤併用レジメン	2
Hb＜11 g/dL（男性）、10 g/dL（女性）	3
Ccr＜34 mL/分	3
聴力は普通か、やや難聴	2
過去6カ月間に転倒の既往あり	3
服薬に介助を要する	1
ワンブロック歩くことができない	2
過去4週間に肉体的、精神的理由で社会参加が減っている	1

合計スコア	
low	0～5
medium	6～9
high	10～19

（文献9より改変引用）

図1　リスクグループごとの化学療法の毒性の評価

米国における前向き研究（n＝250）において、高齢者の活動度などをスコア化（表1）し、化学療法の毒性（G3～5）の評価を行った。結果はlow riskグループで36.7%、medium riskグループで62.4%、high riskグループで70.2%であった。

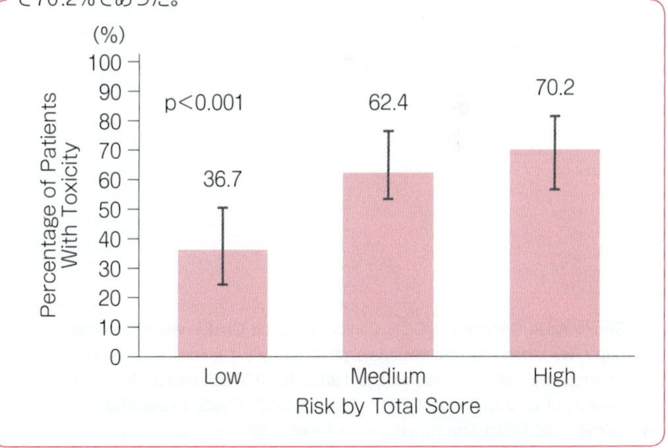

（文献9より改変引用）

- 生理機能の変化により、高齢者では、経口薬物の吸収低下、肝での薬物代謝の低下、腎排泄の低下が認められ、特にこれら臓器機能の評価を慎重に行う。
- 高齢者では併存症を抱えていることが多く、それによる内服併用薬も多くなっている。その際、常備内服薬と抗がん剤の薬物相互作用を考える必要がある。
- 代謝過程における代表的な相互作用の原因としてCYPの影響があり、がん治療効果の減少、もしくは副作用増強の可能性があるため、この視点からの検討も必要である。Ca拮抗薬であるジルチアゼム、ベラパミル、ニフェジピンはCYP3A阻害薬である。抗てんかん薬であるフェノバルビタール、フェニトイン、カルバマゼピンはCYP3A誘導薬である。

（澤木正孝）

文献

1）Senior Adult Oncology. NCCN Clinical Practice Guidelines in Oncology. http://www.nccn.org/professionals/physician_gls/f_guidelines.asp#age
2）Charlson ME, et al. J Chronic Dis 1987; 40: 373-83. PMID: 3558716
3）Ring A, et al. J Clin Oncol 2011; 29: 4266-72. PMID: 21990403
4）ePrognosis; Estimating Prognosis for Elders. http://eprognosis.ucsf.edu/
5）Iwamoto M, et al. Cancer Epidemiol 2014; 38: 511-4. PMID: 25113939
6）Taira N, et al. Breast Cancer 2010; 17: 183-9. PMID: 19756923
7）Wildiers H, et al. J Clin Oncol 2014; 32: 2595-603. PMID: 25071125
8）Hurria A, et al. J Clin Oncol 2011; 29: 3457-65. PMID; 21810685
9）Hurria A, et al. J Clin Oncol 2016; 34: 2366-71. PMID: 27185838

肝機能障害を伴う患者における薬物療法の留意点と工夫

－原因検索および治療の利益と不利益を検討し、薬剤を減量するなどの対処を－

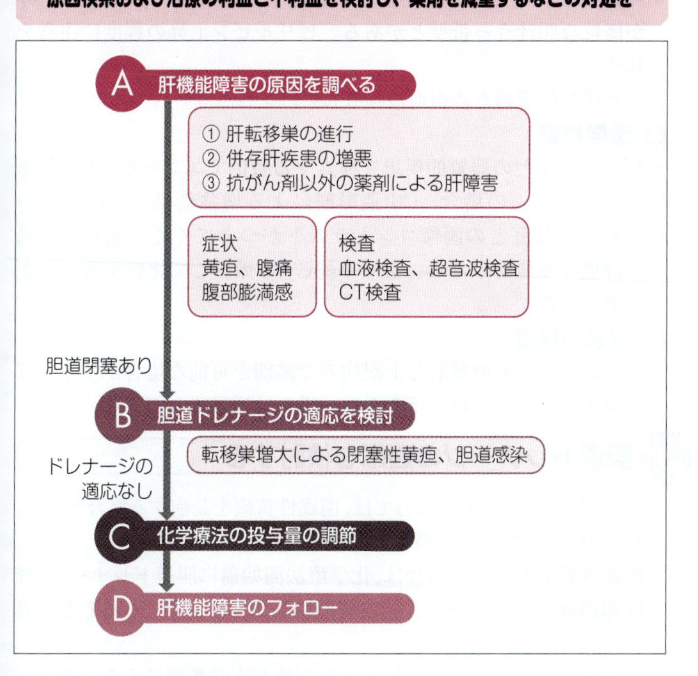

A 肝機能障害の原因を調べる

1 基礎疾患、併用薬剤の確認をする

- 化学療法開始前の状態（B型肝炎やC型肝炎などのウイルス性肝炎、アルコール性肝炎、非アルコール性脂肪肝炎、自己免疫性肝炎、原発性胆汁性胆管炎など）および併用薬剤の把握をしておく。

2 臨床症状

- 特異的なものはなく、無症状の場合から微熱、倦怠感、右季肋部痛、腹部膨満感、眼球黄染、褐色尿、白色便などを認める場合もある。
- アルコール摂取や薬剤（漢方薬やサプリメント、健康食品も含めて）摂取について詳細な病歴聴取を行う。
- 薬剤性肝障害は原因薬物使用後1～8週間で発症することが多い

とされるが、1年以上長期に使用した薬剤でも発症する場合もあり注意を要する。

3 血液検査

- AST/ALTの上昇が優位な肝細胞障害型とALP/γGTPの上昇が優位な胆汁うっ帯型とがある。ビリルビン上昇の程度に注意を払う。
- 基礎疾患検索のための血液検査(表1)を行う。

4 画像検査

- 肝転移巣などの器質的疾患を検索する目的でエコーやCT検査を行う。乳がんの場合、CT造影剤による増強効果を受けやすいため、正常肝との画像コントラストがつきにくく、転移巣を過小評価する場合がある。必ず単純CTを撮影して比較することが重要である。

5 侵襲的検査

- 多くの場合、病歴聴取と上記検査で鑑別が可能な場合が多く、肝生検まで施行しなければならない場合は通常まれである。

B 胆道ドレナージの適応を検討する

- 肝転移巣などの部位によっては、閉塞性黄疸を発症する場合がある。
- 超音波、CTで胆管拡張の有無を確認する。
- 閉塞性黄疸を認める場合は、化学療法開始前に胆道ドレナージ(経乳頭的胆道ドレナージ、経皮経肝胆道ドレナージ)の適応を検討する。
- 胆道ドレナージによってビリルビン値が正常範囲に入る、あるいは正常範囲に入ることが予想される段階になったら、化学療法の開始を考慮する。
- 胆道系酵素の上昇を伴う発熱を認めた場合は、胆道感染を疑って胆道ドレナージを積極的に検討する。

表1 肝炎原因検索のための血液検査

ウイルス性肝炎	HBs抗原、HBs抗体、HBc抗体、HBV-DNA定量、HCV抗体、HCV-RNA定量、EBV抗体(EBV-IgG、EBV-IgM、EBV-EBNA)、CMV抗原、CMV抗体
非アルコール性脂肪肝炎	HbA1c、コレステロール、トリグリセリド
自己免疫性肝炎	抗核抗体、IgG
原発性胆汁性胆管炎	抗ミトコンドリア抗体

C 化学療法の投与量の調節をする

- 化学療法による肝毒性が、併存肝疾患や肝転移巣によって増加するかは明確ではないが、一般にASTやALTがそれぞれ100 IU/Lを超えるような場合（肝転移がある場合にはそれぞれ200 IU/L）や、ビリルビンが2 mg/dLを超えるような場合には、投与の是非について検討が必要である。
- 肝機能障害がある場合に化学療法を導入する際は、患者ごとに、化学療法の期待される利益と起こりうるリスクについて、慎重な検討が必要である。
- 肝機能障害がある場合には、肝毒性を有する薬剤の使用を避けたり投与量を減量したりする必要がある。投与量の調整が推奨されている薬剤を表2にまとめる。
- 併用療法における投与量調節についてのエビデンスは乏しいので、より慎重な検討が必要である。
- 検査値のみで投与量の調整をすることが危険な場合もある。肝硬変のパラメータであるChild-Pugh分類では、アルブミンや凝固、腹水や脳症の存在が重要であり、患者を包括的に検討して投与量を調節する必要がある。

D 肝機能障害のフォロー

- 化学療法による肝障害の経過はさまざまであり、可逆性の反応を呈する場合もあれば、薬剤を中止しても線維化の進行によって肝硬変に至る場合もある。頻回な血液検査による慎重なフォローが必要である。
- 薬剤の導入によって肝障害が増悪した場合、投与の反復は推奨されない。

（関根克敏／清水千佳子）

文献

1）Field KM, et al. Lancet Oncol 2008; 9: 1181-90. PMID: 19038765
2）Chu E, et al. Physicians' Cancer Chemotherapy Drug Manual 2016. Jones & Bartlett Pub; 2015.
3）高野利実，編．ハイリスクがん患者の化学療法ナビゲーター．東京：メジカルビュー社；2013.

表2　肝障害での減量基準

薬剤	肝機能障害の程度	投与量
シクロホスファミド	慎重な肝機能フォロー （Bil＞3.0mg/dL、AST＞180IU/Lで減量を推奨する報告もある）	減量なし
ドキソルビシン	Bil＞1.2mg/dL Bil＞3.1mg/dL Bil＞5.0mg/dL	50%減量 75%減量 中止
エピルビシン	Bil＞1.2mg/dLかつAST施設上限値2～4倍 Bil＞3.1mg/dLかつAST施設上限値4倍以上	50%減量 75%減量
パクリタキセル	Bil 1.5～3.0mg/dLまたはAST 60～180IU/L Bil＞3.0mg/dLまたはAST＞180IU/L	減量 中止
ドセタキセル	Bil＞1.5mg/dL ALP＞施設上限値2.5倍かつAST/ALT＞施設上限値1.5倍	中止 中止
フルオロウラシル	Bil＞5.0mg/dL	中止
カペシタビン	慎重な肝機能フォロー	減量なし
S-1	重篤な肝障害では使用禁忌	
カルボプラチン	慎重な肝機能フォロー	減量なし
エリブリン	Child-Pugh A Child-Pugh B	1.1mg/m^2 0.7mg/m^2
ゲムシタビン	減量は不要とされるが、Bil 1.5mg/dL以上で減量を推奨する報告もある	
ビノレルビン	Bil 2.0～3.0mg/dL Bil 3.1～5.0mg/dL Bil＞5.0mg/dL	50%減量 75%減量 中止
エベロリムス	Child-Pugh B	5mgに減量
イリノテカン	Bil上昇時は減量を推奨	
メトトレキサート	Bil 3.1～5.0mg/dL、AST＞180IU/L Bil＞5.0mg/dL	25%減量 中止
トラスツズマブ		減量なし
ペルツズマブ		減量なし
T-DM1	肝機能障害では慎重投与	安全性のデータなし
ベバシズマブ		減量なし
ラパチニブ	Child-Pugh Cで1,250mg/日→750mg/日あるいは1,500mg/日→1,000mg/日に減量	
パルボシクリブ	重度の肝障害では減量を考慮するとともに、慎重にフォロー	減量を考慮
アベマシクリブ	重度の肝障害では減量を考慮するとともに、慎重にフォロー	減量を考慮
オラパリブ	重度の肝機能障害では慎重投与、Child-Pugh Cでは使用経験はない	
タモキシフェン		減量なし
アロマターゼ阻害薬：アナストロゾール、レトロゾール、エキセメスタン	重度の肝機能障害は慎重投与	インタビューフォーム
フルベストラント	軽度～中等度の肝機能障害では慎重投与、重度の肝機能障害はデータなし	インタビューフォーム
MPA		減量なし

腎障害・慢性透析患者における薬物療法の留意点と工夫
－正確な腎機能評価と腎排泄型薬剤の適切な減量が大切－

A 腎機能障害時に注意する薬剤の把握

薬剤排泄経路を知っておく。
・腎排泄型
・肝排泄型
腎機能障害患者では腎排泄型薬剤投与で重篤な副作用出現の可能性がある。

B 腎機能障害の評価

・推定クレアチニンクリアランス（Ccr）を求める。
・Cockcroft-Gault計算式（過体重では高めに、高齢者では低めに出るため注意する）
・24時間蓄尿Ccr（抗がん剤曝露のリスク）

C 腎障害時の薬剤用量調整

・腎排泄型薬剤ではクレアチニン（Cr）値や推定Ccrから投与量を調整する。
・肝排泄型薬剤では多くの場合用量調整は必要ない。
・カルボプラチンの投与量はCalvertの式で決定する。

D 慢性透析患者への薬剤投与

・血液透析中患者の抗がん剤投与は臨床試験のエビデンスが乏しい。
・蛋白結合率が高い、脂溶性が高い薬剤は透析性が低い。
・抗がん剤投与量の減量が必要なことがある。
・抗がん剤投与タイミングに注意する必要がある。

A 腎機能障害時に注意する薬剤の把握

■ これから使用する薬剤の排泄経路を知っておく

- 薬剤は排泄経路によって腎排泄型と肝排泄型に分類できる。活性代謝物が投与量の30％以上尿中から排泄される薬物が腎排泄型、それ以外の薬剤は肝排泄型に分類される。
- 薬剤腎排泄の経路は大きく2つあり、蛋白非結合性の小分子薬剤を排泄する糸球体濾過と蛋白結合性の分子量が大きい薬剤を排泄する尿細管排泄に分けられる。

- 腎機能に応じた用量調整が重要。腎機能障害患者に、腎排泄型の薬剤を投与すると薬剤の排泄と代謝遅延を起こし、重篤な副作用が出現する可能性がある。

B 腎機能障害の評価のコツ

- 腎機能評価は糸球体濾過量（GFR）で測定されるが、実臨床ではCockcroft-Gault計算式や24時間蓄尿クレアチニンクリアランス（Ccr）がよく用いられている。
- Cockcroft-Gault計算式では過体重では高めに、高齢者では低めに出ることに注意が必要である。またクレアチニン（Cr）値は筋量に相関するため、高齢患者や悪液質などで筋量が低下している患者では高めに出る可能性があり注意が必要である。

■ Cockcroft-Gault計算式

- **推定Ccr（mL/分）＝（140－年齢）×体重（kg）÷（血清（Cr）（mg/dL）×72）（女性では0.85を乗する）**
- この計算式では血清Cr値にはJaffe法で測定された値を用いる必要があるが、わが国では酵素法を使用しており、Jaffe法の測定値に合わせるために、血清Cr値に0.2を加えて計算する必要がある。

■ 24時間蓄尿Ccr測定

- **推定Ccr（mL/分）＝（尿中Cr（mg/dL）×尿量（mL/日））÷（血清Cr（mg/dL）×24時間×60分）**
- 蓄尿が必要で、特に抗がん剤の投与中の蓄尿は曝露のリスクもあり、日常臨床ではCockcroft-Gault計算式が用いられることが多い。

C 腎障害時の薬剤用量調整のコツ

- 腎排泄型の薬剤を投与する際にはCr値や推定Ccrをもとに投与量調整を行う。
- 肝排泄型の薬剤の投与では多くの場合用量調整は必要ない。
- **アンスラサイクリン系薬剤**は肝排泄型であり、**用量調整は必要ない**。
- **タキサン系薬剤**は肝排泄型であり、**用量調整は必要ない**。
- カルボプラチンの投与量はCalvertの式で決定する。
  Calvertの式：カルボプラチン投与量（mg）
  ＝Target AUC×（Ccr（mL/分）＋25）
- 乳がん薬物療法で使われる薬剤の腎障害時の用量調整を**表1**に記載する。

表1　腎機能障害時の抗がん剤用量調整

薬剤	腎機能障害	投与量
シクロホスファミド	Ccr 10～50 mL/分 Ccr＜10 mL/分	25%減量 50%減量
カルボプラチン		Carvertの式による
フルオロウラシル(5-FU)	Cr≧3.0 mg/dL	中止
カペシタビン	Cr≧3.0 mg/dL Ccr 30～50 mL/分	中止 25%減量
S-1	Ccr＜30 mL/分 Ccr 30～39 mL/分 Ccr 40～60 mL/分	中止 1段階減量
ビノレルビン	−	用量調整なし
ゲムシタビン	−	用量調整なし
エリブリン	−	用量調整なし
メトトレキサート	Ccr＜30 mL/分 Ccr 30～60 mL/分	中止 50%減量
イリノテカン	−	用量調整なし
ドキソルビシン	−	用量調整なし
エピルビシン	−	用量調整なし
ドセタキセル	−	用量調整なし
パクリタキセル	−	用量調整なし

（文献1などより作成）

D 慢性透析患者への薬剤投与のコツ

- 血液透析中の患者への抗がん剤投与に関しての臨床試験はなくエビデンスが乏しいことを理解し、治療選択する。
- 蛋白結合率が高い薬剤や、脂溶性が高く、組織移行が容易で分布容積が大きい薬剤は透析性が低くなる。
- 腎クリアランスが廃絶しているため抗がん剤投与量の減量が必要となることがある。
- 透析により抗がん剤が除去され効果が減弱する場合や、抗がん剤濃度上昇による有害事象を回避するために透析が必要となる場合など、抗がん剤投与タイミングに注意する必要がある。
- 血液透析時における抗がん剤用量調整、投与タイミング、推奨用量を表2に記載する。

（原　文堅）

表2　血液透析時における抗がん剤用量調整の推奨

薬　剤	用量調整	投与タイミング	推奨用量	推奨グレード
フルオロウラシル(5-FU)	不要	透析後	標準量	C
カペシタビン	要	透析後	データなし	－
カルボプラチン	要	透析後	AUC×(25＋0)	B
シクロホスファミド	要	透析後	25％減量	B
ドセタキセル	要	透析前後	65 mg/m^2	C
ドキソルビシン	不要	透析後	標準量	C
エピルビシン	不要	透析後	標準量	C
ゲムシタビン	不要	透析前 6～12時間	標準量	B
イリノテカン	要	透析後	データなし	－
メトトレキサート	要	透析後	75％減量	C
パクリタキセル	不要	透析前後	標準量	B
ビノレルビン	要	透析後	20～33％減量	C

（文献2より改変引用）

推奨グレード

B：小規模なランダム化比較試験、非ランダム化比較試験、コホート研究による科学的根拠がある。

C：ケースコントロール研究、ヒストリカルコントロール試験、後方視的研究、ケースシリーズもしくはリポートにより、科学的根拠は低い。

文献

1）Chu E, et al. Physicians' Cancer Chemotherapy Drug Manual 2016. Jones & Bartlett Learning. 2015.

2）Janus N, et al. Ann Oncol 2010; 21: 1395-403. PMID: 20118214

骨髄機能低下（汎血球減少症）を認める際の治療の工夫

－抗がん剤を投与中は発熱性好中球減少症のリスクを見積もって治療計画を立てる－

A 骨髄機能低下（汎血球減少症）をみつけるコツ

- まず、骨髄機能低下を疑うことが重要
- 症状・検査所見
  - 臨床症状：出血傾向、貧血による心不全症状、感染徴候の有無、皮疹など
  - 臨床検査：骨髄機能低下の重症度把握、凝固異常、肝障害、腎障害

異常あり

B 骨髄機能低下を起こす薬剤を探す

- 化学療法以外に顆粒球減少や血小板減少などを起こす薬剤もある。抗がん剤投与中の場合はその薬剤の血球減少時期を把握する。
- 多くの抗がん剤は、投与後 7～14 日ごろに最も好中球数が減少する。

C そのほかの原因のチェック

既往歴および治療歴：

- 放射線療法による骨髄抑制
- 腫瘍の骨髄浸潤
- 腎障害
- 肝障害による脾機能亢進
- 鉄、葉酸、ビタミンB_{12}欠乏
- がんに伴う慢性炎症
- 感染症、敗血症
- 膠原病や血液疾患などの腫瘍以外の原因

D 骨髄機能低下に対する対処

- 薬剤以外の原因が同定できた場合はそれぞれの疾患に対する対応を行う。
- 赤血球輸血、血小板輸血が必要な場合は血液製剤の使用指針に従って実施する。
- 抗がん剤による好中球数減少時の投与工夫：
  - G-CSF予防的投与の検討
  - 予防的抗菌薬投与の検討
  - 原因抗がん剤の1回投与量の減量または投与間隔の延長

E 発熱性好中球減少症（FN）の際の対応

- カテーテル感染、好中球減少性腸炎や肛門周囲膿瘍、口腔内感染、副鼻腔炎にも注意して感染巣を特定
- 低リスク群：経口抗菌薬治療 or βラクタム系抗菌薬（単独投与）の静注投与
  高リスク群：βラクタム系抗菌薬（単独投与）の静注療法もしくは重症例では、βラクタム系抗菌薬＋アミノグリコシド系（またはキノロン）の併用静注療法が推奨
- 抗菌薬治療終了の基準は、解熱が得られ、かつ好中球数が500/μL以上が推奨
- 広域抗菌薬投与に4～7日間反応しない高リスク群では、経験的抗真菌治療が推奨

A 骨髄機能低下(汎血球減少症)をみつけるコツ

1 投与前の状態を確認しておく

- 汎血球減少症は白血球、赤血球、血小板のうち2系統以上が同時に減少した状態である。投与前の状態(感染徴候の有無、出血傾向、呼吸器症状、皮疹、血液検査など)を確認しておく。

2 骨髄機能低下(汎血球減少症)発症時

- 臨床症状：骨髄機能低下に伴う特異的な症状はないが、粘膜からの自然出血、点状出血、紫斑、口内炎、頻脈、鬱血性心不全、頻呼吸などの有無を確認する。発熱性好中球減少症(FN)にも留意し、発熱など感染を示唆する症状がないことも確認する。それぞれの重症度によって症状の出方はさまざまである。
- 画像所見：貧血に伴う心不全症状の出現や重要臓器の出血傾向疑いまたは感染症疑いの場合は、適宜単純X線またはCT、必要に応じて超音波検査などを行う。
- 血液検査：白血球減少、貧血、血小板減少の重症度(CTCAEの評価基準)を把握するだけでなく、播種性血管内凝固症候群(DIC)など凝固異常、肝障害、腎障害などの有無についても確認する。

B 骨髄機能低下を起こす薬剤を探す

- 骨髄抑制を起こす薬剤は抗がん剤以外にもあり、被偽薬の確認も行う。無顆粒症を起こす薬剤として**チアマゾール**、**ファモチジン**、**サラゾスルファピリジン**、**ランソプラゾール**などがあり、血小板減少を起こす薬剤として**カルバマゼピン**、**ファモチジン**などが挙げられる。
- 抗がん剤に関しては一部の例外を除いてほとんどが用量依存性に造血幹細胞/造血前駆細胞の分化/増殖を障害し血球減少を起こすため、抗がん剤を投与中は血球減少の発症を想定して治療計画を立てることが基本である。

C そのほかの原因のチェック

- 次の原因が考えられる場合は、各種検査を行い、それぞれの病態に対処する：放射線療法による骨髄抑制、腫瘍の骨髄浸潤、腎障害、肝障害による脾機能亢進、鉄・葉酸・ビタミンB_{12}欠乏、がんに伴う慢性炎症、感染症・敗血症、膠原病や血液疾患などの腫瘍以外の原因

D 骨髄機能低下に対する対処（抗がん剤による好中球数減少）

- 貧血および血小板減少症を認める際の工夫 ➡P.234,237。

1 G-CSFの使用について ➡P.156,319

- 化学療法に伴う好中球減少症を軽減し、relative dose intensity（RDI）（1回投与量・投与間隔）を保つことを目的として、G-CSFが投与される。乳がん術後化学療法では投与間隔の増大によるRDI低下で、全生存期間の短縮をきたすことが知られている[1]。
- 米国臨床腫瘍学会（ASCO）のガイドライン[2]、日本癌治療学会G-CSF適正使用ガイドライン2013いずれにおいても、G-CSF予防的投与（1次予防的投与）の基準はFN発症率20％以上である。治療因子［投与予定レジメンでG-CSFを併用しない場合のFN発症率］と患者因子［年齢（65歳以上）、進行期、感染症・開放創の併存、化学療法･放射線療法の既往、手術直後、腫瘍の骨髄浸潤、好中球減少、PS不良、低栄養、腎障害、心疾患の既往、肝障害、HIV感染］[2]から評価する。
  - ・治療因子単独で20％以上：投与を推奨。
  - ・治療因子単独で10％以上20％未満：患者因子を考慮して20％以上と判断した場合、投与を推奨。
  - ・治療因子単独で10％未満：投与は推奨されない。
- 前サイクルでFNを発症した症例に対する予防的投与（2次予防的投与）は、いずれのガイドラインでも治癒または生存期間の延長を目指した術後補助化学療法を行う場合に限り推奨される。
- 治療的投与は予後不良因子を有する場合に推奨される：好中球減少が10日以上遷延または100/μL以下となることが予想される、65歳以上、原病のコントロールが得られていない、肺炎、敗血症、侵襲性真菌感染、院内発症。ただし、無熱性好中球減少症例およびFN例へのルーチン投与は推奨されず、臨床的有用性としては、死亡率の改善に寄与せず､入院期間の短縮を認めるのみであることに注意[3]。

E 発熱性好中球減少症（FN）の際の対応 ➡P.319

- 炎症所見が軽微なことが多く、発熱以外の明らかな感染兆候を認めないことも少なくない。肺炎や尿路感染症などに加えて、カテーテル感染、好中球減少性腸炎や肛門周囲膿瘍など通常ではみられない感染症､口腔内感染､副鼻腔炎に注意して感染巣の特定を行う。好中球減少時の直腸診は菌血症のリスクが上がるため避ける。

- 初期治療：MASCCスコア ➔P.321。21点以上の低リスク群：一般的にβラクタム系抗菌薬の単独投与が推奨され、フルオロキノロン＋アモキシシリン/クラブラン酸の経口抗菌薬による治療も許容される[4,5]。高リスク群(20点以下、緑膿菌感染や敗血症性ショックなど)：抗緑膿菌作用を有するβ-ラクタム系抗菌薬の単独投与が推奨。ただし、重症例やβ-ラクタム系耐性菌が原因微生物として疑われる場合には、アミノグリコシド系抗菌薬の併用を考慮する[5]。抗MRSA薬は多剤耐性グラム陽性菌感染のリスクがある場合には検討するが、エンピリックな使用は推奨されていない。
- 抗菌薬治療終了の基準は、解熱が得られ、かつ好中球数が500/μL以上が推奨されている。広域抗菌薬投与に4～7日間反応しない高リスク群では、経験的抗真菌治療が推奨される。
- 抗菌薬の予防的投与は、好中球減少が100/μL以下で7日間以上遷延すると予想される高リスク群で推奨される。前コースでFNをきたした根治を目指す周術期化学療法施行時に行うことも妥当と考えられる。フルオロキノロンが投与されることが多いが、耐性菌出現リスクがあることから対象を限定して行う必要がある。
- 汎血球減少症の際の抗がん剤治療継続については、①化学療法の目的(根治的か症状緩和か)、②薬効に則した適切な減量(主要臓器機能や、各薬剤の薬物動態的な治療域を考慮した、減量→無効治療にならない減量)、③エビデンスに基づいた支持療法(G-CSF、抗菌薬など)の使用の3点に留意して行うことが重要である。

(小宮山哲史／大熊ひとみ／田村研二)

文献

1) Chirivella I, et al. Breast Cancer Res Treat 2009; 114: 479-84. PMID: 18463977
2) Smith TJ, et al. J Clin Oncol 2015; 33: 3199-212. PMID: 26169616
3) Kuderer NK, et al. J Clin Oncol 2007; 25: 3158-67. PMID: 17634496
4) Taplitz RA, et al. J Clin Oncol 2018; 36: 1443-53. PMID: 29461916
5) 日本臨床腫瘍学会，編．発熱性好中球減少症(FN)診療ガイドライン(改訂第2版)．東京：南江堂；2017.

参考文献

1) Henderson IC, et al. J Clin Oncol 2003; 21: 976-83. PMID: 12637460
2) Jones SE, et al. J Clin Oncol 2006; 24: 5381-7. PMID: 17135639
3) Roché H, et al. J Clin Oncol 2006; 24: 5664-71. PMID: 17116941
4) Martin M, et al. N Engl J Med 2005; 352: 2302-13. PMID: 15930421
5) Marty M, et al. J Clin Oncol 2005; 23: 4265-74. PMID: 15911866
6) Shaughnessy JO, et al. J Clin Oncol 2002; 20: 2812-23. PMID: 12065558
7) Aogi K, et al. Ann Oncol 2012; 23: 1441-8. PMID: 21989327

抗凝固薬使用中の薬物療法における留意点と工夫
ー併存症と併用薬の２つの要素に注目ー

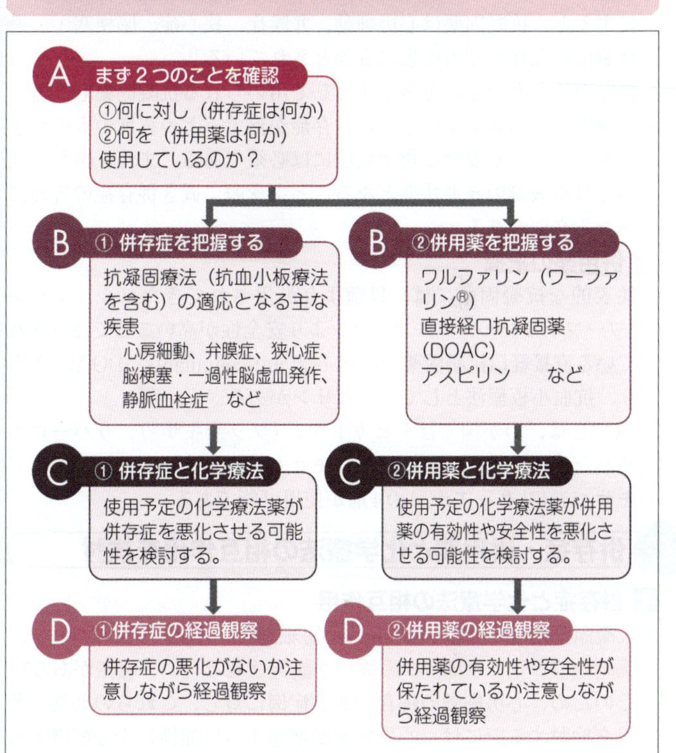

A まず２つのことを確認

- 抗凝固薬（以下抗血小板薬も含む）を何に対し内服しているかを確認する（＝併存症の把握）。
- どんな種類の抗凝固薬を内服しているのかを確認する（＝併用薬の把握）。

B 併存症と併用薬の把握

1 併存症の把握

- 循環器疾患における抗凝固・抗血小板療法に関するガイドラインによると、抗凝固薬は心房細動、弁膜症、狭心症、脳梗塞・一過性脳虚血発作などの疾患に有効とされている[1)]。
- 静脈血栓・塞栓症の再発予防として用いられる抗凝固薬もある。
- 抗凝固薬を内服するに至った併存症が何で、どの程度のものかを理解することが安全な化学療法には必須である。また、担がん状態では血液凝固亢進状態となることを念頭に置き併存症の管理にあたる必要がある。

2 併用薬の把握

- 代表的な抗凝固薬には、以前より汎用されてきたワルファリン（ワーファリン®）、ワルファリンより安全性が高いことで注目されている直接経口抗凝固薬（direct oral anticoagulants；DOAC）があり、抗血小板療法としてアスピリンがある。
- DOACは、わが国ではダビガトラン（プラザキサ®）、リバーロキサバン（イグザレルト®）、アピキサバン（エリキュース®）、エドキサバン（リクシアナ®）の4剤が使用可能である。

C 併存症・併用薬と化学療法の相互作用を検討

1 併存症と化学療法の相互作用

- 抗凝固薬使用の主な原因である心房細動を、**アンスラサイクリン系薬剤やフッ化ピリミジン系薬剤が誘発させるという報告**がある[2)]。そのため、心房細動の併存がある症例に対し、これらの薬剤の使用を検討する際には、心房細動が増悪する可能性に十分配慮する必要がある。
- 転移性乳がんの化学療法において重要な薬剤であるベバシズマブは血管内皮を障害し、動脈血栓塞栓症を引き起こしやすくする。心筋梗塞や脳梗塞のリスクがある症例への投与は慎重に判断すべきである。

2 併存薬と化学療法の相互作用

- カペシタビン、S-1、5-FUなどのフッ化ピリミジン系薬剤や、タモキシフェンは、**ワルファリンの作用を増強**させ、出血性合併症のリスクを高めると報告されている。ワルファリン内服中の症例には、可能であれば他の化学療法を、まず検討すべきである。

- DOACは強力なCYP3A4阻害作用や、強力なP-糖蛋白阻害/誘導作用をもつ薬剤との相互作用に注意が必要とされているが、現在のところ、添付文書上に記載されている化学療法薬はない。

D 併存症の状態や併用薬の有効性・安全性につき経過観察が必要

1 併存症の経過観察

- 化学療法により心房細動が誘発される可能性がある。もし、動悸や胸部不快感の訴えがあれば心電図にて精査し、心房細動が発症・増悪した場合は速やかに循環器内科へ相談する。
- 静脈血栓症の危険因子として、ASCOガイドライン[3)]では表1のように記載されている。化学療法や内分泌療法や血管新生阻害薬の使用も危険因子として挙げられており、貧血や肥満や静脈血栓症の既往などのそのほかの危険因子を複数もつ症例では、特に注意が必要である。
- 同ガイドラインでは患者教育の必要性にも言及されており、静脈血栓症の徴候や症状、そしてそのリスクにつき説明することが有用であるとされている。

2 併用薬の有効性・安全性の経過観察

- **ワルファリンの作用が増強される可能性がある場合は、PT-INRを定期的に測定**しワルファリンの用量を適宜調整していく必要がある。ワルファリンとカペシタビン併用開始数日後から、カペシタビン中止1カ月以内はPT-INRが延長する可能性があることを念頭に置いておく。コントロールが困難な場合はワルファリンからDOACへの切り替えを検討する。
- **DOACについては治療域や安全域が広くモニタリングの必要がない**とされている。しかし、腎機能低下時には血中濃度が上昇するため減量が必要であり、Ccr 50mL/分が1つの目安となるとされている[4)]。例えば、DOAC内服中の症例が化学療法の有害事象

表1 がん診療に関わる血栓症の危険因子

がん関連の因子	治療関連の因子	患者関連の因子	血液検査
・病期：進行期>早期 ・組織型：腺がん>扁平上皮がん ・診断からの時間：3〜6カ月が最多	・抗がん剤治療 ・血管新生阻害薬 ・内分泌療法 ・放射線治療 ・輸血	・高齢 ・合併症：感染症、腎障害、肺障害 ・肥満 ・静脈血栓症の既往 ・パフォーマンス・ステータスの低下	・血小板数：35万/μL以上 ・貧血：Hb10g/dL未満

（文献3より抜粋・改変）

で嘔吐や下痢が続いた場合には腎機能低下がないか必ず評価し、Ccr 50 mL/分以下への低下があればDOACを減量する。

- ワルファリンやDOAC投与中の症例が出血性合併症をきたした際や緊急手術の際には、その作用を中和させる必要がある。**ワルファリンにはビタミンKが、DOACのダビガトランにはイダルシズマブ（プリズバインド®）が中和作用のある薬剤**となる。
- ベバシズマブには出血の合併症があり、高度な粘膜出血や腫瘍出血などが出現した場合は、ベバシズマブと抗凝固薬のどちらを中止すべきか、病状から判断する必要がある。
- 化学療法の有害事象で食事摂取が困難となった際に抗凝固薬のアドヒアランスが低下する可能性がある。抗凝固薬の必要性をあらかじめ説明したうえで食事摂取が困難な場合でも抗凝固薬の内服はやめないように伝えておくことも重要である。

（吉波哲大）

文献

1）循環器疾患における抗凝固・抗血小板療法に関するガイドライン（2009年改訂版）. http://www.j-circ.or.jp/guideline/pdf/JCS2009_hori_d.pdf
2）庄司正昭. 呼吸と循環 2016; 64: 875-80.
3）Lyman GH, et al. J Clin Oncol 2013; 31: 2189-204. PMID: 23669224
4）相庭武司. Cardio-Coagulation 2014; 1: 33-40.

妊娠期乳がんの薬物療法における留意点と工夫

－母体に最適ながん治療を行い、かつ胎児への不利益を最小限に－

A 妊娠期乳がん診療の原則

・母体に最適ながん治療を行い、かつ胎児への不利益を最小限に

B 妊娠期乳がんの診断から治療導入まで

・腫瘍学的および産科学的アセスメント
・妊娠を継続しながらの乳がん治療に関する、適切な情報提供。妊娠を継続するかどうかの意思決定支援

C 妊娠週数および乳がん病期、サブタイプに応じた治療計画

・妊娠13週（1st trimester）以降であればがん治療が可能
・第1選択はアンスラサイクリン含有レジメン
・妊娠中の画像診断の限界や、術後治療を考慮したうえで術式決定する

D 治療中の周産期管理

・抗がん剤治療中は投与ごとの産科診察
・分娩時期は妊娠満期（37週）まで待つのが原則
・経腟分娩が第1選択。産科的リスクに応じて帝王切開を考慮。

E 産褥期のケアとがん治療の再開

・授乳は可能
・がん治療開始前には断乳する
・乳がん治療の再開は、産後1～2週後には可能

A 妊娠期乳がん診療の原則

- 妊娠期乳がんの治療原則は、母体に対し最適ながん治療を行いつつ、胎児に対する不利益が最小限になるよう、治療計画および分娩計画を立てることである。

B 妊娠期乳がんの診断から治療導入まで

1 妊娠期乳がんの頻度

- 妊娠期乳がんの頻度は3,000妊婦に1人といわれ、がん自体の発症率が増えてきていること、30歳代～40歳代で妊娠・出産をする女性の数が増えてきていることから、その数は増加傾向である。

2 妊娠期乳がんの予後

- 妊娠期乳がんと非妊娠期乳がんの予後を比較した報告は複数あるが、最も大きなシステマティックレビューによると両者の予後はほぼ同等と考えられている。
- 妊娠自体ががんの進行を早めるという報告はない。

3 妊娠期乳がんの診断

- 妊娠中の針生検は妊娠に影響を与えないため、乳がん疑いの腫瘤を認めた場合は、針生検での確定診断が望ましい。
- 妊娠中の全身画像診断はエコー、腹部遮蔽のうえでの胸部X線、マンモグラフィを用いる。MRIは必要に応じて実施してもよいが、ガドリウム造影剤の使用は禁忌である。

4 妊娠中のがん治療が胎児へ与える影響

- 妊娠中のがん治療(手術・薬物治療を含む)は胎児の発育に与える短期的・長期的影響への懸念から、これまで敬遠されてきた。
- 妊娠中に母体ががん治療を受けた胎児では早産の割合が高まるものの、その後の発育は健康な児と差がないことが近年報告されており、妊娠中のがん治療を適切に行うことで母子ともに救える可能性が示唆されている。

5 妊娠継続の意思決定

- 妊娠期乳がんの診断がついた場合、腫瘍学的および産科学的観点から適切な情報提供を行い、妊娠継続について意思決定を促していくことが必要である。本人だけではなく、パートナーやそのほかの家族も含めた話し合いが必要である。

C 妊娠週数および乳がん病期、サブタイプに応じた治療計画

1 妊娠週数に応じたがん治療の選択

- 胎児の器官形成期を過ぎた妊娠12週(1st trimester)以降であれば、がん治療を行うことは可能である。

2 化学療法レジメン選択

- 薬物療法の適応は通常の乳がんと同様に判断する。2nd trimester以降(妊娠12週以降)であれば化学療法の導入は可能である。ただし、治療開始時期はがんの進行状況によって遅らせることも考慮する。
- AC ➡P.36、FACなどドキソルビシンをベースとしたレジメンは妊娠期乳がんに対し最も データが蓄積されている方法で、第一選択といえる。これまで胎児に対する心毒性が懸念されていた

表1　胎児発育と薬剤の影響

○：安全に施行可能
△：施行可能であるが、適応・施行法に留意
×：禁忌

		前期 0週0日 ～ 15週6日	中期 16週0日 ～ 27週6日	後期 28週0日 ～ 43週6日	授乳期	留意点
手術	乳房全切除術	△	△	△	○	
	乳房温存術	△	△	△	○	術後放射線治療開始のタイミングを検討して適応を考慮
	センチネルリンパ節生検	×	△	△	○	原則的にはTc-99mを用いることが望ましいが、RI法が実施できない環境ではインジコカルミンによる色素法での実施を考慮。その他の青色色素（パテントブルー、インスルファンブルー、メチレンブルー）は使用すべきでない。
化学療法	アンスラサイクリン系	× 13週1日以降 △	△	△	○	抗がん剤治療は2nd Trimester（妊娠13週0日）以降であれば開始を考慮できる
	タキサン系	×	△	△	○	原則的には産後に開始 必要性に応じて妊娠中の投与を考慮
分子標的薬	トラスツズマブ ペルツズマブ	×	×	×	○	妊娠中の投与は羊水過小症と関連するため、原則的には産後から開始する
放射線療法		×	×	×	○	
内分泌療法		×	×	×	○	

（文献3を参考に著者作成）

が、近年ではその安全性が報告されている。

- 妊娠後34週以降では自然分娩の可能性があることから、化学療法はその前までに終了しておくべきである。
- 化学療法中に使用される多くの支持療法薬は、米国FDAの指針によると妊娠中も投与可能とされている。妊娠中の薬剤併用に関しては全国にある「妊娠と薬情報センター」の利用も検討する。

3 手術方法の選択

- 妊娠期乳がんでは造影MRI検査は禁忌であるため、エコーとマンモグラフィを用いた病変評価となる。そのため過小診断になる可能性は一定程度あることを踏まえたうえで、個別の症例に応じた適切な術式選択を行う。
- 2nd trimester以降（妊娠12週以降）であれば全身麻酔下での手術は可能である。一方、3rd trimester（妊娠32週以降）の全身麻酔下

手術は妊婦の上大静脈症候群のリスクから推奨されない。
- センチネルリンパ節生検を行う場合は、RI法(フチン酸)のみで行う。

D 治療中の周産期管理

1 産科診察

- 産科診察は妊娠中に化学療法投与を行っている場合は、3週ごと(化学療法の投与スケジュールごと)の診察を行う。妊娠中に化学療法を行っていない場合は、通常の妊婦検診と同じ頻度で行う。

2 分娩時期

- 正期産(妊娠37週)前の人工的早産は児の知能や発達への影響が化学療法より大きいといわれており、がんの状態が落ち着いていれば正期産(妊娠37週)まで分娩を待つことが勧められる。

3 分娩方法

- 分娩方法は通常の産科的リスクに応じて選択する。妊娠期乳がんだからといって必ずしも帝王切開をするべきではなく、基本は経腟分娩での出産が第一選択になる。
- 誘発分娩の必要性については乳がんの腫瘍学的リスクや治療スケジュールを考慮しながら、その適応について産科医と相談し決める。

E 産褥期のケアとがん治療の再開

1 授乳

- 産後の授乳は可能である。ただし、産後に追加の抗がん剤治療が必要な場合は、乳汁への薬物移行、乳腺炎のリスクの観点から化学療法開始前に断乳をする。断乳には約1週間程度かかるため、断乳完了予定日の1～2週前に**カバサール®1.0mg 1日のみ**を内服する。産科医や助産師にも相談するのが望ましい。
- 産後に乳がん治療を行う場合は、初乳を与えたあと、1～2週後に断乳することが多い。

2 産後の乳がん治療

- 産褥期経過が良好であれば、産後1～2週間後には乳がん治療(手術、薬物療法含む)が可能である。

(北野敦子／山内英子)

文献

1) Ngu SF, et al. Best Pract Res Clin Obstet Gynaecol 2016; 33: 86-101. PMID: 26553395
2) 北野敦子. 腫瘍内科 2016; 18: 263-9.
3) 乳癌診療ポケットガイド(第2版). 東京: 医学書院; 2014.

感染予防(インフルエンザワクチン・肺炎球菌ワクチンなど)
ー化学療法開始前にワクチン接種をー

A 日常生活における対処法

化学療法は白血球減少による免疫機能低下を引き起こすため、患者は易感染状態となる。しかもいったん感染症に罹患すると重篤化しやすく、化学療法スケジュールの遅延や死亡リスクの増加が問題となる。したがって日常生活においては、外出時はマスクを装着し、人混みを避け、帰宅後の手洗い・うがい、さらに食事前後や排泄後の手洗い、うがいや歯磨き(歯肉を傷つけない)による口腔内清潔の維持、入浴やシャワーによる皮膚清潔の維持などに気をつけることで外因性の感染や常在菌による内因性の感染症を予防する。また、歯周病やう歯は口腔内感染症を悪化させるので、化学療法の前に治療しておく。

さらに以下に述べるように、インフルエンザワクチンや肺炎球菌ワクチンの接種が推奨される。

B ワクチン接種

1 インフルエンザワクチン

①インフルエンザウイルス

季節性インフルエンザは例年晩秋に流行が始まり春先まで続く。小児で感染率が最も高いが、重症化例や死亡例は65歳以上の高齢者や2歳未満の乳幼児、そして慢性疾患患者(ハイリスク群)に多い。

ウイルスはA型(H1N1とH3N2)とB型に分類される。一方、2009年に出現した新型インフルエンザA(H1N1)ウイルスは、過去にブタで発見されたインフルエンザA(H1N1)ウイルスとは遺伝子的かつ抗原性に異なるタイプで、現在はヒトに感染するH1N1ウイルスにほとんど置き換わったと考えられている[1)]。予防には不活化インフルエンザワクチンが有効で、免疫が正常の健常人に対して感染を70〜90%予防し、インフルエンザ関連の入院を90%防ぐとされる[2)]。

②化学療法中のインフルエンザワクチン接種

化学療法中はインフルエンザ感染後に重症化するリスクが高く、インフルエンザ関連死が9%に達するという報告もある[1)]。ワクチン接種が重症化や死亡を防ぐ臨床的ベネフィットがあるかどうかについては、現在のところわかっていない。一方で、化学療法による免疫機能低下状態では抗体産生能が劣るものの、ワクチンによる血清学的反応は認められるとする報告が乳がん患者を対象としたものを含めていくつか存在し、ワクチン接種を推奨する根拠とされている[1,3]。

接種から抗体産生まで2週間程度かかるので、**化学療法開始より少なくとも2週間前の接種が望ましい。しかし現実的には化学療法期間中のこともある。その場合は、免疫状態が比較的良好で抗体産生能が高めの化学療法後早期（5日後まで）の接種がよい**[3,4]。不活化ワクチンであるため、化学療法中の接種は安全であると考えられ、nadir期を含めて安全性を懸念する報告はほとんどない[5]。患者だけでなく、その家族や医療従事者にもワクチン接種が望まれる。

2 肺炎球菌ワクチン

①肺炎球菌（*Streptococcus pneumoniae*）

小児の鼻咽頭に高頻度に保菌され、市中においては菌の水平伝播を介して無症候性に保菌される[6]。中耳炎、副鼻腔炎、肺炎、髄膜炎、菌血症などを引き起こし、乳幼児、高齢者、免疫機能低下例で感染症の頻度が高く重症化しやすい。

特に肺炎は2011年に日本人の死亡原因第3位を占め、高齢になるにつれて肺炎を発症する頻度、重症化するリスクが高くなる。わが国の疫学調査では市中肺炎、医療ケア関連肺炎の原因微生物として共に肺炎球菌の頻度が最も高いことが報告された[7]。さらに近年、ペニシリン耐性肺炎球菌の増加やハイリスク群における高い死亡率が指摘されたことで、ワクチンによる予防が注目されるようになった。

②わが国で接種可能な肺炎球菌ワクチン

2020年4月現在、わが国では、23価莢膜多糖体ワクチン（PPSV23、ニューモバックス®NP）、13価肺炎球菌結合型ワクチン（PCV13、プレベナー13®）の2種類が接種可能で、いずれも不活化ワクチンである。

PPSV23は菌体表層に存在する莢膜多糖体をベースとしたワクチンであり、莢膜多糖体によって規定される肺炎球菌血清依存的な感染防御免疫を誘導できる。肺炎球菌血清型は90種類以上存在するが、肺炎球菌感染症の原因菌として分離頻度の高い23種類の血清型にターゲットを定めたワクチンとなっている。しかし、莢膜多糖体では活性化T細胞によるメモリーB細胞の誘導が起こらないためブースター効果が認められず、免疫系が未成熟な2歳未満の乳幼児には予防効果がないとされる。これを克服するためにジフテリア無毒化毒素を莢膜多糖体に結合させたPCVが登場したが、製造コストがかかるため感染防御効果の対象となる血清型が13種類までに限られる[8]。PCVはPPSVと異なりHIV感染症の免疫機能低下例に有効であると報告された[9]。一般的にPPSVの感染予防効果は50～70%とされ、PCVは含有血清型特異的に94～97%とされる[5]。わが国ではPPSV23は65歳以上の高齢者やハイリスク群に接種適応があるが、PCV13は65歳未満のハイリスク群に対する接種適応が取得されていない。

③化学療法中の肺炎球菌ワクチン接種

化学療法中は免疫機能低下状態となるため、加齢により免疫機能の低下した高齢者には肺炎球菌感染症の予防を目的としたワクチン接種が推奨される。

PPSV23の場合、接種から抗体産生までに約3週間かかることおよび免疫機能低下状態では抗体産生能が低下することより、**化学療法開始の少なくとも2週間前、可能なら4～6週間前の接種が望ましい**[5]。インフルエンザワクチンとの同時接種も可能である。ワクチンの効果は5年以上とされており、前回接種からの期間が5年未満の場合は適応とならない。65歳未満でもハイリスク群では接種が考慮される。化学療法前の接種機会を逃した場合、65歳以上のハイリスク群は化学療法期間中のPCV13接種が考慮される[10]。

3 そのほかのワクチン

必要になることはまれだが、化学療法中は免疫機能低下状態となるため弱毒生ワクチンの接種は禁忌である。

（高井　健／永井成勲）

文献

1）Shehata MA, et al. Clin Med Insights Oncol 2014; 8: 57-64. PMID: 24855405
2）Pollyea DA, et al. J Clin Oncol 2010; 28: 2481-90. PMID: 20385981
3）Meerveld-Eggink A, et al. Ann Oncol 2011; 22: 2031-5. PMID: 21303799
4）Wumkes ML, et al. Vaccine 2013; 31: 6177-84. PMID: 24176495
5）Melcher L. Clin Oncol（R Coll Radiol）2005; 17: 12-5. PMID: 15714923
6）Bogaert D, et al. Lancet Infect Dis 2004; 4: 144-54. PMID: 14998500
7）Maruyama T, et al. Clin Infect Dis 2013; 57: 1373-83. PMID: 23999080
8）明田幸宏，ほか. 日本内科学会雑誌 2015; 104: 2351-6.
9）French N, et al. N Engl J Med 2010; 362: 812-22. PMID: 20200385
10）Sangil A, et al. J Infect 2015; 71: 422-7. PMID: 26192199

（化学療法に伴う）早期閉経に関する諸問題
－更年期症状、骨粗鬆症、脂質異常症などを伴う。適宜対応を－

早期閉経（早発閉経）は日本産科婦人科学会では「43歳未満で卵子が枯渇し、自然閉経した状態」と定義される。一方、早発卵巣不全（premature ovarian insufficiency：POI）は40歳未満の高ゴナドトロピン性（卵巣性）無月経」と定義される。POIの診断基準は確立されておらず、①40歳未満、②4カ月以上の無月経、③1カ月以上の間隔を置いて2回測定したFSHが40mIU/mL以上、のようなものが用いられている。現在かなりの症例数となっている、がん治療後の卵巣機能不全（医原性卵巣機能不全）はPOIと考えるべきものである。POIではエストロゲン欠乏による諸症状（ホットフラッシュ ➡P.173、骨粗鬆症 ➡P.310、脂質異常症 ➡P.312、性交障害 ➡P.443、皮膚の萎縮 ➡P.335 など）および生殖機能を喪失したことによる社会的心理的ストレスが問題となる。

POIに対する対応方法として最も重要なのはエストロゲンの補充であるが、乳がん術後の患者を対象としたランダム化比較試験の結果から、ホルモン補充療法（HRT）を行うことにより乳がん再発が増加することが報告されたため、行うべきではない[1]。したがって、エストロゲン補充以外の方法で対応しなければならない。

更年期症状

エストロゲン欠落症状に対しては本来ならHRTをまず考えるべきであるが、乳がん術後にはHRTを行うべきではないため、漢方薬（表1）[2]、SSRI、抗不安薬、睡眠導入薬や鎮痛薬などを適宜使用する。当帰、甘草、人参はエストロゲン作用を指摘する報告もあるが、表1に挙げた当帰芍薬散、温経湯、女神散の1日使用量程度であれば問題ないといわれている。症状ごとの詳細な対応については各項を参考にされたい。

骨粗鬆症 ➡P.310

ASCOのガイドラインでは、まず適度の運動とカルシウムおよびビタミンD摂取が推奨され、骨密度を1年ごとに測定し、Tスコアが＜－2.5になったら骨粗鬆症の治療を開始すべきとしている[3]。内分泌療法だけでなく、化学療法によるPOIでも骨密度低下がみら

表1　更年期症状と漢方薬

○ 虚証、● 実証

	ほてり	冷え	不眠	神経質	憂うつ	めまい	疲れ	肩こり	頭痛	便秘
当帰芍薬散		○				○	○	○	○	
加味逍遥散	○	○	○	○	○	○	○	○	○	○
桂枝茯苓丸	●	●				●		●	●	
桃核承気湯	●		●	●	●	●			●	●
黄連解毒湯	●		●	●					●	
三黄瀉心湯	●		●	●					●	●
女神散	●		●	●	●	●		●	●	
通導散	●		●		●				●	
温経湯	○	○					○			
温清飲	○									

（文献2より改変引用）

れるが、骨折を増加させるとのデータはない。

薬物療法としてはリセドロン酸（アクトネル®、ベネット®）、ゾレドロン酸（リクラスト®）、デノスマブ（プラリア®）、ロモソズマブ（イベニティ®）などが挙げられる。

脂質異常症 ➡ P.312

エストロゲン濃度の低下と密接に関連することが報告されており[4]、虚血性心疾患や脳血管障害などの動脈硬化性疾患の危険因子として重要である。診断基準を表2に示すが、スクリーニングのための基準であり、薬物療法を開始するためのものではない[5]。

食事療法、運動療法を行い、2～3カ月行っても改善しない場合には薬物療法を考慮する。高LDL-コレステロール血症に対してはHMG-CoA還元酵素阻害薬であるプラバスタチン（メバロチン®）、シンバスタチン（リポバス®）、アトルバスタチン（リピトール®）など、

表2　脂質異常症の診断基準（空腹時採血）（文献5より作成）

LDLコレステロール	140 mg/dL以上	高LDLコレステロール血症
	120～139 mg/dL	境界域高コレステロール血症
HDLコレステロール	40 mg/dL未満	低HDLコレステロール血症
トリグリセリド	150 mg/dL以上	高トリグリセリド血症
non- HDLコレステロール	170 mg/dL以上	高non-HDLコレステロール血症
	150～169 mg/dL	境界域高non-HDLコレステロール血症

non- HDLコレステロール＝総コレステロール－HDLコレステロール

高トリグリセリド血症に対してはフィブラート系製剤であるベザフィブラート(ベザトール®SR)、クリノフィブラート(リポクリン®)などが代表的である。

早期閉経の予防

動物実験による検討結果、および初経前の若年女性のほうが化学療法に伴うPOI発症率が低いという知見から、成熟卵胞に比べ未成熟卵胞のほうが化学療法による障害を受けにくいと考えられている。そこで化学療法時にLH-RHアゴニストを併用し、未成熟卵胞優位の状態をつくることにより、卵巣機能を保護する試みがなされている。

1996年、Blumenfeldらが悪性リンパ腫の若年女性の化学療法において、LH-RHアゴニスト併用療法が早期閉経の発症率を低下させることを初めて報告し[6)]、その後、乳がんにおいても、LH-RHアゴニストによる卵巣機能保護効果を主要評価項目としたランダム化比較試験が複数報告されている。2016年、早期乳がん患者でのLH-RHアゴニストのPOIに対する卵巣機能保護の有効性についての7つのランダム化比較試験のメタアナリシスでは、LH-RHアゴニスト併用群は月経回復率が有意に高率であることが示された[7)]。

LH-RHアゴニストが化学療法誘発性POIの発症を減少させることは期待されるが、POIの予防が必ずしも妊孕性の維持をもたらすとはいえないことに留意が必要である[8)]。

なお、LH-RHアゴニスト(ゴセレリン/ゾラデックス®またはリュープロレリン/リュープリン®)は化学療法開始の少なくとも1週間前から開始し、最後の化学療法終了時まで投与する。

(松本久宣)

文献

1) Holmberg L, et al; HABITS Study Group. J Natl Cancer Inst 2008; 100(7): 475-82. PMID: 18364505
2) 矢内原　巧. 産婦人科の実際 1985; 34: 1753-7.
3) Hillner BE, et al. J Clin Oncol 2003; 21: 4042-57. PMID: 12963702
4) Wakatsuki A, et al. Obstet Gynecol 1995; 85: 523-8. PMID: 7898827
5) 日本動脈硬化学会, 編. 動脈硬化性疾患予防のための脂質異常症治療ガイド 2017年版. 東京: 日本動脈硬化学会; 2017.
6) Blumenfeld Z, et al. Hum Reprod 1996; 11: 1620-6. PMID: 8921104
7) Munhoz RR, et al. JAMA Oncol 2016; 2: 65-73. PMID: 26426573
8) 日本乳癌学会, 編. 乳癌診療ガイドライン1 治療編 2018年版. 東京: 日本乳癌学会; 2018.

妊孕性低下（挙児希望に備えて）
ー患者ごとに適切な妊孕性温存療法の選択をー

若年の乳がん患者が増加している。挙児希望のある若年乳がん患者のうち、標準治療を行い長期予後が期待できるStage 0～Ⅲの患者は、妊孕性温存療法が考慮される。そのような患者に化学療法を実施する場合、化学療法実施前に卵巣機能への影響についてのインフォームド・コンセントが必要となる。したがって、乳がん診療を開始する際、挙児希望の有無についての問診は重要であり、挙児希望がある場合は、妊孕性温存について患者と情報を共有する必要がある。

乳がんの化学療法と卵巣機能

ASCOのガイドラインでは薬剤ごとの化学療法関連無月経のリスクが示されている（表1）[1]。最もリスクが高いのはアルキル化薬（シクロホスファミド）であり、プラチナ系（シスプラチン、カルボプラチン）、タキサン系（ドセタキセル、パクリタキセル）、アンスラサイクリン系（ドキソルビシン）などもリスクがある。レジメンごとでは表2[2]のようになる。

化学療法後1年の時点で、45歳未満の乳がん患者が治療関連無月経と化学療法誘発閉経［卵胞刺激ホルモン（FSH）＞40IU/L、エストラジオール（E2）＜20pg/mL］となる頻度を調査した研究によると、全年齢層ではそれぞれ61.6%、13.1%であった。年代別では、25～34歳でそれぞれ28.0%、4.0%、40～44歳では75.9%、15.8%であり、治療関連無月経と化学療法誘発閉経の頻度は、患者が高齢になるほど上昇した[3]。

また、化学療法後に月経が再開しても卵巣予備能は低下している場合があり[4]、早発閉経になりやすい[5]。月経再開は、化学療法前と同程度の卵巣機能への回復とは必ずしも同義ではないことを十分理解しておく必要がある。

GnRHアゴニストを化学療法に併用することにより、化学療法薬の卵巣毒性から卵巣機能を保護する効果の有無について、7つのランダム化比較試験、4つのシステマティックレビュー、7つのガイドラインが報告されている。肯定的結果と否定的結果が混在しており、現時点でのコンセンサスは「GnRHアゴニストは、妊孕性温存目的での使用は推奨されない」である[6)]。しかし、ASCOの専門者会議では、若年乳がん患者に対し化学療法による卵巣毒性を低下させることが期待できる方法として、「化学療法を受ける患者にGnRHアゴニストを提案することを考慮してもよいかもしれない」としている[7)]。

乳がん治療中・治療後の不妊治療・妊孕性温存と妊娠

1 若年悪性腫瘍患者に対する胚・卵子・卵巣の凍結保存

挙児希望がある場合、妊孕性温存の方法は個々の症例ごとに考えなければならない。患者に夫やパートナーがいる場合は化学療法前に卵巣刺激・採卵を行い、胚（受精卵）を凍結保存する方法がある。がん治療がいったん終了し、妊娠が許可されてから子宮に融解胚を移植することになる。夫やパートナーがいない場合は、やはり卵巣刺激・採卵を行い、未受精卵子として凍結保存する。未受精卵子の凍結保存技術は以前より進歩しており、米国生殖医学会は未受精卵子の凍結保存も妊孕性温存の標準的治療と位置づけている[8)]。

最近では、まだ試験的な技術ではあるが、腹腔鏡下手術により片側の卵巣を摘出し、その卵巣皮質を液体窒素内で凍結保存する**卵巣組織凍結保存技術**が、限られた施設で実施されている。2017年の報告では凍結卵巣組織の融解移植により、全世界で130人以上が出生したと報告されている[9)]。

2 乳がん患者に対する卵巣刺激時のアロマターゼ阻害薬の併用

不妊症患者に対する体外受精・胚移植法などの**生殖補助医療技術（assisted reproductive technology；ART）**は通常、月経開始直後よりFSH/HMG製剤を投与し、調節卵巣刺激とよばれる過排卵刺激を行い、卵胞を複数発育させ、できるだけ多くの卵子を採卵する。しかしその際、卵胞に存在する顆粒膜細胞からE2が非生理的に産生されるため、血中E2値が異常高値となり、エストロゲン受容体陽性乳がんに与える影響が懸念される。

これに対し、乳がん治療中・治療後の排卵誘発法としてFSH/HMG製剤投与前よりアロマターゼ阻害薬（レトロゾール）を併用することにより、過排卵刺激直後の血中E2を生理的範囲内に抑制でき、採卵数の減少も認めない[10)]ことが報告された。この方法により出生した25人の児は平均40カ月のフォローアップ期間で先天異常は指摘されず[11)]、また化学療法前の採卵が乳がんの予後に及ぼす影

表1　乳がん薬物療法と年齢による無月経のリスク

<table>
<tr><th>リスク</th><th>化学療法剤</th><th>薬剤量・年齢</th><th>対処法</th></tr>
<tr><td>高リスク
（> 70%）</td><td>シクロホスファミド</td><td>累積投与量 5g/m²
（>40歳）
累積投与量 7.5g/m²
（<20歳）</td><td rowspan="3">治療前に妊孕性温存のカウンセリング必要</td></tr>
<tr><td rowspan="3">中リスク
（30～70%）</td><td>シクロホスファミド</td><td>累積投与量 5g/m²
（30～40歳）</td></tr>
<tr><td>AC×4＋パクリタキセル
AC×4＋ドセタキセル</td><td><40歳</td></tr>
<tr><td>ベバシズマブ</td><td></td><td>妊孕性への影響は不明</td></tr>
<tr><td>低リスク
（< 30%）</td><td>シクロホスファミドを含むレジメン
（CMF、CEF、CAF　など）</td><td>< 30歳</td><td rowspan="2">通常量であれば無月経になる頻度は低いが、早発閉経になるリスクあり</td></tr>
<tr><td>超低リスク/リスクなし</td><td>ビンクリスチンを用いた多剤療法</td><td></td></tr>
<tr><td>不明</td><td>トラスツズマブ</td><td></td><td>妊孕性に関する包括的なデータがない</td></tr>
</table>

（文献1より改変引用）

表2　標準的化学療法レジメンを用いた場合の化学療法関連無月経の割合（%）

<table>
<tr><th>化学療法レジメン</th><th>年齢≦30</th><th>年齢31～35</th><th>年齢36～40</th><th>年齢＞40</th></tr>
<tr><td>CMF*</td><td>19</td><td colspan="2">30～40</td><td>80～95</td></tr>
<tr><td>CMF*</td><td colspan="3">40</td><td>76</td></tr>
<tr><td>CMF*</td><td colspan="2">4</td><td>50</td><td>86～100</td></tr>
<tr><td>CEF</td><td colspan="3">47</td><td>80～100</td></tr>
<tr><td>A-併用</td><td>0</td><td colspan="2">33</td><td>96～100</td></tr>
<tr><td>AC</td><td colspan="2">13.9</td><td colspan="2">68.2</td></tr>
<tr><td>AC-T</td><td colspan="2">9～13</td><td colspan="2">65～73</td></tr>
<tr><td>AC-T±H</td><td>9～20</td><td>19～47</td><td>21～61</td><td>データなし</td></tr>
<tr><td>AC-TH</td><td colspan="2">0～14</td><td colspan="2">56～67</td></tr>
<tr><td>TH</td><td colspan="4">28</td></tr>
</table>

（文献2より改変引用）

＊：投与方法・期間などが異なる。

A：ドキソルビシン、C：シクロホスファミド、E：エピルビシン、F：フルオロウラシル、M：メトトレキサート、T：パクリタキセル、H：トラスツズマブ

響については、レトロゾール併用調節卵巣刺激群と無治療群との比較で両群間に無再発生存率に有意差はなかった[12)]。

3 ランダムスタート卵巣刺激法

一般にがん治療において、手術から化学療法開始までの期間の延長は、患者の予後に影響する可能性がある。乳がん手術から31日以

内に化学療法を実施した症例と比較して、31～90日の間に化学療法を実施した症例では全生存率、乳がん関連生存率の有意な低下は認められなかった。しかし91日以降に実施した症例では、全生存率、乳がん関連生存率は有意に低下した[13]。特にTNBCに関しては、術後4週間以降での化学療法開始は、4週間以前と比較して無病生存率、全生存率が有意に低下したとの報告もある[14]。いずれにしても**手術後の妊孕性温存希望の乳がん患者は、化学療法前に速やかな妊孕性温存療法が望まれる。**

通常のART治療は月経開始直後にFSH/HMGによる調節卵巣刺激を開始する。手術と化学療法の間にART治療を行う場合、月経開始まで待機すると、化学療法開始が遅延する可能性がある。最近、月経周期のどの時期でも調節卵巣刺激を開始することができるランダムスタート卵巣刺激法が報告された[15]。卵巣刺激には通常法と比較して平均1～2日長くなるが、採卵数には差がないとされる。

4 乳がんに対するホルモン療法の一時中断

乳がん術後にホルモン療法が必要な症例では、化学療法後に5～10年間の内分泌療法が標準治療となっており、挙児希望患者の場合、ホルモン療法を中断しなければ排卵・妊娠・出産ができないことになる。現在、挙児希望のあるホルモン受容体陽性若年乳がん患者に対し、ホルモン療法を一時的に中断し妊娠を試み、治療の一時的中断の安全性を検証する初めての国際的な前方視的研究が進行中である(POSITIVE (JBCRG-23) 試験)。18～30カ月のホルモン療法後、2年間までの内分泌療法の中断が、妊娠の転機と乳がんの予後に及ぼす影響を検討するものであり、その結果が待たれる[16]。

5 乳がん治療後の妊娠

乳がん治療後の患者の妊娠が乳がんの予後に与える影響について、非妊娠乳がん患者と比較した後方視的研究では、妊娠後7.2年のフォローアップで、乳がんのエストロゲン受容体の有無にかかわらず、無病生存期間、全生存期間共に有意差を認めなかった[17]。妊娠の転機(正期産か流産か)・乳がん診断から妊娠までの期間・授乳の有無などは、結果に影響を及ぼさなかった。**長期予後が期待できるStage 0～Ⅲの乳がん患者については、化学療法前の妊孕性温存療法や術後の妊娠を勧めてもよいと考える。**

(筒井建紀)

文献

1) Loren AW, et al. J Clin Oncol 2013; 31: 2500-10. PMID: 23715580
2) Waks AG, et al. J Natl Compr Canc Netw 2016; 14: 355-63. PMID: 26957619
3) Shin JJ, et al. J Breast Cancer 2019; 22: 624-34. PMID: 31897335
4) Partridge AH, et al. Fertil Steril 2010; 94: 638-44. PMID: 19409543
5) Partridge A, et al. Eur J Cancer 2007; 43: 1646-53. PMID: 17512721
6) 日本癌治療学会, 編. 小児、思春期・若年がん患者の妊孕性温存に関する診療ガイドライン2017年版. 東京: 金原出版: 2017.
7) Oktay K, et al. J Clin Oncol 2018; 36: 1994-2001. PMID: 29620997
8) Practice Committees of the American Society for Reproductive Medicine and the Society for Assisted Reproductive Technology. Fertil Steril 2013; 99: 37-43. PMID: 23083924
9) Donnez J, et al. N Engl J Med 2017; 377: 1657-5. PMID: 29069558
10) Oktay K, et al. J Clin Oncol 2005; 23: 4347-53. PMID: 15824416
11) Oktay K, et al. J Clin Oncol 2015; 33: 2424-9. PMID: 26101247
12) Azim AA, et al. J Clin Oncol 2008; 26: 2630-5. PMID: 18509175
13) Chavez-MacGregor M, et al. JAMA Oncol 2016; 2: 322-9. PMID: 26659132
14) Cai L, et al. Sci Rep 2020; 10: 7029. PMID: 32341397
15) Cakmak H, et al. Fertil Steril 2013; 100: 1673-80. PMID: 23987516
16) 妊娠を希望するホルモン療法感受性乳癌の若年女性における妊娠転帰及びホルモン療法中断の安全性を評価する試験. https://jbcrg.jp/clinicaltrials/684/
17) Lambertini M, et al. J Natl Cancer Inst 2018; 110: 426-9. PMID: 29087485

薬物療法中の心のケア／日常生活の工夫
ー患者のQOLを低下させない早期からの関わりが重要ー

1 薬物療法中の心のケア

乳がん治療では、手術療法、放射線療法、薬物療法を組み合わせた集学的治療を行う。なかでも薬物療法は欠かすことのできない治療方法の一つであり、抗がん剤や分子標的薬を用いた方法、女性ホルモンを抑制する内分泌療法がある。術後補助療法では治療期間は半年から5年もしくは10年、再発・転移での治療となると効果がある限りは治療が継続され、効果がないと判定されると治療内容は変更となるものの、ほとんどの患者が長期的な治療の継続が必要となる。いずれの患者も常に乳がん治療のことを考え、副作用マネジメントをしつつ日常生活を送る。時間の経過とともに、患者や家族の生活は治療中心へと変化していき、副作用や生活に支障が出るたびに、病状の進行や悪化など、常に再発の不安に苛まれる。

副作用のなかでは、抗がん剤による脱毛が患者にとって一番大きな苦痛である。術前化学療法を受ける患者では、乳がんの告知を受けた後、何とか病状の受容に至ったところで治療開始となり、治療開始1～2週間後には脱毛が始まり、身体的のみならず精神的にもダメージを受け、気分の落ち込みを経験する患者は少なくない。脱毛は必ず起こる副作用なので、事前に対処方法（ウィッグや帽子など）を説明して準備してもらい、いつでも相談対応できる窓口の紹介をしておく。施設によっては、患者同士で体験や思いを共有し、対処方法などの情報提供を受けられる患者会などの場所があるので、その場所を紹介しておくと、患者が必要と感じたときに相談ができる。また、脱毛だけではなく、抗がん剤による一時的な更年期症状により、気分変動を経験する患者もいる。

いつ気分変動を感じるかは、治療開始直後に感じる患者、治療の回数を重ねるたびに強く感じる患者など個人差がある。「抗がん剤の副作用ではない」と伝えるのではなく、どんな気分なのか、どのようなときに気分の落ち込みを強く感じるのかなど患者の話に耳を傾ける。患者は医療者へ副作用などの苦痛を伝えることを躊躇している場合がある。一般的に言われている症状以外の相談をしてはいけないと思っていたり、言われても困るだろうなと考え、言えなかったりする場合がある。まずは、**「どんなことでもいいので、医療者に相談してみる」ことを患者に伝える**ことから始める。気分の落ち込みの程度によっては、専門家への受診を勧めるなどの早期対応が重要になってくるため、患者には遠慮なく相談をするように説明する。

2 日常生活の工夫

乳がんに罹患したのは、普段の生活習慣がよくなかったのではないか、がんを克服するために生活を修正する必要があるのではないかと考えている患者が多い。がんをよくするためにこうあらねばならない、こうしなくてはいけないという言動をよく耳にする。個々のライフスタイルに合わせた過ごし方を勧め、ストレスがないことが大切であることを伝える。そのためにも患者が普段どのような生活を送っているのか、家族背景や仕事の有無、その内容、サポートしてくれる人の有無などの確認が大切である。抗がん剤治療による副作用は、治療中、常時持続するものではないので、いつ発現し、どのような対処をするのかを事前に説明し、治療を完遂できるように支援していく。

①**社会的問題への支援**：初診時から、誰と来院しているのか、また自宅では誰にどのようにサポートしてもらえるのかを確認し、治療開始後の過ごし方を把握しておく。毎日していた掃除は隔日でする、食事の支度は家族に協力してもらう、子供の世話を頼む、などの家事の調整が必要になるが、サポートが必要なのは治療後の短期間である。体調が回復すれば自分ができることを行っていくようにしてもらう。また、治療で使用する薬剤によっては高額なものもあるため、事前に治療にかかる費用を算出し、利用できる社会資源（限度額適用認定証の申請、加入しているがん保険の申請、確定申告の活用など）の確認を行い、手続きをしてもらう。必要に応じて、社会福祉士への相談を調整する。

②**身体的問題への支援**：さまざまな副作用を生じる可能性があるため、事前に副作用の内容や発現時期、対処方法を説明し、自宅での対処でよいのか、病院に連絡をして治療を受けるのかの指導をしておくと、どのようなタイミングで相談したらよいかといった不安を最小限にできる。治療前はどのように生活していたのか、治療を受けることで変更する必要があるのかを一緒に考え、変更すべきことを検討していく。

3 医療者としての役割

乳がんの患者たちは、自分なりに情報収集でき、本当に困ったときは自ら助けを求められる人が多い。しかし、患者によっては困っていても声を上げることすらできない人もいるので、患者の状況を観察し、意思決定の場面や治療開始時期、副作用の発現時期などタイミングを逃さず声をかけていく。

治療中に予測される副作用に関しては、実際に目で確認し、問題となっていないか、生活に支障が出ていないかを確認する。治療開始前から、患者への関心を常にもち、医療者の押しつけにならない距離感での関わりを保つ。

患者の抱えている問題が何なのか、身体的問題なのか、社会的問題なのか、心理的問題なのかを明らかにし、常に患者のQOLを低下させない関わりが重要である。

（四方文子）

参考文献

1）小林直子. がん看護 2016; 21: 706-9.
2）阿部恭子, 編. 乳がん患者ケア. 東京: 学研メディカル秀潤社; 2013. p163-85.
3）大谷恭平, 内富庸介. 日耳鼻 2010; 113: 45-52.

薬物療法中の就労

−長期的な目線で、患者とともに考えることが信頼関係を深める−

2017年の乳がん罹患者数は92,253人であるが、そのうち20～64歳は48,968人(53.1%)であり、半数以上が就労世代である[1)]。がん対策基本法に基づいた第三期がん対策推進基本計画(2017～22年)では、第二期の計画に引き続き分野別施策の「がんとの共生」のなかで、がん患者の就労支援の必要性が強調されている。2016年2月に公開された「事業場における治療と仕事の両立支援のためのガイドライン」(以下、両立支援ガイドライン)では、乳がん患者に対する具体的な事例も追記された[2)]。また、2018年の診療報酬制改定で、がん患者に対しての療養・就労両立支援指導料が新設され、さらに2020年度には、運用面でより利用しやすい内容に改定されるなど、がん患者の就労支援に関する取り組みは大きく変化してきた(図1)。

多忙な医療現場で、患者一人一人の仕事内容に踏み込むことは簡単ではない。しかし、主治医をはじめとした医療者が提供する支援は、就労世代のがん患者に大きな利益をもたらす。患者の仕事に目を向け、長期的な目線で治療と就労の両立を患者と一緒に考えるこ

図1 療養・就労両立支援指導料の概要

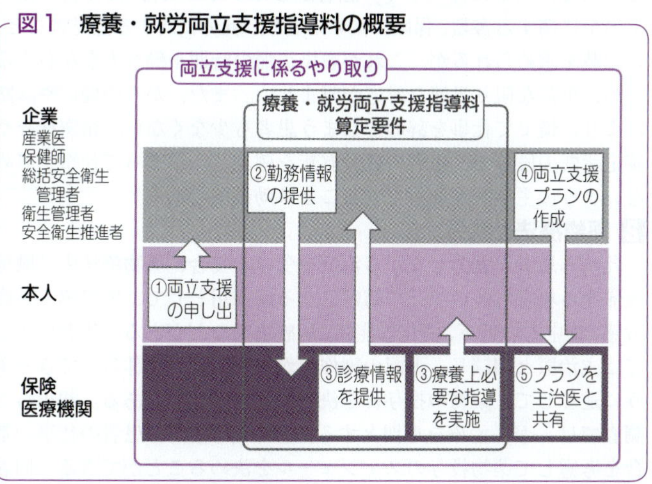

(中央社会保険医療協議会総会(第428回)資料を著者改変)

とにより、患者と医療者の信頼関係も深めることができるだろう。

治療と就労の両立を成功させるポイント

がん患者が仕事を続けるうえで、最も重要なのは本人の意思である。本人が就労の継続を希望するならば、働き方を変える必要があるのかなど方向性を検討する必要がある。本人を仲立ちとして、主治医と職場が適切な対応に必要な情報を共有できれば、両立は成功する可能性が高まる。

就労している患者のために多くの支援制度が存在する。公的な制度としては、高額療養費制度、傷病手当金、介護保険、身体障害者手帳、障害年金などがある。さらに、職場によっては短時間勤務や傷病休暇など、独自の支援制度を設けている場合もある。支援制度は職場によって異なるので、勤務先にどのような制度があるのかを確認するよう患者に伝えることが大切である。

主治医による両立支援

1 主治医の役割

主治医は両立支援において大きな役割を担う。診療情報として、病名に加えて、治療内容、今後のスケジュール、現在の健康状態、起きやすい副作用・合併症などの情報を患者にわかりやすく説明したうえで、企業に提供する。患者からは多くの文書（診断書、傷病手当金に関する書類、保険に関する書類、就労に関する意見書など）の記載を求められるが、これが職場復帰の時期や働き方を左右するため、可能な限り迅速な対応が望ましい。また、がんの疑いや診断により、慌てて仕事を辞めてしまう患者も少なくない。精密検査や確定診断の段階で、患者の就労有無を確認し、早まって仕事を辞めないように主治医が助言をすることは効果的である。

2 薬物療法と就労

乳がん患者が就労しながら治療を受ける場合、薬物療法中に職場復帰する場合も多い。その妨げになる副作用として、倦怠感・易疲労感、集中力の低下、消化器症状、易感染性などがある。患者によっては主治医と相談し、上記の副作用が出やすい日を休日にできるように逆算して、薬物の投与日を決定していることもある。和田らの調査では、がん治療を専門とする医師の約4割が、患者の仕事の都合を考慮して薬物投与のスケジュールを決めることができると回答している[3)]。治療計画を立てる際にできる範囲で患者の仕事の都合にも配慮できれば、患者の働きやすさはより高まる。

3 職場への情報提供(就労に関する主治医意見書)

両立支援ガイドラインや療養・就労両立支援指導の仕組みでは、職場における適切な配慮を行うために、職場関係者が積極的に医療機関(主治医)と連携することを求めている。2020年度の診療報酬改定で、療養・就労両立支援指導料の算定要件である主治医が診療情報を提供できる対象が、産業医のみではなく、保健師、総括安全衛生管理者、衛生管理者、安全衛生推進者など医師以外の職種にも大きく拡大した。したがって、今後は主治医が情報提供や意見書を求められる機会が一層増えるだろう。本項では職場に情報提供する際のコツについて記載する。

第一に、すべての情報提供は患者の了解が大前提であり、意見書を求められたら、書式内に本人の署名があるか確認する。

第二に、職場にとって必要な情報を提供することである。企業が求めているのは、「今までと同じように働かせてよいのか。よくないのであれば、何をすればいいのか」という情報である。主治医は患者から仕事内容を大まかに聴取したうえで、①仕事に影響する可能性のある症状、②症状出現期間の目安、③(コメントできれば)職場の状況に応じた配慮内容を伝えることができるとよい。

仕事内容、雇用形態、活用できる支援制度などの情報を職場から文書でもらうことも効果的である。両立支援ガイドラインには「勤務情報を主治医に提供する際の様式例」も収載されているので、患者を介して職場から情報を入手してもよい。また、就労配慮の意見を書く際には、断定的な表現は避け、「可能な範囲で」、「できる限り」、「望ましい」のような表現を用いるほうが職場に対応を検討してもらいやすい。

意見を述べる際に責任範囲を危惧する主治医も少なくないが、主治医の意見はあくまでも参考情報であり、就労上の配慮を実施するか否かは、事業者の責任で判断される。医学的見地から大きくずれた意見(例えば、意識消失の可能性が高い場合に運転を許可など)でなければ、主治医に法的な責任は発生しない。しかし、主治医の意見どおりに働いて問題が発生した場合、主治医と患者本人との良好な関係性が損なわれてしまう可能性があるため、無理をせず着実に働くことの重要性を説明することが望ましい。

第三に、患者の職場に産業医や産業看護職などがいれば、最大限連携することである。彼らは医療者として法令で規定される守秘義務がある。雇用されている事業者に対しても、原則本人の同意がない限り、個人情報を漏らすことはない。また、両立支援において職場が必要な配慮を実施するための社内調整の役割も担うため、社内における重要な支援者である。

4 多職種による両立支援

医療機関にはさまざまな分野の専門職がいる。すべての専門職が両立支援において重要な役割を期待されている。看護師は外来や入院時を通して最も患者と接する機会が多く、患者の就労情報も得やすい。それらの情報を医師に伝えることで、具体的な支援の実行が可能となる。また、食事のことについては栄養士、薬の効果や副作用については薬剤師、体の動かしにくさについては理学療法士というように、それぞれの専門職が就労場面を意識して助言することは効果的である。

5 相談支援センターと支援ツール

がん診療連携拠点病院にはがん相談支援センターが設置され、他院の患者の相談も受け付ける。医療ソーシャルワーカーをはじめとした専門スタッフがいるので、就労相談や関連情報の提供場所となっている。国立がん研究センターがん対策情報センターが運営する「がん情報サービス」には働く世代に向けたセクションがあり、体験談に基づいた資料「がんと仕事のQ＆A」のダウンロードが可能である[4)]。

（平岡　晃／高橋　都）

がんと仕事のQ&A　第2版

参考文献

1）国立研究開発法人国立がん研究センターがん対策情報センターがん情報サービス 2. 罹患データ（全国推計値）. http://ganjoho.jp/reg_stat/statistics/dl/index.html#incidence（2020年6月25日アクセス）
2）厚生労働省 報道・広報.「事業場における治療と職業生活の両立支援のためのガイドライン」https://www.mhlw.go.jp/stf/seisakunitsuite/bunya/0000115267.html（2020年6月25日アクセス）
3）Wada K, et al. Jpn J Clin Oncol 2012; 42: 295-301. PMID: 22319099
4）がんと仕事のQ＆A 第3版 国立がん研究センターがん情報サービス「働く世代の方へ」. http://ganjoho.jp/public/support/work/qa（2020年6月25日アクセス）

薬物療法中の性生活
－薬物療法開始前に適切な情報提供を－

A 薬物療法による性機能障害

1 性交痛

- シクロホスファミドは卵巣毒性が強い抗がん剤であり、腟潤滑能の低下をもたらす。そのため、性交痛が生じることがある。
- リュープロレリンやゴセレリンのようなLH-RHアゴニストは、性腺刺激ホルモン（LH、FSH）の分泌を抑制して卵巣機能を抑え、エストロゲンの分泌を低下させる。そのため、腟壁が萎縮し、腟潤滑低下・腟粘膜萎縮・腟粘膜の伸展性低下などを引き起こす。これらの変化により、強い性交痛が生じる原因となる。

2 性欲の低下

- 化学療法や内分泌療法は、倦怠感・食欲不振・脱毛・体重変化・悪心嘔吐・筋力低下などの全身症状をもたらし、性欲・性感低下の原因となる。
- 卵巣機能低下によるホットフラッシュ・のぼせなどの更年期症状も性欲・性感低下に影響すると考えられる。
- 卵巣機能低下のためにテストステロンの産生が減少し、性欲が低下してオルガズムに達しにくくなる。

B 性機能障害の症状

- 性交痛・腟潤滑能の低下の際には、「いつもと違うと思っていたら、セックスのときに痛くて怖くなった」、「乾いている感じがする」などと話すことがある。
- 腟潤滑能の低下により、自浄作用が低下し、帯下の増加、外陰部のかゆみ、痛み、膀胱炎症状が出現する。

C 症状への対処法

1 性交痛・腟潤滑能の低下

- 水溶性腟潤滑ゼリー(図1)などを用いるとよい。
- 治療による身体の変化をパートナーに伝え、ゆっくりとした動作で、痛みの有無を確認していくことも大切である。

図1　水溶性腟潤滑ゼリーの例
(写真提供：ジェクス株式会社　https://www.jex-sh.jp/luvejelly/)

2 自浄作用の低下

- 身体の清潔を保ち、柔らかくて通気性の良い素材の下着の着用を勧める。
- かゆみ、痛み、膀胱炎症状などがあるときは、婦人科や泌尿器科の受診を促す。

D 薬物療法開始前のオリエンテーション(患者への説明のポイント)

- 性交痛や腟潤滑能の低下など予測される症状について説明する。
- 水溶性腟潤滑ゼリーの試供品を渡す。
- パンフレットやインターネットサイト[1]などを用いて、セクシュアリティへの支援を行う。パートナーは、性生活でホルモン環境に影響が生じ再発リスクになると心配する場合もある。再発への影響はないことを伝える必要がある。
- 治療中は、性生活は可能だが、必ず避妊するように説明する。

E 化学療法中の性生活の注意点[2)]

- 血球減少のために感染や出血に注意が必要な時期には、一般的に性生活を控えるように説明する。その際、血球減少が回復すれば、また性生活が可能であると伝えることも大切である。
- 具体的な注意としては、爪などで皮膚や粘膜を傷つけないようにすること、性行為前後での清潔に気を付けること、腟内を石鹸などで無理に洗浄しないこと、コンドームを使用することなどである。
- 抗がん剤は48時間ほど体液に含まれている可能性がある。性行為の際にはコンドームを使用し、パートナーへの抗がん剤の影響について注意を促す。

F セクシュアリティに関する支援

- 患者は、性交痛や性生活での不安を抱えていても、医療者に相談を切り出しにくいことが多い。医療者がセクシュアリティへの支援を行う役割があることを伝え続ける姿勢が肝要である。
- 診察室での更衣用のワゴン内など，患者が一人になれるような場所に潤滑ゼリーの試供品をおき、人目に付かずに手に取れるような配慮も欠かせない。
- 患者の年齢や、パートナーの有無にかかわらず、セクシュアリティに関する支援は重要である。情報の差し控えにならないように留意する。
- 性行為を再開する前に患者とパートナーに、「気持ちが楽になる性行為のヒント」(表1)[3)]を紹介し、言葉によるコミュニケーションを図ることを促し、苦痛を伴う性行為を我慢することがないよう伝えていく。

(阿部恭子)

表1 「気持ちが楽になる性行為のヒント」

1. 性行為によって病気が進行することはない

2. 起こりうる性的変化を知ろう
・外科手術後の体の構造を理解する
・各種治療によって起こりうる変化とそのメカニズムを知る
・性に影響しそうな併用薬(抗うつ薬、降圧薬など)の有無を確認する
・年齢相当の加齢減少もある

3. 少しずつ、ゆっくり始めよう
・ゆったりした雰囲気をつくる(照明、音楽、話題など)
・いきなり性交を目指さない(手をつなぐ、やさしく抱き合う、背中や手足のマッサージなどから始める)

4. 初病前のパターンにこだわらなくてもOK
・時間:性行為は夜だけではなく疲労がたまっていない時間帯でもよい
・体位:患者側に負担が少ないように留意する
・着衣:そのときに最も楽なかたち(抵抗があるなら着衣のままでも)でOK
・「相手の満足」だけでなく「自分の満足」を大切に

5. 何はなくてもコミュニケーション!
・察し合いをやめて、言葉によるコミュニケーションを心がけよう
・無理な我慢は長続きしない

6. 疼痛などの症状コントロールが不十分なら医療者に相談を

7. 暮らし全体を見直そう
・暮らしのペースに無理はないか
・パートナーと一緒にゆったりとした時間を過ごせているか
・自分の時間も大事にできているか

8. 使える商品や相談窓口を活用しよう
・看護師による相談窓口(ストーマ外来を含む)
・腟潤滑ゼリー
・腟ダイレーター

(文献3より改変引用)

文献

1) 乳がんJP.幸せな性へのアドバイス. https://www.nyugan.jp/life-support/booklet/sex/ (2021年3月22日参照)
2) 渡邊知映. 第5章がん患者の性を支える 1.がんの進行および治療と性の問題. 日本がん看護学会, 監修. 鈴木久美, 編集. 女性性を支えるがん看護. 東京: 医学書院; 2015. p190-202.
3) 高橋 都. がん看護 2014; 19: 277-80.
4) 渡邊知映. がん看護 2013; 18: 444-7.
5) 阿部恭子. がん看護 2014; 19: 151-5.

乳がん患者における意思決定支援
－患者・家族の認識、希望を理解し、情報提供・支援を行う－

A 患者・家族への意思決定支援の必要性

近年、抗がん剤・分子標的薬などの開発に伴いがん治療がめざましく進歩し、長期的な治療の継続が可能となってきている。がんの再発・進行や身体症状の変化、治療に伴う有害事象の発現などさまざまな状態変化が生じていく過程において、治療内容の選択や治療の中断・中止の決断、また療養場所の選択など、患者・家族が意思決定をせまられる場面は繰り返し何度も訪れるため、がん治療を行うなかで患者・家族の意思決定を支援することは重要な要素であるといえる。がん診療に携わる医療従事者が患者・家族の認識、思い、希望、価値観などを理解し重んじたうえで意思決定支援を行っていくことが求められる。

B がん診療における意思決定・意思決定支援の特徴

1 意思決定の特徴

がん診療における意思決定としては以下のような特徴が挙げられる。

・生命・予後に関わること
・結果の予測（治療効果や有害事象など）が十分にできないこと
・病状、患者・家族の生活環境・価値観などにより個別的に選択肢のメリット・デメリットが異なること
・患者の他に家族など意思決定に関わる人が複数存在すること
・病状の影響などにより患者の意思決定能力が十分でない状況もありうること

など、上記を含むさまざまな要因により、非常に困難となることが多い。

2 意思決定プロセス

意思決定のパターンとしては、提供される情報量や意思決定の中心を担う者が誰かにより、大きく3つのパターンに分けられている。

①パターナリズムモデル（父権主義モデル）
②シェアードディシジョンモデル（共有型意思決定モデル）

③インフォームドディシジョンモデル（情報提供に基づいた意思決定モデル）

従来のパターナリズムモデルよりもインフォームドディシジョンモデルが尊重されていくなかで、意思決定プロセスのあり方として、医療者側と患者側が相互の情報を共有し、治療方針について両者が合意を目指し、合意に基づく意思決定を目指すプロセスである「シェアード・ディシジョン・メイキング」は近年支持する見解が増えているものである。

シェアード・ディシジョン・メイキング（Shared Decision Making：共有意思決定）

「患者中心の、エビデンスに基づいた意思決定を保障するための患者（と家族）とヘルスケアチームとの相互作用である」と定義されており、そのプロセスには以下の要素を含むことが提案されている。

①意思決定が必要であるという認識を患者に促す
②医療者と患者が対等な立場を形成する
③治療の選択肢を提案する
④各選択肢についてメリット・デメリットを説明する
⑤患者の理解の程度、今後起こりうることに対しての予測を確認する
⑥医療者側・患者側それぞれが優先する事項を相互に共有する
⑦方針について協議する
⑧決定事項を共有する

C 患者の意思決定能力の判断

医療者側は患者の意思決定支援を進めていくうえで、患者が以下の能力を有するかの判断を行う必要がある。また、病状の変化に応じて、抑うつ（➡ P.262）・せん妄などのスクリーニングも必要とする。

- 選択を表明する能力
- 重要な情報を理解する能力
- 起こりうる結果を認識する能力
- 合理的な思考過程で選択を比較考察する能力

D 意思決定が必要ながん診療の場面

がん療養生活における意思決定への影響要因

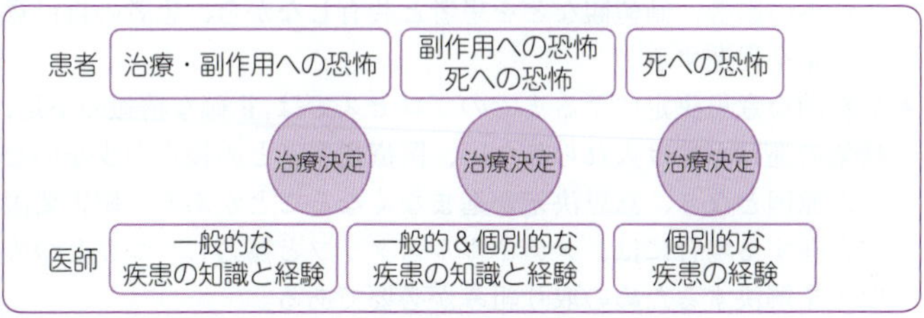

患者	治療・副作用への恐怖	副作用への恐怖 死への恐怖	死への恐怖
	治療決定	治療決定	治療決定
医師	一般的な 疾患の知識と経験	一般的＆個別的な 疾患の知識と経験	個別的な 疾患の経験

E 意思決定における促進要因・阻害要因

	促進要因	阻害要因
患者側の要因	・医師への信頼感がある ・診察時に同席している人がいる ・治療選択において患者が自分で意思決定することを希望している ・自分で意思決定するという気持ちの準備ができている ・病気や治療について十分に理解している	・がん以外の基礎疾患がある ・がんに罹患していることを認めることが難しい ・疾患または治療について誤解をしている ・提供された情報を理解していない ・決断力がない ・不安感が強すぎる ・自ら意思決定することを希望していない／意思決定することへの希望が強い ・十分な情報を得ずに意思決定をしようとしている ・確実な治療を受けることを期待している ・過剰な情報をもっている ・さまざまな専門家から矛盾する提案を受けている ・患者と医療従事者の間に価値観の違いがある ・家族が患者の意思決定の過程を覆してしまう
医療従事者およびシステムの要因	・医療従事者が患者の価値観に合わせ話し合う姿勢で関わる ・患者が自身にとって何が重要であるかを明確にするためのサポートを行う ・診察前・後にあらかじめ患者に必要な情報を提供する環境がある ・意思決定について説明しているパンフレットを提供する（患者の役割について） ・説明時に看護師が同席する ・可能な治療の選択肢について書面による情報を提供する ・緩和ケアチーム、在宅医などと協働する	・治療に関する十分な情報がない ・診察時間が十分にない

F 治療方針の決定における意思決定支援の実践

- 患者の状態、がんの進展度、治療の選択肢（リスク、ベネフィット）、生活への影響、価値観などを患者と共有しながら、患者の自己意思決定を促進する。
- 最終的な意思決定に至るまでのプロセスでは、正確な情報の不足、病気の進行が受け入れられない、医療従事者との接点が少ないなどが原因となり、意思決定が進まなくなることがある。阻害要因が存在する場合には、メディカルスタッフと協力し一つひとつの要因を解決するための取り組みが必要である。
- 進行再発期において、治療の中止・中断は患者や家族にとっては強い不安につながることが多く、患者・家族の意向や価値観を尊重し、求められている情報を十分に提供しながら意思決定を支援していく。
- **アドバンス・ケア・プランニング**（ACP：将来の意思決定能力の低下に備えて、今後の治療・療養について患者・家族と医療従事者があらかじめ話し合うプロセス）についても、状態が比較的安定しているときに行うことが推奨されている。

（青野奈々）

文献

1）吉田沙蘭．がん医療における意思決定支援．東京：東京大学出版会；2014.
2）Simon D, et al. Patient Educ Couns 2006; 63: 319-27. PMID: 16872793
3）Appelbaum PS, et al. N Engl J Med 1988; 319: 1635-8. PMID: 3200278
4）Zafar SY, et al. Support Care Cancer 2009; 17: 117-27. PMID: 18802727
5）Laakkonen ML, et al. Gerontology 2004; 50: 247-54. PMID: 15258431

抗がん剤曝露時の対応
－予防が基本。手洗い、うがいの習慣化を－

A 抗がん剤曝露による影響

抗がん剤は、がん細胞に対して制がん作用がある反面、変異原性や催奇形性など人体にとって不利益な性質を有するものがある。抗がん剤を取り扱っている医療従事者は、直接体内に投与されるわけではないが、エアロゾル化した薬剤を吸入する、しぶきやはねによって薬剤が皮膚や眼に付着する、薬剤に汚染された手指から食物などを介して薬剤を経口摂取する、といった経路を介して、曝露する危険性がある[1)]。

抗がん剤曝露による影響は、急性症状の発現や生殖毒性という形で報告されている。Krstevらは、脱毛、皮疹、立ちくらみ、週末の症状消失について、抗がん剤を扱う群は扱わない群よりもオッズ比が上昇していたことを報告している[2)]。またFalckらは、抗がん剤を取り扱う看護師は抗がん剤を取り扱わない職員らより高い尿中変異原性を示したことを報告している[3)]。曝露によって健康障害をもたらす、または疑われる薬品はhazardous drugsと定義され、適切な取り扱いが推奨されている。

B 抗がん剤曝露時の対応[4, 5)]

1 皮膚に付着した場合

抗がん剤の多くは皮膚刺激性があり、また組織障害性があるので、付着した場合は速やかに十分な流水および石鹸で洗い落とす。特にドキソルビシンのように皮膚に付着すると蛋白質と速やかに結合し、水洗いしても容易に除去できない抗がん剤もあるので注意が必要である。大量に付着した場合は、皮膚科を受診する。

2 眼に入った場合

調製時や点滴ボトル交換時のスプラッシュなどで生じることがある。組織障害の強い薬剤は結膜炎や強度の流涙があり、眼球損傷や角膜損傷を起こす危険性がある。付着時は直ちに流水で十分に洗い流し必要に応じて眼科を受診する。

3 針刺しした場合

針を刺してしまった場合には直ちに作業を中断し、流水下で血液を絞り出す。刺入部に薬液が入ったと疑われるときは、血管外漏出時に準じた対応が必要である。

4 床などにこぼした場合

薬液のこぼれ(スピル)処理に使用する物品の一式、スピルキットを設置しておき、抗がん剤がこぼれたときはこれを用いて処理する。ガラス破片を取り除き、薬液が広がった周囲側から紙か布で汚染の中心に向かって拭き取る。水拭きを行い、必要に応じて洗剤、次亜塩素酸ナトリウム、チオ硫酸ナトリウムなどを使用し、中和させ、さらに水拭きする。

5 リネン類

抗がん剤の投与を受けた患者の排泄物、体液には、投与後一定期間、抗がん剤の残留物と薬剤の活性代謝物が含まれる。一般に薬剤の大半は48時間以内に排泄されるため、48時間以内の汚染したリネン類への接触は曝露があるものとして取り扱う。ただし、48時間以降でも一部含まれることもあるので、慎重な対応が必要である。また、排泄率は投与量、経路、患者の肝、腎機能の影響を受けるため個人差を考慮する必要もある。

排泄物などによる明らかな汚染のないリネン類は、通常の方法で取り扱い、洗濯の際区別する必要はない。抗がん剤投与を受けた患者の便、尿、吐物、胸水や腹水、血液、乳汁、大量の発汗などで汚染した衣服、リネンは他の洗濯物と区別する。洗濯は2度洗いし、1回目は患者のリネン類だけ分けて予洗い、2回目は通常の洗浄を行う。可能なら使い捨てリネン、非浸透性の寝具を用いる。

6 そのほか

取り扱い作業中にエアロゾル化した薬剤を吸入する、あるいは薬剤に汚染された手指から食物などを介して薬剤を経口摂取するといった経路などにより、本人が気づかないうちに曝露経路が成立している可能性がある。したがって、抗がん剤を取り扱った後は、手洗い、うがいを行う習慣を身につけておくことが必要である。

C 抗がん剤曝露対策[1, 4)]

①抗がん剤が人体に侵入する経路は、気道、皮膚、口腔があり、曝露と拡散を避けることによって、抗がん剤の人体への侵入を防ぐ。

②取り扱いの基本は防護であり、抗がん剤の人体への侵入を阻止する。防護には、抗がん剤耐性試験済みの手袋、マスク、ガウン、保護メガネ(フェイスシールド、ゴーグル)を用いる。取り扱いの場面によっては作業用シートや廃棄物用容器も必要である。これら物品を適切な方法で扱い、抗がん剤を隔てる。

③調製時は安全キャビネット、閉鎖式薬物移送システム(CSTD)を用いる。CTSDは投与時にも使用する。安全キャビネットは、エアーバリアが空気の作業者側への流出を遮断することで、作業者の安全性確保が保障されている。またCSTDは薬剤を調製・投与する際に、外部の汚染物質がシステム内に混入することを防ぐと同時に液状あるいは気化/エアロゾル化した抗がん剤が外に漏れ出すことを防ぐ構造を有する。CSTDと安全キャビネットは相互に代用とならないが、安全キャビネット内でCSTDを使用することにより抗がん剤の汚染を軽減できる。

④抗がん剤の調製、運搬・保管、投与、廃棄、投与中・投与後の患者の排泄物、体液/排泄物の取り扱い、抗がん剤がこぼれたときの安全な取り扱いに関する指針、手順を設定する。また、抗がん剤を取り扱う職員は、取り扱う程度にかかわらず、上記の指針・手順について教育・訓練を受け、これに従い適切に業務を実施する。

(庄野裕志/服部雄司)

8

文献

1) 冨岡公子, ほか. 産業衛生学会誌 2005; 47: 195-203.
2) Krstev S, et al. Med Lav 2003; 94: 432-9. PMID: 14619181
3) Falck K, et al. Lancet 1979; 1: 1250-1. PMID: 87722
4) 日本がん看護学会, 日本臨床腫瘍学会, 日本臨床腫瘍薬学会, 編. がん薬物療法における職業性曝露対策ガイドライン 2019年版. 東京: 金原出版; 2019. p1, 5, 30-45, 90-1, 102.
5) 日本病院薬剤師会, 監修. 抗がん剤調製マニュアル 第4版. 東京: じほう; 2019. p3-10.

外来化学療法室とその運営のコツ
－多職種と連携を図り、患者に応じた医療が提供できるよう体制を整える－

がん化学療法薬や支持療法の進歩により、以前は入院が必要であった治療も外来で可能となり、自宅で生活しながら治療を受ける患者が多くなっている。外来化学療法室は治療の場であり、医療者は安全安楽な治療を遂行するために患者や家族を支援する役割がある。

1 外来化学療法の概要

①**診療報酬における位置づけ：**平成14年度診療報酬において「外来化学療法室加算」が新設され、施設基準に応じた治療室整備や安全管理などが求められている。新設時は1日1患者当たり300点であった外来化学療法加算1（15歳以上）は徐々に引き上げられ、2016年度の改訂より、現在では600点となり、さらなる役割が期待されている。

②**当院の現状：**外来化学療法室は外来部門に属し、外来化学療法室では年間6,020件（2019年度）の治療を施行しており、年々増加傾向にある。2019年度の1日平均利用者数は20人（最大59人・最少4人）であった。診療科別利用件数では、乳腺外科が43.2％と最も多く、次いで消化器内科21.7％、肝胆膵外科14.8％の順となっている。

2 外来化学療法室の運営について

①**施設・設備：**治療室にはリクライニングチェアを15台とソファを5台設置している。また、緊急時に対応できるよう、中央配管や救急カート・ストレッチャーを設置している。患者家族の待合室は治療室内に配置し、患者用資材の設置やリラックスできる環境を整えている。

②**組織：**構成員は室長（医師）1人、副室長2人（医師・外来看護師長）、看護師4人（うち、がん化学療法看護認定看護師2人）、薬剤師2人（がん専門薬剤師）で運営している。

③**スタッフ配置と支援体制：**日々の人員体制として、当番医師1人、固定看護師4人＋外来応援看護師、薬剤師1人（午前中常駐）、クラーク1人となっている。看護師の人員配置については外来看護師長と相談し体制を整えており、治療が集中する曜日や時間帯

には、あらかじめ応援看護師を多めに配置している。また、利用件数データを分析し、件数や長時間レジメンが多い曜日には、看護師の勤務時間を遅出勤務とし、どの時間帯においても安全に対応できるよう体制を整えている。

④**チーム医療**：患者数や治療薬は年々増加しているため、薬剤を安全に取り扱い、患者に有益な医療を提供するためには、チーム医療が欠かせない。日頃から多職種と連携を図り、患者に応じた医療が提供できるよう体制を整えている。外来化学療法室における主な医療者とその役割を表1に示す。

3 安全管理について

①**レジメンとマニュアル管理**：当院ではがん化学療法に関する委員会を設置し、がん関連科の医師・薬剤師・医療安全管理係長・がん化学療法看護認定看護師が構成員となり、月1回会議を開催している。会議では、レジメンとがん化学療法に関するマニュアル作成を行い、院内全体の安全を管理している。レジメンの新規審査の際には、同意書やエビデンスの有無などチェック項目を設け、複数の目で審査することで安全な管理を行っている。マニュアルについては、血管外漏出や抗がん剤曝露発生時の対応方法・過敏症などの緊急時対応について記載している。また、疑義照会やインシデント内容を分析し、マニュアルに追加が必要な際は改訂を行い、院内への周知・活用を促している。

表1　外来化学療法室における主な医療者とその役割

職種	役割
医師	診察と薬剤処方を行い、患者や他職種からの情報をもとに支持療法薬の追加調整などを実施。
薬剤師	処方薬剤の確認調製と医師への疑義照会。患者・家族への副作用対策指導。
看護師	処方薬剤の投与準備。安全な投与管理。副作用症状の観察。患者・家族への副作用対策指導。治療継続への精神的・社会的支援。
栄養士	がん化学療法で生じる味覚障害や食欲低下時の食事指導。栄養補助食品の紹介。栄養状態低下患者の抽出と栄養評価・相談。
医療ソーシャルワーカー(MSW)	医療費の相談。社会資源制度の紹介。地域医療との連携。
臨床研究コーディネーター(CRC)	新規治験の情報提供。治験患者への説明。副作用評価と支持薬の確認。
臨床心理士	疾患や治療に対する思いの傾聴と緩和。
退院支援看護師	入院治療後、外来治療へ移行する患者の情報提供。社会資源活用状況の把握と調整。

②**緊急時対策**：過敏症やインフュージョンリアクションに備え、普段からの緊急時対策が重要となるため表2のような体制を整えている。また、火災や地震など災害時に備えた訓練も行っている。

③**曝露対策**：抗がん剤は、患者へ殺細胞効果をもたらすだけでなく、薬剤を取り扱う医療者へも健康被害（変異原性・発がん性・催奇形性など）をもたらす危険性があるため、対策を行うことでリスクを最小限にする必要がある。当院では、がん化学療法薬の調製はすべて安全キャビネットを用いて薬剤部で行っている。薬剤準備時や投与時の曝露対策としては、PPE（マスク・ガウン・手袋）を用い、定期的に手洗い・含嗽・換気を行っている。また、点滴器材や使用後のPPEなどの廃棄物については、蓋付き耐貫通性の廃棄BOXを用い、揮発による曝露対策に努めている。

4 外来がん化学療法看護について

①**患者の特徴と看護**：外来化学療法では自宅で副作用が出現することが多い。患者は嘔気や末梢神経障害などの副作用を体験し、不安を感じながらも対処することが求められる。そのため、治療薬によって起こりうる副作用と時期やその対処行動などを患者指導している。指導の際には患者の生活背景や理解度などの個別性を考慮し、リーフレットや模型を用いてセルフケア習得を促している。また、副作用症状については有害事象共通用語規準（CTCAE）を用いて評価を行いカルテに記載することで、多職種で共通認識し対応できるようにしている。

②**スタッフ教育**：がん化学療法看護に関する経験が少ない看護師であっても、統一した看護が実践できるよう、投与管理やレジメン別看護を示した教育計画チェックリストを作成し活用している。また、不慣れによる事故が発生しないよう、薬剤別の使用器材や複雑な投与管理のレジメンについてはポスターを掲示し参照しながら治療に当たることができるよう工夫している。当院で

表2　緊急時対策

施設設備の管理	救急カートや中央配管の配置。観察や対応が容易となる治療ベッドの配置。
看護師の教育	初期症状の早期発見・早期対応ができるよう看護師教育と訓練を定期的に実施。
医療者間の連携	使用レジメンを事前に把握し、スタッフ間でハイリスク患者の情報共有。過敏症のリスクが高いレジメンは入院治療を推奨。
患者教育	投与前に患者指導を実施し、初期症状出現時の報告を促す。

は静脈注射プログラムを作成し、講義と実技試験を終えたIVナース制度を活用している。外来化学療法室の看護師は全てIVナースであり、当番医とともに安全な静脈穿刺を行っている。

5 治験患者への対応について

当院の外来化学療法室では2019年度年間1,048件の患者が治験を実施しており、約8割が乳腺外科の患者となっている。治験は投与時間などに規定が多く、一般薬と取り扱いが異なる薬剤もあるため、投与管理に慣れた看護師が対応できるよう配慮している。また、治験開始時のスタートアップミーティングに参加する際には、投与方法や緊急時の対応などを確認し、安全に取り扱うことができるよう準備を行っている。

治験を受ける患者は、効果への期待と未知の副作用への不安が出現することが多い。そのため、患者の状態について臨床研究コーディネーター（CRC）と情報共有しながら、安全安楽に治療が遂行できるよう支援していくことが大切となる。

（馬場奈央）

参考文献

1）飯野京子，森　文子，編．JNNスペシャル安全確実安楽ながん化学療法ナーシングマニュアル．東京：医学書院；2009.
2）石垣靖子，ほか．日がん看会誌 2007; 21: 73-86.
3）濱口恵子，本山清美，編．がん化学療法ケアガイド改訂版．東京：中山書店；2012.
4）赤羽弘充．日本医療マネジメント学会雑誌 2012; 13: 311.
5）藤井亜砂美．がん看護 2014; 19: 234-7.

がん関連遺伝子パネル検査システム(OncoGuide™NCCオンコパネルシステム、FoundationOne®CDxがんゲノムプロファイル

－個別化治療実現への礎。経験を増やし、乳がんのbiologyを知る－

- 2019年6月にOncoGuid™NCCオンコパネルシステム(NCCオンコパネル)とFoundationOne®CDxがんゲノムプロファイル(F1CDx)の2つのがん遺伝子パネル検査が保険収載され、がんゲノムプロファイリング情報に基づくがんゲノム医療がわが国で開始された。本稿ではがん遺伝子パネル検査(以下本検査)を行ううえで知っておくべきこと、および活用のコツについて述べる。

A 適応

- 本検査の適応は「標準治療がない固形がん患者または局所進行もしくは転移が認められ標準治療が終了(見込みも含む)となった固形がん患者」である。乳がんにおいて、転移再発乳がん(MBC)の標準治療の明確な線引きはない。日本乳癌学会の乳癌診療ガイドライン2018年版の推奨度から、

  ①トリプルネガティブMBC：アンスラサイクリン、タキサン、エリブリン使用後

  ②Luminal MBC：CDK4/6阻害薬＋内分泌療法、上記化学療法使用後

  ③HER2陽性MBC：トラスツズマブ、ペルツズマブ、T-DM1使用後

  と考えられるものの、急速な病勢の進行や治療抵抗性、患者の状態や患者の希望を考慮し、適切な検査タイミングを検討する。
- **本検査に使用する検体は3年以内のもの**が推奨されるため、re-biopsyが困難な場合はタイミングを逸する可能性がある。適切な腫瘍組織検体が得られない場合は、自費診療となるがGuardant360®などのLiquid biopsyが選択肢となる。

B 本検査の準備

1 検体の準備

- 本検査をできるだけ確実に実施するためには、高品質のDNAが十分量必要となる。日本病理学会「ゲノム研究用・診療用病理組

織検体取扱い規程」に詳細が記載されている。ポイントとしては、

①検体摘出後、速やかに固定を行う

②固定は10%中性緩衝ホルマリンを用いて72時間以内で行う

などである。F1CDxとNCCオンコパネルとで未染スライドの厚さや枚数などは若干異なるため、各パネルの基準を確認する。

- 提出する検体のHE標本を病理に提出し、**腫瘍細胞割合が20%以上**あることを確認できれば本検査の提出の準備をする。上述のように、検体は3年以内のものが推奨される。ホルマリン固定パラフィン包埋ブロックの保管期間が3年以内だと成功率は94.8%だが、4年だと81.8%に落ちる。生検・手術検体採取から期間が経っている場合や、腫瘍含有量が少ない場合はre-biopsyを考慮する。

2 F1CDxまたはNCCオンコパネルに提出する

- 検体の準備が十分であれば、F1CDxまたはNCCオンコパネルへ提出する。どちらのパネルに提出するかは、それぞれのメリット・デメリットを考慮し検討する。具体的には下記である。

①検出するがん関連遺伝子数(F1CDxが324個に対し、NCCオンコパネルは114個)

②生殖細胞系列遺伝子変異の検出(NCCオンコパネルは血液も提出するmatched-pair panelのため可能、F1CDxはtumor-only panelであり、体細胞変異のアレル頻度より予測するため生殖細胞系列の遺伝子検査での確認が必要)

③免疫チェックポイント阻害薬に関係するtumor mutation burden(TMB)やmicro satellite instability(MSI)の検出(F1CDxは両者とも可能、NCCオンコパネルはTMBのみ可能)

④国内承認薬のコンパニオン診断(F1CDxは乳がんにおける*HER2*(*ERBB2*)遺伝子増幅検査、固形がんにおける*NTRK*融合遺伝子検査などのコンパニオン診断として使用可能)

3 がんゲノム情報管理センター(C-CAT)に登録する

- 患者の同意が得られれば患者のゲノムデータおよび臨床病理学的情報をC-CATに登録する。入力内容は、既往歴、家族歴、前治療歴、病理学的情報、飲酒・喫煙歴、現在のPS、検査に提出した検体の採取部位の情報などがあり、詳細に確認しておく必要がある。
- C-CATではゲノム情報やエビデンスレベルに基づいた治療や治験を提案するレポートが作成され、各施設のエキスパートパネル(EP)に報告される。

C 結果返却後のポイント

1 エキスパートパネル(EP)

- EPでは、本検査およびC-CATのレポートをもとに、担当医からの臨床情報を確認したうえで、検体・データの品質と各遺伝子異常、患者の治療方針についてディスカッションされる。EPからは
  ①推奨される治療法の有無と内容
  ②推奨以外の治療選択肢
  ③患者への説明が推奨される生殖細胞系列変異の有無と内容
  ④検査機関のレポートなどの内容に対して修正・追記が必要と判断した点
  ⑤根拠となる出典
  などが記載された報告書が作成され、担当医に返却される。担当医は、返却されたレポートに基づき患者へ説明する。

2 検出された遺伝子変異の確認

- 本検査およびEPのレポートに記載されている遺伝子変異、推奨される治療を確認する。本検査とEPのレポートで乖離がみられる場合がある(例：PIK3CA-AKT-mTOR経路の遺伝子変異に対するmTOR阻害薬など)ため、記載内容を吟味する。
- 推奨治療はエビデンスレベルに基づき「標準治療として推奨される治療」「研究開発が進められている治療」「基礎実験などから期待される治療」「行わないことが推奨される治療」に大きく分けられる。当該がん種での推奨度、他がん種での推奨度を考慮し、治療を検討する。
- サブタイプ別の乳がんの遺伝子変異は、ER陽性ではPIK3CA(36%)が最多で、TP53(23%)である。HER2タイプではTP53(45%)、PIK3CA(22%)、トリプルネガティブではTP53(55%)が最多で、PIK3CA(14%)はER陽性・HER2陽性に比べてやや低く、以下RB1(9%)、PTEN(5%)である[1)]。
- わが国での再発乳がんのがん遺伝子パネルコホート研究が進行中である(JBCRG C-06 REIWA study)。Pezoらは440名の遺伝子パネル検査を受けた転移再発乳がん患者のうち、203名(46%)に遺伝子変異が認められ、49名(24%)が臨床試験に登録したと報告した[2)]。いずれのサブタイプでも多く検出される*PIK3CA*変異には、PI3Kα阻害薬Alpelisib[3)]が海外で承認されているが、わが国では未承認である。

- 免疫組織学的検査・FISH検査で*HER2*陰性と判断された検体であっても、がん遺伝子パネル検査で*ERBB2*遺伝子増幅ありと判断される症例が2～3%存在し、その場合は抗HER2治療が推奨される。
- EPのレポートには現在行われている治験の情報も記載される。しかし、その適応の詳細や現在リクルート中かなどについては担当医が確認し、実施施設や治験事務局への問い合わせる必要がある。
- いくつかの薬剤では**患者申出療養制度での適応外薬の臓器横断的な有効性を評価する研究**が開始されている。EPからコメントされると思われるが、注意点として使用開始までにある程度時間を要すること、手数料などの患者負担が発生することなどがある。

3 治療抵抗性（レジスタンス）を示唆する遺伝子変異の情報

- ある治療薬に対するレジスタンスを示唆する遺伝子変異がある場合、その治療を避けることも治療方針を決定するうえで有益な情報である。EPのレポートではこれも報告される（内分泌療法に対する*ESR1*変異など）。

4 生殖細胞系列遺伝子バリアントの二次的所見（*BRCA1/2*以外も含む）

- 患者にあらかじめ開示希望の有無を確認しておく。EPより二次的所見が提示された場合は、患者に再度慎重に確認し、関連各科との連携のうえ、遺伝カウンセリングを行うかどうかを相談する。
- 上述のように、NCCオンコパネルはmatched-pair panelのため原則的には確認検査は不要だが、F1CDxはtumor-only panelのため確認が必要である。
- 病的意義不明バリアント（variant of uncertain significance；VUS）とされた場合、2つの遺伝子パネル検査では現時点ではその後のフォローがないため、担当医がその後も注意が必要である。

（多田　寛）

Liquid biopsyについて

今後、FoundationOne®Liquid CDxなどのliquid biopsyが保険適用となる見込みであり、組織検体と血漿検体それぞれの特徴を理解し、その後の治療計画を考慮しながら最適な検査のタイミングを検討していくことが重要である。

文献

1）西原広史，ほか．カレントテラピー 2017; 35: 866-72.
2）Smith NG, et al. Breast Cancer Res. 2019; 21: 22. PMID: 30736836
3）André F, et al. N Engl J Med 2019; 380: 1929-40. PMID: 31091374

遺伝カウンセリング

ー正確な遺伝学的情報を伝え、その理解と意思決定を支援する。血縁者に対する影響についても話し合うー

A 遺伝カウンセリングの対象

- 乳がんに関連する遺伝カウンセリングの対象は多彩であるが、主に次のようなケースが想定される。
  - ・乳がんの遺伝について不安がある（両側、多発、若年発症や家族歴など）。
  - ・遺伝学的検査の結果、病的バリアントがみつかった。
  - ・血縁者が遺伝性乳がんと診断された。
  - ・リスク低減手術を希望している。
  - ・がん遺伝子パネル検査で遺伝性の腫瘍である可能性を指摘された。

1 *BRCA1/2*遺伝学的検査

- 単一遺伝子の病的バリアントががんの易罹患性に関わる遺伝性乳がんは、乳がんの7～10％と推定されており、その原因遺伝子は複数存在する。なかでも*BRCA1/2*が原因遺伝子である遺伝性乳がん卵巣がん症候群（HBOC）が最も多く、日本人7,051人の乳がん患者に対して乳がんの易罹患性に関連する11の遺伝子を解析した研究では**4.16％**に*BRCA1/2*の病的バリアントを検出している[1)]。
- PARP阻害薬のコンパニオン診断に加え2020年にHBOCの診断を目的とした*BRCA1/2*遺伝学的検査（BRACAnalysis）、およびHBOCと診断された乳がん患者の対側リスク低減乳房切除術やリスク低減卵管卵巣切除術が保険収載された。これをきっかけに*BRCA1/2*遺伝学的検査が急増し、その結果で術式を決めたり、リスク低減手術を希望する症例や、HBOCと診断された方の血縁者検査も増加している。

2 がん遺伝子パネル検査

- がん遺伝子パネル検査では、遺伝性疾患の原因遺伝子と考えられている遺伝子に、**生殖細胞系列由来と考えられる（またはその可能性を疑う）病的バリアント**が検出される症例が数％の割合で発生する。このように本来の目的以外に**二次的所見**がみつかる可能性については検査前に患者に十分説明し、その開示希望の有無を確認しておく必要がある。

- 二次的所見として疑われるバリアントが検出された場合は、患者に開示するべきかどうかを、バリアントの病的意義、生殖細胞系列の可能性、actionabilityの視点から、遺伝子の種類やバリアントの内容、変異アレル頻度、検体中の腫瘍細胞割合、がん種や発症年齢、家族歴などの情報をもとにエキスパートパネルで慎重に検討する。
- 開示が推奨される二次的所見を、AMED（日本医療研究開発機構）のゲノム医療における情報伝達プロセスに関する提言[2]では、「ACMG（American College of Medical Genetics and Genomics）の二次的所見開示推奨遺伝子を参考に、治療法や予防法が存在し、患者本人、家族の健康管理に有益な所見で、病的変異が確実であるもの」とし、開示推奨遺伝子のリストを示している。またESMO precision medicine working groupも同様に腫瘍細胞のみの遺伝子検査の場合の開示推奨遺伝子のリストとその条件[3]を提示している。
- 腫瘍細胞に*BRCA1/2*の病的バリアントが検出された場合、変異アレル頻度に関わらず、生殖細胞系列由来である可能性が高く（70％以上が生殖細胞系列由来であったとの報告がある[3,4]）、*BRCA1/2*の病的バリアントが検出されない場合でも、大きな構造異常など、がん遺伝子パネル検査では検出できない変化の可能性がありHBOCを否定できない。また被検者が乳がん患者であっても、乳がんに関連しない遺伝性疾患の原因遺伝子に病的バリアントがみつかる可能性がある。

B 遺伝カウンセリング実施のポイント

- *BRCA1/2*遺伝学的検査前の遺伝カウンセリングは、検査の結果が患者やその血縁者に与える影響を患者が理解し、検査を受けるかどうかの意思決定を行ううえで重要である。ただ、すべての患者に遺伝専門職が対応することは現実的ではない。
- 既発症者の遺伝学的検査前には、遺伝カウンセリングの枠にとらわれずに、主治医が患者に正確な情報提供を行い、患者の遺伝性腫瘍に対する理解および意思決定を支援すること、検査の結果に応じて十分なサポートが提供できる体制を整えておくことが重要である。

1 *BRCA1/2*遺伝学的検査前の説明

- 説明内容を表1に示す。
- 説明にはプライバシーに配慮した環境を用意し、意思決定には十分な時間が取れるように配慮する。
- 家族歴の聴取は遺伝性の評価をするうえで有用であるが、家族歴がなくても病的バリアントが検出されることは珍しくなく、血縁者と疎遠、記憶や情報の不確実性、女性の血縁者が少ない、病的バリアントを保持していても発症していないなどの理由から家族歴の情報は遺伝性を否定する根拠にはならない。
- 患者が意思決定を行ううえで必要な情報をまとめたパンフレットは、患者の理解を深め、血縁者との情報共有にも役立つツールになる。遺伝学的検査の説明文書は口頭での説明に代わるものではなく、患者の理解にあわせて丁寧な説明が必要である。
- 患者が必要とする場合は、より専門的な遺伝カウンセリングを紹介する。またHBOCと診断された患者の血縁者など非発症保因者診断を目的に行われる遺伝学的検査は，事前に適切な遺伝カウンセリングを行った後に実施する[5)]。

2 遺伝学的検査のタイミング

- HBOCの診断を目的にBRACAnalysisを実施する場合、術前であれば術式の選択やリスク低減手術を同時に受けるかという意思決定にも影響するため、**遅くとも手術の3週間前**には検査する。
- PARP阻害薬のコンパニオン診断で病的バリアントがみつかった場合や、がん遺伝子パネル検査で二次的所見が得られた場合に

表1　*BRCA1/2*遺伝学的検査前の説明内容

検査の目的	コンパニオン診断の場合でもHBOCと診断される可能性があること。
HBOCについて	自然歴や遺伝形式など。
検査の限界	*BRCA1/2*以外の遺伝子が関与している可能性、病的意義不明バリアントが検出される可能性、調べていない領域でのDNAの変化が、がんの発症に影響している可能性があること。
治療選択への影響	検査の結果が術式やリスク低減手術、薬剤の選択に関わること。
遺伝学的検査を受けるメリットとデメリット	治療やリスク低減手術などの選択肢が増える可能性がある一方、新たながんの発症や血縁者への遺伝に対する不安など、心理的負担が増える可能性があること。
血縁者への影響	病的バリアントがみつかった場合、その情報共有が血縁者の健康管理において有用性が高いこと。

は、患者の病状が進行していることが多く、血縁者の健康管理に有用性が高いと考えられる情報を血縁者に伝えることが難しくなる可能性がある。特に患者が若く、その子どもが未成年である場合、慎重な対応が必要であるが、結果を託すキーパーソンについて配偶者や両親など家族を交えて早い段階で相談することも考慮する。

3 病的意義不明バリアント (variants of uncertain significance；VUS)

- 日本人の*BRCA1/2*遺伝学的検査のデータでは、6.9%にVUSが検出されたという報告がある[6]（Myriad社のデータでは2.1%・アジア人4.6%[7]）。
- VUSは現時点では、乳がんや卵巣がんの発症に関連するかどうか不明であり、その遺伝情報をサーベイランスなどの医学的管理方針の決定に利用することができない。そのため被検者の既往歴や家族歴、そのほかのリスク因子の情報からHBOCが疑われる程度に応じたサーベイランス計画を提案するよう推奨されている。
- VUSの解釈は将来変わる可能性がある。定期的な確認が必要であり、解釈が変更された場合は、被検者に連絡できるようにしておく。

4 マルチ遺伝子パネル検査

- 遺伝性の乳がんを疑うが、*BRCA1/2*に病的バリアントがみつからない場合に、乳がんの発症リスクに関連する複数の生殖細胞系列の遺伝子を一度に解析するマルチ遺伝子パネル検査も選択肢の一つである。この検査は基本的には自費であり、以下の特徴があるため慎重に検討されるべきである。
- 浸透率*が中等度の遺伝子が含まれるパネルがある。こうした遺伝子に病的バリアントが検出されても、多くの場合、明確な対策指針がない。血縁者のがん発症のリスク評価も難しく、バリアント情報から推奨されるリスク管理は、家族歴をもとに推奨されるリスク管理と変わらない。
- まれではあるが複数の遺伝子に病的バリアントがみつかる可能性がある。調べる遺伝子数に応じて病的バリアントの検出率は上がるが、VUSやモザイクなどが検出される割合が増える。選択する検査会社により検査精度やバリアントの解釈に違いがあることがある。

*浸透率：遺伝性疾患の原因となる遺伝子変異をもつ個人が、その病気を発症する確率。

C 遺伝カウンセラーの役割と遺伝診療体制

- 遺伝カウンセラーは遺伝性腫瘍のリスクのある患者の拾い上げとリスク評価、担当医への報告、遺伝学的検査や疾患の説明文書・資料の作成、遺伝学的検査の結果の解釈と説明、HBOCと診断された方への継続した支援や家族歴の更新などをさまざまな専門職と協力して行い、保因者のサーベイランスを行うにあたり各診療科との連携、他院との連携などの調整役を担う。
- 人の多様性に基づいた遺伝情報を有効に利用し疾患の治療や早期発見、予防に役立てることが遺伝医療の目的である。患者が等しく遺伝医療を活用することができるように、遺伝専門職がいない施設においても、遺伝性腫瘍の可能性のある患者の拾い上げ、遺伝性のリスク評価、遺伝に関する情報提供、必要に応じて遺伝専門職に紹介するなどの体制を構築することが望まれる。

（井上田鶴子）

文献

1）Momozawa Y, et al. Nat Commun 2018; 9: 4083. PMID: 30287823
2）AMEDゲノム創薬基盤研究事業. 医療現場でのゲノム情報の適切な開示のための体制整備に関する研究 報告書. 2020.3.
https://www.amed.go.jp/content/000064690.pdf
3）Mandelker D, et al. Ann Oncol 2019; 30: 1221-31. PMID: 31050713
4）Meric-Bernstam F, et al. Ann Oncol 2016; 27: 795-800. PMID: 26787237
5）日本医学会. 医療における遺伝学的検査・診断に関するガイドライン. 2011年2月.
http://jams.med.or.jp/guideline/genetics-diagnosis.pdf
6）Yamauchi H, et al. Breast Cancer Res Treat 2018; 172: 679-687. PMID: 30203341
7）Eggington JM, et al. Clin Genet 2014; 86: 229-37. PMID: 24304220

参考文献

1）「わが国における遺伝性乳癌卵巣癌の臨床遺伝学的特徴の解明と遺伝子情報を用いた生命予後の改善に関する研究」班, 編. 遺伝性乳癌卵巣癌症候群(HBOC)診療の手引き. 東京: 金原出版; 2017.
2）Daly MB, et al. J Natl Compr Canc Netw 2010; 8: 562-94. PMID: 20495085

新規薬剤、未承認薬へのアプローチ
－研究段階であることを理解し、十分な情報収集を行う－

患者の病態によっては標準治療が適さない場合があり、治療方法を選択するにあたっては未承認薬の使用も検討される。新規の医薬品は臨床試験により有効性・安全性が確認された後、国から承認を受けて発売されるが、未承認薬は、

①いずれの国においても承認されていないもの

②米国や欧州などの海外で承認されているが、わが国では承認されていないもの

③わが国でもある疾患では承認を受けて発売しているが、ほかの疾患では承認されていないもの、がある。

これらは、研究段階の医療として、治験や先進医療、患者申出療養、それ以外の臨床研究の下で使用する（図1）。研究段階であることを理解し、十分な情報収集を行い、臨床研究の参加基準、研究方法などを確認したうえで検討する。未承認薬へのアプローチについて解説する。

A 治験とは何か

国（厚生労働省）から承認を受けるため、新しい医薬品や医療機器などの有効性や安全性に関するデータを収集する目的で行われる臨床試験のことであり、医薬品医療機器等法において定義されている。非臨床試験で確認された有効性や安全性を健康人や患者で確認するものであり、**「医薬品の臨床試験の実施の基準に関する省令」（Good Clinical Practice；GCP）**を遵守し実施される。この省令は国際的なガイドラインである**医薬品規制調和国際会議（International Council for Harmonisation of Technical Requirements for Pharmaceuticals for Human Use；ICH）-GCP**をわが国でも受け入れ、法制化された。治験には次の3つがある。

1 企業治験

医薬品や医療機器等を開発している企業が計画し、専門医のいる医療機関と契約して実施する。治験の多くがこの企業治験として行われている。

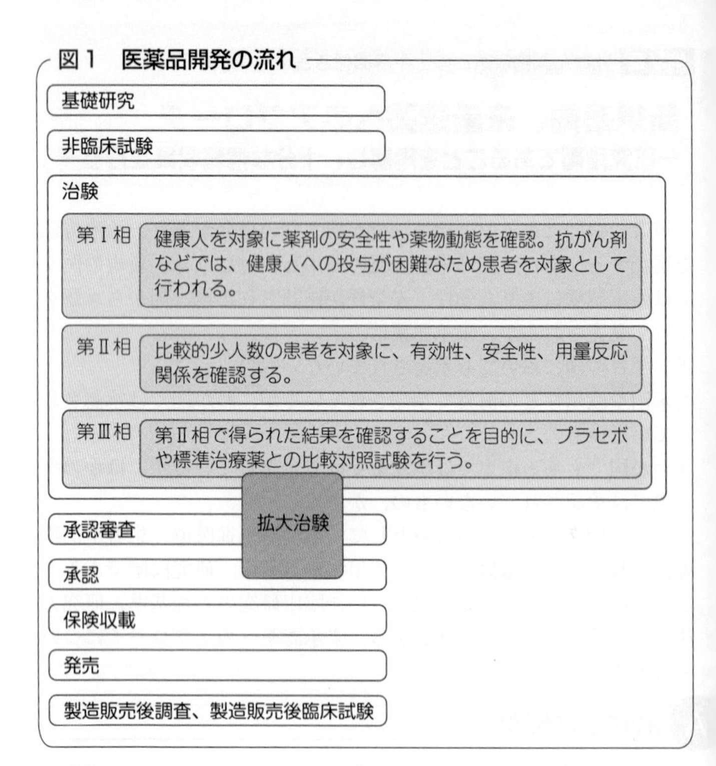

2 医師主導治験

企業が採算性などの理由で積極的には開発せず、海外では承認されているがわが国では承認されていない、もしくはある疾患に対して承認されていない医薬品がある。このような場合、医療上の必要性が吟味され、医師自らが治験を計画することが制度化されている。

3 拡大治験

生命に重大な影響があり、既存の有効な治療法がない疾患の治療のため、患者への利益が期待できる治験中の医薬品・医療機器などを、治験の参加基準に満たない患者へ提供する仕組みとして導入された。国内開発の最終段階にある治験の実施中（治験参加募集は終了）または終了後で、承認前にある治験薬・治験機器などで行う。治験期間中の医療費については、保険外併用療養費制度における評価療養の対象となり、一部は企業や自ら治験を実施する医師が負担する。

B 医療機関における治験の実施プロセス

医療機関で治験を実施する際、医療機関および治験責任医師には、治験が定められた期間内に着実に実施されるよう、体制の構築および被験者となる患者の選定、GCPや治験実施計画書に基づいた実施が求められる。

1 治験開始前

企業治験では、治験を計画し医療機関に実施を依頼する企業（治験依頼者）が、GCPに則って治験を実施できる医療機関および治験責任医師を選定するため、医療機関に対して事前調査を行う。医療機関には、必要とされる観察や検査が実施でき、緊急時に被験者に対して必要な措置をとることができるなどが求められる。

治験責任医師は治験実施チームにおける責任者であり、GCPを熟知して遵守すること、募集期間内に適格な被験者を集めることが可能な実績があることなどが求められる。治験実施計画書などを確認し、インフォームド・コンセントに使用する説明文書・同意書を作成する。必要な書類の準備が整えば、**治験審査委員会（Institutional Review Board；IRB）**で審査され、承認されれば、実施医療機関の長と治験依頼者との間で契約が締結され治験を開始することができる。

治験責任医師は、スタートアップ・ミーティング（関連部門のスタッフや治験依頼者の担当者が一堂に会し、治験を運用するうえでの手順や役割分担、実施上の問題点などを話し合う会）を主催する。

2 治験実施中

治験責任医師は被験者候補となる患者を選定する。診療を担当している患者や他院からの紹介患者に候補となる患者がいれば、選択基準・除外基準を確認する。当該患者に、治験についてIRBで承認された説明文書を用いて説明し、自由意思により参加を検討してもらう。参加の同意が得られれば、スクリーニング検査で適格性を確認し、治験スケジュールに基づいて、治験薬の投与、検査や診察を行う。有害事象の有無に注意し、発生時は速やかに必要な処置を行い、治験薬との因果関係などを評価する。得られたデータを症例報告書として、データセンターへ提出する。

3 治験終了後

契約で定められた期間、治験に関連した書類を保管する。すべての期間を通じ、GCPで規定される治験依頼者などによる治験の質や信頼性の維持を目的としたモニタリング・監査を受け入れ、対応する。

C 先進医療

国(厚生労働大臣)が定める高度の医療技術を用いた治療法で、保険診療とすべきか否かの評価が必要と定められたものである。基準を満たしていることが厚生労働大臣に認められた医療機関でのみ実施できる。先進医療部分の費用は通常全額自己負担であり、そのほかの費用は保険外併用療養費制度において保険給付が認められている。先進医療のうち、臨床研究法に定められた臨床研究に該当する場合は、臨床研究法に則った手続きが行われる。

1 先進医療A

未承認の医薬品・医療機器の使用を伴わない医療技術または未承認の体外診断薬や検査薬を使用するが、使用による人体への影響がきわめて小さいもの。

2 先進医療B

未承認の医薬品・医療機器の使用を伴う医療技術や、未承認の医薬品・医療機器の使用は伴わないが、安全性・有効性の評価が特に必要とされているもの。

3 患者申出療養(図2)

患者の申し出を起点とし、安全性・有効性を確認しながら先進的な医療をできる限り身近な医療機関で受けることができるように制度化されたもの。患者からの申し出に基づき、臨床研究中核病院が

図2　患者申出療養における治療実施までの主な流れ

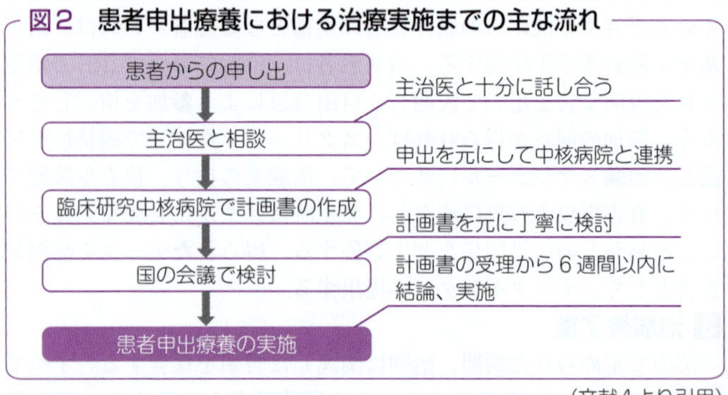

(文献4より引用)

実施計画等書類を作成し、患者が国に申請する。保険外併用療養費制度において保険給付が認められているが、未承認薬など、保険給付が認められない部分については、通常全額自己負担となる。

患者からの申し出があった場合、主治医は大学病院などと連携して以下を行う。

・保険外の治療方法が患者に適しているか情報収集や検討。
・治験や先進医療、既存の患者申出療養が行われているか確認し、参加可能か検討。
・治療計画を立てるための科学的根拠があるか情報取集。

国から実施が認められれば、臨床研究中核病院による患者に身近な医療機関の実施体制を審査後、その医療機関で患者申出療養が実施されることとなる。

D 情報検索の方法について

治験や先進医療、患者申出療養、そのほかの臨床研究については、インターネットで検索することができる。表1に代表的なホームページを紹介する。実施されている治験や臨床研究の問い合わせ窓口や、先進医療・患者申出療養については、実施されている医療技術と実施医療機関を知ることができる。

表1　情報検索に役立つ代表的なホームページ

国立保険医療科学院 患者様やご家族など一般の方向け臨床・治験ポータルサイト 臨床研究情報ポータルサイト	https://rctportal.niph.go.jp/
独立行政法人 医薬品医療機器総合機構 治験情報の公開	https://www.pmda.go.jp/review-services/trials/0019.html
厚生労働省 先進医療の概要について	https://www.mhlw.go.jp/stf/seisakunitsuite/bunya/kenkou_iryou/iryouhoken/sensiniryo/index.html
厚生労働省 患者申出療養	https://www.mhlw.go.jp/moushideryouyou/
UMIN臨床試験登録システム	https://www.umin.ac.jp/
JRCT臨床研究実施計画・研究概要公開システム	https://jrct.niph.go.jp/

E 臨床研究コーディネーター (clinical research coordinator ; CRC)

臨床研究の開始前から終了までをサポートする専門スタッフである。患者が安心・納得して治験・臨床研究に参加できるように診察に同席し、体調の変化を注意深く観察し、不安や疑問が軽減できるように支援する。また、患者や医師だけではなく、看護部・薬剤部・臨床検査科・放射線科・事務部など院内のさまざまな部門や治験依頼企業と関わり、治験・臨床研究が円滑に実施できるように院内を調整する。医療機関によりCRCの役割には差異があるため、治験・臨床研究を実施する際にはどのようなサポートが受けられるか確認しておく。

（羽田かおる）

参考文献

1）日本臨床薬理学会，編．CRCテキストブック第3版．東京：医学書院；2013.
2）国立がん研究センター がん情報サービス 医療関係者向けサイト．https://ganjoho.jp/med_pro/（閲覧日2020年8月1日）
3）厚生労働省．先進医療の概要について．https://www.mhlw.go.jp/stf/ seisakunitsuite/bunya/kenkou_iryou/iryouhoken/sensiniryo/index.html（閲覧日2020年8月1日）
4）厚生労働省．患者申出療養制度．https://www.mhlw.go.jp/moushideryouyou/（閲覧日2020年8月1日）

索引

ね・の

は

ひ

ふ

へ

略語一覧

ARONJ	anti-resorptive agent-related osteonecrosis of the jaw	骨吸収抑制薬関連顎骨壊死
BMA	bone modifying agents	骨修飾薬
BOOP	bronchiolitis obliterans organizing pneumonia	器質化肺炎を伴う閉塞性細気管支
BPPV	benign paroxysmal positional vertigo	良性発作性頭位めまい症
CTRCD	cancertherapeutics-related cardiac dysfunction	がん治療関連心筋障害
CTV	clinical target volume	臨床標的体積
DCIS	ductal carcinoma in situ	非浸潤性乳管がん
DEXA	dual energy X-ray absorptiometry	
EGFR	epidermal growth factor receptor	上皮成長因子受容体
EIC	extensive intraductal component	乳管内進展
ER	estrogen receptor	エストロゲン受容体
G-CSF	granulocyte-colony stimulating factor	顆粒球コロニー刺激因子
HBOC	hereditary breast and ovarian cancer	遺伝性乳がん卵巣がん症候群
HER2	human epidermal growth factor receptor 2	ヒト上皮成長因子受容体2
NCD	National Clinical Database	
NSAIDs	non-steroidal anti-inflammatory drugs	非ステロイド性抗炎症薬
ONJ	osteonecrosis of the jaw	顎骨壊死
PARP	poly (ADP-ribose) polymerase	
PMRT	postmastectomy radiotherapy	
PgR	progesterone receptor	プロゲステロン受容体
QOL	quality of life	生活の質
ROO	rapid onset opioids	即効性オピオイド
SAO	short-acting opioid	短時間作用型オピオイド
SERD	selective estrogen receptor downregulators	
SERMs	selective estrogen receptor modulators	
SNRI	Serotonin and norepinephrine reuptake inhibitor	セロトニン・ノルアドレナリン再取り込み阻害薬
SRE	skeletal related events	骨関連事象
SRS	stereotactic radiosurgery	定位手術的照射
SRT	stereotactic radiotherapy	定位放射線治療
SSRI	selective serotonin reuptake inhibitor	選択的セロトニン再取り込み阻害薬
TNBC	triple-negative breast cancer	トリプルネガティブ乳がん
VEGF	vascular endothelial growth factor	血管内皮細胞増殖因子
YAM	young adult mean	
mTOR	mechanistic target of rapamycin	

団体

ASCO	American Society of Clinical Oncology	米国臨床腫瘍学会
BCTCG	Early Breast Cancer Trialists' Collaborative Group	
MASCC	Multinational Association of Supportive Care in Cancer	国際がんサポーティブケア学会
NCCN	National Comprehensive Cancer Network	
NCI	National Cancer Institute	アメリカ国立がん研究所
NYHA	New York Heart Association	ニューヨーク心臓協会
PMDA	Pharmaceuticals and Medical Devices Agency	独立行政法人医薬品医療機器総合機構
USPSTF	US Preventive Services Task Force	米国予防医学専門委員会

レジメン

AC	ドキソルビシン+シクロホスファミド
AC-TH	ドキソルビシン+シクロホスファミド -パクリタキセル+トラスツズマブ
CAF	シクロホスファミド+ドキソルビシン+フルオロウラシル
CEF	シクロホスファミド+エピルビシン+フルオロウラシル
CMF	シクロホスファミド+メトトレキサート+フルオロウラシル
EC	エピルビシン+シクロホスファミド
FAC	フルオロウラシル+ドキソルビシン+シクロホスファミド
FEC	フルオロウラシル+エピルビシン+シクロホスファミド
TCbH	ドセタキセル+カルボプラチン+トラスツズマブ
XC	カペシタビン+シクロホスファミド
IV	静注
PO	経口
SC	皮下注

検査値等

ALT	アラニンアミノトランスフェラーゼ
ANC	好中球数
AST	アスパラギン酸アミノトランスフェラーゼ
Ccr	クレアチニンクリアランス
Cr	クレアチニン
E_2	エストラジオール
FSH	卵胞刺激ホルモン

Hb	ヘモグロビン
LVEF	左室駆出率
PLT	血小板数
T-Bil	総ビリルビン
TC	総コレステロール
TG	トリグリセリド

cCR	clinical complete response	臨床的完全奏効
pCR	pathological complete response	病理学的完全奏効
PFS	progression-free survival	無増悪生存率(期間)
PS	performance status	

執筆者一覧（執筆順）

川端英孝	虎の門病院乳腺・内分泌外科部長
佐治重衡	福島県立医科大学腫瘍内科学講座主任教授
田中英一	国立病院機構大阪医療センター放射線治療科科長
里見絵理子	国立がん研究センター中央病院緩和医療科長
荒木和浩	群馬県立がんセンター腫瘍内科 化学療法部長／通院治療センター長
石川　孝	東京医科大学乳腺科学分野主任教授
三原由希子	東京医科大学病院乳腺科主任看護師
和田伸子	横浜市立大学附属市民総合医療センター看護部がん化学療法看護認定看護師
川井沙織	がん研究会有明病院乳腺センター
高野利実	がん研究会有明病院乳腺内科部長
八十島宏行	国立病院機構大阪医療センター乳腺外科
安藤正志	愛知県がんセンター病院薬物療法部医長
鈴木育宏	東海大学医学部付属八王子病院乳腺・内分泌外科教授
山口美樹	独立行政法人地域医療機能推進機構久留米総合病院乳腺外科部長
柿原圭佑	独立行政法人地域医療機能推進機構久留米総合病院統括診療部薬剤科主任薬剤師
高島　勉	大阪市立大学大学院医学研究科乳腺・内分泌外科学准教授
上野彩子	広島市民病院乳腺外科
大谷彰一郎	広島市民病院乳腺外科主任部長
柳田康弘	群馬県立がんセンター乳腺科部長
新井隆広	群馬県立がんセンター薬剤部
山村　順	堺市立総合医療センター乳腺内分泌外科副部長
青儀健二郎	国立病院機構四国がんセンター乳腺外科 臨床研究推進部長
石黒　洋	埼玉医科大学国際医療センター乳腺腫瘍科教授
福田貴代	がん研究会有明病院乳腺センター
伊藤良則	日本医科大学客員教授
平良眞一郎	医療法人社団平真会 薬師堂診療所 院長
大谷陽子	国立病院機構大阪医療センター乳腺外科
柏葉匡寛	医療法人財団今井会足立病院 足立乳腺クリニック院長
山中隆司	神奈川県立がんセンター乳腺内分泌外科医長
山下年成	神奈川県立がんセンター乳腺内分泌外科部長
白数洋充	静岡県立静岡がんセンター消化器内科副医長
渡邉純一郎	静岡県立静岡がんセンター女性内科部長
森井奈央	天理よろづ相談所病院乳腺外科
山城大泰	天理よろづ相談所病院乳腺外科部長
中山貴寛	大阪国際がんセンター乳腺・内分泌外科主任部長
増田慎三	国立病院機構大阪医療センター乳腺外科科長
小島康幸	聖マリアンナ医科大学乳腺・内分泌外科准教授
津川浩一郎	聖マリアンナ医科大学乳腺・内分泌外科教授
服部正也	愛知県がんセンター病院乳腺科部医長
神林智寿子	新潟県立がんセンター新潟病院乳腺外科部長
荻谷朗子	がん研究会有明病院乳腺センター乳腺外科医長
水谷麻紀子	国立病院機構大阪医療センター乳腺外科
土井原博義	岡山大学病院乳腺・内分泌外科教授
前田基一	富山県立中央病院外科部長
山本　豊	熊本大学大学院生命科学研究部乳腺・内分泌外科准教授
菰池佳史	近畿大学医学部外科学教室乳腺内分泌外科部門教授
村上通康	松山赤十字病院薬剤部部長

川口英俊	松山赤十字病院乳腺外科部長
枝園忠彦	岡山大学病院乳腺・内分泌外科研究准教授
突沖貴宏	岡山大学病院乳腺・内分泌外科
脇田和幸	茶屋町ブレストクリニック院長
鶴谷純司	昭和大学先端がん治療研究所所長
土井卓子	湘南記念病院乳がんセンター長
大西　舞	がん・感染症センター 都立駒込病院外科(乳腺)
平　成人	岡山大学病院乳腺・内分泌外科准教授
坂井威彦	がん研究会有明病院乳腺センター乳腺外科医長
坂東裕子	筑波大学医学医療系乳腺甲状腺内分泌外科准教授
片岡明美	がん研究会有明病院乳腺センター乳腺外科医長
小林　心	がん研究会有明病院乳腺センター乳腺内科医長
深田一平	がん研究会有明病院乳腺センター乳腺内科医長、ゲノム診療部副医長
阿南節子	大阪ブレストクリニック
松並展輝	JA山口厚生連 周東総合病院 乳腺外科部長
森本　卓	八尾市立病院乳腺外科部長
長谷川裕子	国立病院機構大阪医療センター消化器内科
中水流正一	国立病院機構大阪医療センター消化器内科医長
三田英治	国立病院機構大阪医療センター副院長
石飛真人	三重大学医学部附属病院乳腺外科准教授
中村力也	千葉県がんセンター乳腺外科主任医長
山本尚人	千葉県がんセンター乳腺外科部長
西村健作	国立病院機構大阪医療センター泌尿器科科長
内藤陽一	国立がん研究センター東病院乳腺・腫瘍内科医長
向井幹夫	大阪国際がんセンター成人病ドック科主任部長
池田雅彦	福山市民病院乳腺甲状腺外科統括科長
佐藤康幸	国立病院機構名古屋医療センター乳腺外科部長
林　孝子	国立病院機構名古屋医療センター乳腺外科
加藤恭子	愛知県がんセンター病院薬物療法部
川崎賢祐	広島市立広島市民病院乳腺外科部長
松田　理	国立病院機構大阪医療センター眼科医長
藤山理恵	長崎大学生命医科学域 総合歯科臨床教育学
二村　学	岐阜大学大学院腫瘍制御学講座 臨床教授
重松英朗	呉医療センター・中国がんセンター乳腺外科科長
和田知未	大阪鉄道病院緩和ケア内科
増田紘子	昭和大学病院乳腺外科講師
明石定子	昭和大学病院乳腺外科教授
小澤健太郎	国立病院機構大阪医療センター皮膚科科長
田口哲也	京都府立医科大学名誉教授
野澤桂子	目白大学看護学部看護学科教授
藤井千賀	堺市立総合医療センター薬剤科
本田　健	帝京大学医学部内科学講座腫瘍グループ
山岡尚世	帝京大学医学部形成・口腔顎顔面外科学講座講師
山岡桂子	帝京大学薬学部名誉教授
吉留克英	大阪警察病院乳腺・内分泌外科部長
森川希実	岡山赤十字病院乳腺・内分泌外科医長
鍛治園　誠	岡山大学病院薬剤部
佐久間一郎	カレスサッポロ北光記念クリニック所長
野々山由香理	カレスサッポロ北光記念クリニック薬剤科課長
井上賢一	地方独立行政法人　埼玉県立病院機構　埼玉県立がんセンター乳腺腫瘍内科科長
上平朝子	国立病院機構大阪医療センター感染症内科科長

平岡慎一郎　大阪大学大学院歯学研究科口腔外科学第一教室
巽　啓司　国立病院機構大阪医療センター産婦人科部長
南　裕佳子　天神橋ゆかこレディースクリニック院長
末富崇弘　茨城西南医療センター病院泌尿器科科長
田村研治　島根大学医学部附属病院腫瘍内科教授
加藤　研　国立病院機構大阪医療センター糖尿病内科科長
鈴木重明　慶應義塾大学病院神経内科准教授
橋本久仁彦　公益財団法人日本生命済生会 日本生命病院院長補佐／総合内科主任部長
長島一哲　北海道大学病院消化器内科
森田　道　長崎大学大学院医歯薬総合研究科移植・消化器外科
前田茂人　国立病院機構長崎医療センター外科医長
石田敦子　聖マリアンナ医科大学呼吸器内科非常勤講師
宮澤輝臣　宮澤内科・呼吸器クリニック院長
峯下昌道　聖マリアンナ医科大学呼吸器内科教授
長谷川善枝　弘前市立病院副院長・乳腺外科科長
小出雅雄　ゆみのハートクリニック
佐藤　雄　聖路加国際病院整形外科医幹
天羽健太郎　聖路加国際病院整形外科副医長
林　直輝　聖路加国際病院ブレストセンター乳腺外科医長
久田原郁夫　国立病院機構大阪医療センター臨床腫瘍科・腫瘍外科科長
丸山隆志　東京女子医科大学脳神経外科講師
熊谷敦世　医療法人英仁会 大阪ブレストクリニック看護部
中根　実　日本赤十字社 武蔵野赤十字病院腫瘍内科部長
田中希世　虎の門病院乳腺内分泌外科
澤木正孝　愛知県がんセンター乳腺科部医長
関根克敏　さいたま市立病院腫瘍センター・内科医長
清水千佳子　国立国際医療研究センター病院乳腺・腫瘍内科診療科長
原　文堅　がん研究会有明病院乳腺センター 乳腺内科医長
小宮山哲史　横浜市立大学附属市民総合医療センター化学療法部
大熊ひとみ　国立がん研究センター中央病院乳腺・腫瘍内科
吉波哲大　大阪大学大学院医学系研究科乳腺・内分泌外科学
北野敦子　聖路加国際病院腫瘍内科医幹
山内英子　聖路加国際病院乳腺外科部長
高井　健　埼玉県立がんセンター乳腺腫瘍内科医長
永井成勲　埼玉県立がんセンター乳腺腫瘍内科副部長
松本久宣　国立病院機構大阪医療センター産婦人科
筒井建紀　JCHO大阪病院産婦人科診療部長
四方文子　国立病院機構大阪医療センター看護部
平岡　晃　コマツ健康増進センタ副所長
高橋　都　国立がん研究センターがん対策情報センターがんサバイバーシップ支援部客員研究員
阿部恭子　東京医療保健大学千葉看護学部看護学科教授
青野奈々　国立病院機構大阪医療センター臨床腫瘍科
庄野裕志　東近江総合医療センター副薬剤部長
服部雄司　国立循環器病研究センター副薬剤部長
馬塲奈央　国立病院機構大阪医療センター看護部
多田　寛　東北大学大学院医学系研究科乳腺・内分泌外科学分野准教授
井上田鶴子　大阪国際がんセンター遺伝子診療部
羽田かおる　国立病院機構大阪医療センター臨床研究推進室 副看護師長

改訂第2版 乳がん薬物療法 副作用マネジメント プロのコツ

2017年 9月13日　第1版 第1刷発行
2017年12月 1日　　　　第2刷発行
2021年 6月 1日　第2版 第1刷発行
2022年 5月20日　　　　第2刷発行

■編　集　増田慎三　　ますだ のりかず

■発行者　吉田富生

■発行所　株式会社メジカルビュー社
〒162-0845　東京都新宿区市谷本村町2-30
電話　03（5228）2050（代表）
ホームページ　https://www.medicalview.co.jp/

営業部　FAX 03（5228）2059
E-mail　eigyo@medicalview.co.jp

編集部　FAX 03（5228）2062
E-mail　ed@medicalview.co.jp

■印刷所　株式会社三美印刷

ISBN978-4-7583-1814-3　C3047